4th Edition

POWER MANUAL SER

의사국가고시 | 레지던트시험 | 외과전문의

Korea Medical Licensing Examination

POWER

Surgery

외과 _각론

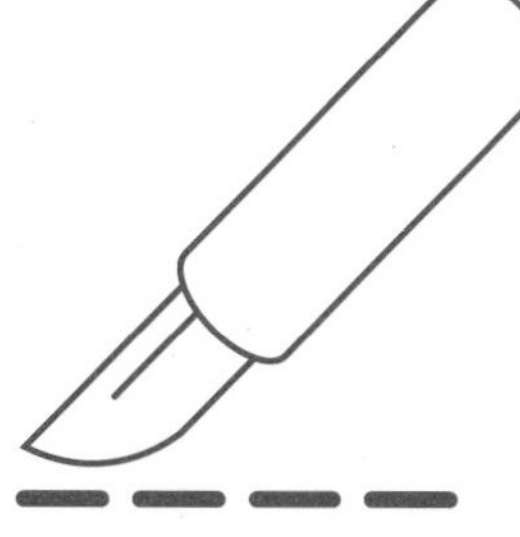

2

Surgery

파워외과 (각론) 4th ed.

첫째판 1쇄 발행 | 2004년 7월 25일
둘째판 1쇄 발행 | 2006년 8월 30일
셋째판 1쇄 발행 | 2009년 5월 30일
넷째판 1쇄 인쇄 | 2017년 2월 10일
넷째판 1쇄 발행 | 2017년 2월 24일

지 은 이 김세준
발 행 인 장주연
편집디자인 조원배
일 러 스 트 유학영
표지디자인 이상희
발 행 처 군자출판사
등록 제 4-139호(1991. 6. 24)
본사 (10881) 경기도 파주시 회동길 338(서패동 474-1)
전화 (031) 943-1888 팩스 (031) 955-9545
홈페이지 | www.koonja.co.kr

ISBN 979-11-5955-151-2
979-11-5955-149-9(세트)

2권 세트 50,000원

POWER

Surgery

외과 _각론

머리말

preface

이번「파워 외과」개정판 출간을 통해 파워시리즈의 공백을 채울 수 있게 되어 영광입니다.
이 책의 목표는 의과대학(원) 학생 및 전공의의 외과 학습 효율을 높이는 데 있으며,
이 책의 특징은 다음과 같습니다.

- Sabiston 20판을 중심으로 최근 외과학의 경향을 반영하였습니다.
- 표, 그림 등 시각적인 편집을 강화하여 학습의 지루함을 덜고 이해를 돕도록 하였습니다.
- 최근 국가고시 기출 (2012년도~2017년도) 및 임상적인 중요도를 표시하였습니다.
- 단순 암기보다는 이해를 통한 학습을 위해 해설을 보강하였습니다.

이 책은 각종 학생시험 뿐 아니라 외과 전문의 자격시험을 대비하는데 도움이 되도록, 외과의 주요 전 영역을 다루었습니다. 따라서 국가고시를 준비하는 의과대학(원)생이 이 책을 보실 때에는 중요도 위주로 학습하는 것을 권장합니다.

이번 개정판은 오랜 공백 이후 출간된 만큼, 텍스트의 구성을 좀 더 체계적이고 보기 쉽게 편집하였습니다. 또한 최신 경향에 맞추어, 새롭게 바뀐 사비스톤 20판 교과서 및 진단/치료 가이드라인 등을 포괄적으로 반영하도록 노력하였습니다. 따라서 국가고시 대비 뿐 아니라 외과학 전반의 통합적인 이해를 위해서도 유용한 참고도서가 될 것이라고 생각합니다.

늘 소중한 가르침과 모범을 보여주신 가톨릭대학교 의과대학 외과학교실의 교수님들께 이 자리를 빌어 감사의 말씀 드리며, 특별히 본 책의 원저자이시자, 저희가 이번 개정판을 함께 집필할 수 있도록 배려해주신 김세준 교수님께 무한한 감사를 드립니다. 또한 바쁜 와중에도 소중한 시간을 할애하여 집필에 참여해준 학우들에게 고마움과 격려, 그리고 자랑스럽다는 말을 남기고 싶습니다.

이번「파워 외과」개정판이 출간되기 까지 많은 도움을 주신 군자출판사 장주연 사장님, 편집을 맡아 큰 수고를 해 주신 옥요셉 편집자님, 그리고 일러스트를 담당해주신 김경렬님께도 역시 큰 감사를 드립니다.

2017년 1월

가톨릭대학교 의과대학 외과학교실 김 세 준 교수
가톨릭대학교 의과대학 · 의학전문대학원 학생회 및 58회 졸업생 집필진

목차

contents

Surgery 총론

Surgery 각론

Power ★☆☆☆☆

01 두경부 외과학

Head and Neck

해부

1. 목 삼각 (Triangle) :

SCM을 경계로 Ant. & Post. triangle로 구분되고 각각은 또한 아래의 그림에 따라 세분된다.

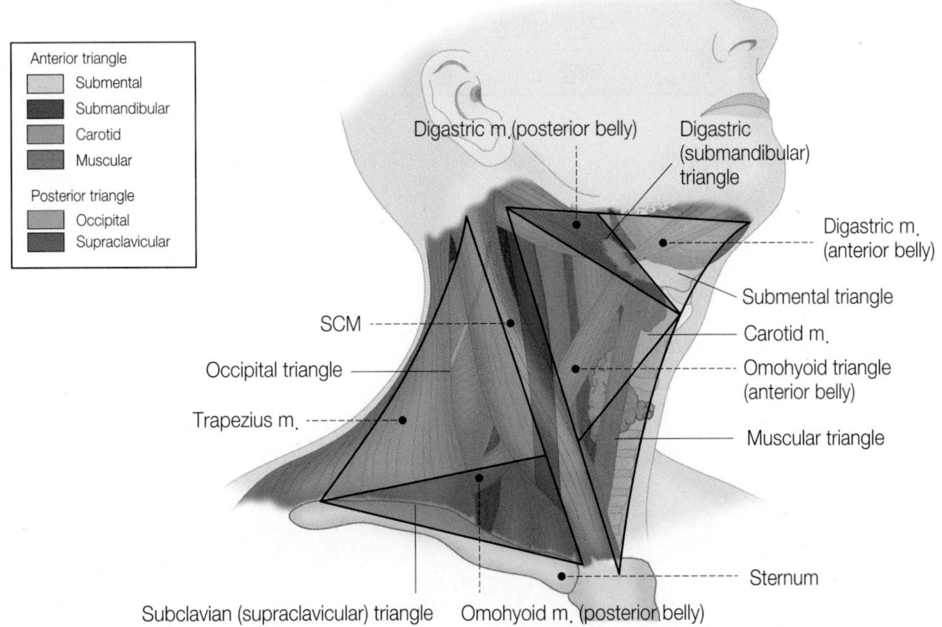

Anterior Triangle	Posterior Triangle
① Submental	① Occipital
② Submandibular	② Supraclavicular
③ Muscular	
④ Carotid	

두경부암

■ 특징

• **용어정리**

동시성 (Synchronous) → 일차암 발견 **6개월 내**로 발견된 경우

후시성 (Metachronous) → 일차암 발견 **6개월 이후** 발견된 경우

• 전체적인 second primary tumor는 14%로서, 적어도 절반은 first prmary lesion으로부터 2년 내에 발생한다.

• **Upper areodigestive tract tumor**의 첫 진단시 Staging evaluation (direct Laryngoscopy, CXR, Barium swallowing)을 시행하여 second primary lesion 여부를 확인한다.

ex)

[Primary Tumor]		[Second primary tumor]
구강 및 인두암시	→	경부 식도암
후두암시	→	폐암

• **두경부암 기원의 6가지 분류 (by AJCC)**

① 입술(lip) 및 구강(oral cavity)

② 인두(pharynx)

③ 후두(larynx)

④ 비강(nasal cavity) 및 부비동(paranasal sinuses)

⑤ 주요 침샘(major salivary glands)

⑥ 갑상샘(thyroid)

■ 역학

- 대부분은 편평 세포암 (Squamous cell Ca.), 남성이 더 많기는 하지만, male-to-female ratio는 꾸준히 감소 중
- 위험인자 ★

① **흡연, 음주★**, Plummer-Vinson 증후군, 식이, 영양 구강위생, 유전적변이 및 태양광선 노출

② **직업과 연관** : Nickel Refining, Wood-Working, Textile Fibers

※야채 및 과일은 발생빈도를 줄인다.

③ **바이러스** : HPV (Human Pailloma Virus), EBV

④ 소아에선 경부의 염증성 및 선천적질환

- 성인 : 종괴 〉 2cm 시 80% 악성가능성이 있다.
- 전구질환

① Leukoplakia : 11-15% of Dysplasia, 3-5% Of Carcinoma

② Erythroplasia : In Situ or Invasive Cancer In 54-64%

■ 진단

1. 증상

- Odynophagia
- 체중감소
- Oral fetor
- 이통 (Otalgia)
- Serous otitis media
- 비폐쇄 (Nasal obstruction)
- Facial pain
- 이차 감염
- 루형성 (Fistulization)
- 기도폐쇄
- Dysphagia
- Loose dentation
- Trismus
- 경부종괴 (Neck mass)
- Epistaxis
- Cranial neuropathies
- 흡입 (Aspiration)
- 출혈

2. 경부 림프절 종대에서 악성을 시사하는 소견

① **40세** 이상

② 장기간의 **흡연, 음주**

③ **무통성**의 경부종괴

④ **기도 압박** 증상

⑤ **3주** 이상의 **Hoarseness**

⑥ **3주** 이상의 **Sore Throat**

⑦ 치유되지 않는 **궤양**

⑧ **방사선 조사력**

⑨ 두경부암의 **과거력**

추가노트

☞ 두경부암의 빈도

SCC(m/c; 88.9%) 〉 **선암** 〉 **림프종**

3. 진단을 위한 검사

- P/Ex, Indirect laryngoscopy, nasopharyngoscopy, bronchoscopy
- CT, MRI, scraping cytology, FNAB (96-100% accuracy)
- Barium swallowing, CXR (for R/O lung meta)

■ 치료

1. 수술

1. 근치 목수술 (RND : Radical Neck Dissection1. Radical Neck Dissection)

- SCM, IJV (Int. Jugular Vein), 11번 뇌신경, Submandibular Gland, Cervical Plexus, level I-V까지의 림프절을 제거한다.

2. 변형 근치 목수술 (MRND : Modified Radical Neck Dissection)

- 림프계이외의 구조물은 **보존**한다.
  └ **11번 뇌신경, SCM** 혹은 **IJV**

3. 선택적 목수술 (Selective Neck Dissection)

- classical RND에서 제거되는 **림프성 구조물**도 **보존**함
- **종류** : Supraomohyoid Dissection, Lateral Neck Dissection, Posterolateral Neck Dissection

(그림) Neck의 Surgical Management의 방법들

Radical neck dissection

Supraomohyoid neck dissection

Levels(1-6) describing location of lymph nodes in neck

Modified radical neck dissection

Posterolateral neck dissection

Lateral neck dissection

Anterior compartment neck dissection

---

2. 방사선 치료

① 수술을 할 것인지 RTx를 할 것인지의 결정은 **일차종양의 치료방법**에 따른다.

즉, 일차종양을 **수술**한 경우 → 그 후에도 **수술**을 고려한다.
일차종양에 대해 RTx를 시행한 경우 → 그 후에도 RTx

② **RTx 후의 수술**은 Definitive RTx 후에도 **잔여질환**이 있을 경우 고려하자.

③ **수술 후의 방사선치료** (Ajuvant Radiotherapy)를 시행하는 경우

a. 종양의 **피막 밖**으로 퍼짐 (extracapsular spread)
b. **신경주위** 침범 (perineural invasion)
c. **혈관** 침범 (vascular invasion)
d. 병변이 주변조직에 **고정(fix)**되어있을 때
e. **다발성 양성 림프절시**

3. 항암 치료

: 절제가 불가능하거나 전이된 경우에 주로 한함

추가노트

cf) 방사선치료가 효과적이지 않은 경우
① large-volume
② low-grade neoplasm
③ 종양이 mandible에 인접한 경우(→ osteoradio- necrosis의 위험)

NASOPHARYNX

① **두경부암중 원발병소의 증상보다 경부종괴를 주증상으로 하는 경우가 많다.**

② **위험인자** : 호발지역 (남중국 등), **흡연**, EBV감염

③ **치료** : 항암요법 + 방사선요법 ★

(SCC & undifferentiated nasopharyneal tumor의 표준치료)

침샘 종양 (SALIVARY GLAND TUMORS)

• 두경부암 중 3-4%

주요 샘: 귀밑샘 (parotid), **턱밑샘** (submandibular), **혀밑샘** (sublingual glands)

기타 샘: submucosa of upper aerodigestive tract

• **악성을 시사하는 소견**

> 급격한 성장, 통증, 마비, 피부근육 약화,
> 피부침범, 고정 Trismus
> └ masseter나 pterygoid m. 침범과 관련

• **귀밑샘 종양 (Parotid gland tumor) : 80% 양성 턱밑샘 및 혀밑샘 종양 > 50% 악성**

• 침샘종양에 대한 치료는 **외과적 절제**이며, 방사선치료는 보조적으로 특수한 적응증에 해당할 때만 (→ 두경부암의 방서선 치료 적응증과 동일) 시행한다.

(표) Major & Minor Salivary Gland tumor

양성	악성
• Pleomorphic adenoma (m/c) • Warthin tumor • Capillary hemangioma • Oncocytoma • Basal cell adenoma • Canalicular adenoma • Myoepithelioma • Sialadenoma papilliferum • Intraductal papilloma • Inverted ductal papilloma	• Mucoepidermoid Carcinoma (m/c) • Acinic cell carcinoma • Adenoid cystic carcinoma • Polymorphous low-grade adenocarcinoma • Epithelial-myoepithelial carcinoma • Basal cell adenocarcinoma • Sebaceous carcinoma • Papillary cystadenocarcinoma • Mucinous adenocarcinoma • Oncocytic carcinoma • Salivary duct carcinoma • Adenocarcinoma • Myoepithelial carcinoma • Malignant mixed tumor • Squamous cell carcinoma • Small cell carcinoma • Lymphoma • Metastatic carcinoma • Carcinoma ex pleomorphic adeno

■ 귀밑샘 종양 (Parotid Gland Tumor)

• 침샘종양의 85%

1. 특징

① **증상** : 잘 경계지어진 천천히 자라는 종괴. 10-15%에서만 통증 및 마비증상

② **진단**

• **MRI : 가장 민감하나 양성, 악성을 구분하지는 못한다.**

• FNAB (Fine needle aspiration biopsy) : 악성도를 70-80% 진단가능

③ **귀밑샘 부위에서의 Facial n.의 분지들(5개 분지)**

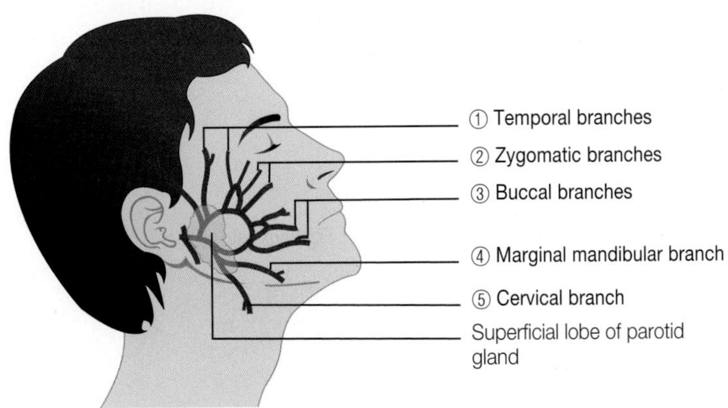

추가노트

• **facial n.에 대한 처리**
: 종양이 facial n.와 붙어있어도, 육안적으로 종양을 남기지 않고 dissection이 가능하면 신경을 보존하고, facial n.가 종양에 의해 둘러싸여있어 이를 남기면 육안적으로 종양을 남기는 결과를 초래하는 경우 신경을 절단한다.

④ **병리** :

Pleomorphic adenoma	Mucoepidermoid carcinoma ★
• **가장 흔한 침샘종양** (40-70%) • 40-50대에 호발 • **치료** : **완전절제** 재발률: 1-5%	: m/c **귀밑샘에서의 악성종양**, 10년 생존율 50%

2. 치료 【17】

- lat. lobe의 귀밑샘 종양 → Supf. parotidectomy
- deep lobe를 침범한 경우 혹은 악성종양 → Total parotidectomy

• 수술 (Parotidectomy) 후의 **합병증**

① **식사** 시 환측성의 **발적** 및 **통증** → Trigeminal n. 손상
② **이마**에 **주름**을 만들 수 없으면 → Facial n.의 Temporal br. 손상
③ **식사** 시 환측부위 (preauricular area)의 비정상적인 **발한**을 호소
(Frey's syndrome or gustatory sweating) → Auriculotemporal n. 손상

■ 턱밑샘 및 혀밑샘 종양 (Submandibular & Sublingual Gland Tumor)

• 턱밑샘에서 종괴가 만져질 때의 가장 흔한 원인 → 턱밑샘의 Ductal obstruction
• **50% 가량이 악성임**. adenoid cystic carcinoma

① **진단** : 병력청취, X-ray (→ stone과 감별)
② **치료** : **절제**
※ **턱밑샘 수술 시 조심해야 하는 신경**
: Facial n.의 marginal mandibular branch Lingual n. 및 Hypoglossal n.

 추가노트

cf) 참고로, 결석이 가장 많이 발생하는 타액선 → 턱밑샘

■ 기타 침샘 종양 (Minor Salivary Gland Tumors)

- 75%가 **악성**임
- Malignant Adenoid cystic adenoma (m/c)
- 경구개와 연구개가 만나는 부위 : 가장 많이 발생하는 부위

결핵성 림프염 (TUBERCULOUS LYMPHADENITIS)

- 만성림프염의 **가장 흔한** 원인
- 어느 연령대나 생길 수 있으나, **20-30대**가 많다.

① **병리** : tubercle, caseation, fibrosis, giant cell, lymphocytosis, congregation, cold abscess, sinus, fistula
② **증상** : 피로, 식욕저하, 발열, 체중감소, 증상이 없이 경부 림프절이 만져짐
③ **진단** : FHx, CXR, skin test, 생검, acid-fast staining, 배양검사, PCR
④ **치료** :

- 1-2년간 **항결핵제** 복용
- **외과적 절제술 적응증** ★

a. 다른 질환과의 **감별**을 위해
b. **농양**이 형성되어 병소 주위 피부의 **파열**이 있을 때
c. **누공**이 형성된 경우
d. 항결핵제복용 후에도 **크기 증가**시

Power ★★★★★

02 유방질환

Diseases of the Breast

관련 해부학

① Total mastectomy는 breast를 pectoralis m.과 분리하는 것으로 retromammary space와 근육 위의 deep fascia가 포함된다.

② **림프절** level

a. **Level I** : pectoralis minor의 **Lateral border 쪽**
b. **Level II** : pectoralis minor **아랫쪽**
c. **Level III** : pectoralis minor의 **Medial border 쪽**

※ 림프 배액은 axillary lymph node로 75%, internal mammary lymph node로 5%, 두 그룹이 동시에 가는 경우가 20% 이다.

※ Internal mammary, interpectoral (Rotter' s) node는 central node의 침윤 없이 전이되는 경우는 드물다.

(그림) axillany LN의 Levels

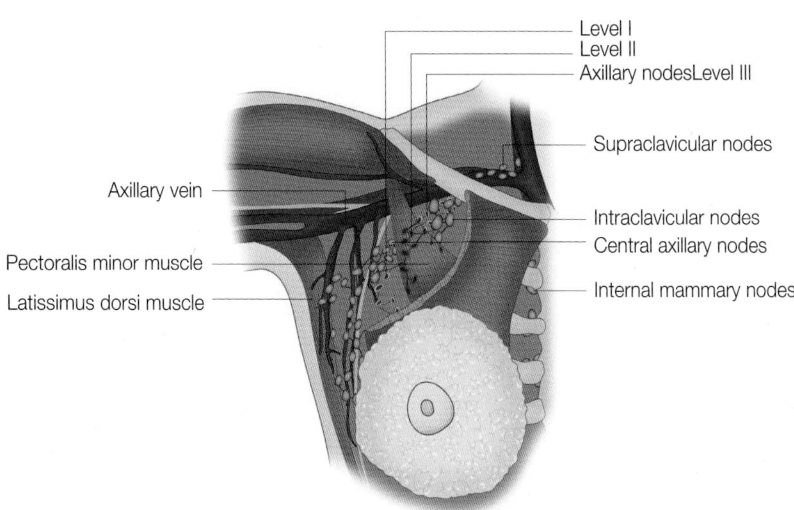

 추가노트

cf) Rotter' s node (Interpectoral group) : pectoralis major와 minor muscle 사이의 LN

③ 수술 시 손상받기 쉬운 신경 ★

a. Long thoracic n. : Serratus ant. m. 지배

손상 시 winged scapula ★

b. thoracodorsal n. : Latissimus dorsi M.

손상 시 Arm Internal rotation, adduction 장애

c. Medial & Lat. pectoral nn. : Pectoralis major & minor mm. 지배

d. Intercostal brachial n. : Upper arm의 undersurface 및 chest wall의 피부쪽 감각에 관여

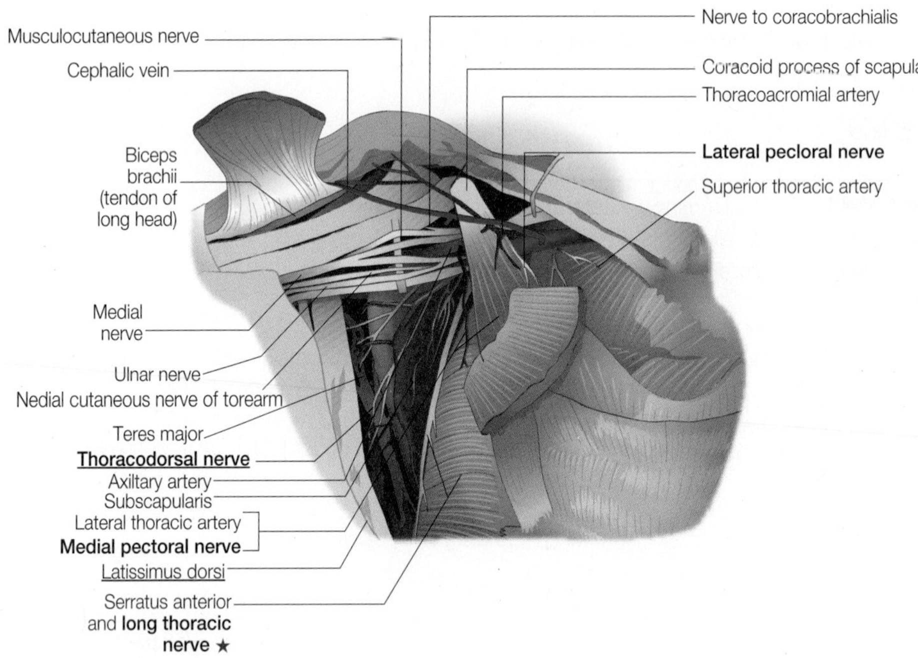

④ 현미경적으로는 기저막(Basement membrane)이 중요하다.

- carcinoma in situ와 invasive breast cancer를 구분짓는 경계.

Normal & Abnormal Physiology

■ Breast Pain

- 젊은 여성에서부터 폐경 후 여성까지 모든 연령대에서 발생 가능한 아주 흔한 증상
- 유방암 환자가 통증을 호소하는 경우 : 5.4%
- 젊은 환자의 breast pain은 menstrual irregularity 및 premenstrual Sx과 연관이 있다.
- Fibrocystic disease도 통증을 유발할 수 있다. 카페인의 과다복용 및 Nicotine or Antihistamine과 연관

■ 유방 섬유낭병(Fibrocystic Change)

- 40-50대에서 가장 흔하다.
- 촉지되는 결절, 압통 및 통증(특히 월경전)이 있고, **월경주기와 연관**된다.

■ 여성형 유방(Gynecomastia) 【16】

10대	좀 더 고 연령층(50대 이상)
주로 Bilateral	Unilateral ★

① 관련 약제 :
Digoxin, thiazides, estrogen, phenothiazine, Theophylline ★
② 관련 질환 : L/C, RF, Malnutrition ★
③ 관련된 종양 : Testicular Ca, HCC, Lung Ca, Adrenocortical Ca ★

※ 악성종양과 감별요
- 악성종양의 경우 nontender, asymmetric, fixed ★

cf. 사춘기에 생기는 여성형 유방의 경우 보통 안심시키는 것으로 충분하지만,
단측성 / 줄어들지 않는 경우 / 미용적 문제시 수술을 고려한다.

(표) Gynecomastia의 Pathophysiological Mechanism

I. Estrogen 과다 분비 상태
- A. 생식기 기원
  - 1. True hermaphroditism
  - 2. Gonadal stromal (nongerminal) neoplasms of the testis
    - a. Leydig cell (interstitial)
    - b. Sertoli cell
    - c. Granulosa-theca
  - 3. Cerm cell tumors
    - a. Choriocarcinoma
    - b. Semonoma, teratoma
    - c. Embryonal carcinoma
- B. 비생식기 종양
  - 1. Skin-nevus
  - 2. Adrenal cortical neoplasms
  - 3. Lung carcinoma
  - 4. Hepatocellular carcinoma
- C. 내분비 질환
- D. 간경화와 관련된 질환
- E. 영양학적 변화

II. Androgen 결핍 상태
- A. 고령에 따른 변화
- B. 저 안드로젠 상태 (hypogohadism)
  - 1. 일차성 testicular failure
    - a. Klinefelter syndrome (XXY)
    - b. Reifenstein syndrome (XY)
    - c. Rosewater, Gwinup, Hamwi familial gynecomastia (XY)
    - d. Kallmann syndrome
    - e. Kennedy disease with associated gynecomastia
    - f. Eunuchoidal males (congenital anorchia)
    - g. Hereditary defects of androgen biosynthesis
    - h. ACTH deficiency
  - 2. 이차성 testicular failure
    - a. Trauma
    - b. Orchitis
    - c. Cryptorchidism
    - d. Irradiation
    - e. Hydrocele
    - f. Varicocele
    - g. Spermatocele
- C. 신부전

III. 약제와 관련

IV. 기전을 모르는 전신 질환시

 추가노트

★ Gynecomastia 의심시 관련 검사

■ Nipple Discharge

- Unilateral nonmilky discharge coming from one duct orifice is surgically significant and warrants special attention → Surgical Bx한다!
- "관내유두종 (Intraductal papilloma)" ★★ (m/c),

  Fibrocystic change or Cystic mastopathy, Subareolar duct ectasis, "Carcinoma (5.9%)"

  : 단일 유두관에서의 spontaneous nipple discharge의 가장 흔한 원인
- **병적 유두분비의 임상적 특징**

> ① 압박을 하지 않아도 저절로 분비
> ② 단일 유관에서 분비
> ③ 지속적인 유두분비
> ④ 혈성 분비
> ⑤ 40세 이상인 경우
> ⑥ 만져지는 조오기나 영상의학 검사상의 이상 소견 동반

유방 질환의 진단

■ 병력청취

- 월경, 출산, 수술유무에 대한 질문뿐만 아니라 가족력 및 약물복용도 확인

■ 위험인자★★★

(표) 유방암의 위험인자

① 수정 불가능한 인자	
• 고령	• 유전적 소인(BRCA1 and BRCA2 mutation carrier)
• 여성	• 전에 유방암의 병력
• 이른 초경 (12세 이전)	• 인종 (white women)
• 늦은 폐경 (55세 이후)	• 방사선 노출력
• 미분만부 (Nulliparity)	
• 유방암의 가족력	
② 수정 가능한 인자	
• 생식관련 요인	• 알코올 섭취
• 첫아이 출산시의 나이 (30세 이후)	• 흡연
• 산과력	• 호르몬치료
• 수유 경험 없음	• 신체활동 부족
• 비만	• 교대 근무
③ 조직학적 위험인자	
• **증식성 유방 질환** (proliferative breast disease)	
• **ADH** (Atypical ductal hyperplasia)	
• **ALH** (Atypical lobular hyperplasia)	
• **LCIS** (Lobular carcinoma in situ)	

1. 나이

① **가장 중요한 위험인자**로, 나이가 증가할수록 증가한다.

② **성별**도 중요한 위험인자로 남성에선 여성의 1% 이하의 빈도를 보인다.

2. LCIS 및 개인력

① 한쪽 유방암이 생겼다면 반대쪽 유방에도 암이 발생할 위험이 증가한다.

② **LCIS** (lobular carcinoma in situ)

a. 흔하지 않지만 폐경 전의 **젊은 여성**에서 빈도가 높다.

b. 종괴를 형성하지 않으므로 다른 이유로 유방조직 검사시 **우연하게 발견**되는 경우가 대부분이다.

c. 나중에 암으로 발전할 수 있으며 그중 **40%가 in situ병변**이며, 침윤성 병변의 대부분은 (lobular Ca)가 아닌 **ductal Ca**이다. 그리고 **병변이 생기는 부위가 양측모두 동일**하다. ★

추가노트

☞ 즉 왼쪽 유방에 LCIS가 발생한 경우, 향후 암이 발생할 수 있는 부위가 왼쪽, 오른쪽 유방 각각 50%씩임.

d. LICS가 조직학적으로 진단되면 현재로서는 향후 엄격한 정기검진을 시행하는 **보존적 치료**를 시행한다. 5년 동안 tamoxifen을 복용하면 유방암 위험을 56% 낮출 수 있다는 보고가 있다. 물론 수술을 원하는 환자에게는 양측 유방절제술을 시행한다.

3. FCC (Fibrocystic condition)

① FCC는 아래와 같이 구분할 수 있다.

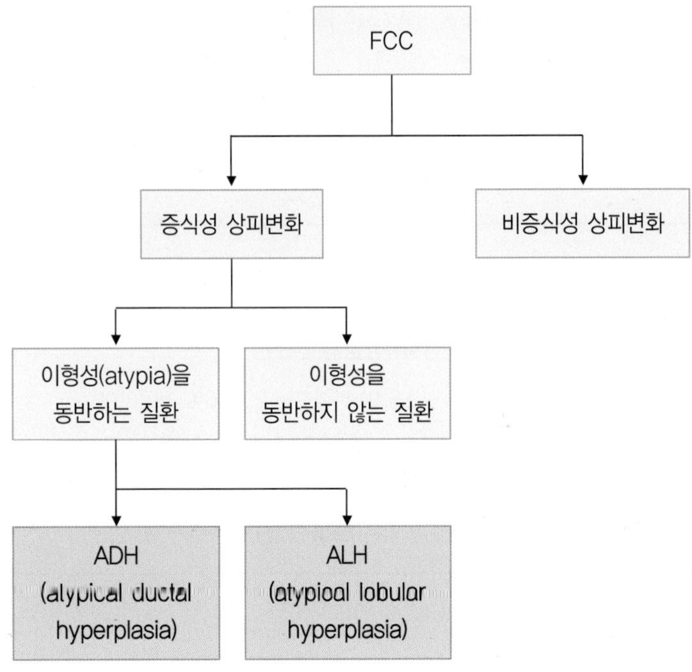

② ADH나 ALH의 경우 유방암이 발생할 가능성이 대조군보다 4-5배 높다. (이때 가족력도 있으면 발생위험은 9배까지 증가한다.)

(표) 유방암 발생의 조직학적 위험인자

조직학적 진단	상대위험도
• 비증식성 질환	1.0
• 이형성(atypia) 없는 증식성 질환	1.3-1.9
• **이형성**을 동반한 **증식성 질환**	3.7-4.2
+ 강한 **가족력**	4-9
• LCIS (lobular carcinoma in situ)	> 7

4. 가족력 및 유전적 요인

① **가족력**

a. **일차 친척** (어머니, 누이, 딸)간에는 2-3배 위험
b. 좀 더 먼 친척간에는 위험도가 급격히 감소한다.
c. 일차 친척이 **폐경전 발병**했거나 **양측성 유방암**일 때 위험도는 급증한다.

② **유전적 인자**

- 5-10% 연관, 하지만 30세 이하의 유방암에선 25% 관련
- **관련 유전자**

BRCA1	BRCA2
• chr17의 장완에 위치 (17q21) • 40% familial breast Ca syndrome과 연관되며 이 외에도 난소암 (45%), 결장암 남성의 전립선 암과 연관된다. • 보통 ER/PR (-)이며, BRCA2와 관련된 유방암보다 **예후가 좋지 않다.** • basal-like breast Ca 빈도가 높다.	• chr13에 위치 • 30%의 familial breast Ca와 연관되며, **남성유방암**과 연관된다. • 난소암의 위험도는 **20-30%** 가량이다. • 남성의 전립선암 및 남성, 여성의 췌장암 & 후두암과도 연관된다. • 유방암은 ER/PR (+)인 경우가 많다.

5. Reproductive Risk Factors

① **12세 이전에 초경 ★**

cf) 2년씩 초경이 늦추어질 경우 10%의 유방암 위험이 감소한다.

② **30세 이후 첫아이를 낳은 경우**

cf) 18세 이전에 분만한 경우 30세 이후에 분만한 여성보다 위험도가 절반임

③ nulliparity

④ **55세 이후 폐경한 경우 ★**

 추가노트

☞ Basal-like breast Ca

① ER (estrogen receptor) ② PR (progesterone receptor) ③ HER-2 (human epidermal growth factor receptor-2) 모두 음성인 유방암으로 high grade 종양이며, 좋지 않은 예후를 지니고 젊은 연령에 많다.

6. Exogenous Hormone 사용

a. **경구 피임제**의 사용(과거, 현재 모두)은 유방암의 위험을 높이지만, 사용중지 이후의 간격이 길어질수록 위험이 낮아짐

b. **HRT** (hormone replacement therapy)와 유방암과의 관련에선, **Estrogen과 Progesterone을 함께 5년간 사용하는 경우** 유방암의 위험에 **20%** 증가함 (Estrogen 단독 사용의 경우는 차이가 없었음).

※ 위험 평가 (by Gail)

연관된 인자들은,

- **나이**, **인종**, **초경**시의 연령, **첫아이** 출산시의 나이
- 전에 시행했던 유방**생검수**, 생검시의 **atypia 소견**
- 유방암을 지닌 여성 **first-degree relative의 수**

→ 이렇게 고위험환자들은, close observation, tamoxifen (유일한 예방제) 및 필요시 prophylactic mastectomy 등의 방법으로 조치한다.

■ Physical Examination

1. 방법

- **생리 4-5일 후** 시행한다.★
- 조명이 좋은 방에서 환자가 앉은 자세에서 시진한다.
- 팔을 올리게 하거나, 가볍게 breast를 눌려보아 asymmetry 및 dimpling이 없는지 확인
- 팔을 올리게 하여 axillary LN 및 supraclavicular LN를 확인한다.
- 환자를 눕히고 팔을 머리 위로 올리게 한 뒤 breast mass 여부를 확인한다.
  : 유방암의 경우 **단단**하고 경계가 **불분명**하며, 주변조직과 **유착**되어 있다.

추가노트

☞ first-degree relative가 유방암을 진단받았을 때의 연령 (어릴수록), 부계 쪽 유방암 병력, ovarian ca.의 가족력 등은 유전적 소인과 관련이 있다.

2. 소견

- 무통성 종괴★, Aymmetries and skin change
- Nipple
  - Retraction ★ (Cooper' s lig. 침범과 관련됨), nipple inversion 여부
  - Excoriation of the supf. epidermis in Paget' s disease ★
  - "Edema of skin (Peau d' orange)" ★
    Emboli 및 종양세포에 의해 dermal lymphatic channel이 막힐 때 발생한다.

■ Biopsy

1. Fine-Needle Aspiration

- 22-gauge needle로 시행
- 제한점: solid mass에 적합하지 않음

2. Core Needle Biopsy 【16】

- 현재 유방병변에 대한 method of choice
- 초음파, 유방촬영술, MRI 영상 유도하에 시행
- 악성이 발견될 시에 조직학적 subtype과 receptor 상태 평가
- 중심침생검에서 DCIS로 진단된 10-20%의 환자에서 수술적 절제로 침습암이 발견됨

3. Open Biopsy

- Incisional & excisional biopsy
- 비용 및 definitive surgery의 지연으로 인해 덜 사용됨
- 영상소견과 침생검에서의 결과가 일치하지 않을 때 필요

BREAST IMAGING

- Mammography가 무증상 여성에서 screening의 primary imaging modality이다. 【15】
  (단, 유방의 치밀도에 따라 10-15%의 유방암은 발견 안됨)
- Ultrasonography는 유방암의 선별검사로서는 적절하지 않으며, 유방촬영술(mammography)에서 발견된 병변이 solid한지 cystic한 지 평가하는 경우와 치밀 유방의 검사에 유용하다. 【12】
- MRI는 액와림프절 전이나 Paget disease가 있으나 유방촬영술 및 영상검사에서 이상소견이 없는 경우, 젊은여성의 치밀 유방, 여러 부위의 암, 침습성 소엽암(invasive lobular cancer)의 진단에 유용하다.

■ Nonpalpable Mammographic Abnormalities ★

- P/Ex으로 발견되지 않는 Mammongraphic abnormalities 종류
  a. Microcalcification only
  b. Abnormal density
    (e.g. masses, architectural distortions, asymmetries)

■ BI-RADS(The Breast Imaging Reporting and Data System) 【13】

- 유방촬영술에서 이상소견에 대해 악성 가능성의 정도를 카테고리화한 것

(표) BI-RADS(The Breast Imaging Reporting and Data System)

Category	Definition
0	부적절한 평가 – 추가적인 영상검사나 이전 유방촬영술과의 비교가 필요
1	음성 – 정기적인 유방촬영술
2	양성소견 – 1년마다 정기적인 유방촬영술
3	양성의 가능성이 높음 (<2%의 악성도) – 단기간의 follow-up이 필요함
4	이상소견이 의심됨 (2–95%의 악성도) – 조직검사가 고려되어야 함
5	악성을 강하게 시사함 (>95%의 악성도) – 적절한 조치가 필요함
6	생검으로 확진된 악성

■ 유방암 선별검사 【14】

(표) 유방암 검진 프로그램

	유방암 검진권고안		유방암 검진프로그램	
검진대상	검진방법	검진주기	검진방법	검진주기
30세 이상 여성	유방자가검진	매월	유방자가검진	매월
35세 이상 여성	유방임상진찰	2년		
40세 이상 여성	유방촬영술	2년	유방촬영	2년

Cf. 국립암센터와 한국유방암학회의 유방검진 권고안은 다소 차이가 있음

†2015년 새로 발표된 유방암 검진 권고안에서는 40세이상 연령대에서 유방촬영술과 함께 권고되었던 유방임상진찰이 권고항목에서 빠졌고 기존에는 없던 검진종료연령(69세까지)이 추가됨

유방의 양성질환

■ 유방낭종 (Breast Cyst) ★ 【16】

- 35세 이후 나타나 폐경 때까지 발생빈도가 증가하다가 폐경 이후 급격히 감소
- Ovarian hormone의 영향
  → 월경주기 도중 갑자기 발생하여 급격히 증가한 뒤, 월경이 끝나면 저절로 감소한다.
- 3,000명 이상의 Breast cyst에서 Cancer는 오직 3명에서만 나타남 (0.1%) → **악성도 없음!**
- 보통 신체검진에서 만져지는 덩어리로 오게되며, aspiration이나 초음파로 확진된다.
- aspiration 후 사라지거나 흡인된 내용물이 혈성이 아니라면 cytology는 필요 없다.

■ 유방선종 (Fibroadenoma & Related Tumors) 【12】

1. 특징

- 구성요소 : stromal, epithelial 성분으로 구성됨
- **유방암 다음으로 가장 흔한 유방종양**이며, 30세 이하에서 가장 흔한 종양임★
- 보통 잘 움직이고 수개월에 걸쳐 사이즈가 증가하기도 하는 단단한 덩어리로 나타남
- Fibroadenoma는 악성도가 없지만 fibroadenoma의 구성요소인 **epithelial element**는 유방의 다른 부위의 epithelial element와 동일한 악성도를 지닌다. 즉, Preexisting fibroadenoma에서 100예 이상의 Carcinoma가 보고되었는데, 각 빈도는, "LCIS" (Lobular Carcinoma In Situ, 50%) > invasive carcinoma (35%) > "Intraductal Carcinoma" (15%)였다.

2. 치료

- **절제** (Excisional Bx)★
- 조직학적으로 확인된 경우 안심시키고 절제는 필요하지 않을 수 있다.

■ Juvenile Fibroadenoma, Giant Fibroadenoma

• Giant Fibroadenoma : > 5cm

• Juvenile Fibroadenoma

: 젊은 여성에서 발생하는 large fibroadenoma로 세포 성분이 많다.

: 크기가 매우 빨리 자라나지만, 수술적 제거로 완치 가능하다.

■ Breast Abscess & Infections

1. Breast Abscess [15]

① **원인** : Subareolar duct 확장 및 폐쇄로 세균증식이 조장되어 발생함.

② **치료** : 항생제, 배농이 필요 - 처음에는 needle aspiration을 시도하고, 그래도 낫지 않는 경우에는 절개배농을 시행한다.

2. Mastitis

① **정의** : 좀 더 광범위한 cellulites로서 많은 유방조직술을 침범하지만 농양을 형성하지 않은 상태이다.

② 균의 **경로** : subareolar duct → nipple (즉, ascending infection임)

균주는 Staphylococci (SA★ m/c pathoger), Streptococci

③ **치료** : **보존적 치료** 즉, Local measures + Antibiotics

└ heat, ice packs, mechanical breast pump

※ Inflammatory carcinoma와 **감별해야 함.**

※ 수유기간에 발생 시 **수유를 중단하지 말고** 수유를 계속해 유즙을 계속 배워내는 것이 좋다 ★

■ Papilloma & Related Ductal Tumors

① **소견** : Bloody nipple discharge + **유륜주변하방에** 종괴 촉진

② **치료** : circumareolar incision로 완전절제한다.

■ Screrosing Lesions [17]

• Sclerosing adenosis, Radial scar & Fat necrosis 등이 있으며, 보통 **석회화** 소견을 지니며, 악성도는 없거나 낮다.

cf) "Sclerosing adenosis" 는 유방촬영술 상에서의 **미세 석회화**를 미세 바늘 생검했을 때 **가장 많이 보이는 소견**이다. 또한 "Radical scar"는 유방촬영술에서 irregular spiculation을 보여서 악성처럼 보이는 경우가 있다. "Fat necrosis" 는 **유방외상** 후에 생길 수 있다.

유방의 악성질환

■ 유전

- 유방암 원인의 5-10%가 유전적 원인이다. 나이 30세 이전 유방암의 25%가 유전적 원인
- 관련유전자

BRCA1	BRCA2
17번 염색체에 위치 유방암, 난소암과 관련	13번 염색체에 위치 유방암만 관련

cf) 종양 유전자 검출시 위험환자의 질환발현율이 50-60%이며, BRCA 유전자를 가진 사람의 유방암 발생 위험이 높기 때문에, 예방적 절제술은 합리적인 선택이 될 수 있다.

■ 유방암의 Chemoprevention

- Tamoxifen은 ER (+)환자의 침윤성 유방암 위험도를 49% 줄임
- 5년간 사용
- 부작용 ★

① 자궁내막암 (2.5배), 간세포암
② Stroke, 폐색전증, DVT
③ 안과적 합병증 (ex 백내장)

■ 병리

(표) 원발성 유방암의 종류

Noninvasive Epithelial Cancers	
• DCIS	• LCIS
Invasive Epithelial Cancers	
• Invasive lobular carcinoma (10%)	• Invasive ductal carcinoma
Mixed Connective and Epithelial Tumors	
• Phylloides tumors • Angiosarcoma	• Carcinosarcoma • Adenocarcinoma

1. 비침습성 유방암 (Noninvasive Breast Cancer)

A. DCIS (Ductal cell carcinoma in situ)

- 아형

  a. Solid or Comedo type: m/c & more virulent

  b. Papillary or Cribriform type: calcification, mass 형성이 많지 않다.

B. LCIS (Lobular cell carcinoma in situ)

- 악성종양이라기 보다는 유방암의 위험인자임.
- 종괴를 형성하지 않음 (∴ P/Ex으로 진단되지 않는다)
- mammo.상 아무소견 없음 (No mass density or calcification)

  → ∴ 다른 조직검사결과에서 incidental하게 나오는 경우가 대부분

2. 침습성 유방암 (Invasive Breast Cancer)

A. Invasive Ductal Cancer (50-70%)

- 흔히 보이는 유방암
- mass decsity + Microcalcification

B. Invasive Lobular Cancer (10%)

- 조직소견 : single-file pattern

  → stromal tissue으로의 small round cells 침윤소견
- mammo.상 특이소견 없음.
- 치료 : Ductal Carcinoma의 치료와 동일하고 예후는 더 좋다.
- Bilateral Ca 및 second primary contrat. breast Ca 빈도 높다.

3. 기타 유방종양

■ 병기 【12】

- 림프절 침범과 비례하여 생존율이 감소한다. ★
- Stage IV의 경우 평균 생존율은 24개월 이하이다. (5년 생존율 약 22%)

유방암의 병기

TNM staging

T (Primary tumor)

Tis : Carcinoma in situ (lobular 혹은 ductal 혹은 Paget)

T1 : Tm ≤ 2cm (장경기준)

- T1mi : Tm ≤ 0.1cm
- T1a : 0.1 cm ≤ Tm ≤ 0.5 cm
- T1b : 0.5 cm 〈 Tm ≤ 1.0 cm
- T1c : 1.0 cm ≤ Tm 〈 2.0 cm

T2 : 2.0cm 〈 Tm ≤ 5.0 cm

T3 : Tm 〉5.0 cm

T4 : 크기와 상관없이 **흉벽** (a), **피부** (b) 등으로의 침범이 있는 경우★ 유방암의 진행된 소견 ★

- T4a : 흉벽으로의 침범이 있지만 흉근으로의 침범은 없는 경우★
- T4b : 피부로 종양이 퍼져서 궤양, 부종이 있거나 위성결절(satellite nodules)이 있는 경우★
- T4c : T4a와 T4b를 모두 지닌 경우
- T4d : 염증성 종양★

N (Regional Lymph Nodes)

N0 : 국소림프절 전이 없음

N1 : **1–3개**의 AN 전이시

- N1(mic) 미세전이시 (〉0.2 mm, none〉2.0 mm)
- N1a : 1–3개 액와 림프절 전이 (적어도 하나는 〉2.0 mm)
- N1c : N1a+N1b

N1 : **생검상 IMN전이시**

- N1b : N1b : sentinel 생검상 IMN 전이시
- N1c : N1a+N1b

N2 : **4–9개** AN 전이

- N2a: 4–9개 AN 전이,
 적어도 1개〉2mm

N2 : AN 전이가 없고, **임상적인 IMN 전이시**

- N2b :
 AN 전이(–) + 임상적인 IMN 전이

N3 : **10개 이상**의 AN 전이
 혹은 infraclavicular(Level III) nodes 전이
 혹은 Level I, II 의 AN 전이와 함께 이상적으로 동측의 IMN 전이
 혹은 AN 전이 〉3개와 함께 생검으로 확인된 IMN 양성
 혹은 동측의 supraclavicular LN 전이

M (Metastasis)

M0 : 원발 전이가 없을 때

M1 : 원발 전이가 있을 때

추가노트

AN (Axillary node) = 액와 림프절
IMN (Internal mammary node) = 내측 유방 림프절
N0는 국소림프절전이가 없는 상태이며 IHC (immunohistochemistry) 검사 및 PCR검사결과에 따라 아래와 같이 세분화될 수 있다.

– N0 (i–) IHC에서 음성일 경우
– N0 (i+) 종양세포의 크기가 0.2mm이하인 경우
– N0 (mol–) PCR 음성시
– N0 (mol+) PCR 양성시

(표) 유방암의 Stage Grouping

Anatomic stagew	Prognostic group		
0	Tis	N0	M0
ⅠA	T1	N0	M0
ⅠB	T0	N1mi	M0
	T1	N1mi	M0
ⅡA	T0	N1	M0
	T1	N1	M0
	T2	N0	M0
ⅡB	T2	N1	M0
	T3	N0	M0
ⅢA	T0	N2	M0
	T1	N2	M0
	T2	N2	M0
	T3	N1	M0
	T3	N2	M0
ⅢB	T4	N0	M0
	T4	N1	M0
	T4	N2	M0
ⅢC	AnyT	N3	M0
Ⅳ	Any T	Any N	M1

cf. 유방암의 나쁜 예후인자: 종양크기 > 2cm, poor histologic & nuclear grade, 호르몬수용체(-), HER2/neu (+) 등

유방암에 대한 현대적 치료방법들

■ 유방암 치료에 대한 연구들

■ Radical mastectomy와 다른 방법을 비교한 연구 (NSABP Trial B-04)

1. 국소치료에 따라 국소치료 실패는 영향을 받지만, distal Tx failure빈도나 전체 생존율에는 차이가 없다
2. axillary node 치료시기 및 방법이 생존에 영향을 주지 않는다.
3. 유방암치료에 대한 평가는 5년 뒤 적절하게 평가될 수 있다.
4. 일차암의 위치가 생존에 영향을 주지 않는다.

※ 유방암에 대한 근치적 절제 후에도 많은 환자들이 재발을 경험한다. 이에 좀더 광범위한 절제술을 시행했지만 생존율을 향상시키는데 실패했다.

이러한 경험을 바탕으로 유방암은 병소에서 "**centrifugal**"하게 주위조직으로 파급될 뿐만 아니라 림프계 및 혈류를 따라서 원발부위로 "**embolical**"하게 파급된다는 결론을 얻게 되었다.

따라서, 유방암의 치료지침은 아래와 같다.

유방암의 국소 질환적 측면의 치료	→ **수술**적 절제, **방사선**치료
유방암의 전신 질환적 측면의 치료	→ **약물**치료 (**항암**요법, **호르몬**요법)

■ **유방 보존 수술과 Total mastectomy를 비교했을 때,** 유방 보존 수술후 **방사선치료를 병행한다면** 재발률 및 전체 생존율에 **차이가 없다.** 유방 보존 수술 시는 **negative margin을 확보하는 것이 중요**하며, 수술 후 재발시엔 재발부위를 절제하여 역시 **clear margin을 확보**한다.

추가노트

cf) 국소치료
- 수술, 방사선치료

■ 유방암에서의 수술적 계획 및 과정

1. 진단

① 영상검사의 도움을 통한(imaging-guided) core Bx가 가장 좋은 진단방법이다.

② 조직검사를 통한 정보 : histologic type & grade, ER및 PR상태, HER-2상태, 림프계 및 혈관침범 유무

③ 간, 폐 및 뼈 등으로 원발 전이를 할 수 있으므로 임상적으로 의심이 되는 액와림프절 양성환자에서는 CT, bone scan, chest PA 및 breast MRI 등의 검사를 시행할 수 있다.

2. 유방보존수술의 적합도 평가

유방보존수술은 환자의 만족도가 높고 적절하게 시행될 경우 10년 재발율이 5% 이하이므로 우선적으로 고려해야 한다.

1. **유방보존수술**을 우선적으로 고려해야 하는 경우 ★

① **종양크기**	• 종양이 clear margin을 확보하면서 acceptable cosmetic result을 지니고 절제될 수 있는 크기
② **경계**	• 적절한 margin의 폭에 대해 다양한 의견, "no ink on tumor"
③ **조직소견**	• **Invasive lobular Ca** 혹은 광범위한 intraductal component를 지니는 경우 (clear margin 확보 된다면) 단, 절제연에서 보이는 atypical hyperplasia 및 LCIS는 재발율을 증가시키지 않는다.
④ **환자연령**	• **젊은 여성**의 경우 **국소 재발율**이 고령에 비해 **높은 편**이다. 모든 연령층에서 **방사선요법**을 시행하여 **국소재발율을 낮춘다.**

2. **유방절제술**(Mastectomy)이 더 적합한 경우

① 유방크기에 비해 종양크기가 큰 경우

② 유방조영검사상 **광범위한 석회화**(calcification)소견

③ 유방보존수술로 종양없는 절제연을 확보하기 힘든 경우

④ **방사선치료**의 **금기증**

- 절대적 금기
  - 임신 (단, 출산 후 방사선치료를 받을 수 있다.)
- 상대적 금기
  - 전신 피부경화증(Systemic scleroderma)
  - 활동성 루프스(SLE)
  - 전에 유방 또는 흉벽에 방사선치료를 받은 경우
  - 중증의 폐질환
  - 중증의 심질환(단, 종양이 좌측에 있는 경우)
  - 바로누운자세(supine)를 할 수 없는 경우
  - 치료받는 쪽 팔을 벌릴(abduct) 수 없는 경우
  - p53 mutation(radiation-induced cancer에 취약)

⑤ 환자가 유방절제술을 원하며 방사선치료를 거부할 경우

③ 유방절제술후의 재건술

즉각적인 재건술	지연성 재건술
• 즉각적인 재건술이 거의 대부분의 경우에 선호된다. • 유방의 피부를 최대한 보존할 수 있어 **재건에 용이하다.** • 즉각적인 재건술이 환자의 생존율 및 국소재발에 좋지 않는 영향을 **미치지 않는다.**	• 유방절제술 후 **방사선치료**를 받아야 하는 경우 및 **국소적으로 진행된 유방암**의 경우 고려할 수 있다.

3. 수술 과정

① Simple and Modified Radical Mastectomy

Simple or Total Mastectomy	Modified Radical mastectomy
• nipple 및 유륜(areola)를 포함한 유선조직의 완전절제 • sentinel node 생검이 추가될 수 있고 이를 유방절제시의 절개선 혹은 또다른 절개선을 가해서 시행할 수 있다.	• nipple 및 유륜(areola)를 포함한 유선조직의 완전절제 + Axillary lymph node dissection (ALND)

(그림) 유방절제술

A. 유방절제술에서의 절개선은 그림과 같이 유륜 및 nipple을 포함한다.
B. 단순 유방절제술에서는 유방조직을 액와 구조물로부터 분리하고 clavipectoral fasica에서 절제를 멈춘다.
C. MRM의 경우 액와부위까지 절제를 계속해서 axillary vein까지 진행하며 level I, II에 있는 림프절을 절제한다.

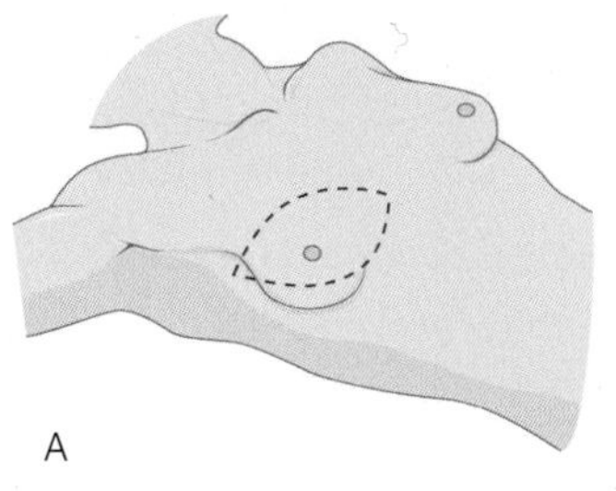

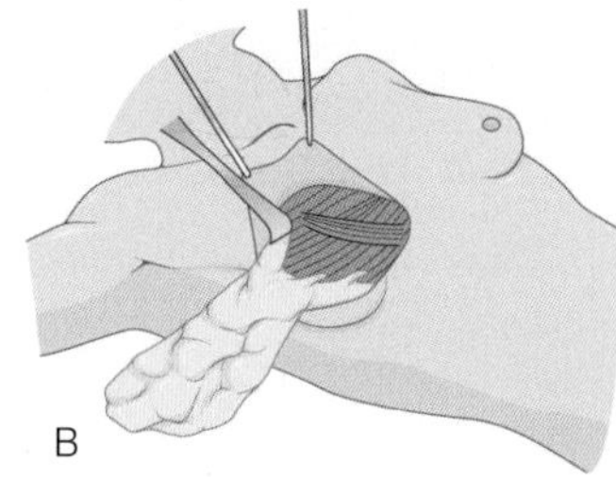

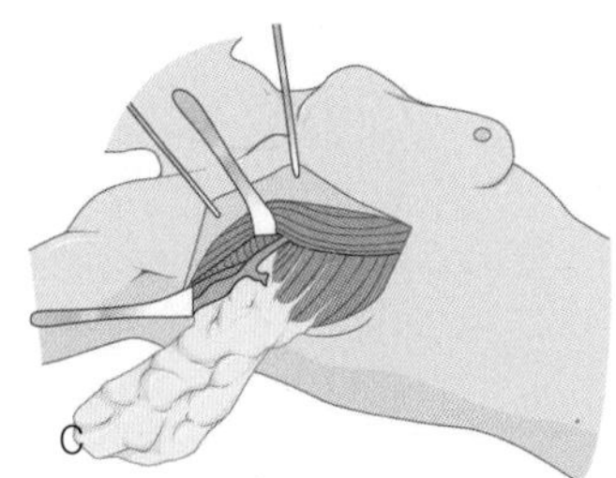

② **유방보존수술** (Wide local excision and RTx)

- 유방의 원발병소를 제거한다. 제거 후 margin에서 **조직검사**를 시행하여 종양양성시 재절제한다.
- 액와 림프절에 대한 치료

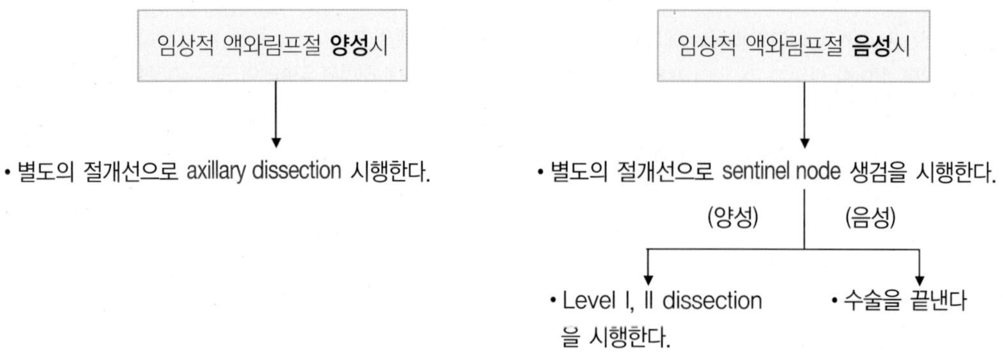

임상적 액와림프절 **양성**시
• 별도의 절개선으로 axillary dissection 시행한다.
임상적 액와림프절 **음성**시
• 별도의 절개선으로 sentinel node 생검을 시행한다.
(양성)
(음성)
• Level I, II dissection 을 시행한다.
• 수술을 끝낸다

(그림) 유방보존수술

A. 종괴 바로 위쪽으로 절개선을 가해 종괴를 절제한다. (parenchymal defect는 inset으로 닫기도 한다)
B. 겨드랑으로 transverse하게 절개선을 가해 sentinel node를 생검한다.

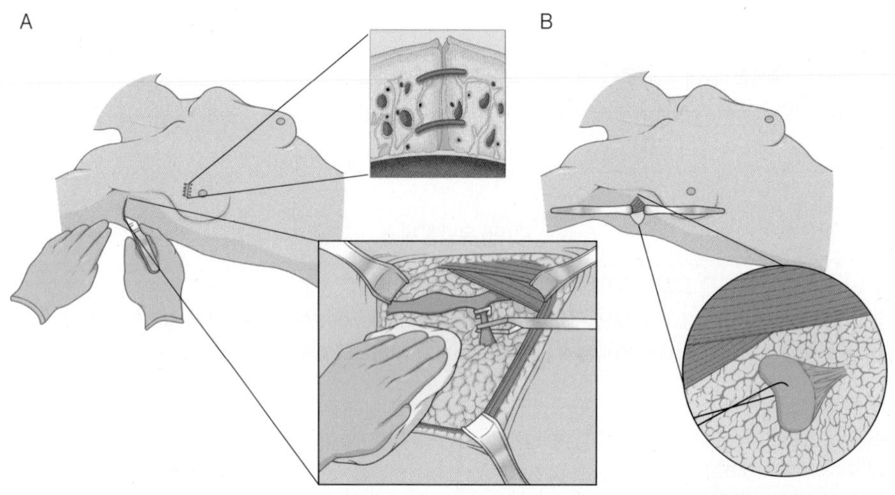

A
B

추가노트

☞ 유방을 보존하며 원발종양을 절제하는 수술은 lumpectomy, partial mastectomy, segmentectomy 등 다양하게 불리는데 wide local excision이라는 표현이 현재로서는 가장 많이 이용된다.

4. 액와부위에 대한 외과적 staging

① Axillary dissection은 높은 이환율(morbidity)을 지니므로 액와 림프절에서 결절이 촉진되지 않은 환자에게선 sentinel node생검이 axillary dissection을 대치하게 되었다.

② technetium-radiolabeled sulfur colloid particle이나 청색조영제(Isosulfan blue) 등으로 종양부위 및 subareolar area에 주입한 뒤 이 조영제가 림프계를 거쳐 처음으로 도달하는 림프절으로 동측 액와 림프절에 해당한다.

③ Sentinel node 생검의 **false-negative rate**는 **5% 이하**이다. 즉, sentinel node 생검상 **음성**시 **비교적 높은 신뢰**를 가지고 액와 림프절 전이가 없다고 할 수 있다.

④ sentinel node생검에서 **양성**인 **절반 정도 환자에서 다른 부위의 양성 림프절 소견**을 보인다. 즉, sentinel node절제만으로 수술이 완전하지 못하므로 **level I, II 림프절절제**를 시행해야 한다. sentinel node 생검 양성시 다른 부위의 림프절 전이 가능성은 **원발암의 크기**, **림프혈관전이 유무** 및 **전이된 림프절 크기**와 상관관계를 지닌다.

DCIS (Ductal Carcinoma In Situ or Intraductal Carcinoma)

1. 진단

① 대부분 선별 유방촬영(screening mammogram)에서 촉진되는 종괴가 없는 clustered calcification소견을 보인다.

② invasive ductal carcinoma의 전구병변에 해당한다.

③ 치료(**예후**)에 영향을 미치는 **인자**

병변의 **크기**(extent), **조직학적 등급**(histologic grade), **ER**상태, **microinvasion**의 존재 및 환자의 **연령**

추가노트

☞ 이 외에도 DCIS의 유방촬영소견은
- 석회화 + 종괴음영 : 15%
- 종괴음영만 나타나는 경우 : 10%

DCIS의 유방촬영상 보이는 **석회화**는 밀집된 군집(cluster) 및 선형(linear) 및 가지형(branching) 등 다양한 모양으로 나타내며 병변이 ductal origin임을 시사한다.

2. 치료 【14】

1. Treatment of Choice

"BCS" (Breast-conserving surgery) ± **Sentinel node 생검** └ Wide local excision + RTx	+	"Tamoxifen" └ER양성시

2. **유방절제술** - 유방보존수술이 적절치 않을 때의 치료

① 적응증

a. 유방조영검사상 병변이 **미만성**(diffuse)인 경우 – 광범위한 병변이 의심되므로 BCS로 부적절하다
b. BCS로 clear cut **margin을 확보**할 수 없는 경우
c. BCS후 **poor cosmetic result**가 예상되는 경우
d. 환자 자신이 유방보존을 원치 않는 경우
e. **방사선 치료**의 **금기증**시(앞 내용 참고)

② Sentinel node **생검**을 함께 시행한다.

추가노트

☞ DCIS는 정의상 병변이 basement membrane 이하를 침범하지 않은 종양으로, 액와 림프절전이가 없어야 한다. 하지만 실제로 3.6%에서 액와 림프절 전이 소견을 보인다. 이는 병리조직상 microinvasion을 발견하지 못했기 때문으로 생각된다.
따라서 액와 림프절에 대한 처치는 다음과 같다.

병변크기가 유방촬영시 작은 경우
→ Sentinel node생검이 필요없다.
병변크기가 유방촬영시 크거나, 조직학적으로 high-grade histology 및 microinvasion이 의심되는 경우
→ sentinel node 생검을 시행한다.

☞ Tamoxifen은 특히 positive margin, comedo necrosis, 신체검사시 종괴가 있는 경우 및 50세 이하의 여성에서 효과적이다.
Tamoxifen부작용으론 자궁내막암(Endometrical Ca), 혈전색전증(thromboembolic events), hot flashes 및 백내장(cataract) 등이 있다.

방사선 치료

1. BCS후의 방사선 치료 【17】

• BCS를 시행한 경우 **반드시 방사선 치료**를 해야함 ★

Whole breast irradiation	Partial breast irradiation
• 전체 유방에 4,500-5000 cGy 방사선 치료함 • 1000-1200 cGy를 tumor bed에 booster한다. • 6-7주 소요	• tumor bed주위의 유방조직에만 방사선을 조사함 • 4-5일 소요

2. 유방절제 후의 방사선 치료

- 적응증은 "국소 재발 위험" 이 증가하는 경우이다.

① 4개 이상의 액와림프절 전이시
② 림프절 전이 외 Stage Ⅲ의 특징을 가지는 경우 (ex. tumor size 큰 경우)
③ Stage Ⅱ 환자의 경우 다음과 같은 경우에만 방사선 치료를 고려 a. extracapsular extension b. lymphovascular invasion c. 40세 이하 d. close surgical margin e. nodal positive ratio(절제 후 평가된 전체 node에서 양성인 비율) 20% 이상 f. Level Ⅰ과 Ⅱ 액와 림프절을 표준적으로 절제하지 못한 경우

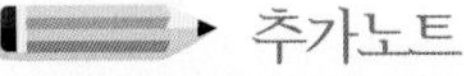 추가노트

☞ 방사선 치료는 국소치료(local treatment)에 해당한다.

특별한 치료들

1.국소적으로 진행된 유방암 및 염증성 유방암의 치료 【14】

① **국소적으로 진행된 유방암**

병기 IIB, IIIA, IIIB에 해당한다. 즉, 크기가 크거나(〉5cm), 흉벽, 피부 침범, 피부 괴양 및 위성결절(satellite skin nodule), 염증성 종양, 크거나 고정된 액와 림프절 및 임상적으로 저명한 internal mammary 혹은 supraclavicular node 침범시

② **염증성 유방암** ★ 【14】

a. 종양이 유방과 그 위 피부조직내에 있는 **림프조직**(lymphatic channel)에 미만성 침윤이 있는 상태

b. 임상적으로 **림프 흐름차단**으로 인해 **발적**, **부종** 및 **열감의 소견**을 지닌다.

c. 이 질환의 명칭은 임상적인 명칭으로 병리적으로는 ductal 혹은 lobular 병리소견을 보일 수 있다. dermal lymphatics에 종양세포가 관찰되는 것이 병리적 특징이다.

d. skin thickening 외에는 유방촬영술에서 별 이상을 보이지 않는 경우가 많다.

③ **치료**: Multimodality Tx ★

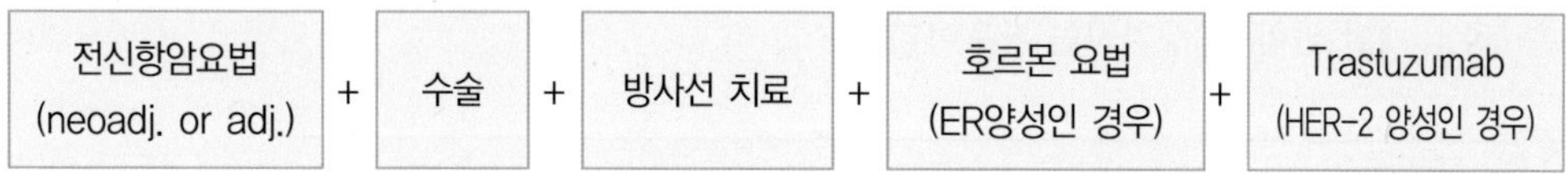

추가노트

☞ 국소적으로 진행되어있으나 원발전이 소견이 없는 경우로 향후 전신전이 위험이 높으므로 국소적 및 전신적 재발가능성에 대한 치료를 해야 한다.

☞ Peau d' orange ★
염증성 유방암시 관찰되는 hair follicle 부위의 부종 및 dimpling으로 인한 귤 껍질모양의 임상양상

☞ 수술 전 항암 및 호르몬 요법을 받으면 종양크기가 50-80%가량 감소되며 10-15%에서는 영상검사 및 진찰상 complete remission소견을 보인다.

2. Paget' s disease

1. 소견

① **육안소견**

nipple erythema가 있으면서, mild **eczematous** scaling 및 flaking이 보이며, 심하면 nipple crusting, skin erosion 및 ulceration 소견도 보인다.

② **조직소견**

Paget' s cells이 nipple 아래의 lactiferous sinus를 통해 퍼지고 위로는 epidermis로 올라온다. 하지만 dermal basement memb.는 침범하지 않으므로 **carcinoma in situ**에 해당한다.

2. 특징

- 95%이상의 Paget' s disease 환자가 **"내부에 유방암"** 을 지닌다.
- 종괴를 지닐 수도 있고 (50%이상), 지니지 않을 수도 있는데 종괴와 Paget's disease를 지니는 환자의 90% 이상에서 침습성 유방암이 확인된다.

3. 치료

① 유방절제술 + axillary staging

② 유두와 유륜부를 clear maring을 확보하며 절제한 후 axillary staging 및 RTx 시행한다.
(많은 경우 lumpectomy + RTx시행할 수 있다)

3. 남성 유방암

- 모든 유방암의 0.8%

1. 특징

① **위험인자**

a. 나이 (**고령**시 증가)
b. 방사선 노출력
c. **estrogen, androgen 불균형**
   ex. 고환 질환, 불임, 비만, 간경화
d. **양성 유방질환**
   ex. nipple discharge
e. 유전적인자
   ex. Klinefelter syndrome, FHx, BRCA2

 추가노트

★ Paget' s disease의 진단: incisional biopsy

② 진단시 연령은 여성에 비해 10년 뒤임.

→ 이런 진단의 지연으로 인해 더 진행된 상태로 병원에 오게 된다.

③ 유방조직이 적기 때문에 pectoralis major m.을 잘 침범한다.

④ 흔히 Steroid hormone receptor를 지닌다.★

즉, 80%에서 ER(+), 75%에서 PR(+), 35%에서 HER2/neu(+)

2. 치료

① 작고, movable mass시 : 국소 절제 + 방사선 치료

② 그외엔 MRM 시행한다.

• Pectoralis m. 침범시 침범된 근육을 절제하고 방사선 치료를 추가하자.

③ 보조적 치료

• 대부분 호르몬수용체(+)이기 때문에 림프절 양성 환자 및 고위험 림프절 음성환자에서 Tamoxifen 및 aromatase inhibitor를 사용할 수 있다.

• 전이위험이 큰 경우 보조적 항암치료를 추가할 수 있다.

추가노트

cf) Gynecomastia는 위험인자가 아니다.

유방암에서의 전신요법 [13]

(표) 유방암에서의 전신요법의 결정 ★★

병기	약물요법	코멘트
I기 (〈 1cm)		
– HR 양성	• 내분비치료 ± 화학요법	Genomic test 고려
– HR 음성	• 화학요법 고려	
– HER-2 양성	• Trastuzumab-based 화학요법을 강력히 고려할 것	
I기 (〉 1cm)		Genomic test 고려
– HR 양성	• 내분비치료 ± 화학요법	
– HR 음성	• 화학요법	
– HER-2 양성	• Trastuzumab-based 화학요법	
II기 (림프절 음성)		Genomic test 고려
– HR 양성	• 내분비치료 ± 화학요법	
– HR 음성	• 화학요법	
– HER-2 양성	• Trastuzumab-based 화학요법	
II기 (림프절 양성), III기		
– HR 양성	• 화학요법 + 내분비치료	• 내분비치료는 모든 환자에게서 권고됨.
– HR 음성	• 화학요법	• 화학요법에 대한 결정은 현재 진행 중인 임상연구에 결과에 영향 받을 수 있음.
– HER-2 양성	• Trastuzumab-based 화학요법	• Dual HER-2 표적치료를 이용한 Neoadjuvant CTx. 를 고려

■ 항암화학요법

1. 항암화학요법의 개요

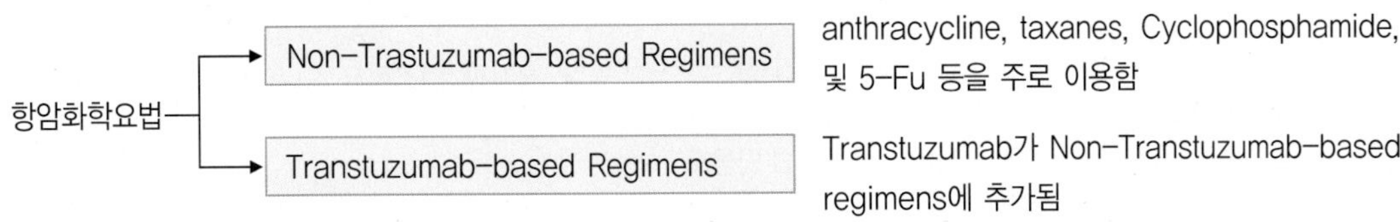
항암화학요법
Non-Trastuzumab-based Regimens
anthracycline, taxanes, Cyclophosphamide, 및 5-Fu 등을 주로 이용함
Transtuzumab-based Regimens
Transtuzumab가 Non-Transtuzumab-based regimens에 추가됨

• Taxane (e.g. parclitaxel, docetaxel) 이나 anthracycline (e.g. doxorubicin, epirubicin)을 포함한 화학요법은 유방암 사망율을 약 1/3 정도 줄임.

- Transtuzumab는 HER-2 receptor의 세포외 도메인을 target으로 개발된 monoclonal Ab임.
- HER-2 유전자 및 단백질의 amplification이 **"유방암환자의 25-30%"** 에서 나타남.
- Trastuzumab-based CTx.는 전이성 유방암 환자의 생존율을 증가시킴.

2. 수술가능한 유방암에 대한 Neoadjuvant Chemotherapy

1. 수술전 항암요법의 효과

① 수술적 절제불가능한 병변을 절제가능한 병변으로 바꿀 수 있다.

② 유방보존수술이 불가능한 병변을 유방보존수술이 가능하게 바꿀 수 있다.

2. 수술전 항암요법의 이론상의 이점

① microscopic metastatic disease를 줄인다.

② drug resistance가 발생하기 전에 치료한다.

③ 수술로 인해 vascular system이 손상받기 전이므로 효과가 좋다.

④ in vivo에서 해당 항암요법에 대한 반응을 평가할 수 있다.

■ 내분비 치료

1. Tamoxifen 【16】

- 선택적인 estrogen receptor modulator로서 에스트로젠에 대해 antagonistic 기능 및 약한 agnonistic function을 지님
- 5년간 치료시 Hormone receptor 양성환자의 재발가능성을 41% 낮춤
- 폐경 유무 및 림프절전이여부와 **"상관없이"** 치료효과가 동일함.

추가노트

① ER에 의해 PR이 유도된다.

└ Functional ER정도에 대한 Indicator 역할을 한다. 즉, Estrogen이 ER과 결합했을 때 PR이 expression되기 때문에 **PR의 존재는 Endocrine Tx의 반응정도와 연관**이 있다.

② **나이**와의 관련성

폐경 후 여성은 젊은 폐경 전 여성보다 **ER (+)**일 가능성이 높다. 하지만, 대조적으로 나이와 PR과의 관계는 유의하지 않다.

③ **호르몬 수용체상태에 따른 환자의 호르몬요법 반응도**

ER-, PR- < ER+PR-<ER-PR+<ER+PR+

즉, 당연히 ER-, PR- 보다 ER+PR+인 환자가 호르몬 치료에 반응도가 좋으며 ER+PR-와 ER-PR+ 를 비교시에는 ER-PR+가 ER+PR-보다 호르몬치료에 반응이 좋다.

☞ 즉, 에스트로젠에 의해 유도된 단백질 중 가장 중요한 단백질이 프로게스테론 수용체(PR)이다. 따라서 **PR은 "기능하는 ER"에 대한 표식자**가 될 수 있다. 따라서 PR양성인 유방암에서는 호르몬요법에 중등도 반응을 보인다.

2. Ovarian Ablation

- Ovarian ablation은 폐경 전 여성에서 유방암의 재발위험을 낮추고 유방암으로 인한 사망을 줄임.

3. Aromatase inhibitors (AIs)

- AIs는 aromatase에 의한 말초세포 (지방세포 및 유방조직)에서의 "androstenedione → estrone" 전환을 차단함.
- 선택적인 3세대 AIs로는 Anastrozole, Exemestane, 및 Letrozole 등이 있다.
- 이와 같은 약제는 **"폐경 후 여성"** 에서 사용해야 한다.
  (∵ 폐경 전 환자에게서는 에스트로젠 기능을 완전히 차단할 수 없기 때문)

※ 유방암에 대한 약물치료 정리

1. **조기암(1-3기)을 지닌 모든 침윤성 유방암 환자는 모두 약물치료**를 받아야 한다.
2. **HR(+)인 모든 환자는 anti-estrogen요법**을 받아야 한다.
3. 약물치료시 **종양특징(병기, molecular markers), 환자특성 (나이, 건강상태, 선호도) 및 약물치료로 인한 위험손익계산**을 통해 개인적으로 결정해야 한다.

■ 혈관육종 (Angiosarcoma)

- Lymphatics (lymphangioangiosarcoma) 및 capillary endothelium (hemangiosarcoma)에서 기원한 malignant sarcoma로써 **악성도가 매우 높다.**
- 전에 유방암진단을 받은 여부에 따라 일차, 이차병변으로 구분되며, 이차병변의 경우 유방암수술 후 5-10년 후 발생한다.
- 다음과 같은 경우에 발생할 수 있다.
  - 유방암에 대한 방사선 조사 이후, radical mastectomy 이후에 lymphedema가 발생한 환자

1. 특징

① 초기에 피부 및 피하에 적갈색에서 보라색 **반점**의 수가 증가하며 edematous skin을 덮는다.

② Benign Hemangioma에 비해 **출혈** 및 **괴사**가 특징적

③ **전이양상**

- **림프절 전이 : 거의 없음**
- **혈행성전이** : 폐, 뼈에서 흔하고 드물게 복부장기, 뇌, 반대편 유방

2. 치료

① **유방전절제술 (림프절 절제는 하지 않는다)**

② Adjuvanct CTx & RTx를 시행할 수 있다.

3. 예후

예후는 **조직소견** 및 **크기**와 관련된다.

: 처음에 전이가 없이 수술 시 재발까지의 기간은 8개월이며, 평균생존은 2년이다.

■ 엽상육종 (Phyllodes Tumor) ★★ 【13】

- connective tissue와 epithelium 으로 구성. 조직학적으로 fibroadenoma와 비슷한 스펙트럼
- 양성, 경계성, 악성으로 분류.
  - 양성은 조직학적으로 whorling하는 stroma와 leaflike 형태를 보임
  - 악성은 조직학적으로 stromal overgrowth, cellular atypia, 다수의 mitoses를 나타냄

1. 특징

① 크기가 **크다** (평균 5cm, fibroadenoma보다 큼).

② **급격히 자란다.**

③ 발생 연령이 **30세 이후**임.

④ 유방촬영술에서 부드러운 경계를 가진 round한 음영 (fibroadenoma와 구분하기 어렵다), 유방초음파에서 낭성의 공간으로 나타나기도 함

2. 치료

- 양성 - Fibroadenoma와 비슷하게 local excision
- 경계성 - 최소한 1cm의 margin을 확보하여 excision
  (절제 후 2년 내에 local recurrence가 일어나므로 close f/u)
- 악성 - 충분한 경계를 확보하여 전체 종양을 완전히 절제
  크기가 큰 경우 mastectomy가 필요할 수 있으며, mastectomy후 negative margin은 RTx 필요 없음
  cf. Chest wall RTx. 가 필요한 경우: margin에서 가깝다.
  종양이 흉벽이나 근막을 침범하였다.
  크기가 크다 (〉5cm)

추가노트

☞ 엽상육종은 유방촬영술 등에서 fibroadenoma와 구분이 안되고, core needle Bx에서도 진단율이 50%이기 때문에 확진은 결국은 excisional Bx를 통해 이루어지며, 위와 같은 특징으로 수술 전 추정 진단해야 한다.

☞ **엽상육종의 원발전이시 치료**

: 보통 **폐**, **뼈**, **복강내장기관**, **종격동**으로 전이하며, 특별한 치료법은 없다. CTx 및 RTx를 사용할 수 있고, 보통 종양은 ER/PR(+)이지만 hormone Tx는 효과 입증 안됨.

Power ★★★☆☆

03 갑상샘

Thyroid Gland

ANATOMY

1. 회귀성 후두신경 (Recurrent Laryngeal Nerve) ★

① **운동성 기능** : vocal cord를 midline으로부터 abduction

(그림) Rt. RLN의 Anomalous Variations

A. Vagus n.로부터 Nonrecurrent하게 나오는 Rt. RLN

B. 정상경로 : 즉 Rt. subclavian a.를 아래를 우회한다.

C. Nonrecurrent n.와 recurrent laryngeal n.가 합쳐져서 common distal n.를 만드는 경우 (흔치 않다)

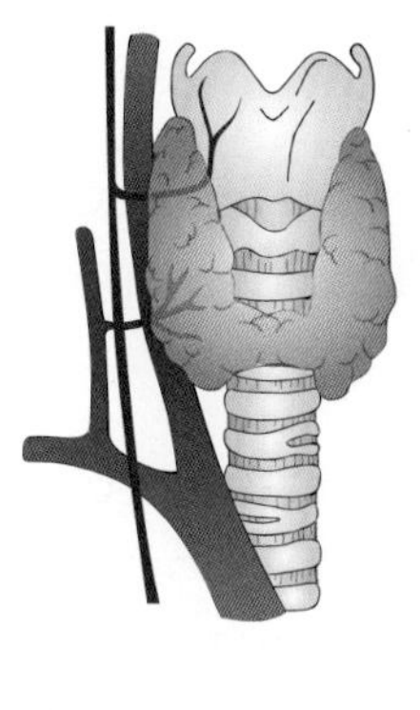

A

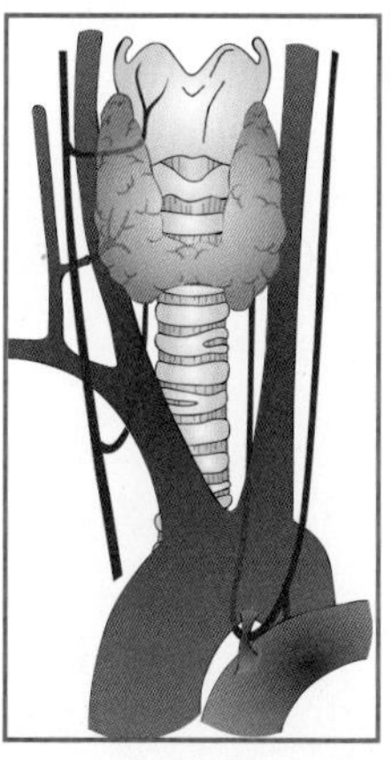

B

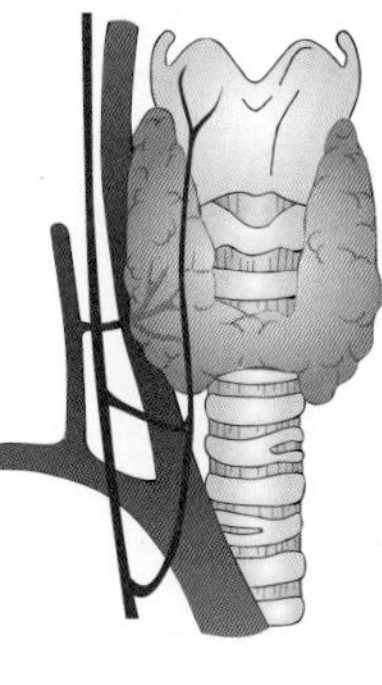

C

② **위치** : 갑상선 아래 pole에서 Tracheoesophageal groove★내에 위치함

③ **손상시 나타나는 증상** ★

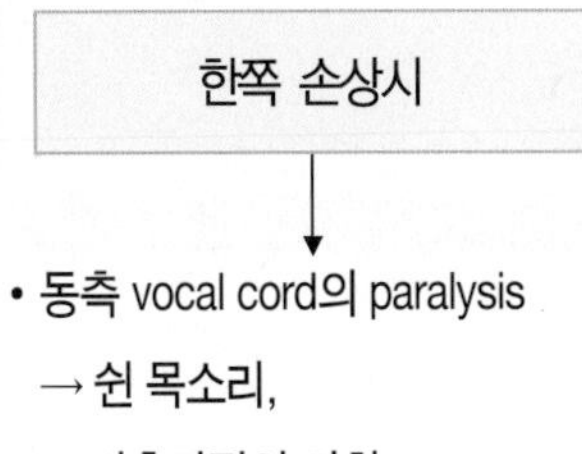

한쪽 손상시

- 동측 vocal cord의 paralysis
  → 쉰 목소리,
  비효과적인 기침

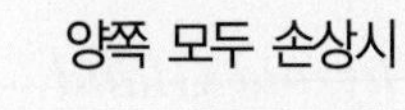

양쪽 모두 손상시

- 발성을 못함, 기도가 막힘.
  → emergency intubation &
  tracheostomy가 필요할 수 있음.

(그림) 수술 시 RLN가 injury 받기 가장 쉬운 곳 (3군데)★

① Ligament of Berry
② Inf, thyroid a. br를 ligation할 때
③ Thoracic inlet (Thyroid inf. pole)

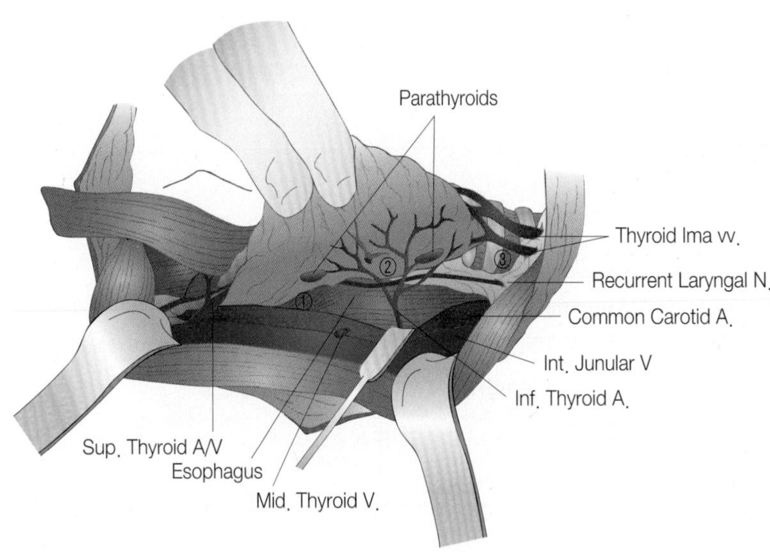

2. Superior Laryngeal Nerve

① 이 신경에는 아래의 **두 분지**가 있다.

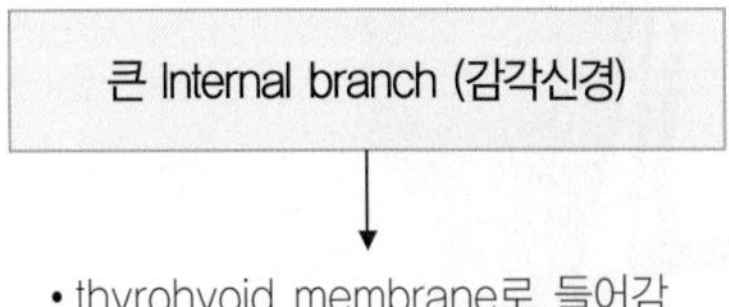

큰 Internal branch (감각신경)

- thyrohyoid membrane로 들어감

작은 External branch (운동신경) ★

- Sup. thyroid a.가 thyroid로 들어가는 부위의 1cm 이내로 주행하여 Cricothyroid m.로 들어감.
- 수술 시 Sup. thyroid pole의 너무 위쪽에서 **thyroid a.를 ligation할 때** Ext. branch가 손상을 입을 수 있다.
  → 고음 발성 장애 ★

(그림) Sup. laryngeal n.의 sup.branch (노란색)과 Sup. thyroid a.와의 관계

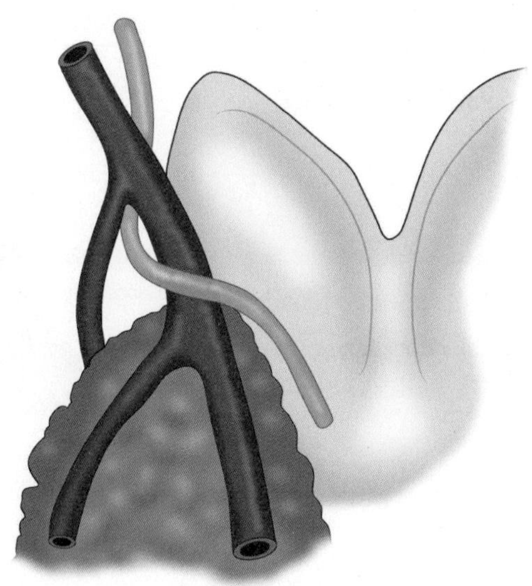

3. 혈액 순환

(그림) 갑상선의 Arterial Supply & Venous Drainage

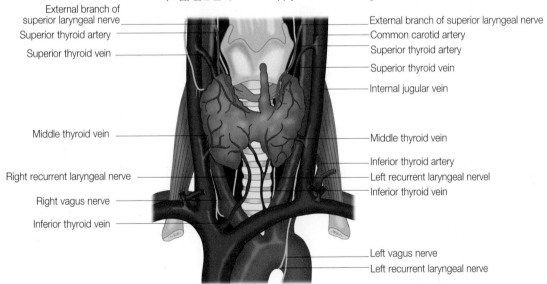

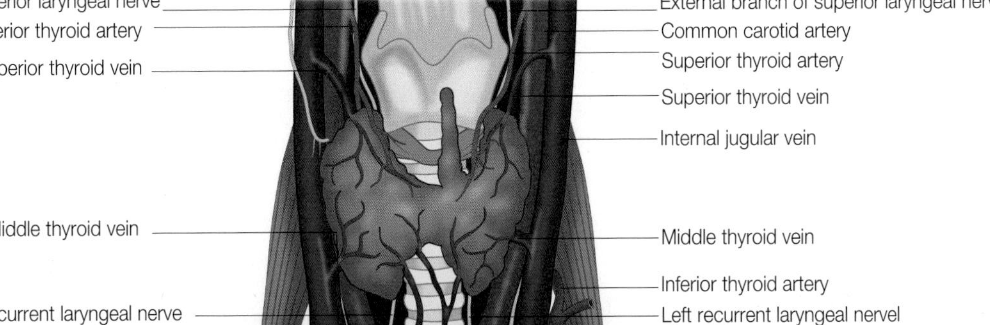

☞ Sup. laryngeal n.는 아래쪽 & 가운데쪽으로 주행하며, thyroid의 sup. lobe로 들어가는데 이때 sup, thyroid a.를 따라서 혹은 주변으로 주행할 수 있으므로 주의해야 한다.

① 동맥

a. sup. thyroid a. : Ext. carotid a.의 첫번째 분지

b. inf. thyroid a. : from thyrocervical trunk

sup.& inf. parathyroid에 혈액 공급

※ Thyroidea ima a. (5%)

② 정맥

a. sup. → int. jugular v.

b. middle ↗

c. inf. → innominate & brachiocephalic v.

(그림) 경부 림프절의 Level

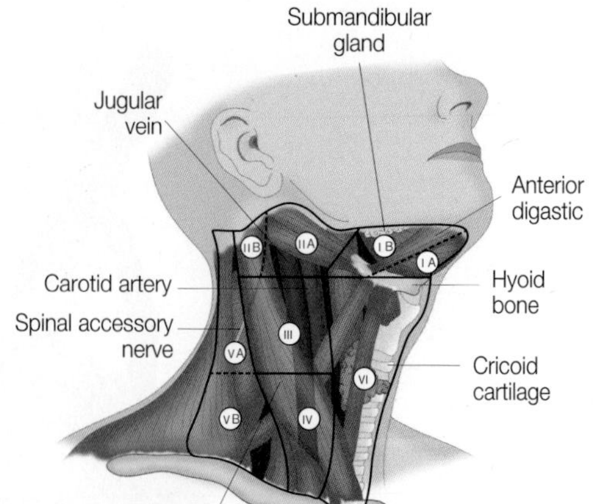

4. 림프계

- rich lymphatic supply, drain in almost every direction
- papillary ca. : 림프절 전이가 흔함.
- medullary ca. : 역시 림프절 전이를 잘 하는데 주로 Central compartment 내에서만 이루어진다.
  → Medullary Ca에 대해 갑상선 전절제시 Central -compartment LN dissection을 시행한다.

갑상선의 생리

■ Iodine Metabolism

- 전신 iodide의 90%를 갑상선에 저장, 나머지 10%만 extracellular pool에 존재
- iodine 적을 때와 많을 때 연관된 질환들

적을 때	많을 때
→ Nodular goiter, 갑상선 기능 저하증, Cretinism, Follicular thyroid ca.	→ Graves' dis., Hashimoto's thyroiditis

■ 갑상선 호르몬 분비 조절

1. T3 (triiodothyronine) & T4 (throxine)

• Iodine이 follicular cell에 들어오면 iodine은 tyrosine과 결합하여 MIT, DIT를 형성하며, 이들은 아래와 같이 결합하여 갑상선 호르몬을 생성한다.

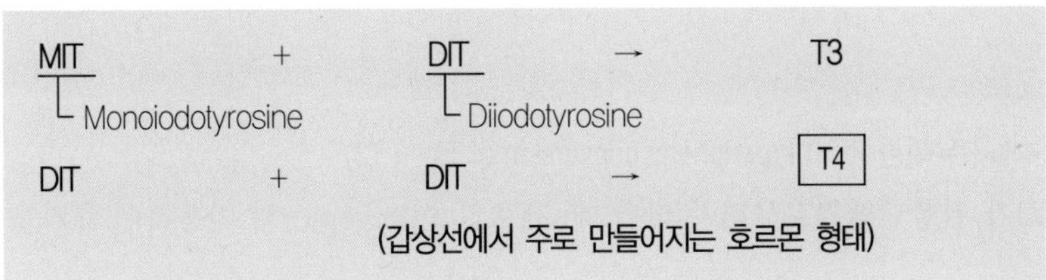

• 정상적으로 2주간 사용할 수 있는 양의 갑상선 호르몬을 저장
• Hypothalamic - Pituitary - Thyroid axis 가 갑상선 호르몬 분비에 관여
(TRH) (TSH)

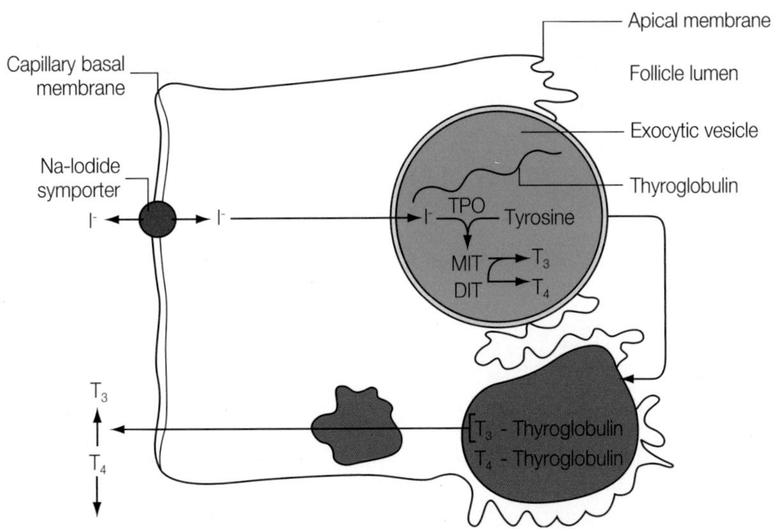

2. Calcitonin

① C cell에서 분비 :
thyroid sup.lat. portion에 주로 위치하는 parafollicular cell

② 작용 : osteoclast에 작용하여 bone resorption 억제 → peripheral serum Ca level ↓

③ basal or stimulated calcitonin level
: 갑상선 수질암 (medullary ca.)의 진단에 이용

3. 갑상선 호르몬의 말초작용

① peripheral activity : T3 (3 - 4배) > T4

반감기 : T3 (8-12hrs) < T4 (7days)

② 대부분 (80%)의 말초 T3, T4는 TBG (thyroxine-binding globulin)에 결합한다.

일부 T4는 prealbumin thyroxine-binding protein과 albumin에 결합

③ free T4 or T3 : 1% 미만

└ active form

④ 말초에서의 T3의 75%는 T4에서 유래한 것이다.(peripheral conversion of T4 → T3)

그리고 이러한 T3 (주로)가 결합단백질로부터 유리될 때, 세포의 T3 receptor와 반응하여 효과를 나타낸다.

> 즉, T4를 prohormone으로,
> T3를 세포차원에서 반응하는 유일한 호르몬으로 기억하자.

cf) T4→T3로의 말초전환을 방해하는 상황 (→ 갑상선 기능 저하증 유발)

: 패혈증, 영양 결핍, 스테로이드 propylthiouracil, beta blockers, 요오드표지 조영제, amiodarone의 사용

■ 갑상선호르몬 합성의 억제

1. 항갑상샘약제

① 작용기전

- inorganic iodine 의 organification & oxidation 억제
- MIT & DIT의 linking 억제

② 종류 ★

> a. PTU (propylthiouracil)
> : 위의 기능에 추가해서 T4 → T3로의 말초전환도 막는다.
> b. Methimazole (Tapazole)
> : 작용이 길어서 하루에 한번 복용해도 된다.
> 태반을 통과하여 태아발달에 악영향 ((임신 1st trimester에서 금기)★

※ 공통된 부작용

: Agranulocytosis (〈 1%), rash, arthralgia, neuritis, 간 기능 부전

2. Iodine

- SSKI나 Lugol solution의 형태로 대용량으로 투여하였을 때 갑상샘호르몬의 방출을 막는다.
- 효과는 일시적이지만, 수술전 준비의 일환으로 갑상샘의 hyperactivity를 치료하는 데에 사용될 수 있다.

3. Steroids

- 작용 a. pituitary-thyroid axis 억제함.
  b. T4 → T3 말초 전환 억제
  c. 혈중 TSH 낮춤

4. β-Blocker

- 갑상선호르몬합성을 억제하지는 않는다.
- Catecholamine의 peripheral sensitivity를 조절하는데 효과적
  → **심혈관 증상 완화** 역할 : pulse rate, tremor, anxiousness 등

■ 갑상선 기능 검사 ★

1. Pituitary-Thyroid Feedback Loop 평가

① serum TSH : 갑상샘기능이상의 중요한 screening test

② TRH stimulation test

③ T3 suppression test

2. Serum T3 & T4 Level

- 갑상선 기능을 정확히 알기 위해서는 free T4 level과 T3 level을 check!

3. Calcitonin

- MEN type2 환자에서 갑상선 종괴가 발견된 경우나 Medullary carcinoma가 의심되는 경우에 측정한다.

4. RAIU (Radioactive Iodine Uptake)

- ^{123}I 복용 후 스캔 시행 → 정상 : 24시간 후 15-30%
  cf. ^{131}I 는 갑상샘 종양의 radioablation에 사용

5. Thyroid Autoantibody Level

- Thiroid-stimulating immunoglobulin, antimicrosomal and antithyroid peroxidase antibodies
- Antimicrosomal antibody : Hashimoto's thyroiditis (95%), Graves' dis.(80%)

추가노트

※수술전 처치로 이용되는 약

: ① Antithyroid drug, ② Lugol's solution & ③ Propranolol

갑상선 대사 질환

■ 갑상선 기능 저하증

• 보통 충분한 양의 thyroid hormone을 생산하지 못하여 일어남(i.e. primary hypothyroidism)

1. 원인

① 요오드 결핍

② Hashimoto' s Thyroiditis

- TSH-blocking antibody, antimicrosomal antibody가 관여

③ 방사선치료 후

④ 갑상선 절제술 시행 후 (m/c)

⑤ 약제복용 후

a. cytokines : IFN-α, IL-2

b. Lithium : bipolar disease (양극성장애)시 복용하는 약

c. Amiodarone : 항부정맥 제제

d. Antithyroid drug

2. 치료 : 갑상선 호르몬 복용

■ 갑상선기능항진증 - Graves' Disease★

1. 특징

① 20~40세, 여성

② 증상 triad ★

i) Thyrotoxicosis, ii) 경부 종괴, iii) 안구 돌출증 (Exophthalomos)

i) Thyrotoxicosis:
• 발한, 체중감소
• heat intolerance, 갈증

iii) 안구 돌출증:
• 눈확 주위, 결막 부종 • 안구운동의 감소, 복시
• 치료 안하고 진행할 시 optic n. damage로 실명 가능
→ Total thyroidectomy해야 교정됨

③ 조직 : enlarged nodular gland c increased vascularity

2. 진단

① Enlarged smooth thyroid mass, thyrotoxicosis의 증상, T3, T4 ↑ TSH ↓

② ^{123}I scan : 전체 갑상선으로의 diffuse uptake

3. 치료 ☆☆

① **항갑상선 약물**

a. PTU, Methimazole, Carbimazole : 1-2년의 치료 이후에 1/3의 환자들이 약물복용 중단 가능.
그러나 대부분의 Graves disease 환자들은 RAI나 갑상샘절제술 같은 확실한 치료가 필요.

b. β-blocking agent (propranolol)

② Radionuclide Therapy : Iodine - 131

a. **적응증**

- **작거나 중등도 크기**의 갑상선
- **항갑상선제에 반응하지 않는 경우**
- **수술**을 원치 않거나, 금기인 경우
- 수술 및 약물요법후 후 **재발**한 경우

b. **금기증 : 임산부 혹은 수유중인 여성** (다른 가임기여성에서는 가능)

c. 장점 : 수술을 피할 수 있고 비용효율적이다.

d. 단점 : **갑상선기능저하증, 심부정맥, ophthalmic problem 악화 및 Thyroid storm 등의 위험**

③ **갑상선 절제술**

a. 장점 : 빠르고 효과적이며 투약이 필요없다.

b. 방법

Total Thyroidectomy

↓

- 장점 : 가장 낮은 재발률,
opthalmopathy 안정화에 가장 좋다.
- 단점 : **수술 합병증**
(nerve injury, hypoparathyroidism)

Near-total or Subtotal thyroidectomy

↓

- 보통 1~2g을 남김. 술후 합병증이 적지만, **재발위험이 있다.**

c. **적응증★**

- **약물투여 및 방사선치료에 실패**
- **임신** (혹은 6개월 내 임신할 계획), 수유중일 때
- 내부에 다른 **종괴**가 의심되는 경우 (악성 의심 시)
- **미용상** 심한 deformity가 있을 때
- **기도 압박**시 (large goiter)

d. **수술 전 투약★** : thyroid storm의 위험을 낮추기 위해 【13】

- **항갑상선 약물** : euthyroid state로 만들기 위해
- **Lugol solution** : 수술 전 3방울씩 하루에 2회 **7일** 간 투여
  → 갑상선의 vascularity을 줄이기 위해 **Euthyroid를 유도 후 2개월 지나서 수술함**

※ Thyroid Storm★

- 전투약없이 수술했을 경우 갑상선절제후에 나타남.
- 증상 : severe tarchycardia, fever, confusion, vomiting, adrenergic overstimulation (mania, coma)
- 치료★ : **수액보충, 항갑상선약제, β-blocker, iodine, steroid**
  필요시엔 Plasmapheresis

단일 갑상선 결절이 있을 때의 진단

(그림) 갑상선결절이 있는 환자에서의 검사진행 ★【16】

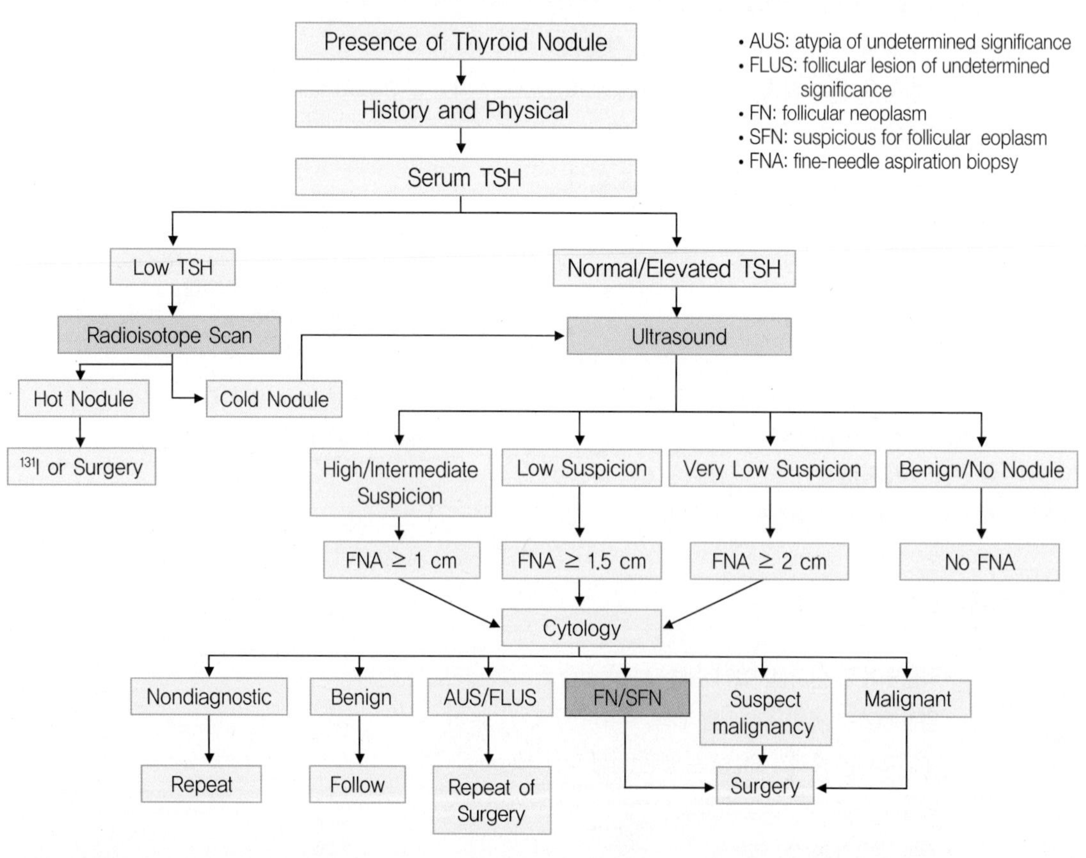

추가노트

cf) 갑상샘 기능저하증의 다른 원인들

a. Acute suppurative thyroiditis
b. Subacute thyroiditis
c. Riedel Struma
d. Toxic Nodular Goiter (Plummer' s Disease)
e. Multinodular Goiter
f. Substernal Goiter

1.초기 평가 - 문진, 신체검진 ★

• 갑상샘 결절은 나이가 들수록 증가하지만 대부분은 양성이며, 전체의 약 5% 가량이 악성이다.

[악성의 위험인자]
① 소아에서의 갑상샘 결절
② 남성
③ 나이: 30세 이하 혹은 60세 이상
④ 방사선 조사력: 직업적 노출, 두경부 RTx, 특히 어릴 때
⑤ 특별한 내분비 질환력 및 가족력
: MEN type 2, MTC, PTC, Gardner's synd. Cowden synd.
⑥ 국소침범소견: hoarseness, dysphagia 등
⑦ 단단한(firm) 결절
⑧ 단일(solitary) 결절

2. 갑상샘 초음파

• nonthyrotoxic nodule에 대한 평가

• 이점
a. 휴대 가능(portability) - 검사실 외에 외래와 수술실에서도 사용 가능함
b. 비용-효과적(cost-effectiveness)
c. 방사선을 이용하지 않음

• 초음파에서 악성을 의심할 수 있는 소견
: 다음의 소견들은 결절의 크기와 함께 FNA가 필요한 지 결정하는 데에 사용될 수 있다.

① Microcalcifications
② Solid hypoechoic components
③ Hypervascularity (Intranodular)
④ Infiltrative(irregular) margin
⑤ Taller than wide shape
⑥ Extrathyroidal extension

3. 갑상샘 스캔 (Radioisotope scanning)

① 갑상선결절의 존재, 크기 및 기능 여부를 알 수 있다.

② 종류

Iodine – 123	Iodine – 131	^{99m}Tc (Technetium-pertechnetate-99m)
• Lingual thyroid, Substernal goiter를 찾을 때 사용	• 고분화 갑상선암의 원발전이를 찾는데 사용★ • Cold nodule : 15~20%가 악성☆ • Warm or hot nodule : 5%이하가 악성	• 갑상선에 의해 Trapping은 되지만 organification이 되지는 않는다. 즉, 갑상선결절의 기능 여부는 알 수 없다.

4. CT &MRI

- 단순 갑상샘 결절의 진단에 특별히 도움이 되지는 않는다.
- 진행된 갑상샘암에서의 local extension이나 커다란 목 림프절을 동반한 의심스러운 mass의 평가, 술전 계획 등에 사용될 수 있다.
- hyperthyroidism이 있는 환자에서 CT촬영을 위한 정맥 조영제의 사용 시 주의해야 한다.
  (과도한 요오드 부하를 주어 thyroid storm을 일으킬 가능성이 있다.)

5. Fine-Needle Aspiration Biopsy

- 갑상샘 결절의 평가에서 비용효과적이고 훌륭한 진단적 도구이다.
- 환자 요소, 초음파 소견, 결절의 크기 등을 종합적으로 고려하여 FNA 시행을 결정한다.
  (앞의 flow chart 참고)
- 23~27 gauge needle을 사용한다. (큰 바늘에 비해 합병증 발생↓)
- 보통 초음파 유도 하에 시행하는 것이 좋다.
- 위음성율: 1~6%
- Follicular ca.: FNA로 진단 할 수 없다. (주변조직 침범여부를 알 수 없으므로)
- 순수하게 낭성인 병변(purely cystic lesion)은 FNA가 필요 없으며, fluid aspiration을 한다.

3. 치료

- Bethesda System에 따라 치료(flow chart 참고)
- 갑상샘 결절에서 수술적 절제를 고려하는 경우
  a. 국소적 압박이나 염증의 소견이 명확한 경우
  b. serum TSH 측정에서 기능항진이 확인된 경우
  c. 악성이 의심되는 경우

갑상선 암

cf. 유두암(Papillary ca.)과 여포암(Follicular ca.)를 Differentiated Thyroid ca.(DTC)로 칭한다.

■ 유두암 (Papillary Carcinoma) ★

- m/c (70~80%) 예후는 매우 좋다 (특히 40세 이하 여성에서).
- 방사선 노출 과거력과 관련이 있다. ★
- FNA에서 intranuclear inclusin body와 nuclear grooving, psammoma body 등이 보이면 확정적

※ **예후**에 관련된 인자는 아래와 같다.

- **AGES:** Age, pathologic grade, extent of primary tumor, and size
- **AMES:** Age, distant metastasis, extent of primary tumor, and size

	위험도 낮음	위험도 높음
Age	〈 40세 이하	〉 40세 이상
Gender	여성	남성
Extent	국소침범없음	피막 및 감상샘밖 침윤
Metastasis	없음	있음 (국소 혹은 원격)
Size	〈 2cm	〉 4cm
Grade	분화암 (Well-differentiated)	미분화암 (Poorly-differentiated)

■ 여포암 (Follicular Carcinoma)

- 2번째로 많다! (10%)
- 고령에서 발생 (peak: 40-60세), 여성 (3배)
- PTC와 다르게 방사선 조사력과 크게 관련되지 않는다.

- 병리
  - 정상적인 follicular cells이 **비정상적인 위치**에 있으면 진단 가능하다.
    └ **피막, 림프계 및 혈관 침범**

  → ∴ FNA 및 Frosen section에서도 악성도를 진단하기 힘들다.
- 림프절 전이는 매우 적고 (<10%), **원발 전이(혈행성 전이)가 흔하다.** ★
  └ 폐, 뼈
- 예후 : 나이(40세 이하에서 좋은 예후)와 종양의 크기가 중요

■ Hurthle cell Carcinoma

- Follicular ca의 subtype으로 예후는 더 좋지 않다.
- 풍부한 Oxyphilic cells을 지니고 있음
  재발률이 높은데, 특히 **국소 림프절 전이**가 두드러진다.

■ DTCs(PTC, FTC)의 치료

일차치료에서 고려해야 할 사항
① 원발병소와 임상적으로 중요한 목 림프절의 절제
② 치료로 인한 합병증 최소화
③ 정확한 병기설정 가능
④ 필요한 경우 수술 후 RAI 치료가 가능하도록
⑤ 장기적인 surveillance를 가능하도록
⑥ 재발과 전이의 위험성을 최소화

추가노트

☞ FTC수술 후의 예후는 **나이**가 결정한다. 즉, **40세 이하**인 경우 예후가 가장 좋다.
☞ PTC 및 FTC 수술 후 관리는 "Radioiodine ablation" 과 "thyroglobulin에 **대한 장기적** monitoring"이다.
☞ Completion Thyroidectomy는 남아있는 thyroid 조직을 모두 제거하는 술식이다.

1. 수술적 절제

- **수술의 종류**

a. hemithyroidectomy / thyroid lobectomy

b. near-total thyroidectomy

c. total thyroidectomy

- 전이의 증거가 없는 일측의 갑상샘암의 치료에서도 total thyroidectomy를 고려한다. 【13】

근거) 효과적인 RAI ablation이 가능해짐

병소가 multifocal하게 숨어있을 수 있음

Tg를 tumor marker로 사용할 수 있음

- 이전의 가이드라인에서는 1cm이상의 거의 모든 갑상선분화암(DTCs)에서 total thyroidectomy를 권고하였으나, 최근의 연구들에 따르면 total thyroidectomy에서의 생존률 향상 효과에 대한 의문이 제기되고 있으며, 더 선택적인 환자군에서 RAI 치료를 권하는 방향으로 변화하고 있다.

- 갑상선분화암에 대한 **적절한 수술의 선택** (2016 대한갑상선학회 갑상선결절 및 갑상선암 진료권고안)

① **비진단적**이거나 **비정형**, **여포종양 혹은 여포종양 의심**, 또는 **악성의심**의 세포소견을 보이는 경우

a. 반복 검사에서도 세포소견이 "비진단적" 인 경우,

높은 의심 초음파소견 또는 추적 초음파검사에서 결절의 크기 증가(20% 이상의 증가),

또는 암 발생의 임상적 위험 요인이 있는 경우

→ **진단적 갑상선 절제**를 고려

b. 단일 결절이고 미결정(indeterminate) 세포 소견을 보이는 갑상선결절

→ 처음 수술로 **엽절제술** 추천

(단, 임상 또는 초음파 소견, 환자의 선호도, 분자검사 결과 등을 바탕으로 변경될 수 있음)

c. 세포 소견이 "악성의심" 인 경우,

알려진 특정 암유전자 돌연변이가 있는 경우,

높은 의심 초음파 소견을 보이는 경우,

크기가 4 cm 보다 큰 경우,

또는 갑상선암의 가족력이나, 방사선 조사의 과거력이 있는 경우 등

→ 갑상선전절제술이 적합할 수 있음

(∵악성의 가능성이 높고, 엽절제술 후 암으로 진단된다면 잔존갑상선절제술이 필요하므로)

② **세포검사에서** 암으로 진단된 경우의 수술

a. **갑상선암의 크기에 상관없이**

육안적 갑상선외 침윤, 또는 임상적으로 경부 림프절전이나 원격전이가 분명한 경우,

혹은 **크기가 4 cm를 초과하는 갑상선암**

→ 특별한 금기가 없는 한 처음 수술 시 갑상선(근)전절제와 원발암의 완전한 육안적 제거를 시행

b. 1cm 〈 **갑상선암의 크기** 〈 4 cm 이면서,

갑상선외 침윤이 없고, 임상적으로 경부 림프절 전이의 증거가 없는 경우

→ 처음 수술로 엽절제술을 적용할 수도 있음

(but, 수술 후 RAI 치료계획, 추적검사의 효율, 환자의 선호 등을 고려하여 갑상선(근)전절제술을 선택할 수도 있음)

c. **갑상선암의 크기** 〈1 cm **미만**이고,

갑상선외 침윤이 없으며, 임상적으로 경부 림프절 전이의 증거가 없는 경우,

반대 쪽 엽을 절제해야 하는 분명한 이유가 없다면

→ 처음 수술로 갑상선 **엽절제술을 적극 권고**!!

(두경부 방사선 조사력이 없고, 가족성 갑상선암이 아니면서, 경부 림프절 전이가 없는 갑상선 내에 국한된 단일 병소의 작은 갑상선암의 경우 →초기 수술은 갑상선 엽절제술로 충분)

③ **림프절절제술**

a. 임상적으로 **중앙경부 림프절전이가 확인**된 경우 【13】

→ 치료적 **중앙경부(level VI) 림프절절제술**을 시행

b. 임상적으로 중앙경부 림프절전이가 **없는** 갑상선유두암 환자에서도,

진행된 원발암(T3 혹은 T4) 또는 임상적으로 확인된 측경부 림프절전이 (cN1b)가 있는 경우

또는 향후의 치료 전략 수립에 필요한 추가적인 정보를 얻기 원하는 경우

→ 예방적 중앙경부(level VI) 림프절절제술을 고려

c. 대부분의 **갑상선 여포암**의 경우

→예방적 중앙경부(level VI) 림프절절제술이 **불필요**

d. **측경부 림프절 전이가 조직검사로 확인**된 경우

→ 치료적 측경부 림프절절제술 시행

④ **잔존갑상선절제술(Completion Thyroidectomy)**

추가노트

☞ 갑상선 전절제술의 합병증 ★【17】【15】【14】

1. **갑상선 기능저하증**

- 환자는 평생 갑상선호르몬을 복용해야 한다.

2. **부갑상선 기능저하증**

- 수술 시 부갑상선도 동반제거될 우려가 있으며 이로 인해 칼슘결핍증상★이 발생한다.

3. RLN(recurrent laryngeral n.)등 수술도중 손상우려가 있다.

4. 기타 합병증 - 출혈, 혈종 → 호흡곤란(기도폐쇄) 관찰되면 즉시 open drainage(**수술상처개방**)

- 가슴관(thoracic duct) 손상: Chyle leakage

a. 엽절제술을 받았으나,
처음 수술 전에 갑상선암으로 진단되었다면 갑상선(근)전절제술이 추천되었을 환자
→ 잔존갑상선절제술을 권고
+ 임상적으로 중앙경부 림프절 전이가 있다면 치료적 중앙경부 림프절절제술을 시행
(저위험 갑상선유두암 또는 여포암의 경우에는 갑상선 엽절제술 만으로 충분한 치료가 될 수 있음)

b. 잔존갑상선절제술의 대안으로 방사성요오드 치료를 시행하는 것은 권고되지 않음

2. RAI ablation

- 목적
  a. 잔존 갑상샘 조직을 제거하여 Tg 검사나 영상검사를 통한 재발 감시를 용이하게 한다.
  b. occult metastatic disease를 없애는 보조적 치료
  c. 이미 알려진 질환에 대한 일차치료
- 육안적으로 extrathyroidal extension이 있거나 M1인 환자 - RAI가 recurrence-free survival을 향상

3. TSH suppression

- 갑상선분화암(DTCs)은 세포막에 TSH 수용체를 가지고 있고, TSH 자극에 반응하여 세포성장이 증가
  → 생리적 용량 이상의 고용량 갑상선호르몬제(LT4)를 투여
  → TSH 분비를 억제함으로써 갑상선암의 재발을 감소시킬 수 있음.

4. 기타

- External-beam radiation, 전신보조항암화학요법, 표적치료제 등

■ 수질암 (Medullary Carcinoma) ★

- 빈도 4-10%
- Neural crest origin인 C cell (Parafollicular cell)에 발생하는 종양

1. 특징

① "Calcitonin" 을 분비 ★ → 하지만 Hypocalcemia를 심하게 유발하지 않는다.

② 2 types

a. "Sporadic MCT" : (80%) 보통 병변은 단발병소이며 한 엽에 국한된다.

b. "MEN type 2A or 2B" : 양엽의 upper halves에 병변이 위치함.

③ **크기가 작으며** 수술 후 **calcitonin level이 측정되지 않을 때** 좋다.

2. 치료

① **Total Thyroidectomy ± Central LN dissection (최소한!!)** if palpable lat. L/N → MRND 추가

② MTC는 follicular cell 기원이 아니므로, RAI 스캔이나 치료는 효과가 없다.

■ 미분화암 (Anaplastic Carcinoma)

- 약 1%
- 가장 악성도가 높으며, 고령에서 많다.

> cf) 악성도 : 유두암 < 여포암 < 수질암 < 미분화암★

1. 임상양상

- dysphagia, cervical tenderness, painful neck mass, SVC syndrome
- 급속히 진행하여 **기도 폐색**을 유발할 수 있다.

2. 치료

- 발견 당시 90%는 원격전이(m/c: lung)를 동반하여 절제에 적합하지 못하다.
- 술후 RTx or CTx : 거의 효과 없다!!
- 예후가 매우 안 좋다 (disease specific mortality가 거의 100%에 근접).

■ 림프종

- 드물지만, 점차 증가 추세
- **Hashimoto' s thyroiditis와 연관**이 있을 수 있다. (약 반수)
- **치료** : (Preoperative) CTx ± Surgical (near or total thyroidectomy)

CHOP regimen

> Pericapsular edema & swelling으로 수술이 어려우므로 수술여부는 신중히 결정한다.

> **C**yclophosphamide
> **H**ydroxydaunomycin [doxorubicin]
> **O**ncovin [vincristine]
> **P**rednisolone

☆☆☆☆☆

Power

04 부갑상샘

Parathyroid Glands

해부

- 4개의 glands가 존재. 전체무게 : 90-200mg 크기 : sup. < inf.
  추가의 gland가 발견될 수 있다 (thymus내에서 자주 발견).
- 보통 sup. 2개/ inf. 2개이며 (양쪽이 대칭적인 경우가 대부분)
  sup. parathyroid glands: mid. ~ sup. thyroid lobe의 후내측 표면에 위치
  inf. parathyroid glands: inf. thyroid lobe의 바로 아래쪽, 되돌이후두신경의 앞
- 혈액공급 : 보통은 Inf. Thyroid Artery (80%)로부터
  일부 sup. gland에 sup. thyroid artery가 공급하는 경우 (20%)

생리

■ Mineral Metabolism

1. 칼슘

- 기능 : 주된 세포내 second messenger로서, 근수축 및 세포막 repolarization
- 하루 섭취량은 약 1g, 대부분 **상위 소장**에서 흡수된다.
- total serum calcium: 8.5 to 10.2 mg/d
- ionized (→ active) form과 단백질 (Albumin) 결합 형태 반반씩이다.

• **칼슘 분포**에 영향을 주는 인자들

a. **체액 pH**

H+이 Ca-결합단백의 Ca결합 부위와 동일부분에 결합함으로써 Ca결합을 방해한다.

H^+ ↑(Acidosis) → Ca^{++} ↑
H^+ ↓(Alkalosis) → Ca^{++} ↓

b. **단백질량**

1g/dl total protein 변화 → 0.8mg/dl의 total serum Ca의 변화

2. 인 (Phosphate)

• 사람은 700g의 phosphate를 지니며 대부분 **뼈** 및 **이**에 위치한다.
• 하루 섭취량은 약 1.5g, plasma phosphate : 2.5 - 4.3 mg/dl
• Plasma Ca과 Phosphate는 inversely 조절됨

3. 마그네슘

• 주로 뼈에 위치. 신체대사에서 여러 enzyme의 활성화에 작용
• 하루 약 300mg 정도 섭취.

(표) Calcium-Regulating Hormones의 작용

	뼈	신장	장
① 부갑상선호르몬	• 칼슘과 인 재흡수 촉진	• 칼슘의 재흡수 촉진 • $25(OH)D_3$ → $1,25(OH)_2D_3$ 전환 촉진 • 인과 중탄산염(bicarbonate) 재흡수를 억제함	• 직접적인 작용없음
② 비타민D	• 칼슘의 이동을 도움	• 칼슘의 재흡수를 억제함	• 칼슘과 인의 재흡수를 촉진
③ 칼시토닌	• 칼슘과 인의 재흡수를 억제함	• 칼슘과 인의 재흡수를 억제함	• 직접적인 작용없음

■ 칼슘 대사 조절

1. Parathyroid Hormone

① 혈장 칼슘치 및 1,25-dihydroxyvitamin D가 낮을 때 분비된다.

② 신장과 골격근에 직접적인 영향을 주고, 위장관에는 Vit D hydroxylation을 통해 간접적인 영향을 미친다.

골격근	신장
a. 칼슘분비를 촉진 b. osteoblasts억제 & osteoclasts 자극	a. calcium 흡수, phosphate 분비 b. 25-hydroxyvitamin D → 1, 25-dihydroxyvitamin D (hydroxylation)

2. Vitamin D

• 장에서의 Ca, Phosphate 흡수를 증가시키며, 뼈에서 혈액으로 Ca, Phosphate를 이동시킨다.

3. Calcitonin

• 칼슘의 뼈에서의 흡수를 막고, 저칼슘혈증을 유발한다. 소변에서의 Ca, Phosphate의 분비를 증가시킨다.

(그림) 칼슘 항상성 조절

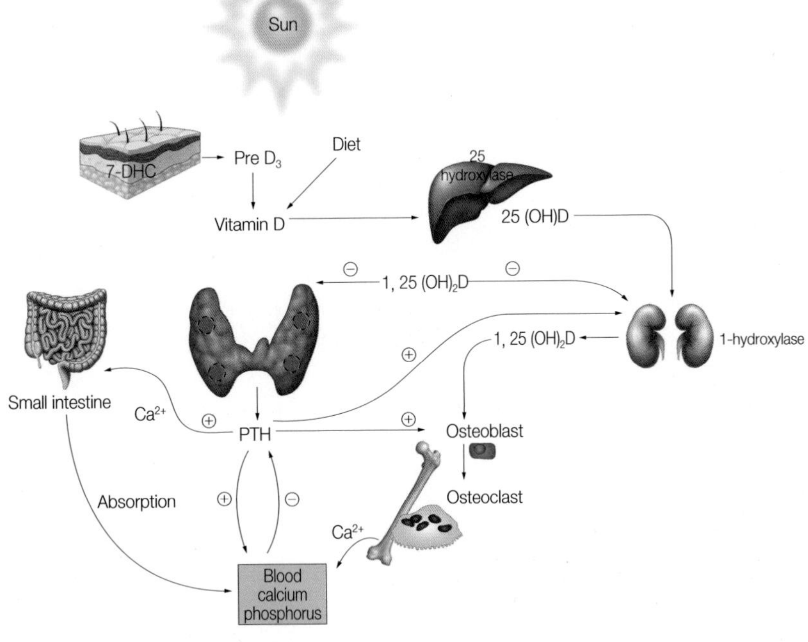

부갑상선 관련 질환들

■ 부갑상선기능항진증

• 분류

① 1차성 : Ca에 의한 정상 feedback조절이 이루어지지 않아 PTH생산이 증가할 때

② 2차성 : vit. D 결핍이나 만성신부전으로 인한 것이 가장 흔함

③ 3차성 : 오랜 보상적 자극을 받은 부갑상선이 autonomous function을 획득할 때
(4개의 gland가 hyperlasia되며 serum Ca level과 무관하게 PTH 분비)

A. 일차성 부갑상선기능항진증

• 노령에서 많다 (특히 폐경기 여성에서) 가장 흔한 것이 Parathyroid single adenoma임 (약 85%) ★

1. 임상양상

• 요즈음은 과거보다 무증상의 고칼슘혈증으로 발견되는 경우가 많다.

(표) Primary Hyperparathyroidism의 증상과 징후★

SYMPTOMS	SIGNS
Musculoskeletal	Musculoskeletal
Bone pain	Osteoporosis
Muscle aches	Osteopenia
Renal Renal	
Polyuria	Nephrolithiasis
Gastrointestinal	Nephrocalcinosis
Nausea	Bone
Vomiting	Osteitis fibrosa cystica
Constipation	Pathologic fractures
Abdominal pain	Brown tuors/cysts
Neurocognitive dysfunction	
Fatigue	
Poor concentration	
Memory loss	
Irritability/mood swings	
Insomnia	

※ 참고

① **"신장합병증" : 가장 심각!**

- **빈뇨,** Nocturia & Polydipsia **신결석증** (Nephrolithiasis)과 연관된 경우 25-30%
- **신 석회화증** (Nephrocalcinosis) : 신장실질내의 석회화.
  부갑상선 기능 항진증을 치료하여도 개선되지 않는다.
- **고혈압** : 고령에서 많고 **사망요인의 30%**를 차지한다.
  (∵ 심부전, 신부전, Cerebral hemorrhage)

② **"골질환"** : 5-15%

- **손〉두개골〉척추** 순으로 나타남.
  └ 척추 골절이 많다.
  "DEXA" (Dual-Energy X-ray Absorption scanning)로 진단

③ **"소화기계 합병증" : 소화성 궤양, 췌장염, 담석증 (25-30%)**

④ **"감정의 변화"**

- Depression or Anxiety ~ Psychosis or Coma
- 수술 후 어느 정도 호전됨.

2. P/EX

- 좀처럼 종괴가 만져지지 않는다.

3. 검사소견

① serum Calcium ↑ + serum PTH ↑ : **가장 유용한 검사**

: 절반, 신기능 저하 동반시 상승함

② **ALP** (Alkaline phosphatase) **상승 : 10-40%** ALP가 상승한 환자는 보통 **골질환**을 동반한다.

③ **과염소혈 대사성 산증** (Hyperchloremic metabolic acidosis) ★

∵ PTH가 HCO_3^- 를 신장에서 배출시키기 때문이다.

④ **"DEXA"** of lumbar spine, hip & forearm → primary HPT시 나타나는 골다공증을 알아봄.

4. 일차성 부갑상선 기능항진증의 수술적응증

① **증상**이 있는 모든 환자는 수술의 적응증이다.

② 증상이 없더라도 아래의 경우는 수술의 적응증이다.

a. 나이 〈50세

b. Serum calcium 〉1mg/dl above upper limit of normal

c. 뼈밀도 (@ lumbar spine, femoral neck, total hip, 혹은 distal radius의 1/3

: T-score ≤ 2.5 (폐경기나 폐경 후 여성, 50세 이상의 남성)

: Z-score ≤ 2.5 (폐경 전 여성과 50세 미만의 남성)

: 척추 골절(fragility fracture 포함하여)이 영상검사에서 보일 때

d. 신기능

: CCr 〈 60mL/min

: 신결석이나 신석회화증이 X-ray, 초음파, CT 등에서 확인되었을 때

B. 이차성 & 삼차성 부갑상선 기능항진증

1. 발생기전

- **CRF에서,**

a. Phosphate retention으로 인한 **Hyperphosphatemia**

신장에서 1,25-DihydroxyVitmine D 생성감소

→ **장에서 calcium 흡수 감소 → hypocalcemia → PTH 자극**

b. 투석액 (Dialysate water) 및 phosphate 함유한 약제에 있는 **Aluminum**

→ 뼈에 침착되어 Osteomalacia 유발

(그림) CRF에서 나타나는 Secondary Hyperparathyroidism의 도식도

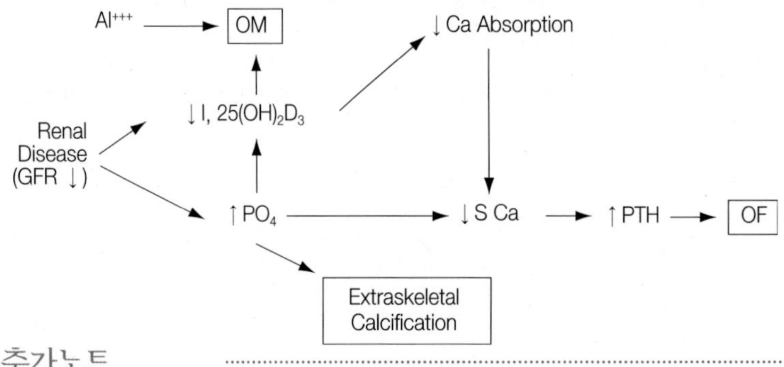

추가노트

cf) OM = osteomalasia
OF = osteitis fibrosa

cf) 2차성 부갑상선기능항진증 치료 도중

- 특별히, Ca 및 VitD 복용을 중단했을 때
- 심각한 hypercalcemia가 발생하는 경우, 3차성 **부갑상선 기능항진증**이라고 하며, 이는 만성적으로 자극되어 있는 부갑상선이 autonomous function을 지니게 되어 발생한다. 이 경우 수술적응증에 해당한다.

2. 치료

① Medical Tx

1) 저칼슘혈증 조절
  - 고농도의 칼슘이 포함된 투석액 사용
  - 칼슘 포함 인산 결합제 (탄산칼슘, 아세트산 칼슘)

2) 고인산염혈증 조절
  - 적절한 혈액투석, 인산염 식이섭취 제한, 인산결합체의 투여

② **수술**

- **적응증**

1) intact PTH 〉500pg/mL

2) 비대된 부갑상선 발견(가장 큰 것의 부피가 500㎣, 또는 직경이 1cm이상)

3) 고칼슘혈증(〉10.2mg/dL), or 고인산염혈증(〉6.0cm/dL)

+ 다음 중 한가지
  a. 높은 뼈전환, 방사선 소견상 섬유뼈염
  b. 심한 증상
  c. 이소성 석회화의 진행
  d. Calciphylaxis
  e. 뼈소실의 진행
  f. EPO에 반응하지 않는 빈혈
  g. 확장성 심근병증의 소견

C. 수술 전 병소 위치 찾기 (parathyroid gland localization)

- <u>**확실한 수술적 치료의 적응증이 있을 때**</u>, 수술 계획을 위해 시행한다.
- **비침습적인 방법**

① ^{99m}Tc-sestamibi scintigraphy
  - 비정상 부갑상선 조직에 친화력을 가진다.
  - ^{123}I 와 함께 이용하여 subtraction imaging을 얻을 수 있다.
  - 조기(early) & 지연(delayed) 영상을 얻을 수 있다. (dual phase)

② Cervical ultrasound

- 저렴하고 비침습적인 방법으로 부갑상선을 평가할 수 있다.
- ^{99m}Tc-sestamibi scintigraphy와 함께 사용하였을 때 더 민감하다.

③ CT or MRI

• **침습적인 방법**

: 지속성 혹은 재발성의 부갑상선 기능항진증, 재수술의 상황 등에서 이용된다.

① Real-time conventional Selective Venous Sampling(SVS)

- 가장 민감한 localization 방법
- Baseline PTH 값은 iliac v.에서 얻어진다.
- IJV, innominate v., SVC 등 목과 종격동의 다양한 level에서 PTH를 측정한다.
- 기저치의 2배 이상 증가한 경우 양성

② 초음파 유도 세침흡인검사 (FNA)

D. 부갑상선 절제술

• Bilateral Neck Exploration(BNE)

: primary HPT 수술의 gold standard

: 모든 부갑상선을 노출하여 확인하고 커진 조직을 제거한다. (완치율 95%)

① Single gland disease 인지 Multi-gland disease 인지 구분

② Single parathyroid adenoma인 경우

→ <u>해당 병소만 제거</u>한다.

③ Multi-gland hyperplasia가 있는 경우

→ <u>Total</u> cervical parathyroidectomy

with Heterotopic transplantation of parathyroid tissue (보통 전완부)

또는 <u>Subtotal</u> parathyroidectomy

(Subtotal parathyroidectomy을 하는 경우 혈류 공급이 잘 되는 부갑상선을 하나 남긴다.)

• Minimally Invasive (open) Parathyroidectomy

• Endoscopic Parathyroidectomy

• Video-Assisted Parathyroidectomy

E. 지속성 혹은 재발성 부갑상선 기능항진증의 수술

- **지속성**: 수술 후 1일 째 측정한 intact PTH 수치의 최저치가 60pg/mL 이상
  (종격동 내 부갑상선이 가장 흔한 원인)
- **재발성**: 초기에는 감소하였다가 다시 상승한 경우
  (자가이식편, 경부 및 종격동의 잔존 샘조직, 폐전이, 갑상선 주변 부갑상선 조직의 파종 등)

(그림) 처음 수술에서 놓쳤던 Parathyroid gl.를 이차수술에서 발견하는 위치

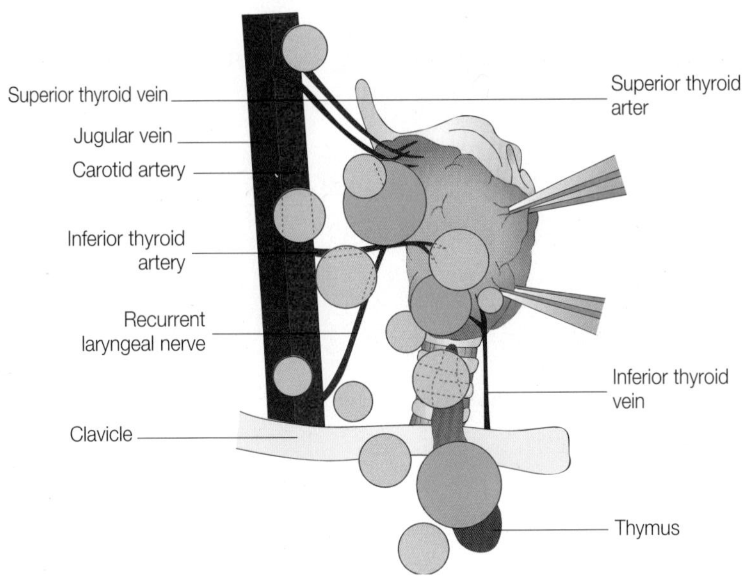

F. 기타 부갑상선 질환

1. 가족성 부갑상선 기능 항진증

① MEN I : Parathyroid hyperplasia, Pituitary adenomas & Pancreatic islet cell neoplasia,

② MEN 2A : Medullary thyroid carcinoma, Pheochromocytoma, Parathyroid hyperplasia

2. 임신시에 부갑상선 기능 항진증

- 신생아 경련, 사산 및 유산과 관련
- 진단 시 가능하면 **임신2기** 때 수술.

3. 부갑상선 암 (Parathyroid carcinoma)

- Primary HPT의 1%도 되지 않는 드문 질환

① **특징**

a. 호발연령: 40-50대

b. serum Ca의 상승을 동반한 상태에서 palpable mass

c. 쉰 목소리를 동반하는 경우 되돌이후두신경의 침범을 의심할 수 있음

② **진단**

- 조직검사로 capsular or vascular invasion 확인
- Ca, PTH, ALP : **크게 상승**
- molecular maker인 **Ki-67**를 면역염색으로 확인하는 것도 도움이 된다.

③ **치료**

- **악성 부갑상선 동측 갑상선 엽 및 주변 연부 조직에 대한 근치적 절제술**
- 수술 상황에서 암과 adenoma를 구분하는 것이 중요하다.

4. Hypercalcemic crisis

① end-organ의 기능장애로 인해 serum Ca level이 심각하게 증가하는 상태
(보통 serum Ca 〉 14mg/dl 일 때 발생)

② multiple myeloma, lymphoma, leukemia, 유방, 폐, 췌장암 등의 각종 종양 때 나타날 수 있다.

③ **임상양상**

- **급격히 발생**하는 근육약화, N/V, 복통, 변비, 피로, Drowsiness, Confusion, oliguria 등
  → 급성병색으로 진행

④ **치료**

- **치료목표**
  : 탈수교정, 신장에서의 칼슘배출 향상시킴, bone resorption억제, 기저질환 치료
- **응급조치**

a. **생리식염수 경정맥주입**으로 소변량 100ml/hr 이상 유지

b. 그 후 **loop diuretics** (furosemide)로 소변에서의 Na, Ca 배출증가시킴.

c. 그럼에도 혈청칼슘치가 높으면 **Calcitonin**이나 **Bisphosphates** 이용

- definite Tx인 부갑상선절제는 혈청 칼슘치가 낮아진 후 시행한다.

5. 고칼슘혈증과 악성 종양과의 관계

- 입원환자에선 악성종양으로 인한 고칼슘혈증이 부갑상선기능항진증으로 인한 고칼슘혈증보다 더 많다.
- 고칼슘혈증과 흔히 관련되는 악성종양 - 유방암(m/c), 폐암, multiple myeloma 등
- 악성종양에서 고칼슘혈증이 발생하는 mechanism
  ① 골용해성 전이병변에서의 cytokine 방출
  ② 종양으로부터 PTH-related protein(PTHrP) 분비
    - humoral hypercalcemia of malignancy (악성종양으로 인한 고칼슘혈증의 80%)
  ③ 종양으로부터 calcitriol 분비
    - Hodgkin lymphoma나 non-Hodgkin lymphoma에서 흔함

■ 부갑상선 기능 저하증

- 가장 흔한 원인은 **갑상선 수술 도중의 부갑상선조직의 손상**이다.

> • 칼슘은 수술 후 48-72시간 내에 최하로 감소된 후 2-3일 후에 정상화 됨.
> • 칼슘은 수치가 **빨리 떨어질수록, 오래 지속될수록** 부갑상선 손상의 가능성은 커지고 회복에 대한 예후는 불량함.

1. 임상양상

① **초기소견** : Numbness & Tingling in the circumoral area, fingers & toes
② **정신변화** : Anxious, Depressed & Confused
③ **신경학적**
  • Tetany : carpopedal spasms, tonic-clonic convulsions, laryngeal stridor "Chvostek's sign", "Trousseau's sign", Carpal spasm

2. 치료

① Calcium gluconate or Calcium chloride 정주
② 장기간의 vitamin D & oral Calcium 복약

추가노트

※부갑상선암은 예후는 좋지 않으며, 초기수술 시 **완전절제여부**가 중요한 생존요인이며 종양 재발시 hypercalcemia를 막기 위해 재수술해야 한다.

Power

☆☆☆☆☆

05 다발성 내분비 종양 증후군

Multiple Endocrine Neoplasia Syndrome

- 모두 Mendelian AD (autosomal dominant) trait으로 유전된다.

MEN1	MEN2A	MEN2B
① 부갑상선 비대증 ② 췌장 및 십이지장의 신경내분비 종양 ③ 뇌하수체 선종	① 갑상선수질암 ② 갈색세포종 (Pheochromocytoma) ③ 부갑상선 비대증	① 갑상선 수질암 ② 갈색세포종 (Pheochromocytoma) ③ 점막 신경종 (Mucosal neuroma) ④ 마판증후군 같은 양상 (Marfanoid habitus)

 MEN 1형

- 20, 30대에 호발. 10세 이전에는 드묾, M=F
- AD. nearly 100% 발현
- 모든 components가 나타나는 것은 아니다.
  - ① Parathyroid hyperplasia (90-97% m/c)
  - ② Neuroendocrine tumor of Pancreas & Duodenum : 30-80%
    - └ Gastrinoma 〉 Insulinoma
  - ③ Pituitary tumor : 15-50%
  - ④ Foregut & thymic carcinoids
  - ⑤ non-endocrine neoplasms (facial angiofibromas, lipomas, collagenomas)
- **가장 흔한 임상양상** : 소화성 궤양 (및 합병증) > 저혈당

MEN 2A & 2B 형

• RET protooncogene과 관련됨. AD trait, nearly 100% 발현

• 유형

① MEN 2A : bilateral MTC (거의 모든 환자에서 나타남), pheochromocytoma (40-50%), parathyroid hyperplasia (20-35%)

② MEN 2B : bilateral MTC & mucosal neuroma & megacolon (모든 환자에서 나타남)
MEN 2A보다 조기 발병, 경과가 매우 좋지 않다.(→ 예후와 직접연관)
pheochromocytoma (40-50%), diffuse ganglioneuromas of GI tract, 골격계 이상, marfanoid habitus

Power

★☆☆☆☆

06 내분비 췌장

Endocrine Pancreas

(표) Pancreatic tumor system의 Endocrine cells ★★

Cells	Content	Tumor Syndromes	Clinical Features	% Malignant	% Multiple	MEN-1
A	Glucagon	Glucagonoma	Necrolytic migratory erythema, diabetes, anemia	(50–80%)	Rare	Few
B	Insulin	Insulinoma	Hypoglycemic symptoms	10	10	10%
D	Somatostatin	Somatostatinoma	Diabetes, gallstones, steatorrhea	Nearly all	0	–
D2	VIP	VIPoma	High volume secretory diarrhea, hypokalemia, metabolic acidosis, hypochlorhydria	50	Rare	Few
EC	Substance P and serotonin		–	–	–	–
G	Gastrin	Gastrinoma	acid hypersecretion gastric/ duodenal ulcers, diarrhea	Nearly all (75–100%)		25%
F	Pancreatic polypeptide	PPomas	–			Frequent

HISTOMORPHOLOGY OF ISLETS

- Islet은 성인췌장무게의 2% 이하로 1g 정도에 해당한다.
- Human pancreatic islet cell types

① A (α) cell: Glucagon 분비
② B (β) cell: Insulin 분비
③ D (δ) cell: Somatostatin 분비
④ D2 (delta-2) cell : VIP 분비
⑤ F cell : PP (Pancreatic polypeptide) 분비

- Islet내 세포의 위치
  ① Beta cells : islet의 중심부
  ② A, F cells : islet의 주변부
  ③ D, EC cells : islet 내 균일하게 분포
- 세포의 췌장 내에서의 분포
  ① B, D cells: body & tail에 집중적으로 분포
  ② F cells: uncinate process에 주로 분포
  ③ A cells: 고르게 분포

Pancreatic Neuroendocrine Tumors (PNETs)

- 2010년부터 Neuroendocrine tumor라는 명칭으로 통합되고, 그 조직학적 분화도와 병기에 따라 NET를 분류한다.
- 대부분 무기능의 양성종양임
- 다른 목적으로 행해진 영상 검사에서 발견되는 경우가 증가하고 있음
- **악성기준**은 간단하다.

전이를 하면 악성이다.

- 인슐린 분비 PNETs(insulinoma)의 10%, 글루카곤 및 성장억제호르몬 분비 PNETs의 거의 대부분이 악성이다.
- 대부분의 PNETs은 산발적으로 발생하지만 일부는 genetic syndrome과 관련된다. (m/c: MEN-1)
  cf. MEN-I
  - a. Parathyroid, Pituitary & Pancreas의 종양
    - └ 글루카곤종 (25%), 인슐린종 (10%)
  - b. 11번 염색체이상, AD유전
  - c. 먼저 **부갑상선 기능항진증**부터 치료하는 것이 원칙

(그림) 췌장신경내분비종양(PNETs) 의심 환자에 대한 접근법

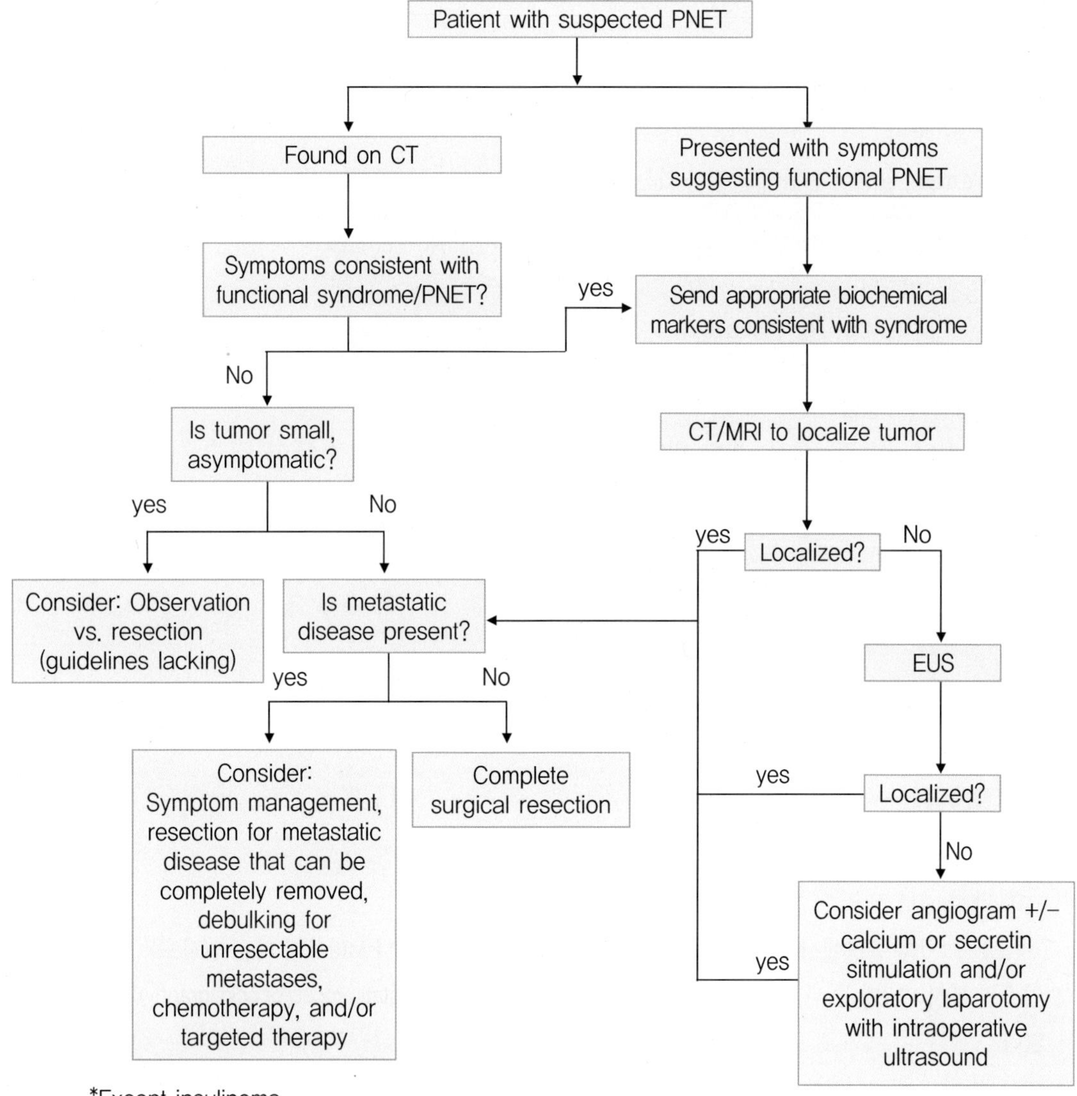

- PNETs이 의심되는 환자에서는,
  a. functional tumor의 증상이 있는지 자세히 문진
  b. 필요한 경우 생화학적인 검사
  c. 위치를 확인하기 위해 cross-sectional 혹은 심화된 영상검사를 시행
  d. 전이가 있는지 평가

■ 인슐린 분비 췌장신경내분비종양 (Insulin-secreting PNETs)

- m/c functioning tumor

1. 임상양상 및 진단

① 증상

- Whipple triad : 완전히 진단적 가치가 있는 것은 아니다.

a. **저혈당증상** (∵카텍콜라민 분비)
b. **낮은 혈당치** (40~50mg/dl)
c. IV **glucose투여후 증상완화**

- **자율신경계 과다 증상**

; 피로, 허약, 공복감, tremor, 발한, 빈맥, irritability, 의식 혼돈, 지남력 소실…… 혼수

② 진단

a. a. 인슐린/포도당 비 〉 0.3 (인슐린: uU/mL, 포도당: mg/dL)
b. 저혈당 유발 : 24시간 공복 후 → 2/3가 저혈당 유발
72시간 공복 후 → 95% 저혈당 유발(gold standard)
c. C peptide ≥ 1.2 ㎍/mL 이면서 혈중 포도당 〈 40 mg/dL

2. 위치 찾기

① PNETs 의심 환자에서의 알고리즘을 따라 종양의 위치를 찾는다.
- CT나 MRI에서 찾을 수 없는 경우 EUS를 시행한다.
(모든 크기의 종양에서 민감도 90%, 3cm이하의 종양의 경우 CT나 MRI보다 나은 민감도)

② 인슐린 분비 PNETs는 다른 대다수의 PNETs과 달리 **SRS(Somatiostatin receptor scintigraphy)가 효과적이지 않다.**

③ 수술 전 위치 확인이 안될 경우, 전체 췌장과 십이지장에 대하여 **수술 중 초음파**와 함께 주의 깊게 촉진 및 탐색한다.

3. 치료

① 수술적 치료

- 대부분(90%)이 양성이므로 Enucleation이 선호됨
- 단, 종양이 주췌관으로부터 2mm 이내에 있는 경우 enucleation이 시행되어서는 안됨
  → 주췌관에 인접하였거나 크기가 큰 경우에는 anatomic resection 시행
- 악성인 경우(전이가 있는 경우),
  → 모든 원발병소와 전이 부위 제거

② 이 외의 치료

- somatostatin analogue
- hepatic a. tumor embolization
- diazoxide(인슐린 분비 억제제)
- streptozotocin + 5-FU

③ 전이된 경우에도 수술적 절제 후 median survival은 5년

■ 가스트린 분비 췌장신경내분비종양 (Gastrinoma, Zollinger-Ellison syndrome)

- 두번째로 흔한 islet cell tumor이면서, **가장 흔한 췌장의 악성내분비종양임**
- 남성에서 조금 더 흔하다. (60%)
- Sporadic: 75% vs. MEN1과 관련: 25%

- **고가스트린혈증의 원인**

1. 가스트린분비 자극증가
   ① ZES (gastrinoma)
   ② Antral G cell hyperplasia ± pheochromocytoma
   ③ Pyloric obstruction
2. 가스트린 분비 억제
   ① 위산분비 저하 및 무분비
      a. Atrophic gastritis
      b. 악성빈혈 (Pernicious anemia)
      c. 위암
      d. Vitiligo
      e. 위산분비 억제제 (H2R antagonist, PPIs)
   ② Antral exclusion operation
   ③ Vagotomy

1. 임상양상 및 진단

① **증상 : 위산과다분비**로 인해

- 복통 : 75%
- **설사 : 복통을 보이는 환자의 2/3가 설사 동반 (설사만 나타나는 경우는 10~20%)**
  → NG tube 흡입 시 증상 호전 (다른 이차성 설사와 감별점)
- 십이지장궤양〉〉위궤양 (jejunal ulcer 역시 생길 수 있으며, 이 경우 ZES를 의심해야)
- MEN-1에서, 가장 흔히 침범되는 **부위는 "부갑상선" 으로** 95%환자가 **고칼슘혈증**를 보인다.
  다음으로는 ZES (54%) > Insulinoma (21%). Pituitary lesion은 Nonfunctioning adenoma〉〉Prolactinoma

② **진단**

a. Gastrin (위산과다분비시) > 1,000pg/ml (정상은 < 100pg/ml)
b. Basal acid output > 15mEq/hr (정상은 5mEq/hr)
c. Gastric juice pH < 2
d. Secretin stimulation test : gastrin 증가분 > 200pg/ml

③ **임상적으로 ZES 가능성을 생각 해야 하는 상황**

a. **악성 소화성 궤양**/GERD diathesis (DU mc)
b. anti-H. pylori Tx.혹은 H2-blocker를 사용해도 증상이 **호전되지 않거나** H. pylori감염이 없는 소화성 궤양
c. 지속적인 **분비성 설사** (NG suction 후 증상 호전)
d. **MEN-I**의 증상 혹은 징후가 나타날 때 (Ca↑, PTH↑, pituitary tumor)

2. 병리

① 90%의 gastrinoma는 Gastrinoma triangle 내에서 발견되며 60% 이상이 십이지장에서(특히 1st portion)에 위치함

(그림) Gastrinoma Triangle

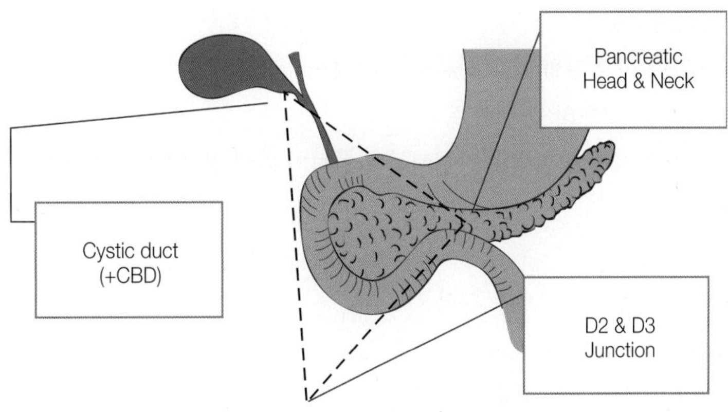

② Sporadic vs MEN-1 related "Sporadic form"은 "간전이"가 잘되어 더 악성도가 높다.

MEN-1 환자의 60~80%는 duodenal gastinoma이며 국소림프절로 전이를 잘 한다(85%).

③ 전이

- **림프절 전이**

  : 종양 크기와 위치에 상관없음.

  놀랍게도 **림프절 전이** 여부와 생존에 영향을 미치지 않는다.

- 간전이

  : **생존**에서 중요한 인자 (전이시 10년 생존율 30%, 전이가 없으면 90% 생존)

3. 위치 찾기

① 알고리즘에 따라 CT나 MRI를 시행 (oral contrast를 이용)

② SRS (Somatostatin Receptor Scintigraphy)

- 거의 모든 gastrinoma가 somatostatin receptor를 발현

③ EUS : 작은 췌장의 병변을 찾는 데 유용

④ Angiography ± stimulation

⑤ 위의 검사들이 다 성공적이지 못할 경우 operative exploration

- 전체 복부에 대하여 탐색 (특히 간 주위 등)
- 수술 중 초음파는 작은 췌장 병변이나 간전이를 확인하기 위해 일반적으로 사용됨

4. 치료

① 치료 목표: acid secretion을 막고 증상을 완화

② **High dose PPIs** (Proton Pump Inhibitors)

- 안전하고 효과적이며 가장 좋은 결과
- gastric acid output을 5mEq/hr 이하로 감소시킬 수 있는 용량 필요

③ 수술적 치료

- 근치적 절제가 가능해보이는 경우나 증상 조절을 위해 palliative cytoreduction이 필요한 경우
- Enucleation: 작고 피막이 잘 형성된 췌장 내 종양에서만
- Segmental resection: gland 내에 깊게 위치한 크고 피막이 없는 병변
- 주위 림프절에 대한 절제도 생존율을 향상시킴

④ gastrinoma의 전이성 병변의 치료

- 50%이상의 환자가 첫 진단 당시 전이된 상태
- 증상 조절이 목표이며, 90% 이상의 환자에서 **PPI**로 조절됨 (하루 60-80mg Pantoprazole)

⑤ Gastric carcinoid tumor가 있는 경우에는 total gastrectomy

★☆☆☆☆

Power **07**

뇌하수체 및 부신

Pituitary & Adrenal Gland

해부

• 부신은 후복막장기로서 신장의 위내측면에 위치한다. 약 4g

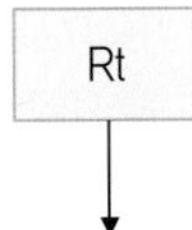

• pyramid shape. IVC와 인접함
Rt. diaphragmatic crus 및
간의 bare area와 접한다.

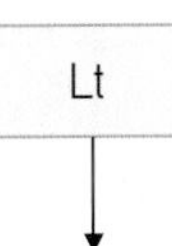

• larger & flatter
Pancreatic tail과 splenic a.가 있는
부위에서 신장과 대동맥 사이에 위치

1. 구조

① **피질** : bright yellow, thick

a. **바깥층** zona glomerulosa :	Mineralocorticoid 생성
b. **중간층** zona fasciculata :	Glucocorticoid & Androgen 생성
c. **안층** zona reticularis :	Glucocorticoid & Androgen 생성

※ Zona fasciculata & reticularis에는 17 α Hydroxylase가 있어
C-17에서 pregnenolone과 progesterone을 산화시킨다.
→ Cortisol 및 Sex hormone이 생성될 수 있게 됨
Mineralocorticoid는 zona glomerulosa에서 parallel pathway를 통해 이루어진다.

(그림) Adrenal steroid biosynthesis

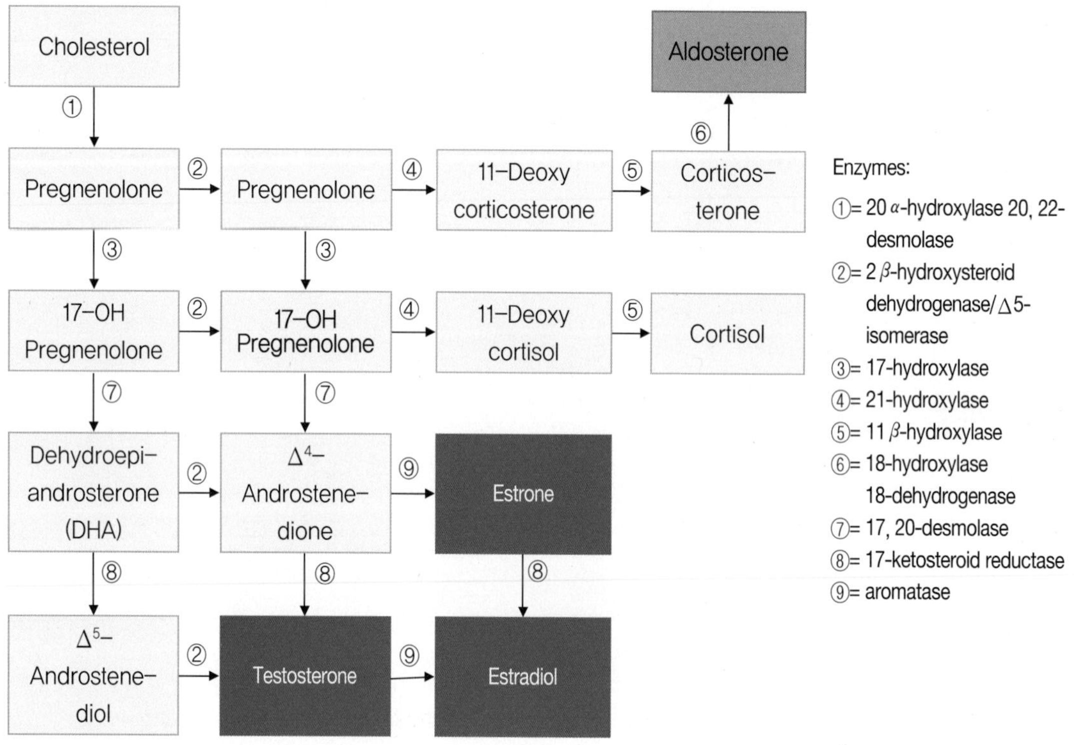

② **수질** : red-brown

- Chromic salt를 침착시키는 **Catecholamine**을 **함유**한 세포를 지님 (→ Chromaffin cells)

2. 혈관

- Arterioal supply → diffuse
- Venous drainage → solitary

① **동맥**

• Inf. phrenic a	→ sup. adrenal a.
• Aorta	→ middle adrenal a.
• Renal a.	→ Inf. adrenal a.

※ 우측부신의 주요혈액공급은 Sup, & Inf. adrenal aa.로부터이며 좌측부신은 Middle, Inf. adrenal aa로부터임.

② 정맥

• Rt adrenal v. → IVC
• Lt adrenal v. → Lt. renal v.

(그림) Adrenal gl.의 Arterial supply & Venous drainage

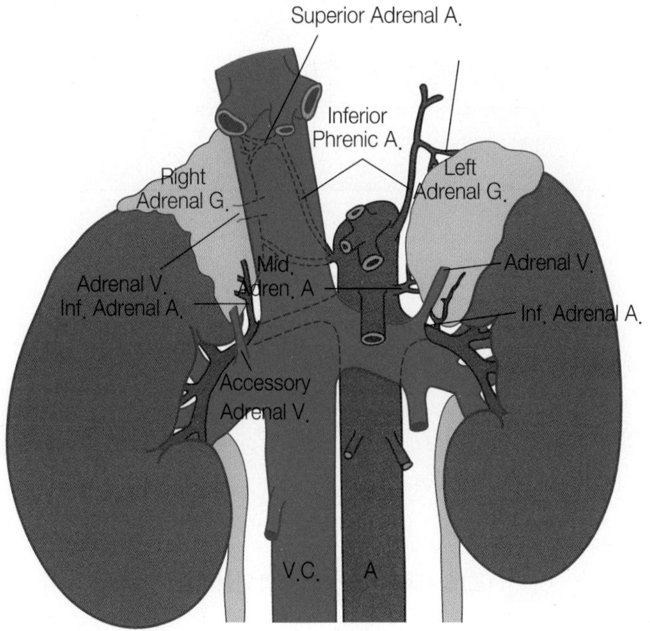

부신피질 질환

■ Cushing' s Syndrome

• **Cushing' s syndrome** : 원인에 관계없이 hypercortisolism의 증상과 징후가 나타나는 경우
• **Cushing' s disease** : pituitary adenoma에 의한 Cushing' s syndrome

- m/c cause: 스테로이드 사용환자 (exogenous)
- Endogenous Cushing syndrome은 백만명 중 5-10명의 빈도로 발생

① ACTH dependent (80~85%) : Bilateral adrenal hyperplasia와 항상 연관됨. • Cushing's disease (ACTH-producing pituitary tumor • Ectopic ACTH syndrome (ex. Bronchogenic carcinoid or SCLC) • Ectopic CRH syndrome
② ACTH independent (15%) • 부신선종 (10%) • 부신선암 (8%) • 부신피질과다증식 (1%)
③ Pseudo-Cushing's syndrome : major depression, Alcoholism

1. 임상양상

• Cushing's syndrome에 비교적 특이한 소견

Central obesity, Plethora, 복부 및 상하지에 넓은 자주색 띠 **(purple striae)** , 쉽게 멍 듦, 다모증
근위근육 약화 , Inappropriate osteopenia

(표) Cushing's syndrome의 임상양상

1. 일반적인 증상
   - *Central obesity*
   - *Proximal muscle weakness*
   - Hypertension
   - Headaches
   - Psychiatric disorders
2. 피부증상
   - *Wide (>1cm), purple striae*
   - *Spontaneous ecchymoses*
   - *Facial plethora*
   - Hyperpigmentation
   - Acne
   - Hirsutism
   - Fungal skin infections
3. 내분비 및 대사성 장애
   - *Hypokalemic alkalosis*
   - Osteopenia
   - Delayed bone age in children
   - Menstrual disorders, decreased libido, impotence
   - Glucose tolerance, diabetes mellitus
   - Kidney stones
   - Poluria
   - Elevated white blood cell count

2. Cushing's Syndrome에서의 생화학검사

• 외부 Glucocorticoid 투여로 억제되지 않는 Hypercortisolism을 확인하자.

(그림) Cushing's sydrome에 대한 진단적 접근

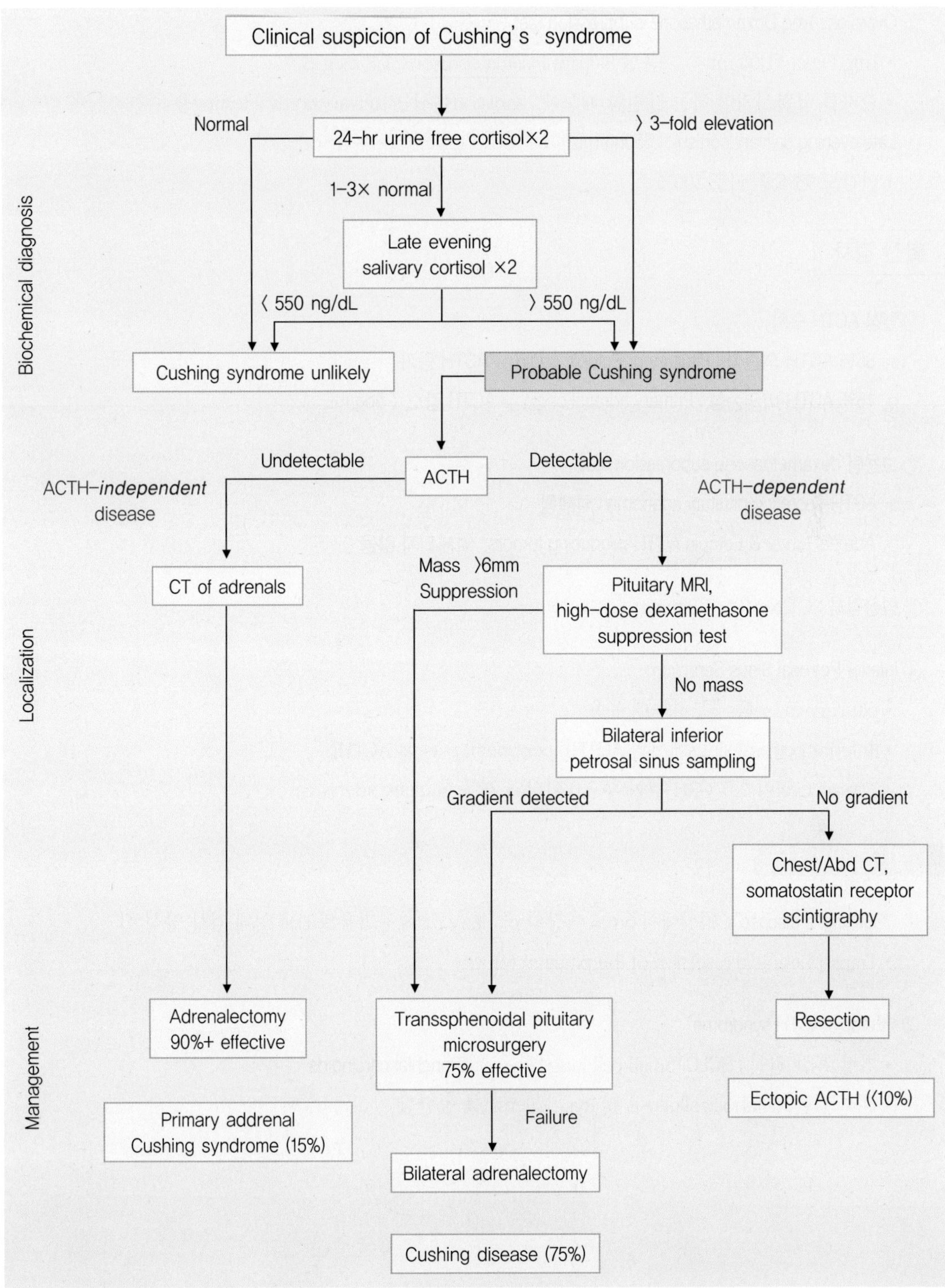

선별 검사

① 24-hour Urinary Free Cortisol

- Cushing' s syndrome의 가장 민감하고 (95-100%) 특이한 (98%) 선별검사

② Overnight 1mg Dexamethasone-suppression test

- 1mg Dexa 11:00pm → 다음날 8:00am Plasma cortisol 〈 1.8 mcg/d
- 환자를 입원시켜야 하는 불편함 때문에 sabiston에서는 salivary cortisol testing을 추천

③ Late evening salivary cortisol 〉550ng/mL

- 민감도 93%, 특이도 100%

확진 검사

① 혈청 ACTH 수치

a. 85% ACTH-의존성 : Pituitary or Ectopic origin ⇒ ACTH 증가

b. 15% ACTH-비의존성 : Primary adrenal origin ⇒ ACTH 감소 〈 5pg/mL

② 고용량 dexamethasone-suppression test

a. ACTH-secreting pituitary adenoma : 억제됨

b. Adrenal tumor & Ectopic ACTH-producing tumors : 억제되지 않음

③ 영상검사 : CT & MRI of Pituitary or Abdomen

④ Inferior Petrosal Sinus Sampling

- pituitary cause을 구분하는데 유용
- [Inferior petrosal sinus에서의 ACTH]/[peripheral plasma ACTH]
  : basal level이 2.0, CRH 투여 후 3.0 이상일 경우 Pituitary adenoma

3. 각 질환별 치료

① "Cushing' s disease" - 영상에서 6mm 이상의 pituitary mass + 고용량 DM 억제 검사 양성 시

- Transsphenoidal resection of the pituitary tumor

② "Ectopic ACTH syndrome"

- 가장 흔한 원인 : SCLC (Small cell lung cancer), Bronchial carcinoids
- 흔히 심한 metabolic alkalosis 및 hypokalemia를 동반함

- Ectopic ACTH hypersecretion를 추정케 하는 소견★
  a. urinary free cortisol 증가
  b. plasma ACTH 증가
  c. "고용량의 dexamethasone에 억제 안됨"
- 치료
  a. 일차병소제거, 절제되지 않는 경우 Debulking 시도
  b. Metyrapone, Aminoglutethimide & Mitotane을 이용한 Medical adrenalectomy
  c. Bilateral adrenalectomy
     : 조절안되는 hypercortisolism이나 ectopic ACTH source를 찾지 못할 경우

③ 부신선종 & 부신피질 과다증식증

- 치료 : 부신절제술
  - 6cm 이하시 : 복강경 부신절제술이 표준 술식
  - 6cm 이상시 : 개복 부신절제술

④ 부신피질선암

- 치료 : 근치적 절제술

■ 알도스테론증 (Aldosteronism)

1. 종류

① **1차성 알도스테론증** : 남자가 약간 많고, 평균 발병나이 50대, 빈도는 논란이 많다.(고혈압 환자의 1~7%)

② **2차성 알도스테론증** : **일차질환**"을 먼저 치료해야 한다.

Renal artery stenosis, Cirrhosis, CHF, Pregnancy 후 속발

(표) Hyperaldosteronism의 원인

1. 일차성 알도스테론증
   - a. Aldosterone-producing adenoma (60%)
   - b. Idiopathic bilateral adrenal hyperplasia (35%)
   - c. Adrenal carcinoma (< 1%)
   - d. Glucocorticoid-suppressible aldosteronism (< 1%)
2. 이차성 알도스테론증
   - a. Renal artery stenosis
   - b. Congestive heart failure

2. 증상 및 징후

- Aldosterone에 의한 sodium retention → 고혈압
  : 환자들은 전형적으로 약물치료에 반응하지 않는 중등도에서 중증의 고혈압을 가진다.
- 대부분의 환자는 무증상
- 저칼륨혈증 : 중증 혹은 질환 말기에 나타나는 현상으로 보임
  근육 경련, 근력 약화, 감각이상, 피로 등
- 심뇌혈관계 질환의 위험도 증가

3. 진단

①

a. **부종이 없는 이완기 고혈압**
b. **Volume 결핍**에도 불구하고 **renin 분비가 적을 경우**
c. **혈관내 용적를 증가**시켜도 **알도스테론 분비가 많은 경우**

② 진단과정

(그림) 일차성 알도스테론증의 진단, 위치확인, 치료

Biochemical diagnosis

Clinical suspicion of aldosteronism

Discontinue interfering medication*

PAC/PRA★

Ratio <30 → Observation, consider repeat testing if suspicion remains

Ratio >30

24-hr urine free aldosterone
Urinary potassium excretion
Oral or Ⅳ sodium loading

Suppression of urine aldosterone → Observation, consider repeat testing if suspicion remains

No suppression

Probable primary hyperaldosteronism

Localization

Thin cut adrenal CT

Unilateral adrenal mass >1 cm, normal contralateral adrenal age ≤40 years → Adrenalectomy

Nonlateralizing CT
Consider for age >40 years

Adrenal vein sampling

Failed study → Consider repeat testing → Adrenal vein sampling

Nonlateralizing (bilateral adrenal hyperplasia) → Medical management

Lateralizing (aldosteronoma) → Adrenalectomy

Management

Observation, consider repeat testing if suspicion remains

Medical management

Adrenalectomy

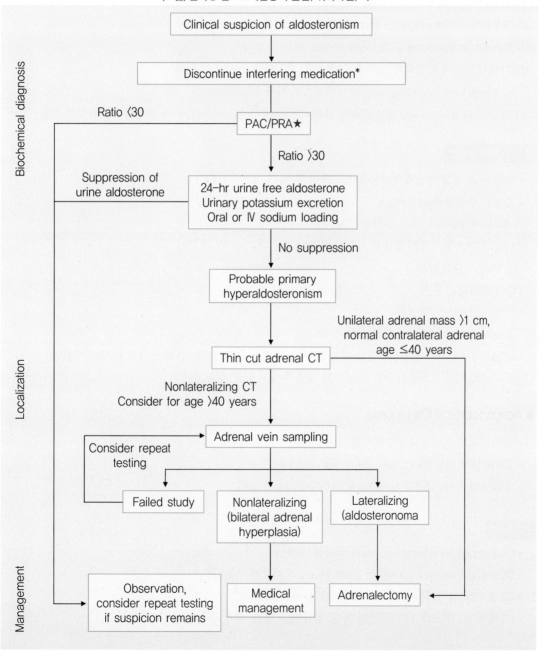

*interfering medication : spironolactone, ACEi, diuretics, β-blockers

- 선별검사 = Plasma aldosterone concentration / plasma renin activity (PAC/PRA)
  : Ratio 〉 30 (ng/dL)/{ng/(mL*hr)}
  (absolute aldosterone concentration 〉 15mg/dL이면 특이도 증가)
- 확진검사 = IV saline loading (2~3L의 등장성식염수를 4~6시간에 걸쳐 정주)
  혹은 Oral sodium loading (매일 5000mg의 sodium을 3일간 투여)
  : 24hr urine aldosterone excretion 측정
- 위치확인(localization)
  ① 대부분의 aldosteronoma는 15mm보다 작음
  ② Thin-cut (3mm) adrenal CT가 localization을 위한 첫 검사
  ③ CT에서 병변이 발견되지 않거나, 양측 모두 의심되는 소견이 있을 때
  → Adrenal vein sampling(AVS)을 선택적으로 시행 (lateralization)
  : 좌, 우측의 adrenal vein에서 채취한 혈액 내 aldosterone/cortisol ratio가 한쪽의 4배 이상인 경우

4. 수술적 치료

- 수술 전 고혈압 조절과 적절한 칼륨공급이 중요
- 복강경 부신절제술이 선호됨
  - 효과: 저칼륨혈증 경감, 고혈압 치료
- 다음과 같은 환자군은 수술적 치료의 이점이 적은 편
  ① 45세 이상의 남성
  ② 고혈압의 가족력
  ③ 장기간의 고혈압 병력
  ④ spironolactone에 반응하지 않는 경우

cf. 양측성부신과다형성으로 인한 이차성고알도스테론 환자에서는 전체 환자의 20~30%에서만 수술적 치료가 도움이 되므로 내과적 치료 후에 수술적 치료 고려

■ Adrenocortical Carcinoma

- 극히 드물지만 발견시 상당히 진행되어 있는 경우가 많다.
- 50%이상이 기능성 - Cushing syndrome (m/c)
- 호발연령 : 거의 대부분이 40-50세, 일부 5세 이하의 소아

1. 진단

- Cushingoid & virilizing features의 급격한 진행시
- 6cm 이상의 adrenal mass인 경우 carcinoma일 가능성이 높다.
- CT & MRI, 전이여부 확인 위해 chest CT, bone scanning
- CT에서 크기가 크거나 비균질한 음영, 불규칙한 경계, 괴사, 주위조직 침범 등의 소견

2. 치료 : 완전절제

■ 부신 기능부전 (Adrenal Insufficiency)

• 호발 연령 : 20-40대

1. 원인

(표) Adrenal insufficiency의 원인들

1. **일차성 부신 기능부전** – 부신의 저형성, 스테로이드 생성장애, 구조적 파괴 등으로 인함
   ① 자가면역질환 (m/c)
   ② 감염
   Tuberculosis, fungal infections, cytomegalovirus infection, human immunodeficiency virus–associated infection
   ③ 악성종양 전이
   Lung, gastric, breast, melanoma, lymphoma
   ④ Adrenal hemorrhage
   Waterhouse–Friderichsen syndrome, coagulopathy

2. **이차성 부신 기능부전** – ACTH deficiency로 인함
   ① **Exogenous steroid use (m/c)**
   ② Pituitary disease
   Tumor, hemorrhage, infarction (e.g. Sheehan syndrome)
   ③ Surgery
   After transsphenoidal removal of a pituitary tumor
   After removal of a functioning adrenal tumor
   ④ Drugs
   Mitotane, metyrapone, aminoglutethimide
   ⑤ Critically ill patients – sepsis or SIRS

2. 임상양상

• 피로
• 쇠약
• 식욕 부진
• 구역/구토
• 체중감소
• 과다색소침착
• 저혈압
• 저나트륨혈증
• 고칼륨혈증
• (쇼크)
• (발열)
• (복통)
• (종종 저혈당)

3. 진단

(그림) 부신기능부전의 진단

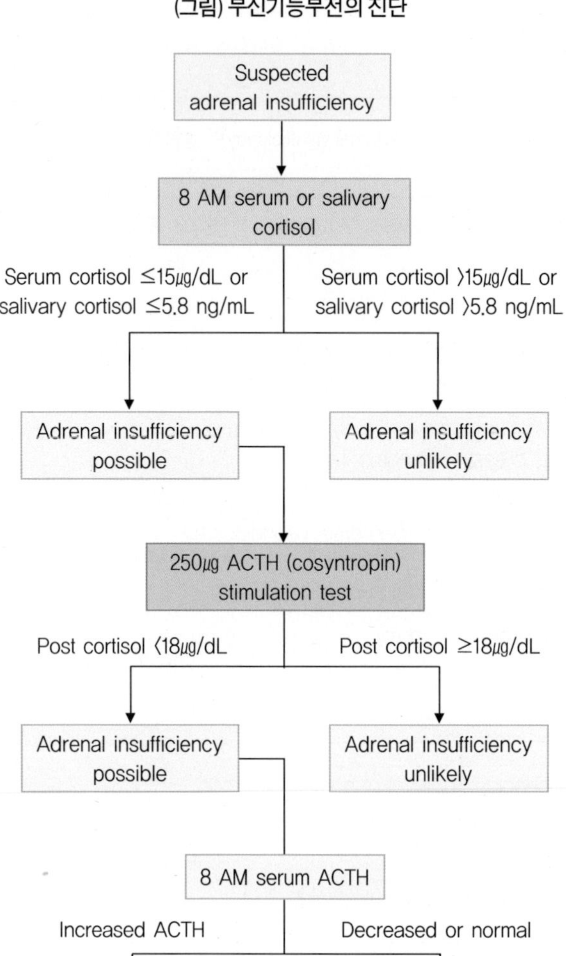

4. 치료

① Chronic adrenal insufficiency의 치료

- 성인에서 하루 cortisol 생산량은 약 10~20mg
  → prednisone (PO) 5mg/day로 대체 가능
- Mineralocorticoid 보충
  → fludrocortisone 0.1mg/day
- 생리적 스트레스 상황에 맞는 증량이 필요함
  : Minor stress - mild infection
  : Major stress - trauma, significant infections, burns, elective surgery

② Adrenal crisis의 치료

- **IV 수액보충!!** : 〉 2 liters (large-volume), isotonic saline
- Glucocorticoid 보충 : hydrocortisone (100mg, IV, 6-8시간 간격)
  또는 Dexamethasone (4mg, IV, 24시간 간격)
- Mineralocorticoid 보충은 우선순위가 늦다.

ADRENAL MEDULLA

- Neural crest에서 유래
- Dopamine, Norepinephrine, Epinephrine 분비
- Catecholamine의 대사 : 결국 소변으로 배설된다.

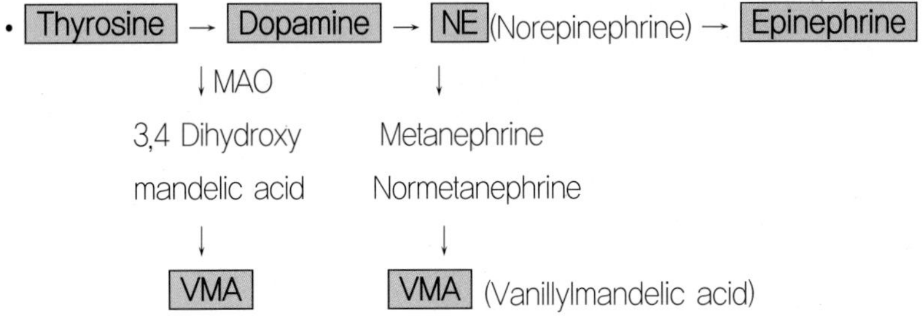

(그림) Catecholamine metabolism의 biosynthetic pathway

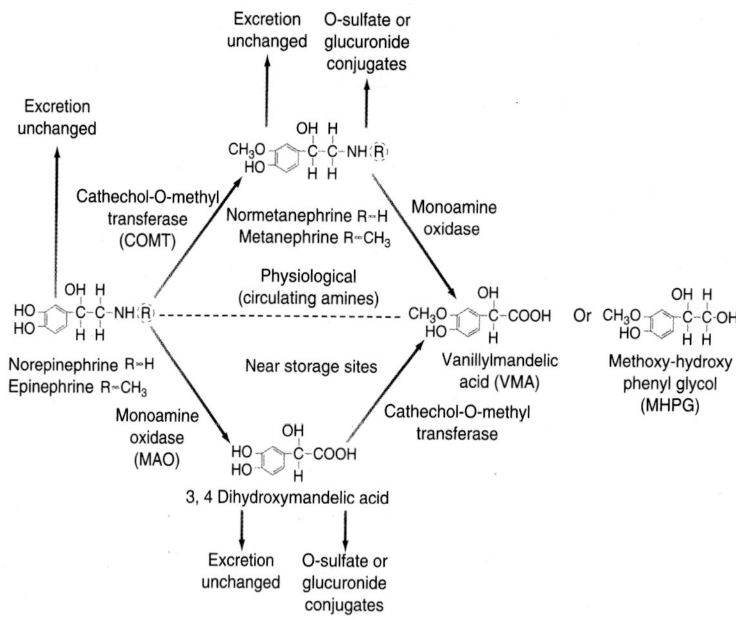

cf) 참고

① α receptor : NE에 higher affinity

- α 1 : **혈관수축**, Papillary dilatation, Uterine contraction
- α 2 : presynaptic NE 분비조절 & 혈소판 응집

※ α Blocker : Phentolamine, Phenoxybenzamine

② β receptor : isoproterenol에 higher affinity

- β 1 : **심장근**, 지방세포, 소장에 작용
- β 2 : 혈관, 기도, 자궁근육, 골격근, 간에 작용

※ β Blocker : Propranolol

■ 갈색 세포종 (Pheochromocytoma) ★★★

- **빈도** : 고혈압 환자의 0.2%를 차지
- **호발연령** : 40-50대

• **연관질환**

다발성 내분비선종증 증후군
　제2a형 다발성 내분비선종증
　　감상선 수질암
　　부갑상선 기능항진증
　　갈색세포증
　제2b형 다발성 내분비선종증
　　갑상선 수질암
　　갈색 세포증
　　부갑상선 기능항진증
　　마르판(marfanoid) 표현형
　　내장 신경종증
　　신경피부 증후군

신경섬유종증
　von Hippel Lindau병
모세혈관확장성 운동실조증
결절성 경희증
Sturge-Weber 증후군
부신외 신경절종
위 상피세포양 평활근육종
폐 연골증

1. 특징

① 부신수질의 친크롬성세포 (chromaffin cell)에서 생긴 Catecholamine을 분비하는 부신종양

② Rule of Tens ★

양측성 10%, **부신밖** 10%, **가족성** 10%, **악성** 10%, **소아** 10%

(그림) Extra-Adrenal Pheochromocytomas를 Localization한 그림

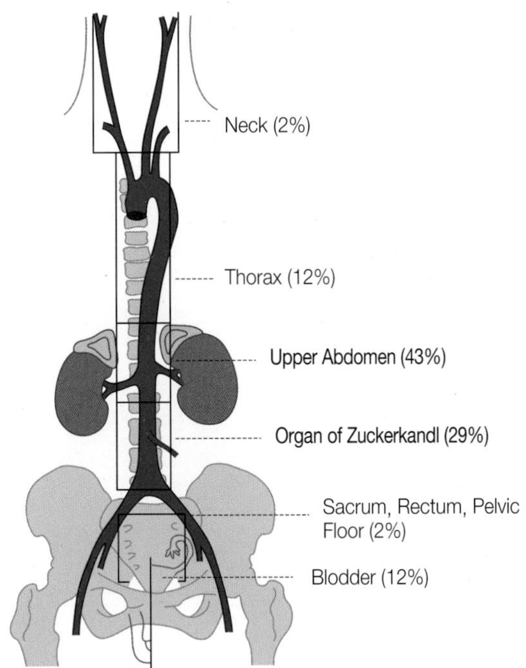

추가노트

cf) 부신 밖에서의 갈색 세포종 (functional paragangliomas)
: 목, 종격동, 복부, 골반, organ of Zuckerkandl의 교감신경전에서 발생하며 "Norepinephrine"만 분비한다.

2. 임상양상

① Classic triad: 두통, 식은땀, 두근거림

- 거의 모든 환자가 적어도 세가지 증상 중 한가지 이상을 보임
- 이 외에도 불안, 홍조 등

② 혈압 증가: 90%의 환자에서 종종 나타나거나 지속됨

③ "Biologic time bomb"

- 종양 내 bioactive compounds 유출 시 치명적인 심혈관계 문제를 발생시킬 수 있음
- surgical procedure, provocative testing, percutaneous biopsy 시
  └ 금기★

3. 진단

① **Plasma free metanephrine**

a. 매우 높은 민감도(99%) - **음성**일 경우 **pheochromocytoma 배제 가능!**

b. 특이도가 높지 않아 위양성이 많다.

② **소변 Catecholamine 분비 증가**

a. 선별검사 중 가장 신뢰할 만하다.

b. 소변에서의 24시간 Catecholamine, metanephrine, VMA 수치 증가 확인★

c. 위양성을 일으킬 수 있는 약물

: sympathomimetics (감기약 내에도 포함), phenoxybenzamine, acetaminophen, TCA, etc.

③ Clonidine suppression test ? 진단이 불명확한 경우

④ CT & MRI

a. MRI가 약간 더 민감하며, CT는 수술 계획에서 해부학적 확인을 하는 데 낫다.

b. 부신 우연종의 높은 유병율로 인해 특이도는 70%정도이다.

⑤ ^{131}I-MIBG(131Iodine-metaiodobenzylguanidine) scan

a. multifocal disease가 의심될 때

b. 부신 밖의 작은 병변을 찾는데에 유용★

(그림) Pheochromocytoma의 진단, 위치확인, 치료

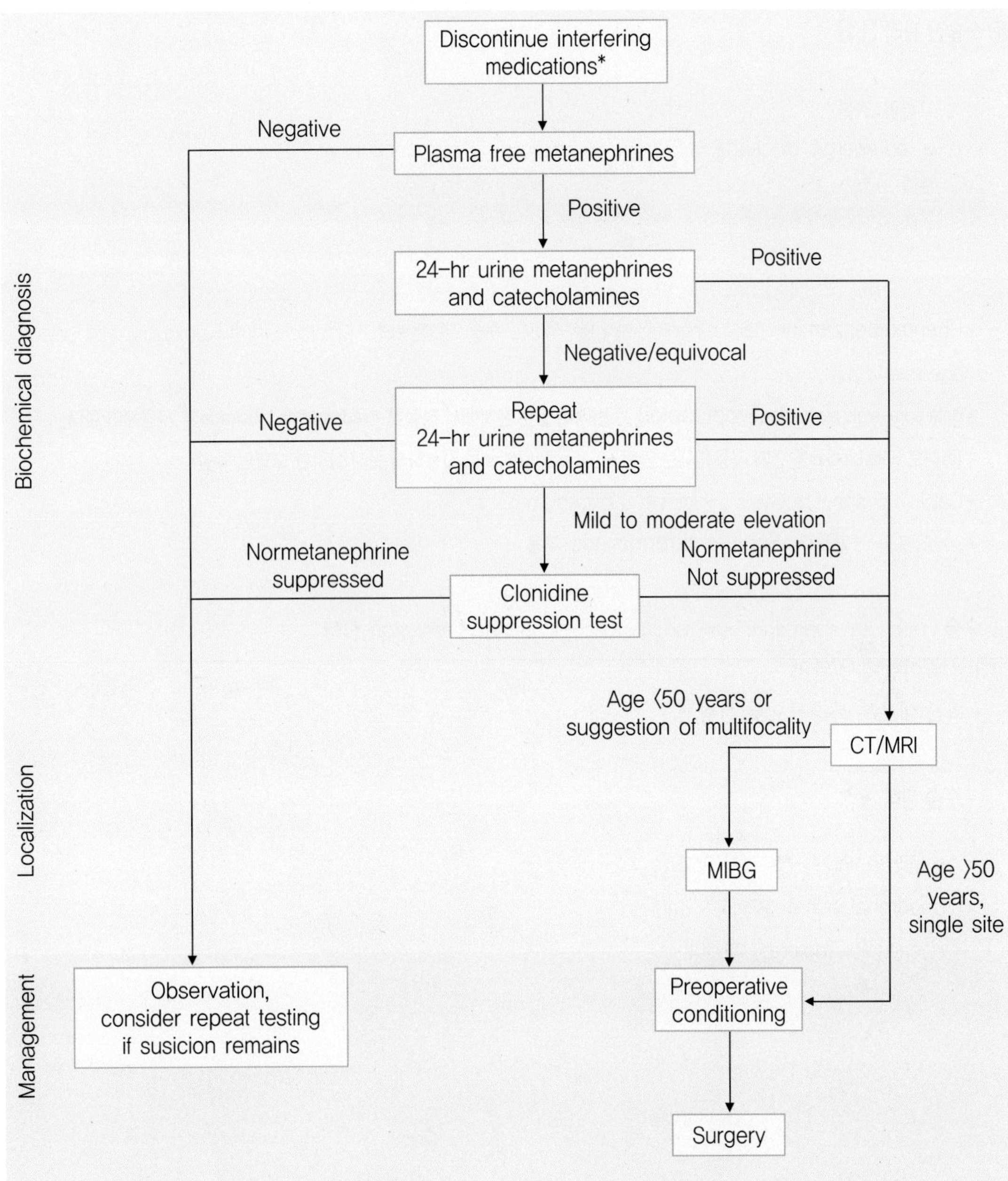

* interfering medications: sympathomimetics, phenoxybenzamine, acetaminophen, many psychotropic drugs

4. 치료

① 수술전 관리 【14】

a. **고혈압 조절**
b. ***α* -adrenergic blockade** ★ (Phenoxybenzamine, Phentolamine)
c. **수액** 보충
카테콜라민을 분비하는 종양에 의한 circulatory collapse을 막기 위해

- Phenoxybenzamine (혹은 Phentolamine)을 적어도 **수술 2주 전부터** 사용(prazosin이나 doxazosin처럼 selective agents보다 나음)
- **Beta-adrenergic blockade (Propranolol) 는 빈맥이 있는 환자에서 적절한 *α*-adrenergic blockade 후 사용해야 한다. (절대로 Beta blocker를 먼저 사용해서는 안됨★ → *α*stimulation을 길항하지 못해 심각한 고혈압 유발)**
- Calcium channel blockers (nifedipine & nicardipine)
- 수술 도중 고혈압시 : Sodium nitroprusside **사용**

② 수술 : open ant approach, post. or laparoscopic. Surgical resection 시행

- 90% 이상에서 완치
- 최근 대부분 복강경으로 시행됨

- **수술 원칙 ★**

a. **종양**을 최대한 **건드리지 말고**
b. **adrenal vein**을 빨리 찾아 ligation
c. capsular **rupture**를 **피한다.**

▪ 우연히 발견된 부신종괴 ((Incidentally discovered adrenal mass, incidentaloma)

- 영상검사의 보편화로 점차 증가 (복부 영상검사의 1~4%에서, 60대 이상에서는 10%)
- 악성종양의 병력이 있는 환자에서는 전이성 병변이 m/c (특히 양측성인 경우)
- 악성종양의 병력이 없는 환자에서는 수술이 필요 없는 비기능성이거나 양성 종양인 경우가 80%

(그림) Incidental Adrenal mass의 Evaluation

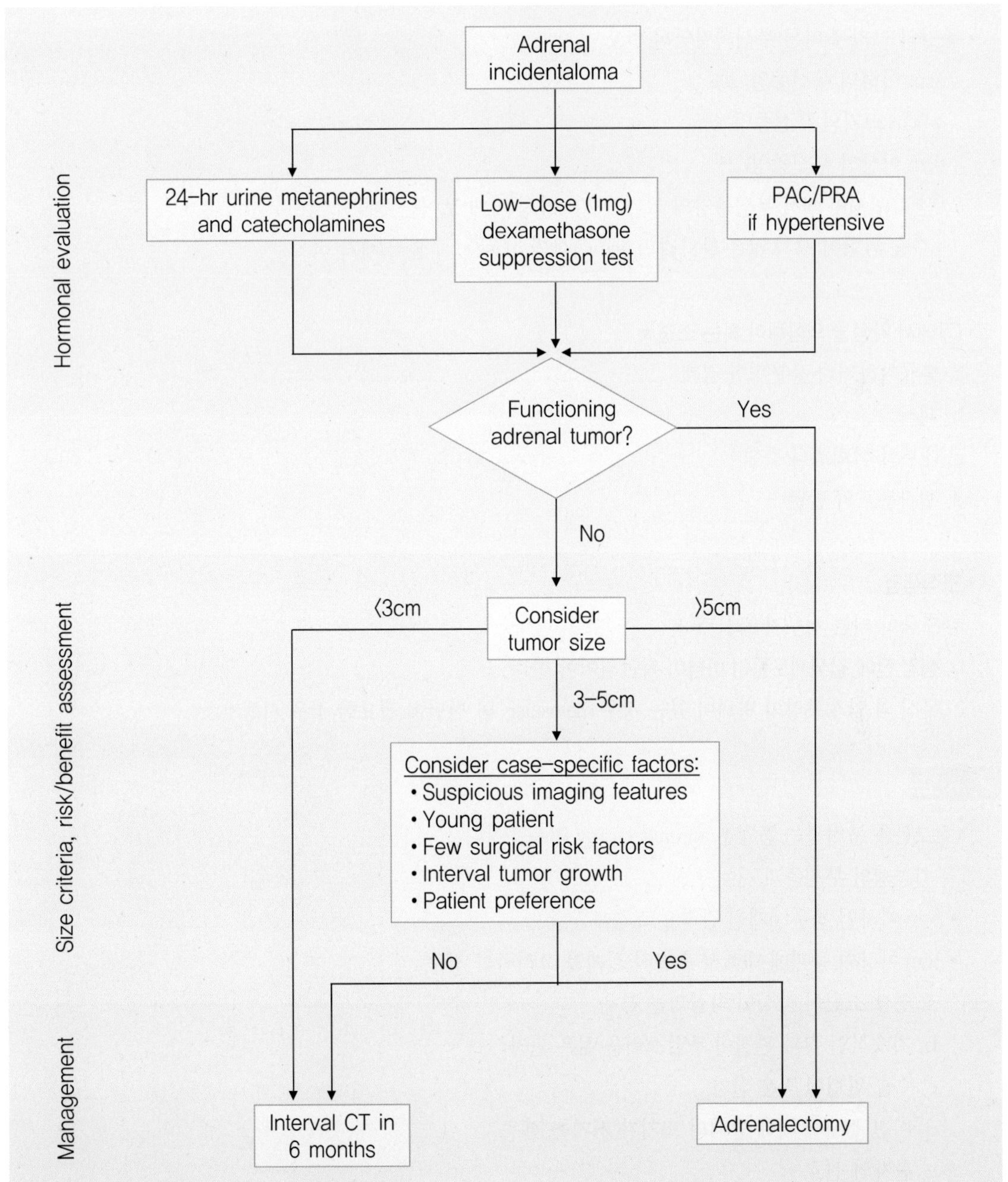

1. 감별질환

① **무기능성의 부신피질선종 : m/c (60%) 【17】**
② **호르몬을 분비하는 종양 : 갈색 세포종, Cortisol 분비선종, 알도스테론 분비선종**
③ **일차성 부신피질 암 : 대부분 6cm 이상**
④ **부신으로의 전이** : 유방암, 폐암, 신장암 및 흑색종으로부터

• 종양의 크기에 따른 부신피질암의 빈도
- 4cm 이하의 부신종양: 2%
- 4-6cm 크기의 부신종양: 6%
- 6cm 이상의 부신종양: 25%
(단, CT&MRI 에서 부신종양의 크기가 20%가량 작게 보이는 경향)
→ 수술 위험이 크지 않은 환자라면 4cm이상의 mass는 수술적 제거

• **CT에서 악성을 의심해야 하는 소견★**
a. 불규칙하거나 불분명한 경계
b. 괴사
c. 내부의 석회화나 출혈
d. 혈관분포의 발달

• **조직생검**
a. 도움이 되는 경우가 드물다
b. **생검 전에 갈색세포종이 아님이 확인**되어야 한다.
c. 부신 외 악성종양의 병력이 있는 경우 metastasis 의 진단이 필요한 경우 시행

2. 치료

① 호르몬을 분비하는 종양은 adrenalectomy 적응증이다
② 무기능성의 부신종괴 시
• 3cm 이하인 경우: 6개월 간격으로 경과관찰
• 3cm 이상의 종괴에 대해서 수술적 절제를 고려하는 경우
a. 영상 소견이 악성이 의심되는 경우
b. 지속적인 경과 관찰이 부담스러운 젊은 환자
c. 수술 위험이 적은 환자
d. 이전 검사에 비해 종괴의 크기가 커지는 경우
e. 환자의 선호
• 5cm 이상인 경우: Adrenalectomy

Power ☆☆☆☆☆

08 식도

Esophagus

해부

1. 구분

- pharynx부터 stomach까지의 25-30cm 가량의 hollow organ
- 4 segment로 구분한다.

: ① Pharyngoesophageal ② Cervical ③ Thoracic ④ Abdominal esophagus

※pharyngoesophageal segment에 약한 부위가 있다.

thyropharyngeus m.의 oblique fb에서
cricopharyngeus m.의 transverse fb로 전환되는 부위

→ 내시경 시 "천공"이 많으며, "게실" 호발함.

① "CERVICAL" esophagus

- 5-6cm 길이
- 기도의 **왼쪽**으로 주행하기 때문에 수술 시 왼쪽 경부 절개선을 통해 접근할 수 있다.

② "THORACIC" esophagus

- 최대직경이 2.5cm으로 가장 큼.

③ "ABDOMINAL" esophagus

- 1-2cm 길이
- **식도 위 연결부위** Z line **squamocolumnar epithelial junction**

  (즉, 식도의 squamous Epi → 위의 Columnar Epi.로 전환되는 부위)

(그림) Esophagus의 Normal Anatomy

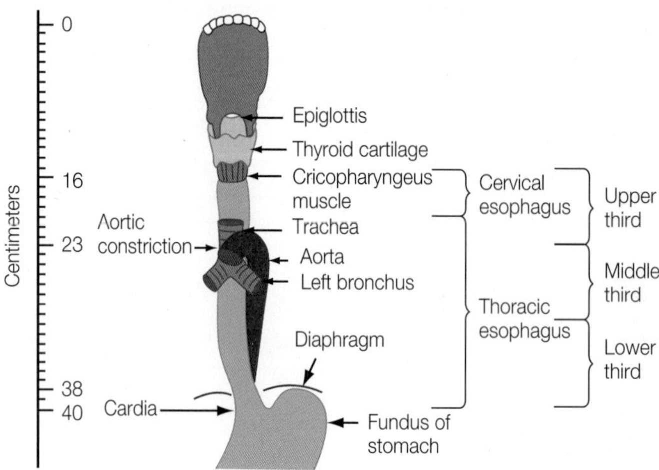

2. 해부학적으로 좁아져 있는 부위

① **Cervical** constriction : cricopharyngeus m. level ← 가장 좁다

② **Bronchoaortic** constriction : tracheal bifurcation level (T4)

③ **Diaphragmatic** constriction : LES(lower esophageal sphincter)에 해당

3. Layers

① **점막** : Squamous epithelium (예외는 distal 1-2cm으로 junctional columnar epithelium임)

② **점막하층**

③ "**근육층**"

- 바깥은 longitudinal, 안쪽은 circular muscle
- 위 1/3- striated m. 아래 2/3 : smooth m.

※ **Serosa가 없음! ★ (∴식도암은 예후가 좋지 않다)**

4. 혈액 및 림프계

① 동맥

※ segmental blood supply를 받음.

a. Cervical esophagus ← Sup. & Inf. thyroid artery

b. Intrathoracic esophagus ← Bronchial arteries, aortic esophageal arteries

c. Abdominal esophagus ← inf. phrenic & Lt. gastric artery

(그림) Esophagus의 Arterial supply

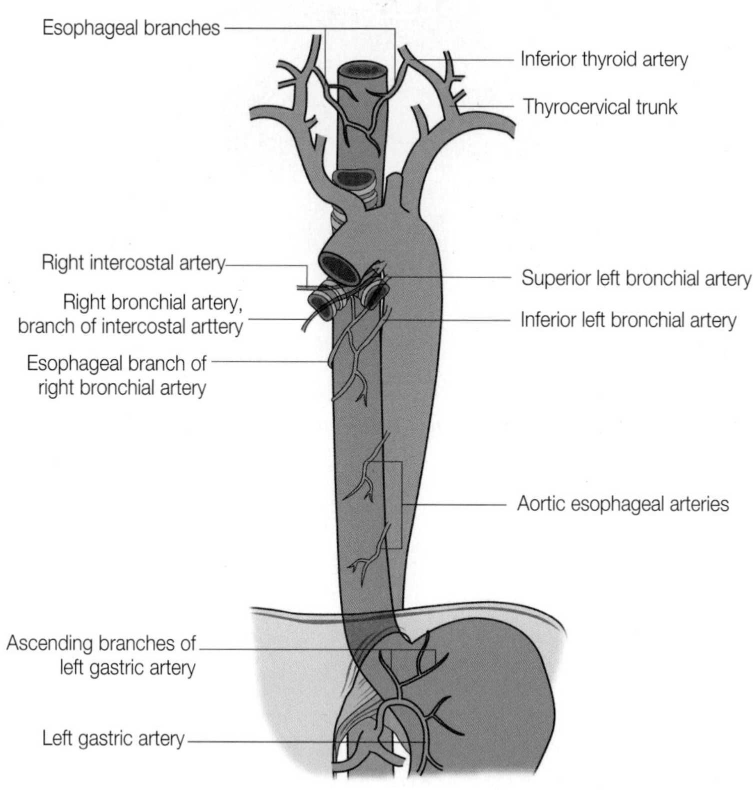

② 정맥 : Inferior thyroid, azygos, hemiazygos, intercostal & gastric vein

(그림) Esophagus의 Venous drainage

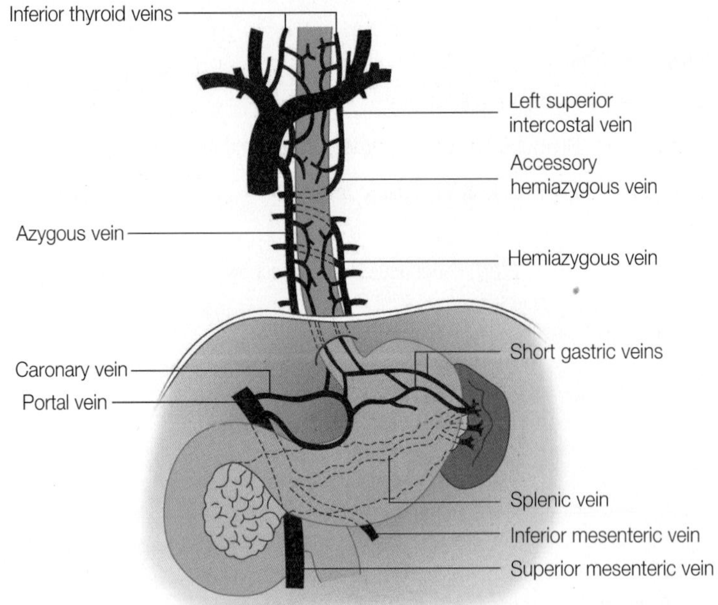

③ **림프계 : 위쪽** 2/3 → 위쪽으로, **아래쪽** 1/3 → 아랫쪽으로 배액됨

식도 질환

■ 식도게실 (Esophageal Diverticula) 【16】

• 게실이 잘 생기는 부위

① "PharyngoEsophageal" (Zenkers) diverticula : pharynx와 esophagus의 junction에 발생

② "Parabronchial" (Midesophageal) diverticula : Tracheal bifurcation에 발생함.

③ "Epiphrenic" (Subdiaphragmatic) diverticula : Esophagus distal 10cm에서 발생함.

(그림) Zenkers diverticulum이 생기는 과정

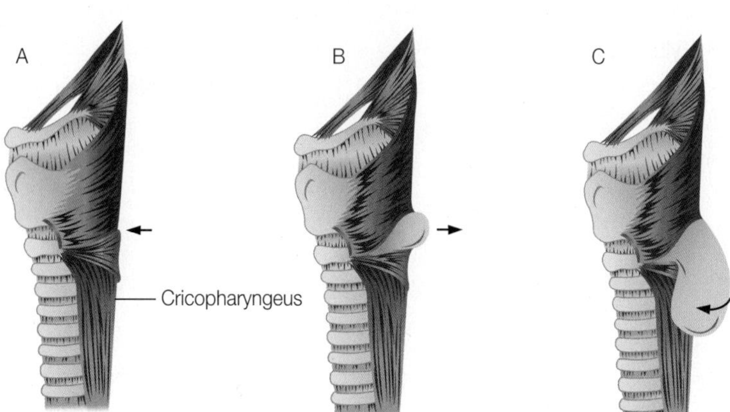

• 구조에 따른 분류

① "True" diverticulum : 전층을 다 지님.

- Traction diverticula (Parabronchial)이 해당됨.

② "False" diverticulum : 점막 & 점막하층만 지님.

- Pulsion diverticula (PharyngoEsophageal & Epiphrenic)이 해당됨.

■ 부식성 손상 (Caustic injury)

• 보통 부식성 손상시 hypotensive LES를 유발하기 때문에 GE reflux가 발생하여 distal lumen이 유해물질에 계속적으로 노출받게 된다.

1. 원인물질에 따른 분류

Acid Ingestion	Alkali Ingestion
• 산에 의한 식도손상은 **적은데** 이는, 식도가 비교적 저항력이 있는 Squamous epithelium으로 구성되며 급히 위로 넘어가기 때문이다. • 하지만 위에서 산은 **Pylorospasm**을 일으키고, 이로 인해 distal antrum에 파괴적인 화학물질이 축적되어 24-48시간내에 전벽의 괴사 및 천공을 유발하는 심한 위염이 발생한다. • 치료 : Emergency cervical esophagostomy, Esophagogastrectomy & even Duodenectomy (보통 B-I STG 시행)	• 역시 **Pylorospasm**유발 → **식도로 역류됨.** 식도에선 cricopharyngeal m. spasm으로 다시 위로 넘기는 과정이 반복됨 • 이러한 식도와 위의 시소타기(seesaw motion)로 **위, 식도 모두 손상**을 받는다.

2. 진단

① **표재성 손상**이라면 점막의 재상피화가 **6주** 가량 걸리지만, **전층손상** 시는 **수 개월** 걸린다.

② Parabronchial Substernal & Back discomfort 혹은 복통 및 Rigidity
→ Mediastinal 혹은 Peritoneal perforation을 의미한다.

③ **식도경 검사**는 **수상 후 12-24시간내에** 시행해야 한다. 조기식도경의 **금기**증은 **식도, 위천공** 및 임박한 **기도폐쇄**가 의심될 경우이다.

3. 치료

① Corticosteroid는 **금기**이다. 하지만, **dyspnea, hoarseness, stridor** 등이 있을 때 항생제와 함께 투여하면 점막 부종 및 bronchospasm으로 인한 **기도폐쇄을 호전**시킬 수 있다.

② 수술적 치료는 손상받은 식도 및 위를 함께 제거하는 것이다(B-I STG). 심한 손상의 경우 식도재건술을 시행할 수 있다.

(그림) 식도의 부식성 손상의 치료 (급성기)

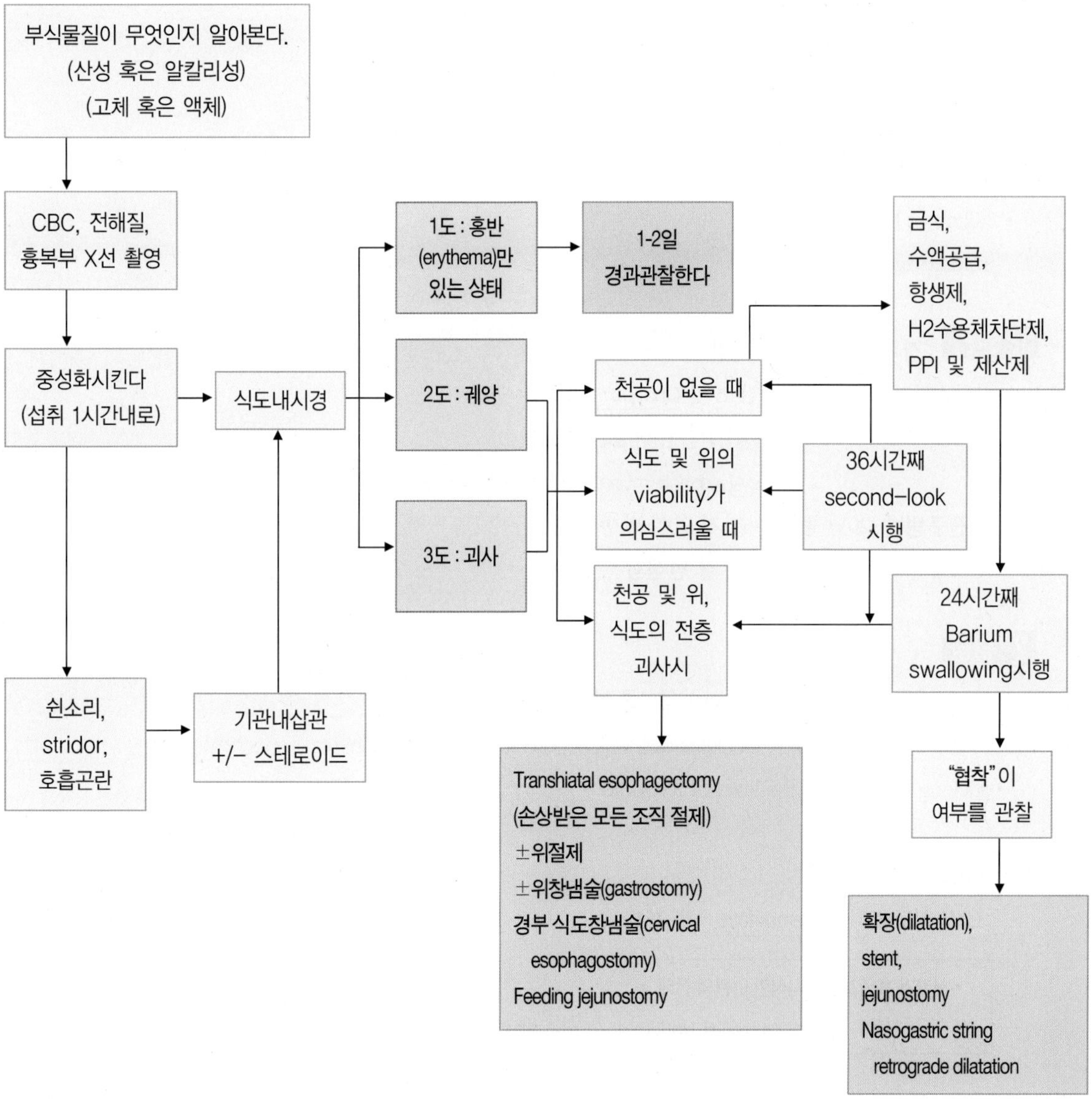

부식물질이 무엇인지 알아본다.
(산성 혹은 알칼리성)
(고체 혹은 액체)
CBC, 전해질,
흉복부 X선 촬영
중성화시킨다
(섭취 1시간내로)
식도내시경
쉰소리,
stridor,
호흡곤란
기관내삽관
+/– 스테로이드
1도 : 홍반
(erythema)만
있는 상태
1-2일
경과관찰한다
2도 : 궤양
3도 : 괴사
천공이 없을 때
식도 및 위의
viability가
의심스러울 때
천공 및 위,
식도의 전층
괴사시
금식,
수액공급,
항생제,
H2수용체차단제,
PPI 및 제산제
36시간째
second-look
시행
24시간째
Barium
swallowing시행
"협착"이
여부를 관찰
Transhiatal esophagectomy
(손상받은 모든 조직 절제)
±위절제
±위창냄술(gastrostomy)
경부 식도창냄술(cervical
esophagostomy)
Feeding jejunostomy
확장(dilatation),
stent,
jejunostomy
Nasogastric string
retrograde dilatation

(그림) 식도의 부식성 손상의 치료 (만성기)

Date of
injury
Stent
placement
BS
EGD
Appearance
of TEF
BS
EGD
BS
EGD
BS
EGD
Date of
re-epithelialization
2-3 wks
2-3 wks
5-6 mo
Daily
dilations
Weekly
dilations
Monthly dilations
Decision for surgery
1. Resection
2. Reconstruction
3. Anastomosis

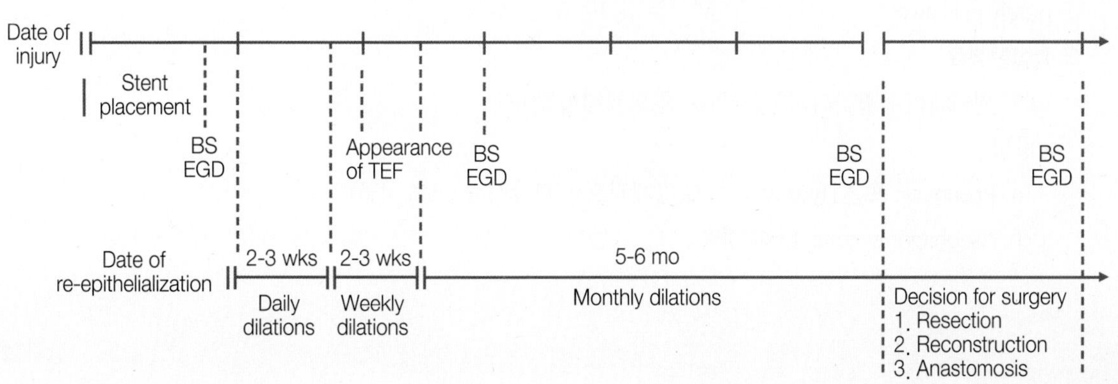

■식도의 운동성 질환들

- Hypomotility (Achalasia)
  Hypermotility (Diffuse esophageal spasm (DES))

이완불능증 (ACHALASIA)

- failure or lack of relaxation
  middle age, M=F

1. 원인 : 정확히 모른다. 하지만...

- 심한스트레스, 외상, 체중감소 및 Chagas' s disease 연관
  기생충감염 (Trypanosoma cruzi)
  → Auerbach myenteric plexus의 smooth m. ganglion cells의 파괴

※ **암전구 병변** (20년 동안 8%까지 암이 발생 가능)
→ 암은 주로 "**30대 중반**" 에 잘 발생함

2. 증상

- classic triad : **삼킴곤란 (Dysphagia), 음식물 역류, 체중감소**
  └ 처음엔 Liquid에 대해, 나중엔 Solid food에 대해 dysphagia (cancer와 반대임)
- sticking sensation at the level of Xyphoid

3. 진단 【16】

: CXR, 식도 조영술, Mamometry, 식도경 :

- **삼키기 후의 LES 반사적인 이완의 장애**
- 식도전체에 걸친 progressive peristalsis가 없을 때 (즉, LES tone 자체는 정상이거나 상승되어 있다)

4. 치료 【17】【14】

① purely palliative

② **확실한 치료**

- LES 영역내의 평활근의 circular layer를 파괴해야 한다.
- 방법
  a. Pneumatic 혹은 Hydrostatic으로 강제적으로 확장시킴 (65% 성공)
  b. Esophagomyotomy (85% 성공)

■식도 천공

- true emergency
- 가장 흔한 손상 부위 : CRICOPHARYNGEUS (내시경 도중) ★

1. 원인들

① Iatrogenic (60%) : 가장 흔한 내시경 도중 m/c

② 자발성 천공 (15%) : 구토 후

ex) Boerhaave' s syndrome : 가장흔한 자발성 천공 → straining에 의한 식도의 왼쪽 뒷쪽 부위 천공

③ 외상후 (20%)

- m/c injured area : CRICOPHARYNGEUS (during endoscopy) ★

2. 임상양상

Symptoms	Signs
구토	빈맥, 발열
통증 (epigastric, chest, neck, throat)	Crepitus on the chest, neck, or face
토혈	Subcutaneous emphysema
연하장애 (Dysphagia)	Chest hypersonarity or dullness
호흡곤란 (Dyspnea)	Cardiac crunch

3. 진단

① 단순 흉부 X-ray → 90%에서 진단에 도움. Pneumomediastinum 소견가능

② 식도 조형검사 → false negative 10%

③ CT : mediastinal fluid & air

④ 식도경 검사는 하지 않는다. ← 병변을 놓치기 쉽고, 구멍을 크게 만든다.

4. 치료

(그림) Esophageal perforation에 대한 Management

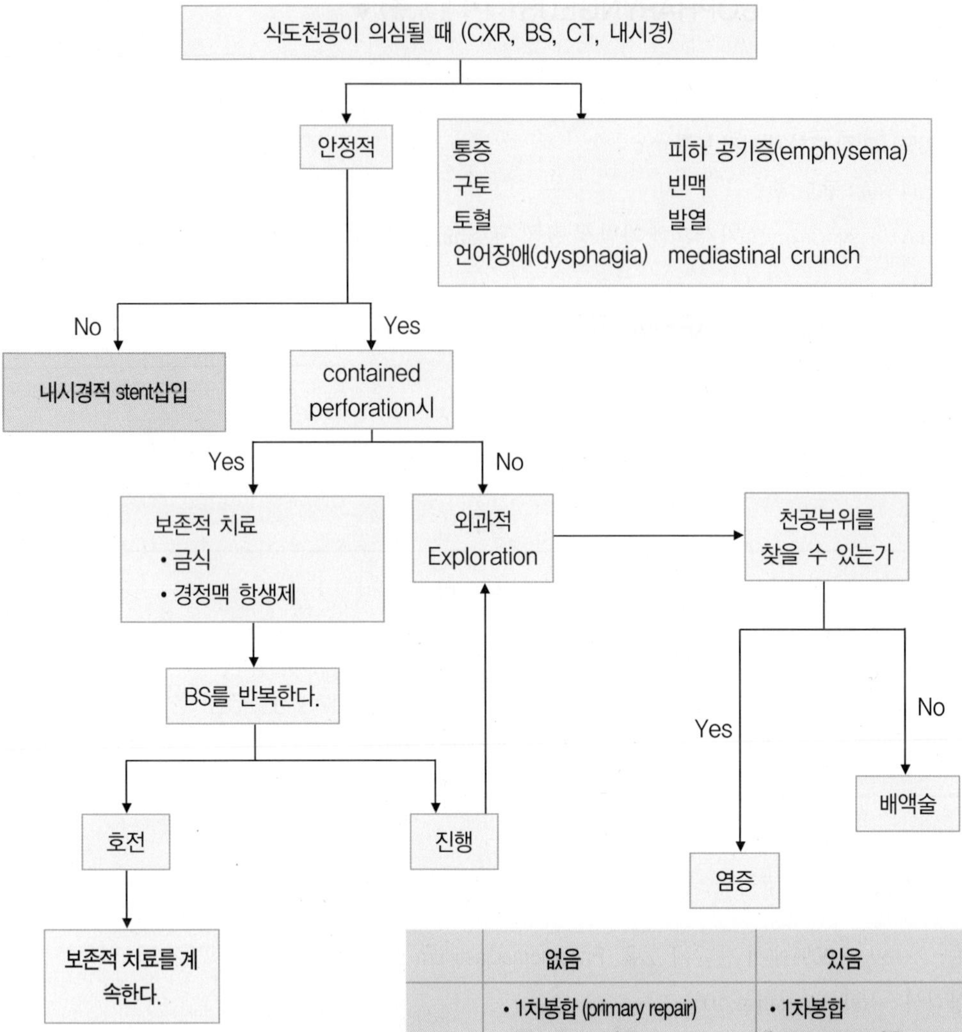

식도천공이 의심될 때 (CXR, BS, CT, 내시경)

- 안정적
- 통증 / 구토 / 토혈 / 언어장애(dysphagia) / 피하 공기증(emphysema) / 빈맥 / 발열 / mediastinal crunch

안정적
- No → 내시경적 stent삽입
- Yes → contained perforation시
  - Yes → 보존적 치료
    - 금식
    - 경정맥 항생제
    - → BS를 반복한다.
      - 호전 → 보존적 치료를 계속한다.
      - 진행 → 외과적 Exploration
  - No → 외과적 Exploration → 천공부위를 찾을 수 있는가
    - Yes → 염증
    - No → 배액술

distal obstruction → 없음 / 있음

	없음	있음
없음	• 1차봉합 (primary repair) • Muscle flap이용 • 배액술	• 1차봉합 • Muscle flap이용 • 배액술 • J 튜브 이용
있음	• 절제술 • 재건술 • 배액술 • J튜브	• 절제/ exclusion • 식도창냄술 (esophagostomy) • 배액술 • J튜브 • G튜브

추가노트

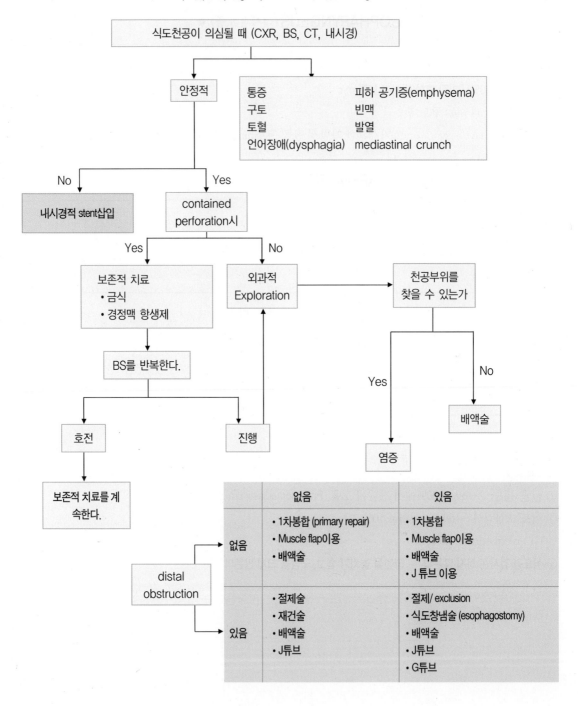

BS: Barium swallowing

※ 식도 천공 치료에 영향을 주는 3가지 인자 : 발생원인, 발생부위 & 천공에서 치료까지의 시간

① **발생원인**
- **구토 후 천공**이 가장 심각하다 (Iatrogenic보다 더).

② **발생부위**
- **"흉곽 부위"**로 내려갈수록 사망률 증가함.
- 즉, Cervical시 85%, Thoracic은 65-75%, Abdominal esophagus 90% 생존

③ **천공에서 치료까지의 시간** : **수술결과**에 가장 중요한 요소!

■식도암

• 식도암은 **국소침윤**, **림프절 전이** 및 **원발전이** (→ 폐, 간)가 광범위하여 예후가 매우 좋지 않다.

1. 종류

① Squamous cell Ca (95%)

• **흡연** (5배 증가), **음주** (5배 증가), M/F = 4-6/1
• 주로 "THORACIC" esophagus (middle 1/3 : 60%, lower 1/3 : 30%)
• **유형** :
a. Fungating, Ulcerating, Infiltrating → 5년 생존율 < 15%
b. Polypoid → 5년 생존율 70% (예후 제일 좋다)
• **악성도가 높은데**, 치료받은 종양의 경우 5YSR가 5-12%, 진단 시 70%의 환자가 이미 **식도 밖으로 종양이 퍼져있으며**, **림프절 전이**가 있으면 5YSR가 3%, 림프절 전이가 없으면 5YSR가 42%에 해당한다.

② AdenoCa

• **역류**, "Barrett' s esophagus" (30-40배), **식이인자** (지방)와 연관된다.
a. 식도 아래쪽의 손상받은 squamous cell
→ metaplasia에 의해 Columnar cell로 대치되어 발생함.
b. severe dysplasia = CIS (in situ) → **절제의 적응증!**
(이 경우 식도절제술을 시행하면 **절반**에서 AdenoCa 발견됨)
c. Barrett' s esophagus진단 시 AdenoCa가 동반된 경우가 8%

추가노트

☞ 최근 식도암 중 adenoCa가 증가하는 이유
1) GERD (gastroesophageal refluex disease) 증가
2) 서구화된 식사 (지방식이 증가)
3) 위산분비억제제의 사용 증가

- 주로 "LOWER" third (EG junction 주위)
- 5년 생존율 0-7%
- 예후 인자
  a. **종양 크기**와 예후와 관련이 있어서 5cm 이상인 경우 전이가 75%
  b. **림프절 전이**시 예후가 급격히 떨어진다.

2. 진단 【16】

① **증상** : insidious → **삼킴곤란 (Dysphagia) & 체중감소**
└ 내강의 2/3가 막혀야 증상이 나타남.

(표) Esophageal Cancer의 증상

증상	빈도 (%)
• **삼킴곤란 (Dysphagia)**	**87–95**
• **체중감소**	**42–71**
• 구토 및 역류	29–45
• 통증	20–46
• 기침 혹은 쉰목소리	7–26
• 호흡곤란	5

② **각종검사** : 식도 내시경 (→ 조직생검), 식도 조영검사, CT, EUS

3. 병기

- Endoscopic biopsy : 식도암의 진단을 위해 꼭 필요
- 기관지경 검사 : upper & middle third esophagus의 암일 때 필요

4. 치료

(그림) 식도암의 치료

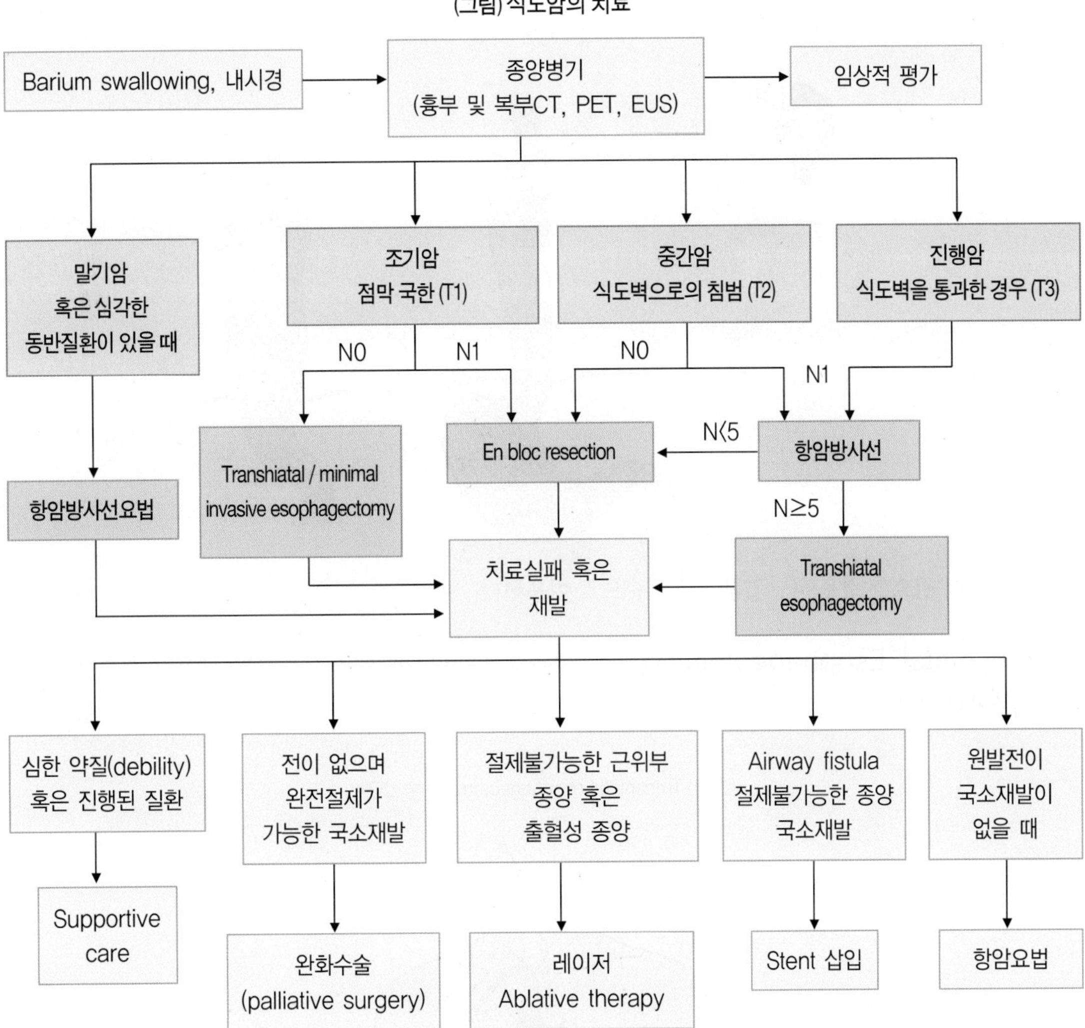

① Transthoracic Esophagectomy : **완전한 림프절절제가 가능**하지만 사망률이 높다.

(그림) Transthoracic esphagectomy 후 stomach으로 재건한 소견

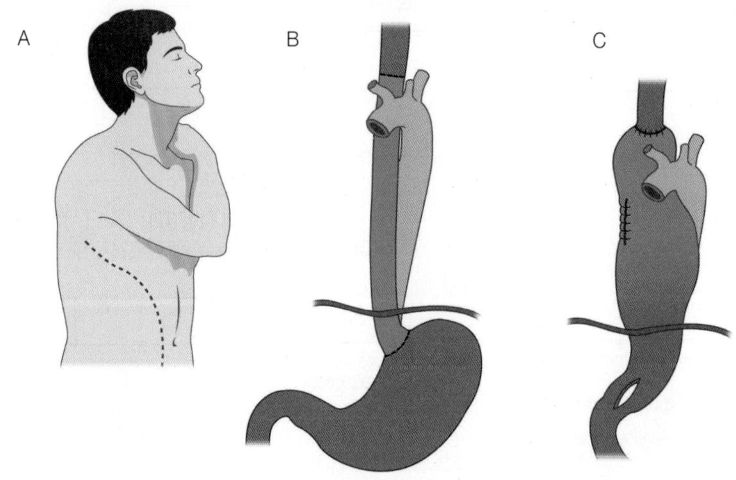

※ **식도 재건**이 필요할 경우 위 > 결장 > 공장 순으로 이용된다.

② Transhiatal Esophagectomy (without thoracotomy) : 합병증, 사망률이 낮지만, **흉곽내 림프절 절제가 제한적이다.**

(그림) Transhiatal esophagectomy 수술 소견

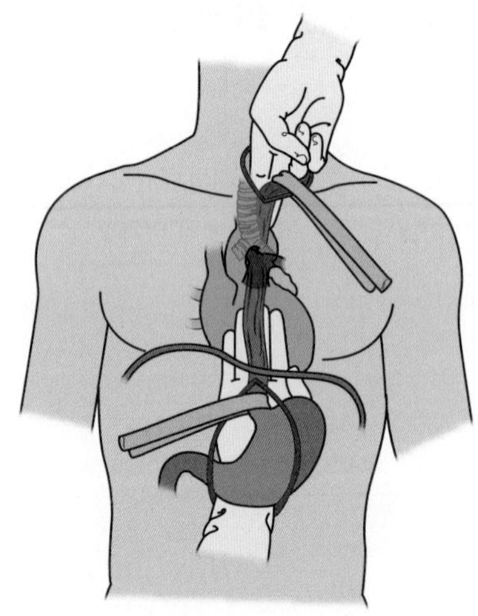

cf) Palliative하게

Dilatation, Stenting, Photodynamic Tx, 방사선 치료, Laser & Surgical palliation 시행할 수 있다.

■ Barrett' s esophagus

(그림) Barrett's esophagitis 치료의 Algorithm

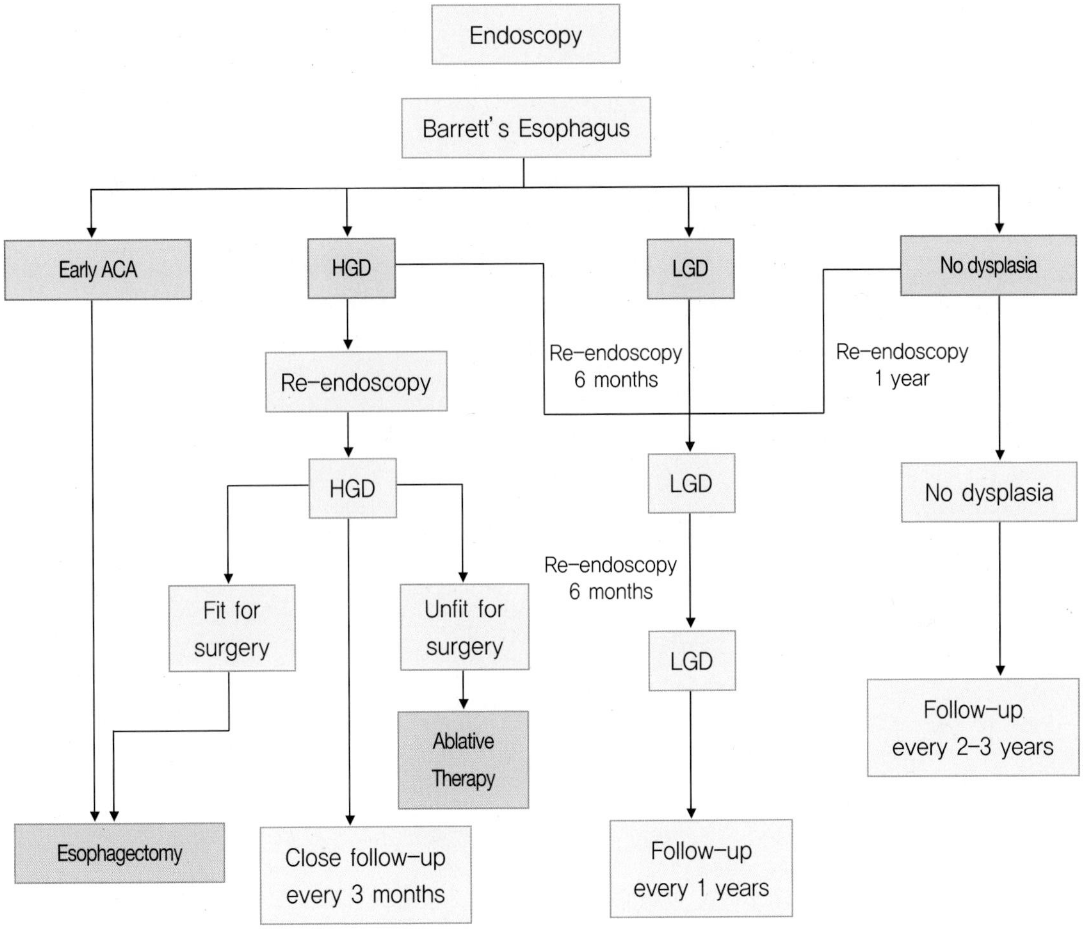

Endoscopy

Barrett' s Esophagus

- Early ACA → Esophagectomy
- HGD → Re-endoscopy → HGD
  - Fit for surgery → Esophagectomy
  - Close follow-up every 3 months
  - Unfit for surgery → Ablative Therapy
- HGD → Re-endoscopy 6 months → LGD
- LGD → LGD → Re-endoscopy 6 months → LGD → Follow-up every 1 years
- No dysplasia → Re-endoscopy 1 year → LGD
- No dysplasia → No dysplasia → Follow-up every 2-3 years

추가노트

ACA : Adenocarcinoma
HGD : High-grade dysplasia
LGD : Low-grade dysplasia

☆☆☆☆☆

Power 09

열공 헤르니아 및 위식도역류성 질환

Hiatal Hernia and Gastroesophageal Reflux Disease

 위식도 역류성 질환

■ 병태 생리

• Gastroesophageal reflux(GER)는 위 내의 압력이 식도 하부에 있는 HPZ(high pressure zone)보다 더 클때 일어난다. 아래와 같은 조건에서 이런일이 가능하다.

1) LES(lower esophageal sphincter)의 pressure가 너무 낮을 경우

2) 식도의 연동수축(peristaltic contraction)없이 자발적으로 LES가 열리는 경우

• GE reflux는 **열공 헤르니아** (hiatal hernia)와 연관이 된다.

① 1형	• Sliding Hernia (m/c) • GE junction이 Phrenoesophageal Lig.에 의해 복강내에 위치하지 않음
② 2형	• Rolling or Paraesophageal Hernia • Gastric fundus가 hiatal defect를 통해 mediastinum으로 이동한 것
③ 3형	• 1형 + 2형
④ 4형	• any visceral structure(e.g., colon, spleen, pancreas, small bowel)이 hiatus 위로 이동한 것.

열공 헤르니아를 지닌 많은 환자들이 **증상을 지니지 않고**, 치료를 필요로 하지 않을 수 있다.

(그림) Hiatal Hernia의 3 types

A,Sliding hernia (TypeI) B, Rolling hernia (Type2), C, Mixed hernia

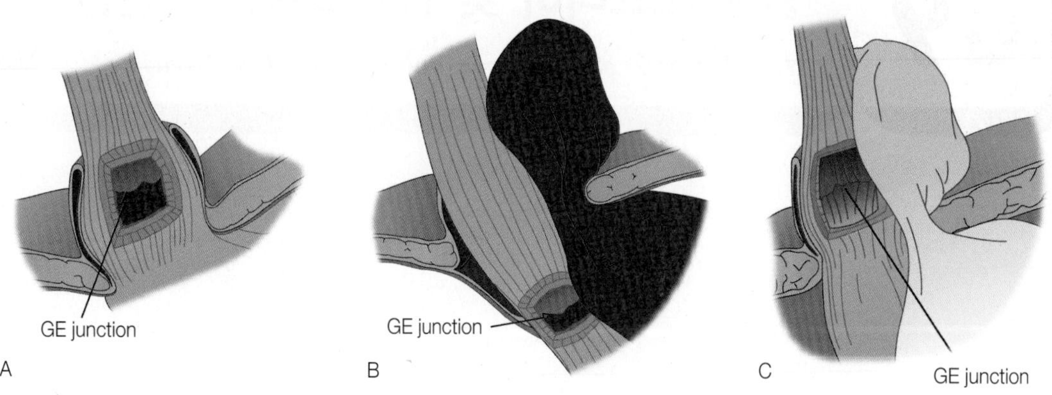

■ 증상

- 가장 흔한 증상 : **"가슴쓰림 (Heartburn)"** (등으로의 방사통은 없다)
- Regurgitation의 존재는 병이 진행함을 암시한다.
- **삼킴곤란 (dyspagia)**은 보통 기계적 폐색을 시사하고, 유동식보다 **고형식을 먹을 때** 두드러진다.

(표) GERD환자들의 흔한 증상들

증상	빈도 (%)
• 가슴쓰림 (Heartburn)	80
• 역류	54
• 복통	29
• 기침	27
• 고형식에 대한 삼킴 곤란	23
• Hoarseness	21
• Belchhing	15
• Bloating	15
• Aspiration	14
• Wheezing	7
• Globus	4

■ 수술전 검사 (Preoperative Diagnostic Testing) 【14】

1. 24시간 pH Monitoring : Gold Standard!

2. Esophageal Manometry

- 정상 LES (low esophageal sphincter) ; 압력 12-30 mmHg. > 80%의 Peristalsis을 지닌다.
- peristalsis가 60% 미만이거나 LES가 30mmHg 미만인 경우 360-degree fundoplication하면 obstruction 생기므로 "Partial fundoplication" 이 더 적합.

3. 내시경

- 다른 병 감별 및 Peptic esophageal injury 정도를 알아 봄.

4. 식도 조영 검사(Barium Esophagogram)

■ 치료

1. 내과적 치료

① Lifestyle modifications : 담배 끊고, Caffeine 줄이고, 자기 전 많이 먹지 말자!

② 전형적인 증상이 있는 환자의 경우 PPI를 8주간 사용한다. PPI를 처방하기 전에 악성종양등 다른 원인에 대한 감별이 필요하다.
그럼에도 불구하고 증상이 계속되면 검사를 시행하자.

③ 약제

- Choice : "PPIs (Proton pump inhibitors)"
- 제산제, 장운동성약제, H2 Blocker

2. 외과적 치료 【13】

- 적응증

a. **심한 식도손상**의 증거가 있을 경우 **(궤양, 협착, Barrett's mucosa)**
b. 약물요법에 잘 **반응하지 않거나, 재발**한 경우
c. 증상이 **오래** 지속되거나 **젊은 나이**에 증상이 지속될 때

① 360-Degree Wrap
(Left Crus Approach = Nissen fundoplication)

• 정상적인 식도운동성일 때 시행

(그림) 360-Degree Wrap

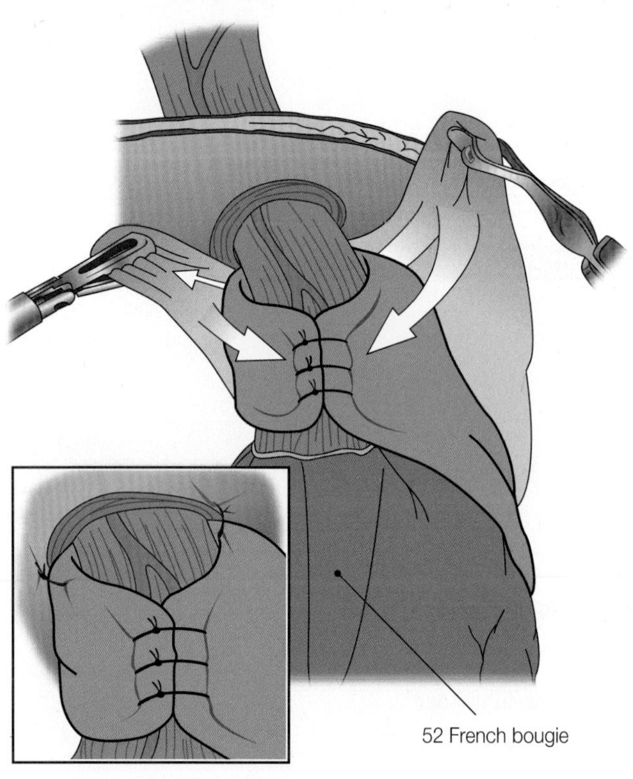

② Partial Fundoplication

• **적응증** : 식도운동성이 좋지 않을 때 ★ (peristalsis < 60% 혹은 LES < 30mmHg)
• **방법들** : Ant. vs Post. wrap

(그림) 3가지 형태의 Fundoplications

A: 360-degree wrap, B: Partial Anterior Fundoplication, C: Partial Posterior Fundoplication

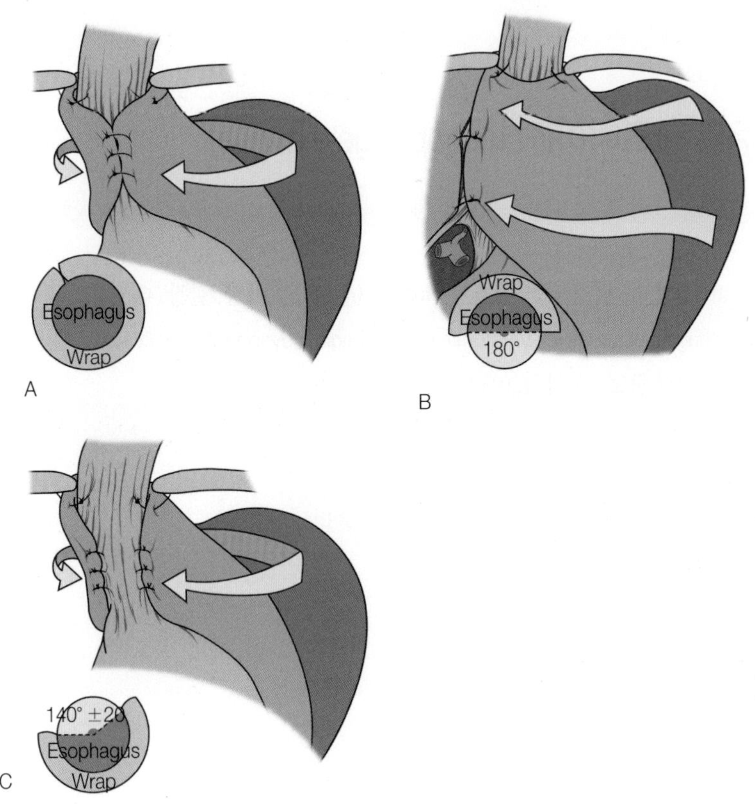

■ 합병증

- 3~10%

(표) Laparoscopic Antireflux procedures 후의 합병증

합병증	n (%)
• 술후 장마비	28 (7)
• 기흉	13 (3)
• 배뇨장애	9 (2)
• 삼킴곤란 (Dysphagia)	9 (2)
• Other minor	8 (2)
• Liver trauma	2 (0.5)
• Acute herniation	1 (0.25)
• Perforated viscus	1 (0.25)
• Death	1 (2.5)
Total	72 (17.25)

① **수술시 합병증** : 기흉 (m/c), 위, 식도, 간, 비장 손상

② **수술후 합병증** : Bloating (위확장), Dysphagia

식도주위 헤르니아(Paraesophageal hernia)

1. 특징

- Esophageal hiatus를 통해 탈장되는 구조물 : fundus (m/c) 〉〉 비장, 결장, 대망...
- **증상** : Gastroesophageal obstructive symptom(e.g., dysphagia, odynophagia, early satiety)
- **진단** : 식도 조영술 (가장 중요), 내시경, pH test

2. 치료

- 수술은 GE reflux procedures 동일함. 탈장낭은 절제분리해야 한다.
- 수술 후 90~100%에서 증상 호전

Power

★☆☆☆☆

10 복벽

Abdominal Wall

복벽

■ 해부

(그림) Anterolateral Abdominal Wall의 구조

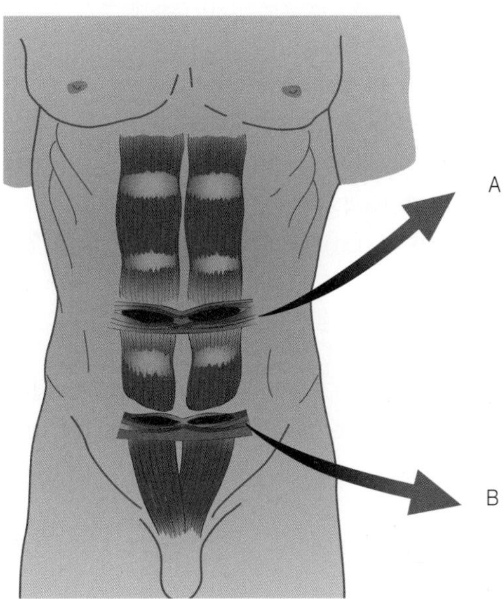

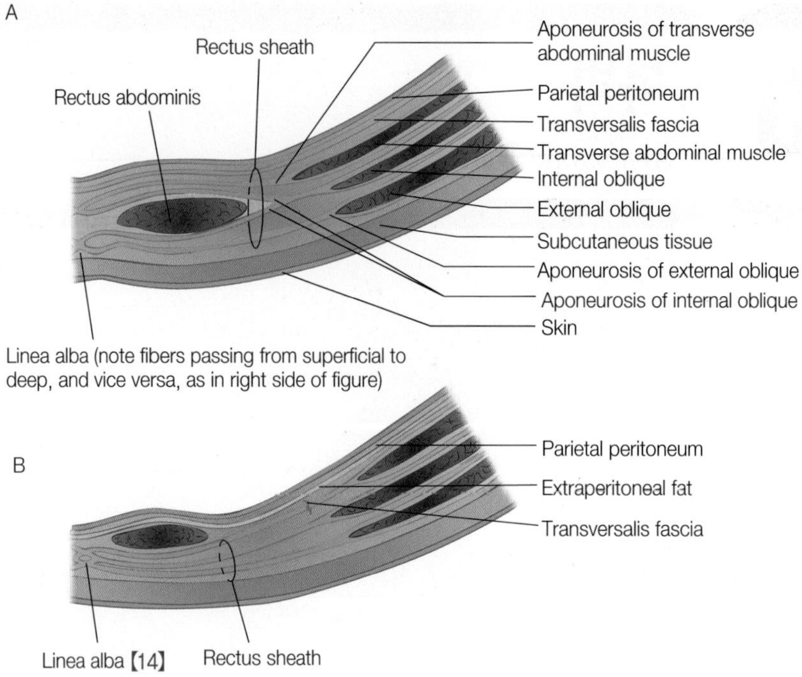

【14】

1. Rectus Abdominis m.의 위쪽 3/4
   → Int. Oblique 건막 (aponeurosis)이 rectus sheath 옆모서리에서 두 개로 갈라져 한쪽은 rectus abdominis **앞쪽**으로 다른 한쪽은 **뒤쪽**으로 주행
      a. 앞면 : Ext. Oblique + Int. Oblique의 윗층
      b. 뒷면 : Int. Oblque의 아랫층 + Trans. abdominis

2. Rectus Abdominis m.의 아래쪽 1/4의 경우
   → Int. oblique 및 Transverse abdominis가 모두 rectus abdominis **"앞쪽"** 으로 주행하므로 뒷면이 존재하지 않는다.

※ 이 위와 아래의 경계를 Arcuate line이라 하며, 보통 **배꼽과 pubic crest를 잇는 선에서 1/3** 지점에 해당한다. 즉, rectus sheath 뒤쪽은, 이 arcuate line**위쪽**엔 **aponeurotic post. wall**이 있으며 **아래쪽**엔 **transversalis fascia**가 존재한다.

• 복벽의 구성 ★ 【13】【15】

① 피부
② 피하 지방층
③ Scarpa fascia
④ 배바깥빗근 (Ext. Oblique) : inguinal lig.와 상동
⑤ 배안빗근 (Int. Oblique) : Cremasteric m.와 상동
⑥ 배가로근 (Transversus)
cf) Int. Oblique + Transversus = conjoint tendon 형성
⑦ Transversalis fascia
※ Transveralis fascia가 intact하면 incisional hernia가 일어나지 않는다.
⑧ 복막외 지방조직
⑨ Parietal peritoenum

선천성 기형

■ Omphalomesenteric Duct Remmant 【16】

• 태아에서 "omphalomesenteric duct"가 fetal midgut과 yolk sac을 연결한다.

(그림) omphalomesenteric duct가 지속적으로 존재함으로 인한 결과들

A. Omphalomesenteric duct cyst.
B. Persistent omphalomesenteric duct with an enterocutaneous fistula.
C. Omphalomesenteric duct cyst and sinus.
D. Fibrous cord between the small intestine and the posterior surface of the umbilicus.
E. Meckel' s diverticulum.

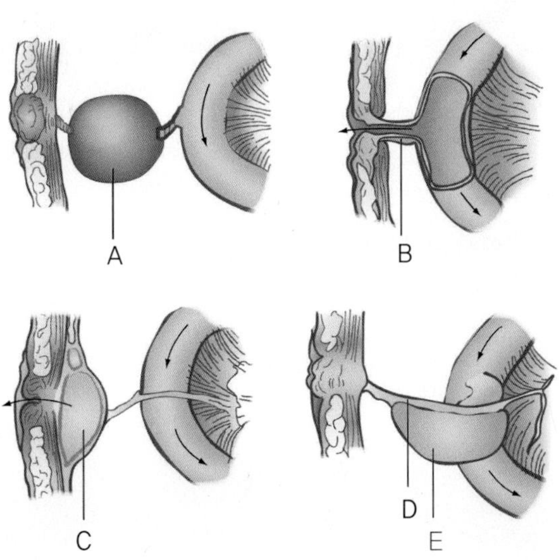

① Omphalomesenteric duct cyst.

② 장피부누공을 지니는 지속적인 Omphalomesenteric duct.

- enteric content가 umbilicus를 통해 나올 때 알 수 있다.

③ Omphalomesenteric duct cyst and sinus.

④ Meckel's diverticulum

- **Omphalomesenteric duct의 intestinal end가 지속적으로 존재할 때 발생**
- True diverticulum임. **장염전** 및 **장중첩증**을 유발할 수 있다. ★

■ 요막관 기흉 (Urachal Anomalies)

- 요막관 (Urachus)은 **방광**과 **배꼽**을 연결하는 태아 구조물이다.

(그림) Urachal Anomalies

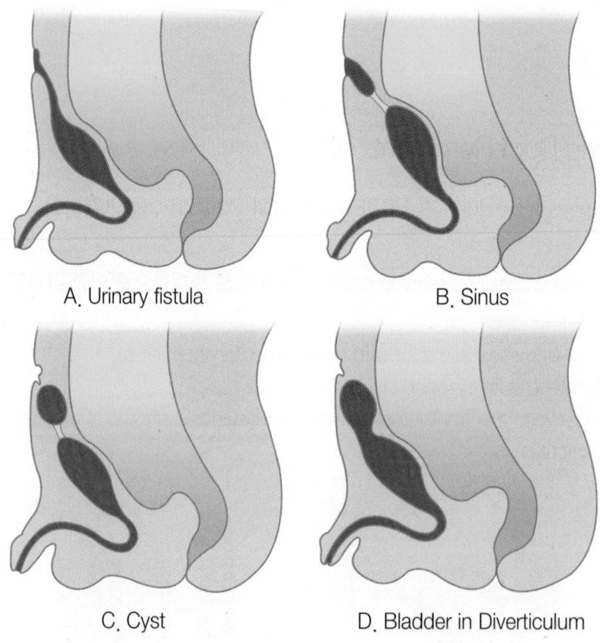

① VesicoUmbilical Fistula : 배꼽에서 소변이 나올 경우

② Urachal sinus

③ Urachus의 Cystic remnant

④ 방광게실 (Diverticula of Urinary Bladder)

■ 복막 감염

• 괴사 근막염 (Nercrotizing fascitis)

① 노인에서 많이 발생

Urinary extravasation 혹은 Perirectal abscess와 연관됨.

② 피부, 피하지방, 근육 및 근막 괴사로 치명적인 감염이다.

③ 치료 : Wide debridement + 항생제 치료

후천성 복막 질환

■ Rectus Sheath Hematoma ★

- F > M, 모든 연령에서
- **여성**에서 m/c 원인은 **임신**, 젊은 남성에선 외상 혹은 격렬한 **근육운동** 후 노인에선 **항응고제** 복용 후 발생함

1. 특징

① **원인**

a. 복부 천자 (Parecentesis) 및 주입 (injection)

b. 재채기 혹은 기침시의 rectus m.의 수축

c. 자발성

② semilunar line 위쪽의 hematoma는, rectus sheath에 의해 제한되지만, **semilunar line 아래쪽의 경우는**, rectus sheath후벽이 transversalis fascia에 의해서만 싸여 있어서 **팽창될 수 있다.**

③ **증상**

복통 (m/c), N/V, 혈종 위로 압통, 통증이 있는 종괴

2. 치료

① **비수술적**으로 치료하라 - Bed rest, 진통제

② 수술은 **혈종이 진행시**

→ 하복부에서 inf. epigastric vessels 손상시 출혈 부위 위아래를 ligation해야 한다.

복벽의 종양

■ 데스모이드 종양 (Desmoid Tumor)

- 전이를 잘 하지 않으나 빠르고 침습적으로 자라며 재발도 잘한다.
- 100만명당 2.4-4.3명. **FAP환자에서 1,000배** 많이 발생
- M<F (4-4.5배) **젊은 출산연령의 여성**에서 많다.
- 종양에 estrogen receptor가 발견된 점 및 경구피임제와 질병이 연관된 점을 통해, Estrogen이 질병과 연관됨을 알 수 있다.
- 위치에 따른 분류 : 복강 밖, 복벽 및 복강내 종양으로 나눈다.
  cf) mesenteric desmoid는 복강내 종양으로 FAP 환자에서 많이 나타난다.

1. 특징

① 증상 및 진단

a. 통증없이 증가하는 종괴

b. MRI

T1에선 hemorrhageous & isointense to muscle

T2에선 greater heterogenicity, fat보다 약간 intensity 떨어짐

c. Incisional Bx or Core needle Bx

→ 종괴의 중심부는 세포가 없지만 주변부에 diffuse cellularity 보임

② 조직 소견

- 피막에 둘러 싸이지 않으며 **조직학적**으론 **양성**이지만, 국소침윤 및 재발양상을 지니기 때문에 **임상적**으론 **악성**이다 (LN전이는 하지 않는다).

2. 치료

① 수술 : **"tumor free margin을 확보한 완전절제" (TOC)**

※ 다발성 국소재발은 많지만, 전신전이는 드물다.

② 방사선 치료 : 방사선 치료에 반응이 좋은편으로 수술이 불가능한 환자에서 사용가능 또는 adjuvant therapy로 사용할 수 있다.

③ 약물 치료

- 수술이 불가능한 경우 사용
- 세포독성이 없는 약 : **NSAIDs & Antiestrogen**
- 세포독성 물질 : **항암요법**

■ 전신질환의 복부발현

① Sister Mary Joseph node, Virchow node : 복강내 종양에서 나타난다.

② Grey Turner sign : 출혈성 췌장염, AAA, 후복막 출혈

③ Caput medusa : Portal HBP에서 배꼽주변에서의 확장된 정맥들이 보인다.

④ Spider angioma : 만성간질환에서

복막 (Peritoneum)

■ 해부

- 면적 : 1.8m²(1.1~1.7)
- 정상적으로 peritoneum 내에는 100ml의 clear straw colored fluid 존재

(그림) Peritoneal ligaments & Mesenteric reflections

이러한 attachments가 복강내를 9개의 구역으로 나눈다. :
Rt & Lt subphrenic, Subhepatic, Supramesenteric,
Inframesenteric Rt & Lt paracolic, Pelvis & Omental bursa

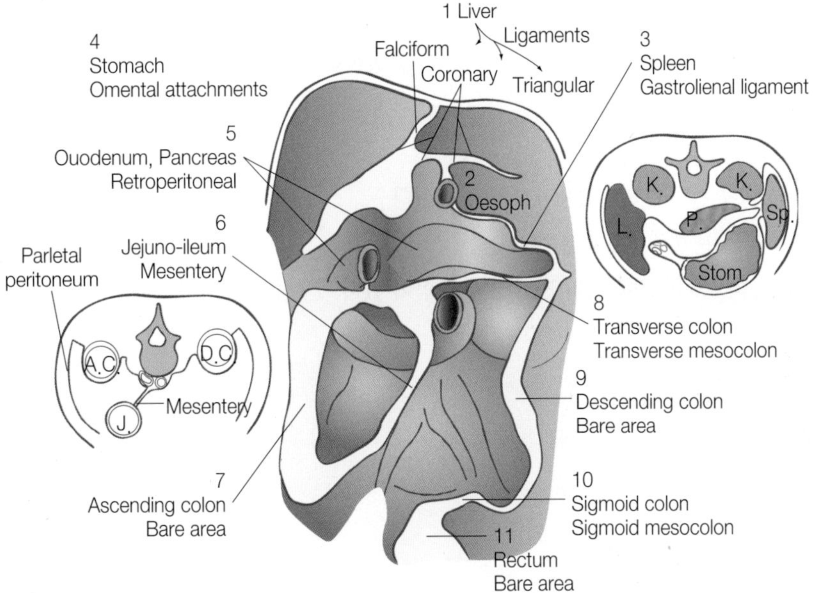

■ Intraperitoneal Fluid Collection

1. 복수 (ascites)

- 정상적으론 복강내에 수액 분비와 흡수 사이에 균형이 있다.
  이러한 균형이 깨졌을 경우 ascites가 발생한다.

2. 유미 (chyle)

① **원인** :

림프 구조물의 손상 및 **종양의 림프구조물 침윤**, 복부수술, 간경화 등

└ **림프종**이 대표적이며 림프 흐름을 차단하여 유미를 발생시킨다.

※ Chyle은 bacteriostatic properties하여 **감염이 잘 생기지 않는다.**

② **진단** :

a. SAAG ≤ 1.1mg/dl, 복강내 triglycerides 〉〉 혈청내 TG

b. 영상검사 : CT, lymphoscintigraphy, lymphangiography

③ **치료** :

a. 저지방 식이, medium-chain triglyceride diet + 이뇨제

b. 복수천자 (일시적인 호전만)

c. 수술하여 유추되는 림프 channels을 찾아 직접 결찰할 수도 있다.

3. 담즙 (bile)

- 감염시 **심한 복막염**을 일으킨다. 보통 담도 수술 후 발생한다.

4. 혈액 (blood)

- 혈복강의 가장 흔한 원인은 간 혹은 비장의 외상이다.
- 혈복강시 출혈의 2/3은 **혈액내로 재흡수된다.**
  하지만 수술 후 혈액을 복강에 남기면 감염의 위험이 있다.

5. 소변 (urine)

6. 공기 (air)

- **개복 4-5일 후** 복강내 공기는 소실됨.

■ 복수 검사 【13】【16】

- 복수천자 (paracentesis)가 가장 효과적인 검사이다.
  복부에 LLQ에서 시행하며 **진행성의 DIC 및 fibrinolysis**는 **금기증**에 해당된다.

① neutrophil ≥ 5,000/mm³시 cloudy하며, 1,000/ mm³ 이하시 clear하다.

② 복수 천자시 **혈액 성분**이 나올 때의 판단

- 보통 traumatic tap이 원인이며, **복수내에 혈액이 있는 경우는**, 응고인자를 이미 소비했으므로 **clot을 형성하지 않는다.**
  (즉, traumatic tap에서는 금방 clotting이 일어남)

③ 합병증 없는 간경화는, leukocyte ≤ 500/mm³이며, 이 중 절반 정도가 neutrophil이다.
SBP 시 neutrophil ≥ 250/mm³**로 증가한다.**

④ SAAG (serum-ascites albumin gradient)는, 혈청 알부민치에서 복수내의 알부민 수치를 뺀 값으로, ≥ 1.1g/dL 이상시 문맥압 고혈압이 있음을,
(≥ 1.1g/dL 이하시 portal hypertension이 없음을 의미한다)

(표) Classification of Ascites by SAAG

High Gradient (≥ 1.1 g/dL)	Low Gradient (<1.1 g/dL)
• 간경화	• Peritoneal carcinomatosis
• 알콜성 간염	• Tuberculous peritonitis
• 심장원인의 복수	• Pancreatic ascites
• 광범위한 간전이	• Biliary ascites
• 정격성 간부전	• Nephrotic syndrome
• Budd-Chiari 증후군	• 유미성 복수
• 간문맥 혈전증	• Serositis in connective tissue diseases
• Myxedema	

복막염 (Peritonitis)

■ Spontaneous Bacterial Peritonitis

1. 정의

- 복강내의, 외과적으로 치료가능한 감염원 없는 복수의 세균 감염
- 보통 **간경화**와 연관되나, nephritic syndrome, CHF와도 연관될 수 있다.

2. 원인

- **원인균** (m/c) : aerobic enteric flora E. coli & Klebsiella pneumoniae
- **위장관**으로부터의 bacterial translocation으로 추정된다.

3. 진단

- 복통, 발열, 백혈구 증가증의 임상양상을 지닌 low-protein ascites 환자에서, **복수액** ≥ 250 neutrophil/mm^3
  cf) gram stain에서 균이 검출되는 경우는 드물다.

4. 치료

- 3세대 Cephalosporin (광범위 항생제)

■ 결핵성 복막염 (Tuberculous Peritonitis) 【15】【16】

1. 원인

- 주로 **일차 폐질환**이 **혈행성**으로 퍼져 복막내에 잠복돼있다가 재활성화된 경우가 대부분이다.
  → 1/3 **환자**에서 **급성 폐질환**과 연관되며
  1/2 **환자**에서 **비정상적인 CXR 소견**을 지닌다.

2. 진단

① **복강경적 생검** → Caseous granuloma 확인 (90%)
② asicitic ADA (Adenosine deaminase) **상승** 확인도 진단에 도움을 준다.
③ PCR을 통해 균을 확인해 볼 수도 있다.

3. 치료

- **항결핵약제** : 9 **개월**간 Isoniazid & Rifampin

복막의 악성 종양

■ 복막 가성점액종 (Pseudomyxoma Peritonei)

- 50-70세 여성에서 많다.

1. 정의

- **파열된 난소암** 혹은 **충수 돌기암**에서 기시한, 복강의 악성질환으로, 점액을 분비하는 **점액 분비 종양 세포**로 복막이 덮혀 있다.

2. 치료

① **수술**

- 점액 및 복강내액을 배액하고, 복강절제술 (peritonectomy) & 대망절제술 (omentectomy)을 포함하여, 일차 이차 종양병소를 cytoreduction한다.(가능한 병소를 많이 제거하는 방법)

 추가노트

cf) 보통은 repeat paracentesis는 필요하지 않으며, 임상양상이 비전형적일 때 시행할 수 있다.
이때 multiple bacterial isolates시 secondary peritonitis를 시사한다.

② **수술후 보조 요법** : intraperitoneal heated chemotherapy (IPHC)

: intraperitoneal 5-FU, mitomycinC & CIsplatin or intraperitoneal mycolytics (dextran sulfate & urokinase)

※ 절반 정도에서 재발하지만, 병의 진행이 느리기 때문에 aggressive approach시 10YRS를 80%까지 올렸다는 보고가 있다.

장간막 (mesentery) & 그물막 (omentum)

■ 발생

(그림) 위장관의 발생 및 mesentery와의 연관성

SMA전의 위장관형성 부위를 prearterial limb SMA 후를 postarterial limb라고 한다.

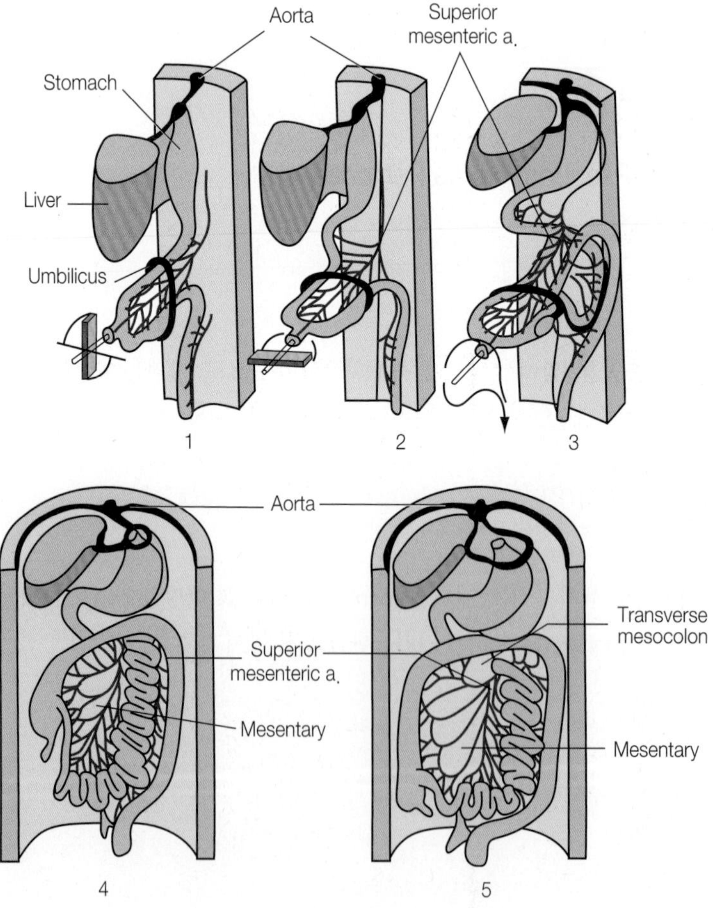

■ Omental & Mesenteric cyst

1. 그물막 낭종 (Omental cyst)

① mesenteric cyst보다 훨씬 빈도가 낮으며, omental lymphatic channels의 폐색 때문에 발생한다.

② omental torsion, infection or rupture 등의 합병증이 발생할 수 있고 이는 소아에서 더 흔하다.

③ **진단 및 치료** : Ultrasound, CT 등으로 진단할 수 있고, 치료는 국소 절제술이다.

2. 장간막 낭종 (Mesenteric cyst)

① 보통 내부에 chyle 혹은 clear serous fluid를 지닌다.

② 45세 가량의 성인에서 발생하며, F 〉 M (2배)

③ **치료** : 개복하여 enucleation시행 (크기가 크면 복강내로 internal drainage할 수도 있다)

■ Intra-abdominal (Internal) Hernia

※ **결장막 헤르니아** Mesocolic (Paraduodenal) Hernia

- **소장이** mesocolon**뒤로 탈장**되는 흔치 않은 선천성 탈장이다. 이는 midgut**의 비정상적인 회전**에 기인한다.
- **증상 & 진단**

  증상은 intestinal obstruction 소견으로 나타나고, 진단은 CT 및 barium 검사를 통해, 소장이 좌 혹은 우측으로 displacement된 것을 확인하면 된다.

1. Rt. Mesocolic hernia

① **양상** : prearterial limb이 SMA를 중심으로 회전하지 못해서 발생함.

→ 대부분의 **소장**이 **SMA의 오른쪽의 mesocolon뒤에 위치**하게 됨.

② **치료 : 우측 결장**의 **lat. peritoneal reflection을 따라 절개선을 가해 reduction한다.**

(그림) Rt mesocolic hernia의 진단과 치료

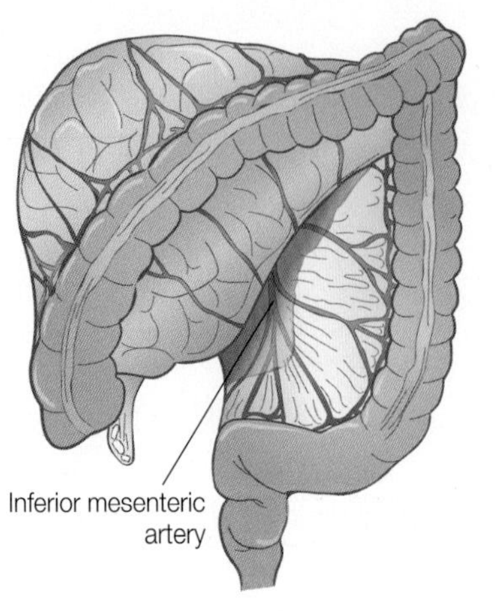

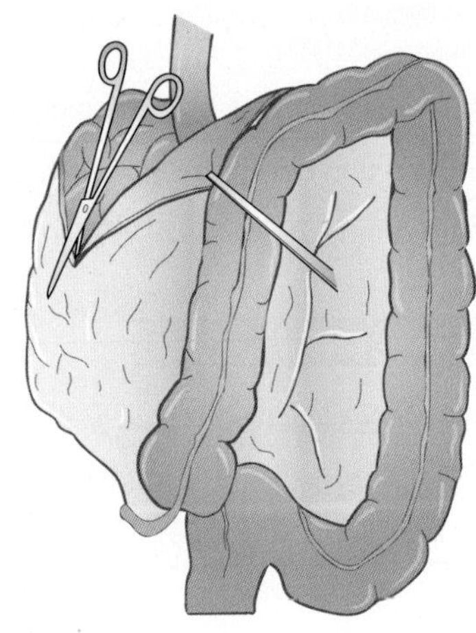

2. Lt. Mesocolic Hernia

① **양상**

: 소장이 IMV와 descending mesocolon이 후복벽에 붙은 post. parietal attachments 사이로 탈장된 것.
(IMA, IMV가 탈장낭에 포함된다)

② **치료**

: inf. mesenteric vessels의 오른쪽을 따라 절개선을 내어 reduction한다.

(그림) Lt mesocolic hernia의 진단과 치료

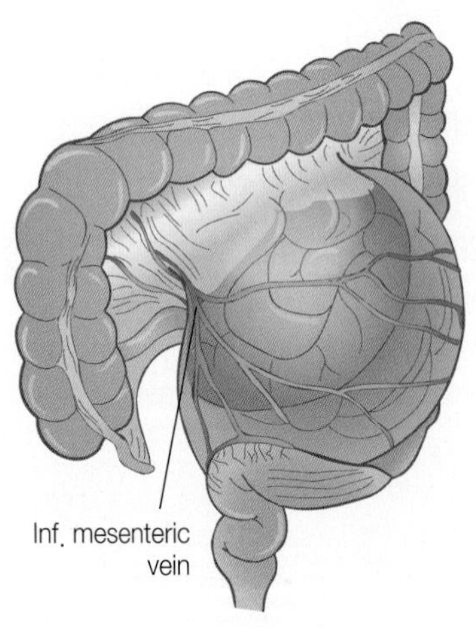

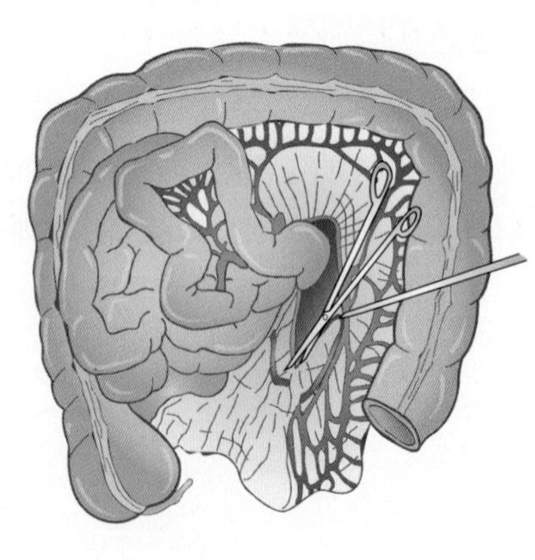

탈장

Hernias

• Hernia 정의 : 복부의 musculoaponeurotic covering을 통한 peritoneal-lined sac의 abnormal protrusion

해부

(그림) Preperitoneal inguinal anatomy (즉 복강내에서 복벽을 바라본 그림)

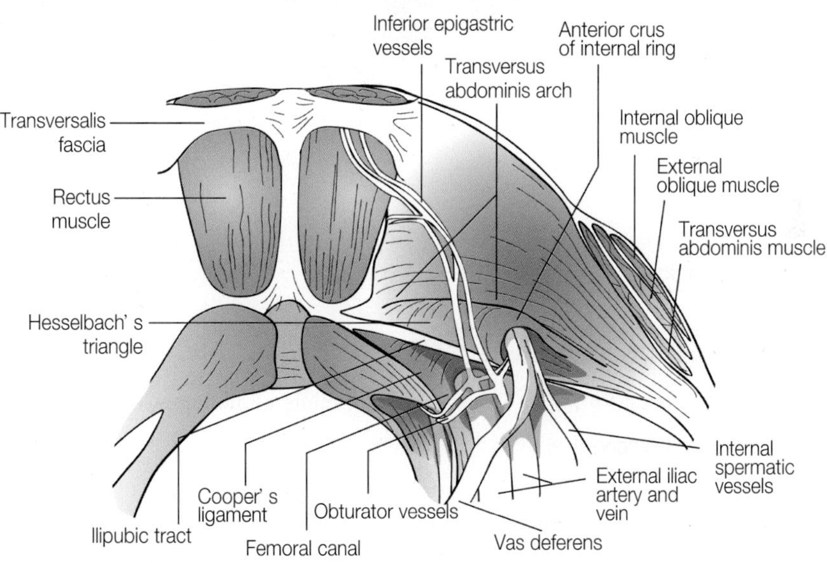

- Hesselbach triangle ★

a. 안쪽 경계 : Rectus sheath
b. 아랫쪽 경계 : Inguinal ligament
c. 위 가쪽 경계 : Inf. Epigastric vessels

→ 이 Hesselbach triangle내에서 발생하는 탈장 → <u>Direct Hernia</u>
이 triangle의 lateral에서 발생하는 탈장 → <u>Indirect Hernia</u>

(그림) 탈장의 위치

1. Indirect inguinal herinia, 2. direct inguinal hernia, 3. femoral hernia

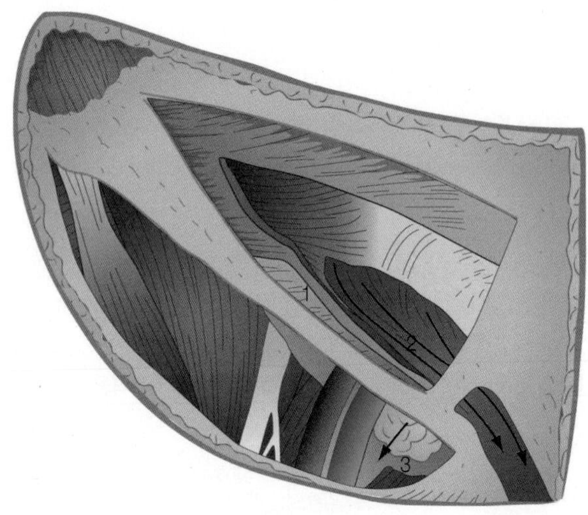

■ 중요한 해부학적 구조물

1. 뱃속 빗근 (Internal Oblique Muscle)

- 이 Internal oblique aponeurosis의 안쪽은 Transversus abdominis aponeurosis의 섬유와 Pubic tubercle 부위에서 결합하여 Conjoined Tendon ★을 형성한다.(5-10% 정도에서)

Int. Oblique + Transversus abdominis aponeurosis → Conjoined tendon

 추가노트

cf) Direct inguinal harnia는 transversalis fascia가 약해서 발생한다.★

2. Iliopubic Tract

① **위치관계**

- Inguinal ligament의 뒤편에 위치하게 된다.
- Femoral vessels 위에 위치하게 되어, femoral sheath의 한 부분을 이룸.
- Int.(deep) inguinal ring의 **아래쪽 경계**에 위치함.

② **임상적 의의**

- Femoral hernia의 교정 및 Inguinal hernia의 Preperitoneal repair에서 극히 중요하다.

3. Cooper's Ligament

- Laparoscopic herinia 및 McVay' s repair에서 중요한 고정 부위!!

(그림) 우측 서혜부에서의 preperitoneal structures

그림의 오리엔테이션에 주의하자. 등쪽, peritoneum 안쪽에서부터 복벽 뒷쪽면을 바라본 그림이다.
IEV, inferiorr epigastric vessels; IPT, iliopubic tract; VD, vas deferens; GV, gonadal vessels;
EIV, external iliac vessels .

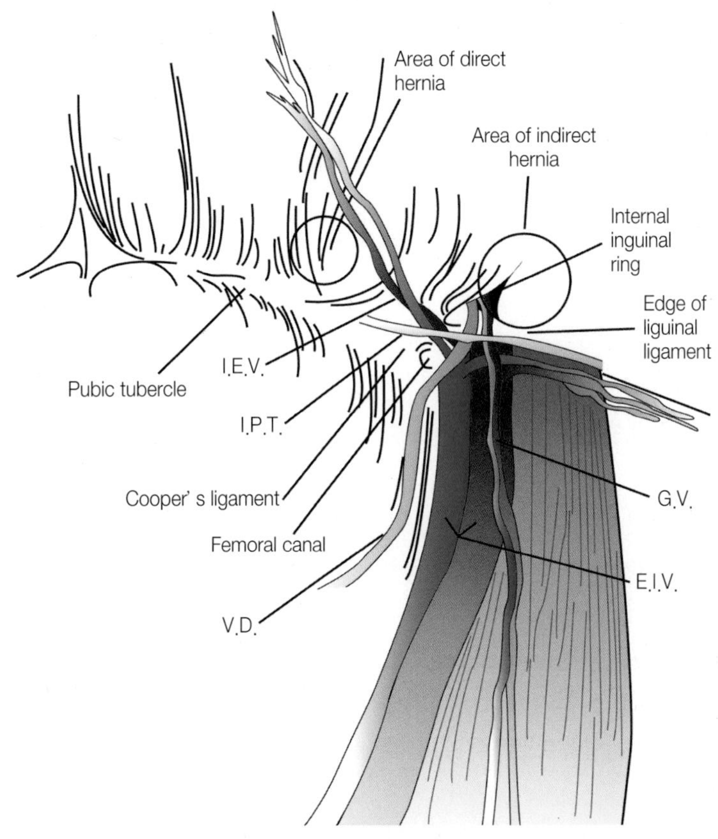

(그림) 우측 서혜부에서의 중요한 신경의 주행

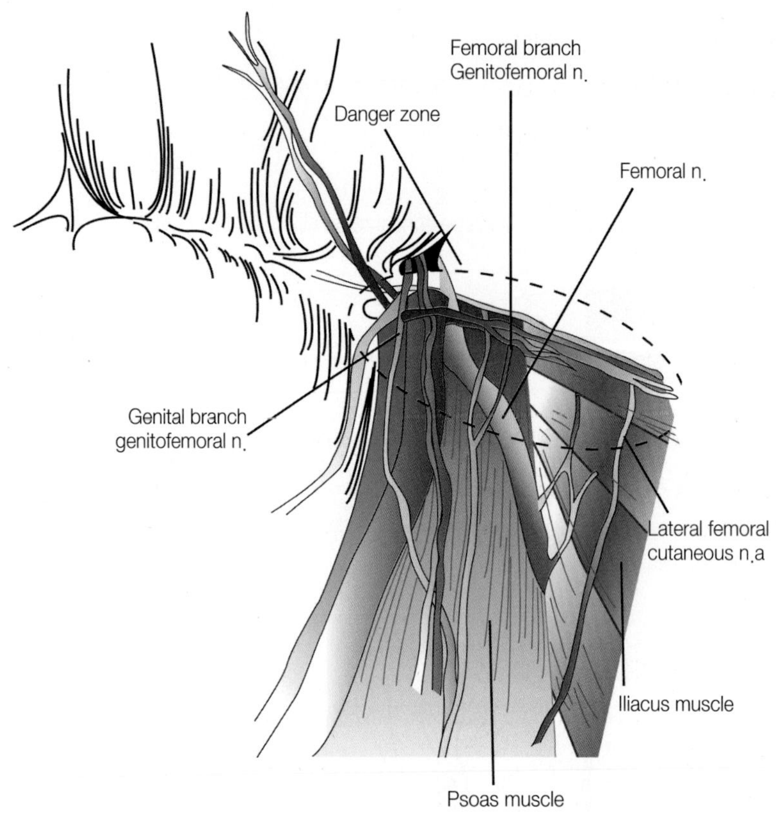

■ 탈장수술 시 손상받기 쉬운 장기 ★

1. 신경

① Ilioinguinal & Iliohypogastric Nerve :

• 하복부 및 회음부의 감각신경

② Genitofemoral Nerve

• L2 (or L1 or L3)에서 기원

• Psoas m. 앞쪽으로 지나가서 Genital & Femoral br.로 나뉜다.

• 각각의 분지 중,

a. Genital br.는 deep ring을 통해 inguinal ring으로 들어가며

└ 손상시 음낭의 통증, 감각이상 및 마비증상이 나타남 ★

b. Femoral br.는 Femoral a. 옆쪽으로하여 Femoral sheath로 들어간다.

(그림) inguinal region에 주요 신경의 주행

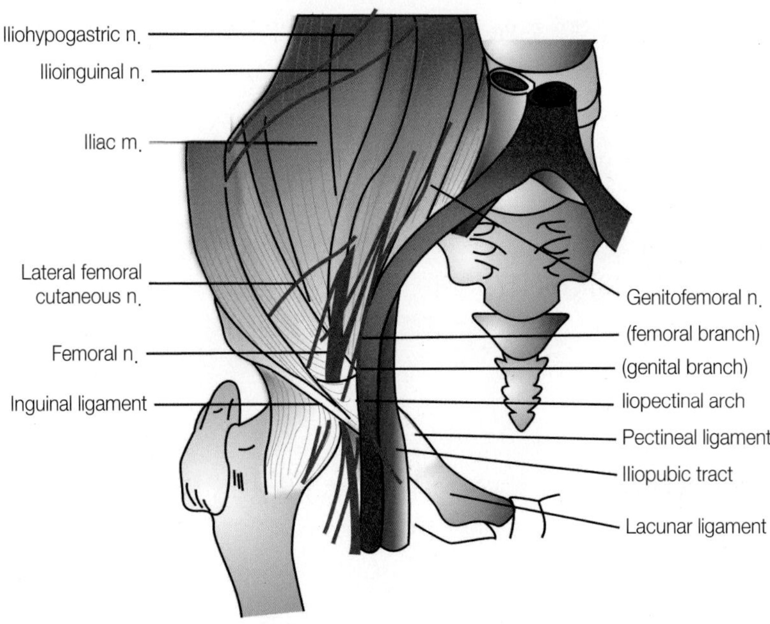

(그림) inguinal region의 주요 신경이 지배하는 감각 영역

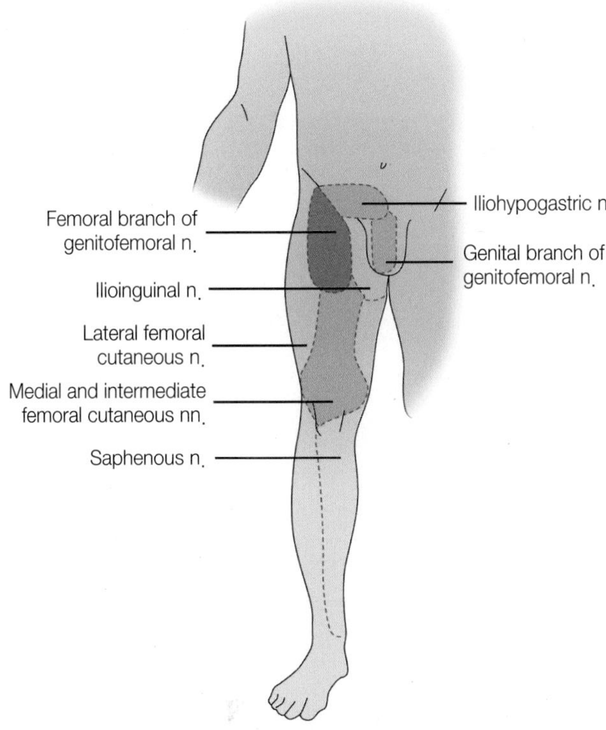

2. 정관 (Ductus deferens)

- 아래 → 윗쪽으로, 안 → 바깥쪽으로 Preperitoneal space를 지나서 deep inguinal ring으로 들어간다.

3. 기타

- Femoral vein, 탈장낭내 구조물 (intestine...), 방광 등

탈장의 진단 【13】【16】【17】

1. 임상양상

- 서혜부의 종괴시

※ Incarceration이나 intestinal vascular comprise가 없는 상태에서 통증은 크지 않기 때문에 심한 통증을 호소할 때 다른 질환의 가능성도 고려해야 한다.

(표) 서혜부종괴로 나타날 수 있는 질환들

- Inguinal hernia
- Hydrocele
- Inguinal adenitis
- Varicocele
- Ectopic testes
- Lipoma
- Hematoma
- Sebaceous cyst
- Hidradenitis of inguinal apocrine glands
- Psoas abscess
- Lymphoma
- Metastatic neoplasm
- Epididymitis
- Testicular torsion
- Femoral hernia
- Femoral adenitis
- Femoral aneurysm or pseudoaneurysm

2. P/Ex

- Incarcerated hernia는 대부분 도수 정복 (manual reduction)이 가능하다.
  부드럽게 한 손으로 hernial neck을 잡아, hernial neck을 늘린 상태에서 반대손으로 incarcerated contents를 밀어 넣는다.
  이때 supine head-lowered position (Trendelenburg)이 도움이 된다.
  종괴에 압통이 있고, 누를 때 통증이 동반된 경우는 **적절한 진통제**를 사용한 뒤 다시 누른다.

▶ Gangrenous bowel은 이렇게 누를 경우 잘 들어가지 않는다. **이렇게 Manual reduction이 되지 않을 때 Urgent operation을 시행한다.**
▶ strangulation이 의심되는 경우 도수정복 하지 않고 응급개복술 한다.

(그림) 탈장의 도수 정복

A와 같이 단순하게 압력을 가하지 말고 B와 같이 한 손으로 탈장 목을 잡은 상태에서 부드럽게 탈장낭을 밀어 넣어야 된다.

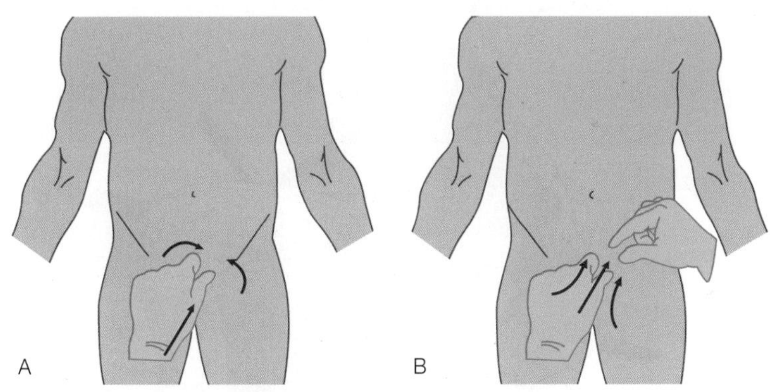

즉, 도수정복되면 **2~3일 후**에 **elective op.** 되지 않으면, **Urgent op** 시행★

- 75%의 탈장은 **inguinal region**에서 발생한다.
  50%는 **indirect** inguinal hernia이며, **24%**는 **direct** inguinal herina이다. (Indirect 〉〉Direct)
  Incisional & Ventral herina는 **10%**이며 **Femoral** hernia는 **3%**에 해당된다.
- 남성 여성 모두에서 가장 많은 Hernia는 **"Indirect inguinal hernia"** 이다.★
  Femoral hernia는 남성보다 **여성**에서 많다. femoral hernia는 감염될 위험이 높다.
  25%의 남성과 단지 **2%**의 여성만이 일생동안 inguinal hernia를 지니게 된다.
  또 Inguinal herina는 왼쪽보다 **오른쪽**에서 더 호발한다.★

서혜부 탈장에 대한 수술

다음부터는 자세한 수술법에 관한 내용이기 때문에 의대생수준에서는 이런게 있구나 정도만 알고 넘어가시면 됩니다.

- Inguinal hernia는 수술로 치료해야 하며 저절로 없어지지는 않는다.
  Groin hernia repair는 Incarceration이나 strangulation이 없으면 elective하게 시행할 수 있다.

■ Iliopubic Tract Repair

- Transversus abdominis aponeurotic arch 와 Iliopubic tract을 interrupted sutures로 봉합한다.

(그림) Iliopubic Tract Repair

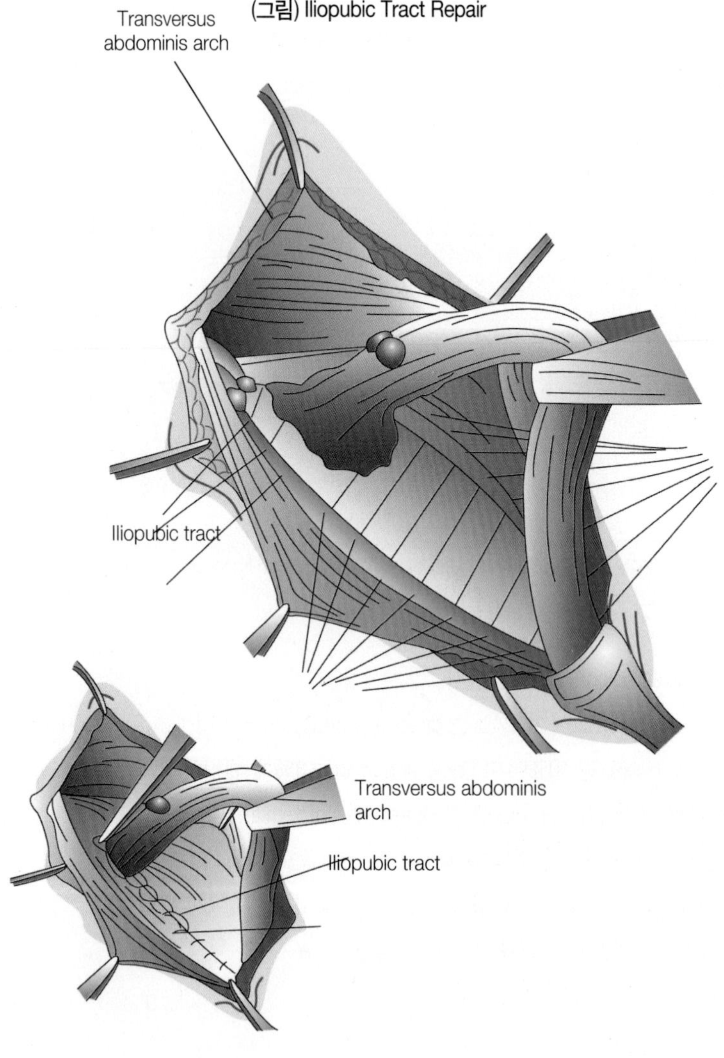

■ Shouldice Repair

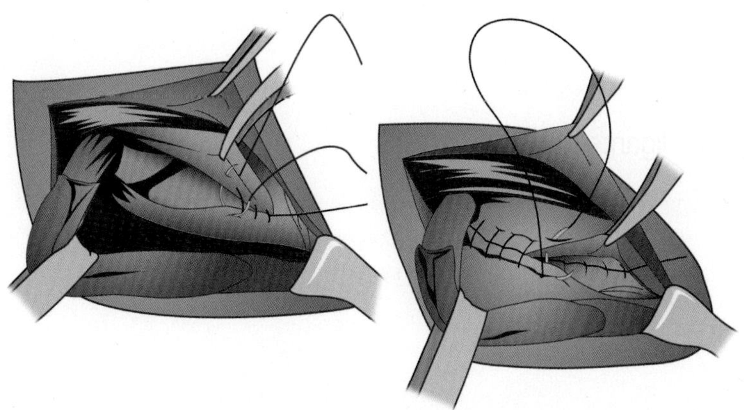

- 재발이 적다.
- **방법** : posterior wall을 continuous running suture로 multilayer imbricated repair하는 방법
  처음에는,
  Transversus abdominis aponeurotic arch 와 Iliopubic tract를 봉합한다.
  다음에는, Conjointed Tendon 와 Inguinal ligament를 봉합한다(Bassini Repair을 추가함).

■ Bassini Repair

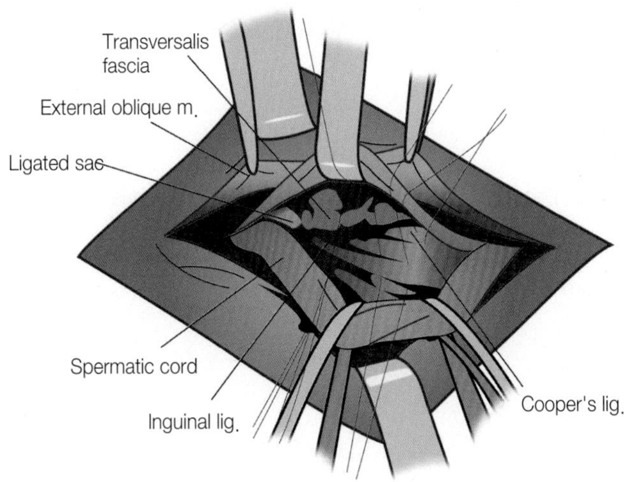

- 적응증 : Indirect inguinal hernia & 작은 direct hernias에 이용되어 옴. Tension-free repair 이전에 가장 많이 쓰던 방법
- Conjointed Tendon과 Inguinal Ligament를 봉합한다.

■ McVay (Cooper ligament) Repair

(그림) McVay (Cooper ligament) Repair

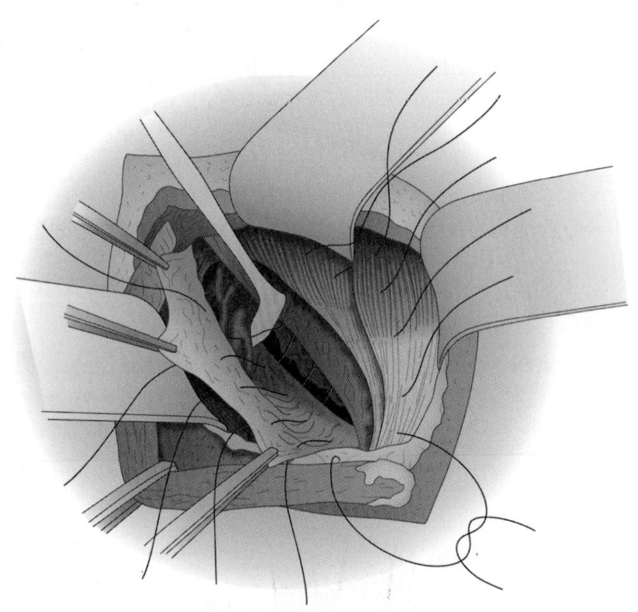

- 적응증 : 큰 inguinal hernias, Direct inguinal hernia, 재발성 탈장, Femoral hernia
- 방법

  Trans. abdominis aponeurosis과 Cooper Ligament를 봉합한다.

■ Lichtenstein (Tension-free) Repair

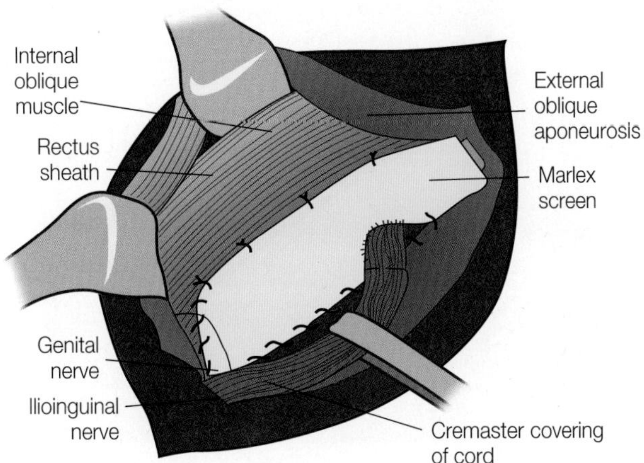

- m/c 현재 가장 많이 사용하는 방법
- 외래에서 부분마취하★에서도 시행할 수 있다.

■ Preperitoneal Repair

- **적응증** :

  재발성 서혜부 탈장, sliding hernias, strangulated hernias, femoral hernias
- **방법**

  서혜부 탈장의 경우는, Trans. abdominis aponeurosis과 iliopublic tract를 봉합한다.

  femoral hernias**의 경우**는, Cooper' s ligament과 iliopublic tract를 봉합한다.

추가노트

★ Lichtenstein (Tension-free) Repair의 장점

① 국소마취로 가능하다.
② 통원 수술로 가능하다.
③ 통증이 적다.
④ 재발이 적다.

(그림) preperitoneal approach의 절개선

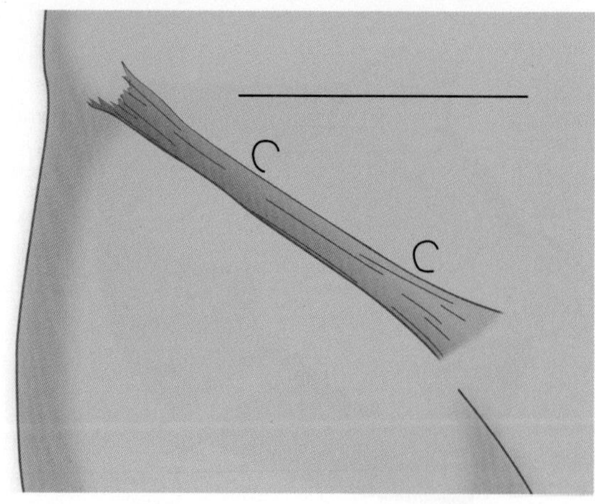

(그림) preperitoneal space로의 접근

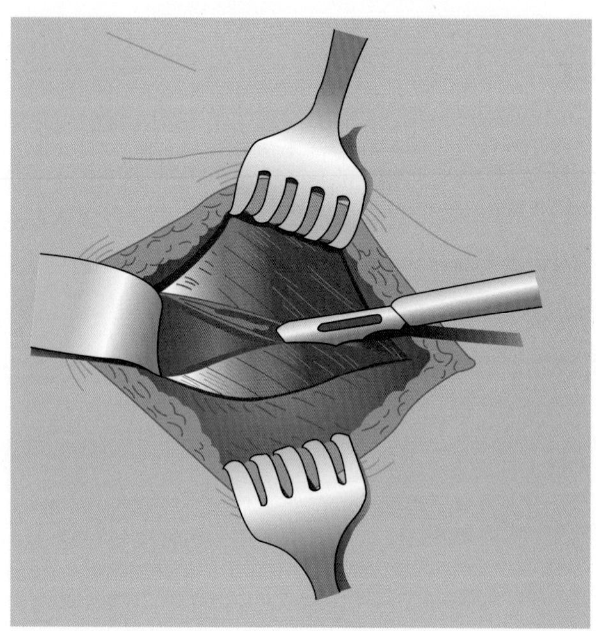

(그림) femoral canal의 확인 이때 femoral canal의 위쪽 경계가 iliopubic tract에 해당하며 아래쪽경계가 Cooper' s ligament에 해당한다.

(그림) 위의 iliopubic tract과 Cooper' s ligament를 approximation하여 femoral opening을 좁혀주어서 femoral hernia를 교정한다.

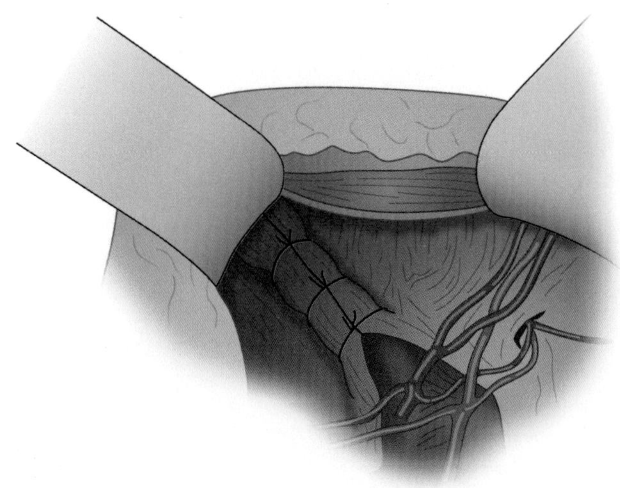

(그림) Indirect inguinal hernia의 치료 - Int. inguinal ring을 좁혀준다.

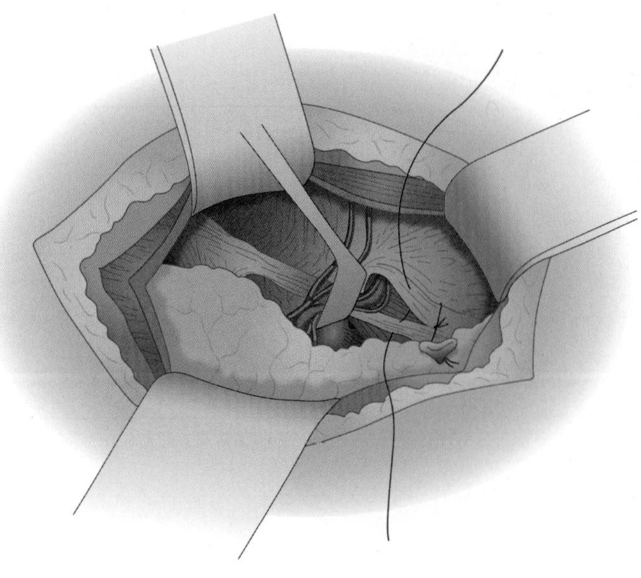

(그림) direct inguinal hernia의 치료 -iliopubic tract과 trans. abdominal aponeurosis를 approximation해준다.

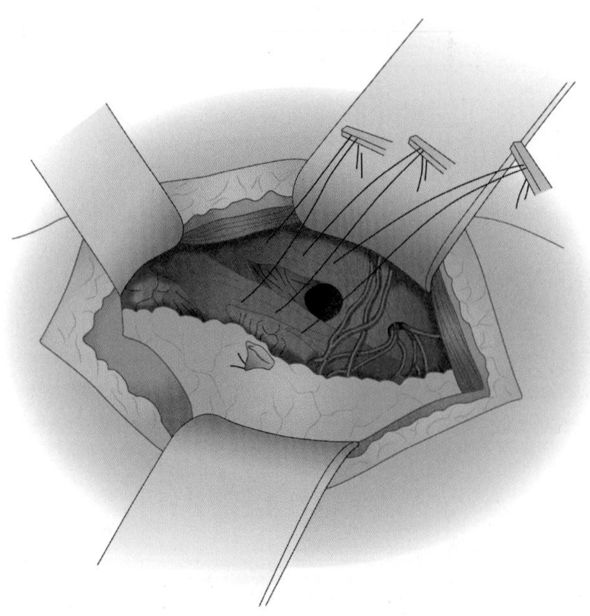

■ 복강경을 이용한 탈장 교정 (Laparoscopic Hernia Repair)

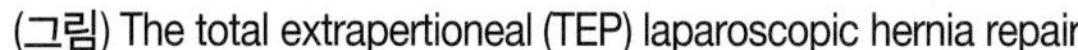

(그림) The total extrapertioneal (TEP) laparoscopic hernia repair

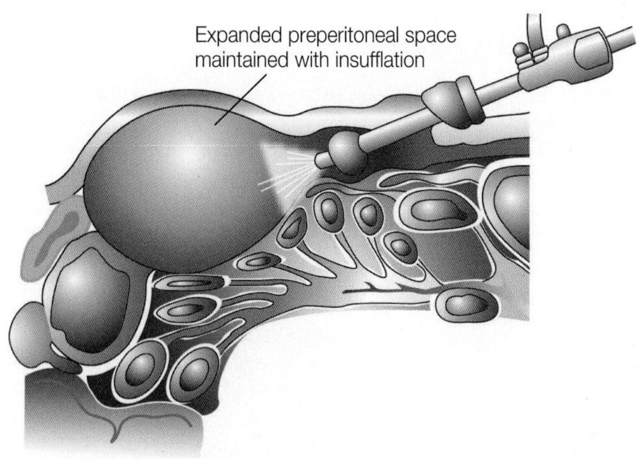

(그림) Total extrapertioneal (TEP)에서 prosthetic mesh를 위치시킨 그림. staplers에 위치 및 주의해야 할 신경 및 혈관의 분포를 눈여겨 보자.

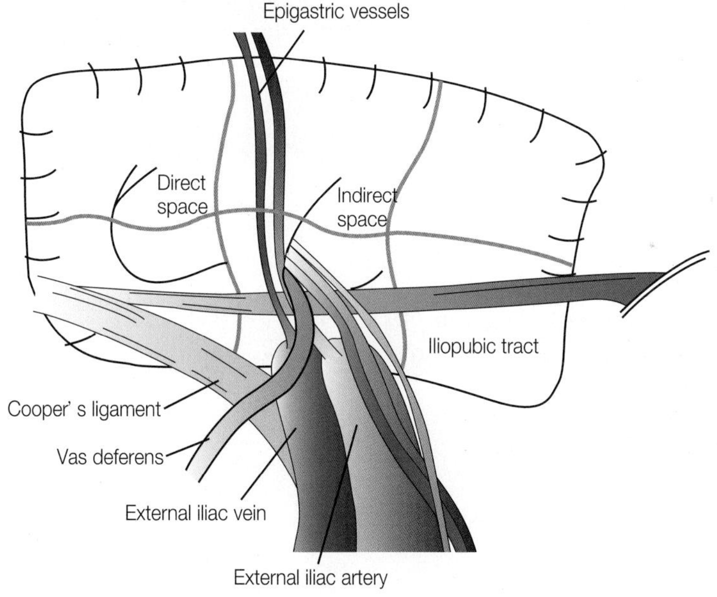

• 적응증 : 재발성 탈장 & 양측성 탈장

추가노트

☞ 복강경을 이용한 탈장수술(TEP)후에 환자회복은 매우 빠르다. 단점으로는 논문마다 차이가 있지만 open surgery보다 재발률이 높다는 보고가 있다.

FEMORAL HERNIA

• Femoral hernia가 발생하는 위치 (경계)는,

> **"위"**로는 Iliopubic tract, **"아랫쪽"**으론 Cooper' s ligament,
> **"가쪽"**으로는 Femoral vein, **"안쪽"**으로는 Iliopubic tract이 Cooper's ligament로 insertion하는 부위이다.

(그림) Femoral hernia 위치

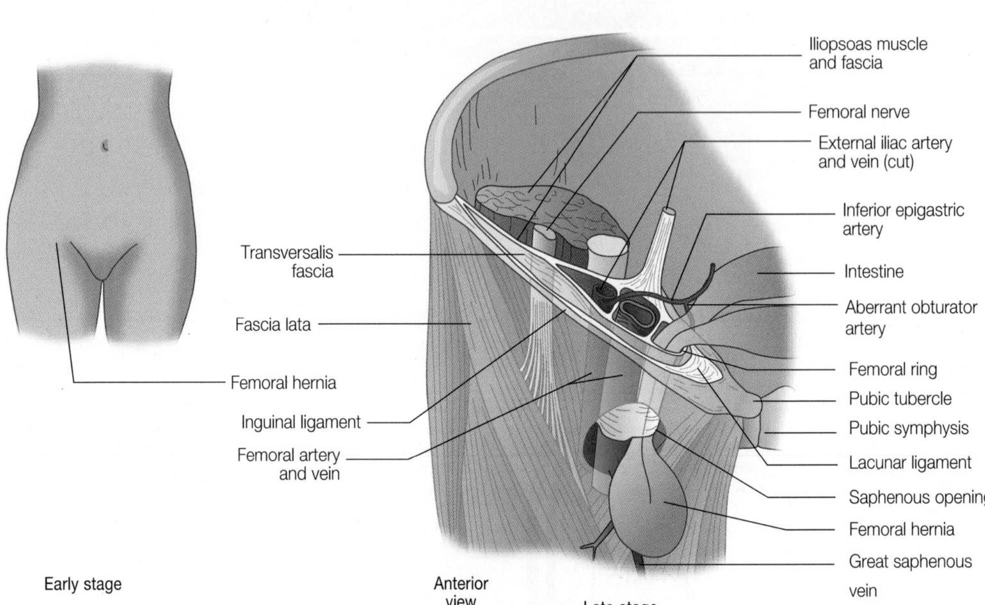

• 검사상 Femoral hernia는 Inguinal ligament 아래로 종괴를 형성한다.
• **여성**에서 남성보다 많이 발생함. 하지만 여성에서도 가장 많은 것은 indirect hernia이니 조심합시다.
• **치료** : Cooper' s ligament (McVay) Repair
  └ 즉, Hernial sac을 제거 후
  Cooper' s ligament과 iliopublic tract를 봉합한다.

 배꼽 탈장 (UMBILICAL HERNIA) 【15】

• 2세까지 대부분 저절로 소실됨★

∴5세 이후까지 지속되는 umbilical hernia는 수술하자.

• 치료 :

a. Vest-over-Pants 교정술

b. 크기가 큰 경우 mesh로 보강함.

 절개창 탈장 (INCISIONAL HERNIA)

1. 원인

• 전 수술시 **절개** (incision) 부위로의 탈장

• 기여 인자

: 비만, 고령, 영양결핍, 복수, 혈종, 복막투석, **"창상감염"** (m/c) 술후 폐합병증 및 약제(스테로이드 & 항암주사)

2. 치료

• 수술시기 : 환자의 질환상태가 **안정화**되고, **영양상태가 극대화**되었을 때

• 방법들 : Mattress suture 및 인공구조물을 이용하여 보강한다.

 활주 헤르니아 (SLIDING HERNIA)

1. 특징

• Viscus가 탈장낭벽의 일부분을 차지할 때 → 보통 대장이나 방광임

• **"맹장"** 이 RIH에 많이 관여되고, **"에스자 결장"** 이 LIH에서 가장 많이 관여함.

• Indirect Inguinal hernia가 Sliding hernia의 가장 흔한 유형이지만 Femoral & Direct inguinal sliding hernia도 발생할 수 있다.

• 위험한 것은 발견못해서 bowel이나 bladder에 손상을 주는 것이다.

bowel이나 bladder에 손상을 주기 전에 hernia sac에 visceral component를 모르고 넘어가는 것이 sliding hernia의 일차적 위험이다.

(그림) SLIDING HERNIA

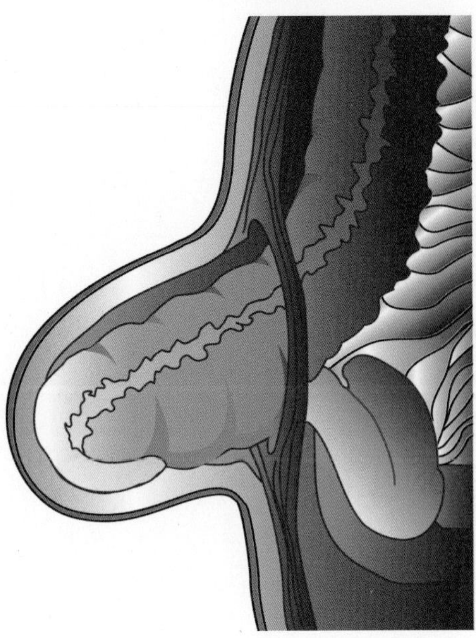

2. 치료

- 탈장낭은 **앞안쪽 경계** ★로 열어야 하는데, 이는 Visceral component은 보통 탈장낭의 **뒤가쪽**에 위치하기 때문이다.

→ Reduction of viscera into the peritoneal cavity & Ligation of Hernial sac

흔치 않은 탈장들

■ Richter' s Hernia

- "**장의 Antimesenteric border**" (전체 intestine circumference가 아닌)가 탈장낭으로 돌출된 것
- 보통 Femoral hernia 부위에 많이 발생한다.
- **치료** : Reduction & Repair

(그림) Richter' s Hernia

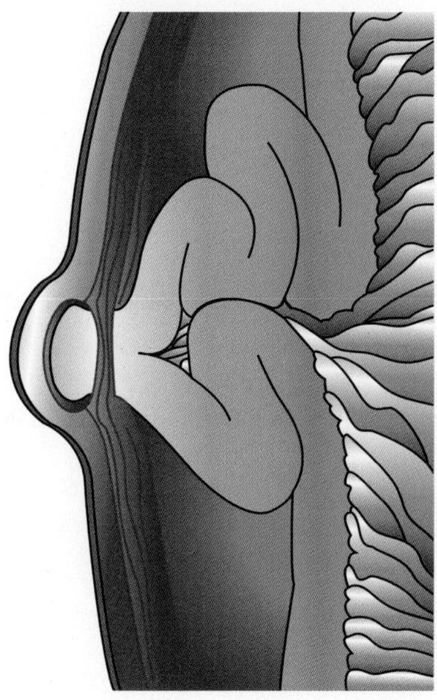

■ Littre' s Hernia

- **정의** : Meckel' s diverticulum이 hernial sac의 유일한 구조물일 경우
- **치료** : Hernial repair with/without resection of Meckel' s diverticulum

■ Spigelian Hernia

- 안쪽으론 rectus muscle, 가쪽으론 semilunar line 사이의 aponeurotic layer (=Spigelian fascia)에 발생한 탈장(interparietal hernia)
- **Arcuate line 및 하방**에서 발생하는데 이는, 이 부위에 **fascia가 없어서** (이 부위가 약해서) 발생하는 것이다.
- SONO나 CT로 우연히 발견될 수도 있다.
  └ 진단목적으로 사용한다면 촬영시 Valsalva maneuver시킨다.
- **치료** : incarceration 위험이 있기때문에 **수술적 교정**이 필요하다.

■ 합병증

• **빈도** : 대략 10%

① **수술 도중의 합병증** : 정관 및 혈관 신경 손상

② **창상 합병증** : 감염, 혈종 등

③ **생식기계 합병증** : 불임, Hydrocele...

④ **비뇨기계 합병증** : 배뇨곤란, 비뇨기계의 감염

⑤ **전신적 합병증** : 폐합병증 (폐허탈, 폐렴, 폐색전증), 심부정맥혈전증, 신부전

⑥ **재발**

• Indirect hernia : 1-7%, Direct hernia : 4-10%, Femoral hernia : 1-7% Recurrent hernia repair : 5-35%

⑦ **"신경손상"** ★

• **Ilioinguinal** and **iliohypogastric nerves** : open herniorrhaphy 시

• **Genitofemoral** & **Lat. femoral cutaneous n** : 복강경수술 시

Power ★★★☆☆

12 급성 복통

Acute Abdomem

• **급성복통** (Acute abdomen)

: **수술**로만 치료될 수 있는 복강내의 증상 및 징후

ANATOMY & PHYSIOLOGY

(그림) SESORY INNERVATION OF VISCERA

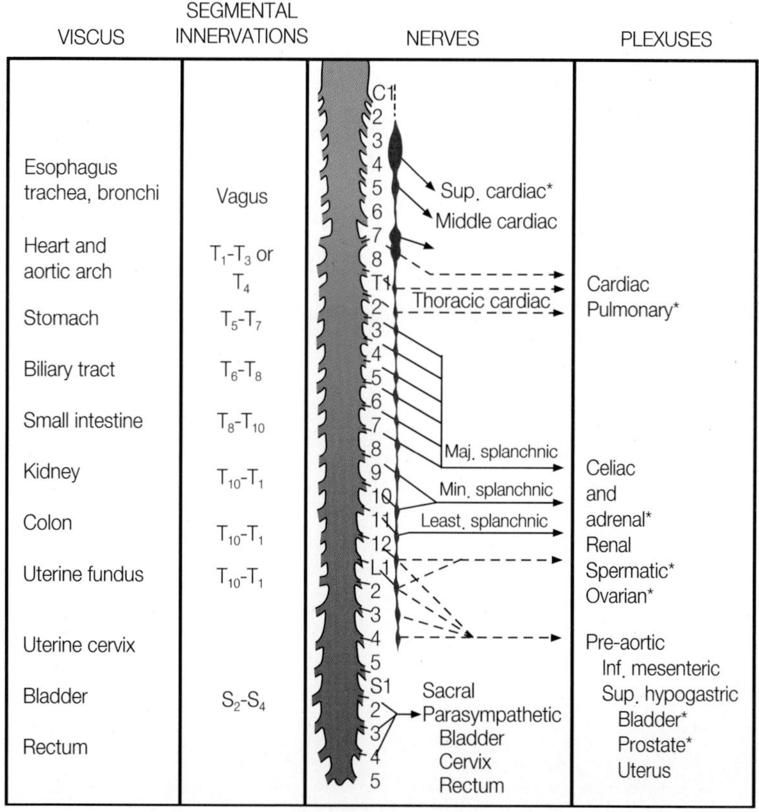

• **임신 3주 후**, 원시장→ foregut, midgut, hindgut으로 나누어짐

① **"Foregut"** : pharynx, esophagus, stomach & proximal duodenum

② **"Midgut" : 4th portion of the duodenum ~ midtransverse colon**

③ **"Hindgut"** : distal colon, rectum

따라서 아래와 같이 기원부위에 따른 통증을 유발한다.

a. **Foregut 질환시** : Celiac axis afferents를 통해 **"Epigastric" pain**
b. **Midgut 질환시** : SMA afferents를 통해 **"Periumbilical" pain**
c. **Hindgut 질환시** : IMA afferents를 통해 **"Suprapubic" pain**

1. 이중 신경 지배

Visceral pain	Somatic Innervation
• 장관의 **"확장", "stretching", "염증" 등으로 유발되며, dull하고 잘 localization되지 않는다.** cf) cutting, tearing, crushing, or burning : no pain in the abdominal viscera	• **벽측 복막, 복벽, 후복막 연부조직**은 segmental nerve root에 부합한 somatic innervation을 받는다. • 즉, **"벽측복막자극시" 자극 부위의 localization이 가능하며,** 예리하다.

※ 이러한 복강의 이중 신경지배로 특징적인 통증 양상을 지닌다.

예컨대, 충수염 통증은 poorly localized periumbilical pain부터 시작하여 (→ "Visceral pain"), 염증이 parietal peritoneal surface에 이르면 RLQ로 sharply localized pain을 지니게 된다.(→ "Somatic pain")

2. 연관통 (Referred pain) : 자극부위에서 **먼쪽**에서 통증이 느껴짐

(표) 연관통과 관련 질환부위

오른쪽 어깨	• 간 • 담낭 • 우측 횡격막
왼쪽 어깨	• 심장 • 췌장 원위부 • 비장 • 왼쪽 횡격막
음낭(scrotum)및 고환(testicle)	• 요관 (ureter)

추가노트

cf) "Migratory pain" : 통증부위가 바뀌는 경우

ex) 충수돌기염시 : Epiagastric or Periumbilical pain → RLQ 충수돌기의 확장 및 염증은 visceral pain을 유발하여 periumbilical area에 통증이 발생한다. 염증이 퍼져서 Parietal peritonitis를 유발하면 RLQ로 국소화된다.

ex) 십이지장 궤양의 천공시 : Epigastric → RLQ
십이지장 내용물의 유출로 인해 Epigastric pain이 유발되며, 이 십이지장 내용물이 중력에 따라 RLQ로 내려가면 통증위치가 변화된다.

임상 양상

■ 병력

• 6시간 이상 높은 강도로 지속되는 복통은 보통 **수술적 치료**를 필요로 한다.

1. 초기 증상

① **심한 복통**이 **갑작스럽게** 발생시
→ 장관 천공★ 및 Visceral a. embolus 시사

② 갑작스런 전복부의 **격렬**한 통증시
→ Intraabdominal Catastrope, 즉 shock을 유발하며 즉각적으로 치료해야 한다.

③ 1-2시간동안 통증의 **강도**가 진행할 때
→ Acute cholecystitis, Acute pancreatitis & Proximal SB obstruction

④ **어렴풋한** 전복부 **불편감**이 수시간 후 강도가 심해지며 일정 부위로 통증이 국소화될 경우
→ 급성충수염, 감돈성 탈장, 원위 소장 및 결장 폐쇄, 게실염, 국소화된 장관의 천공

2. 통증의 성질, 강도 및 주기성

① 장관 천공시 → **지속적**인 **예리**한 통증

② **소장 패색**

: 막연한, 깊고 일정한 통증으로 시작

→ **통증크기가 커졌다가 작아졌다가 함 (Colicky pain)**

→ 무디고 (Dull) **일정한 통증** (Intestinal infarction을 초래한 경우)

③ **신장결석**

: **불안정**하며 **초조**해하며 환자가 계속 **움직이려 함**

cf) 복막의 환자는 조용히 눕고, 방해를 받는 것을 싫어함

(그림) 점차적으로 진행하는 통증의 원인

(그림) 갑작스럽고 심한 통증의 원인

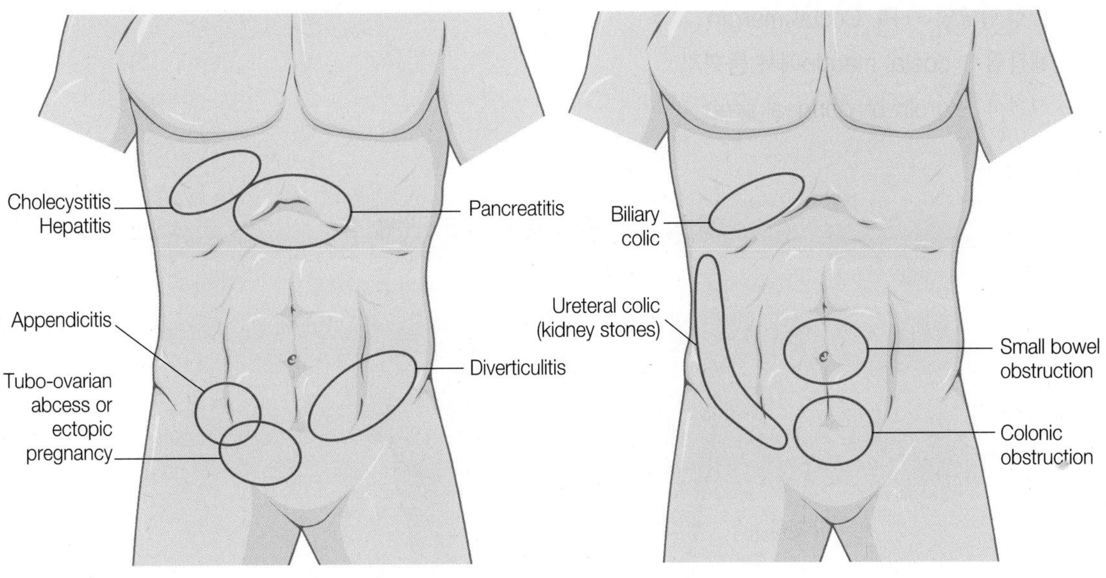

(그림) 경련성(coliky,crampy)의 간헐적인 통증의 원인

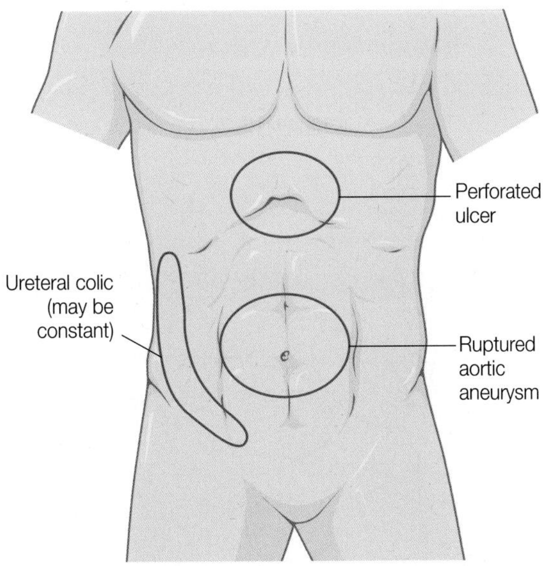

3. 연관통

① 급성 담낭염 → Rt. Costal margin

② 췌장염 → costal margin에서 등까지

③ 신결석 → groin or perineal area

(그림) 연관통 1

굵은선이 원발병소, 점선이 연관통 부위

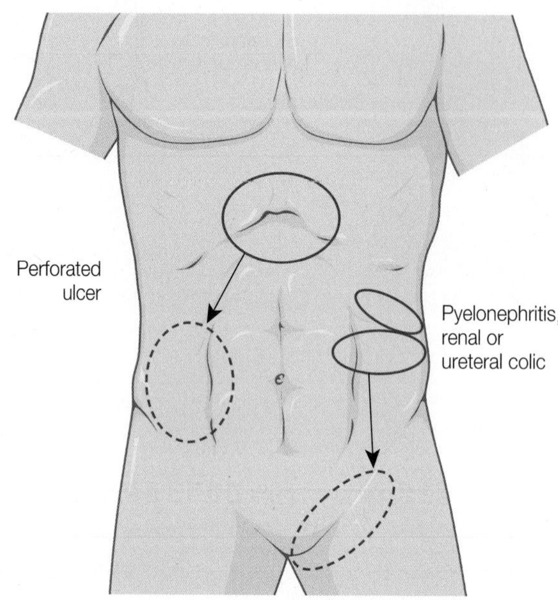

(그림) 연관통 2

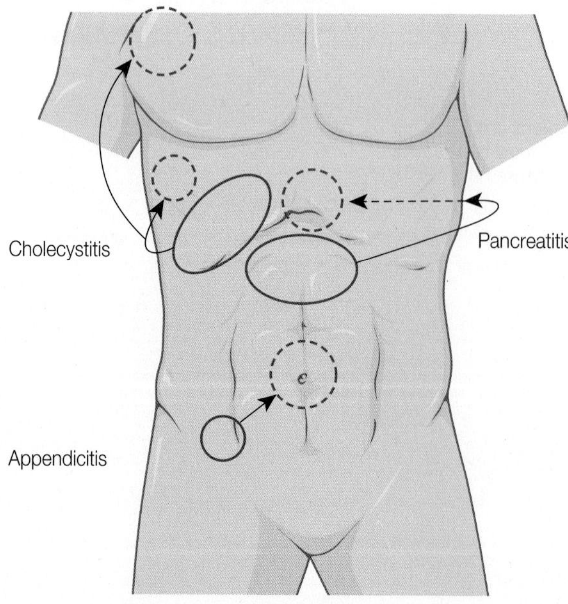

4. 동반증상

① **구토** (Vomiting)

- 수술을 요하는 환자는 **통증 → 구토 순서**
  (cf. 내과적 질환인 경우는 Vomiting → Pain)
  이것으로 Appendicitis와 Gastroenteritis를 구분할 수 있다
- 구토를 동반하는 질환 : 급성 담낭염, 위염, 췌장염 & 장폐색

  - **근위소장폐색**이 원위소장폐색보다 더 많은 구토를 유발한다.
  - 결장폐색시 구토는 흔치 않다.

- 구토의 성상
  a. Feculent : 오랜기간이 경과한 소장폐색시
  b. **담즙성** : Ampulla of Vater 원위부 폐색
  c. Clear : Ampulla of Vater 상부의 폐색

② **식욕저하** (Anorexia)

- 대부분의 급성복통 환자는 식욕이 떨어진다.
- 급성충수돌기염의 경우 Anorexia가 복통보다 앞서게 된다.

③ **장기능 변화**

- 변비, 설사 및 최근의 장 습관 변화
- Watery diarrhea → Gastroenteritis
- 가스배출이 안되고 장운동저하시 → 기계적 장폐색

5. Menstrual Hx

- Ovulation시 심각한 복통을 일으킬 수 있다.
  Missed or irregular menstrual perioid는 임신 및 자궁의 임신과 연관이 있다.
  따라서 월경력을 물어보는 것은 가임기 여성에서 중요함

6. 복약력

① NSAIDs : 상부위장관 염증과 천공을 유발한다
② Steroid : 감염시 반응을 둔화시킴 → 심한 peritonitis로 진행위험 증가
③ **항응고제** : 출혈 위험성 증가
④ **만성 음주력** : 출혈위험과 문맥고혈압 유발

7. 과거력

① 특히 **과거 수술력**이 중요하다.

② 전신질환 및 신장 폐질환이 배제되어야 한다.

[그림] Acute abdomen의 흔한 원인들 【15】

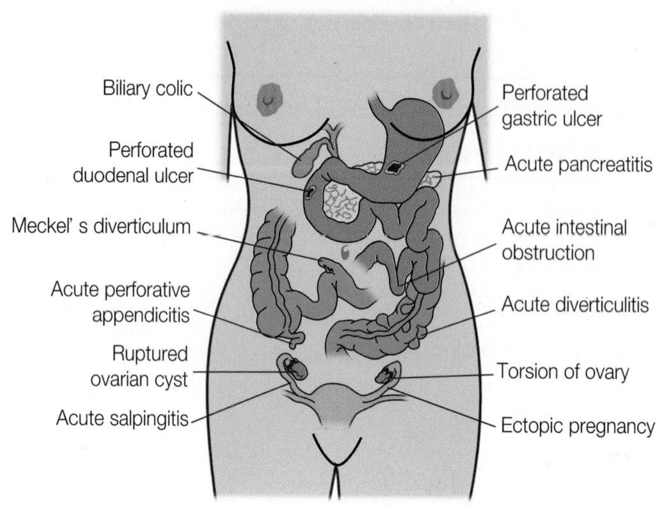

(표) 위장관 염증에 속발한 복통

1. 위
   - Gastric ulcer
   - Duodenal ulcer
2. 담도
   - Acute cholecystitis with or without choledocholithiasis
3. 췌장
   - Acute, recurrent, or chronic pancreatitis
4. 소장
   - Crohn' s disease
   - Meckel' s diverticulum
5. 대장
   - Appendicitis
   - Diverticulitis

(표) 위장관 폐색 후 발생하는 복통

공장	회장	결장
• 종양 • 염전 • 유착 • 장 중첩증	• 종양 • 염전 • 유착 • 장 중첩증	• 종양 • 염전 • 게실염

(표) 산부인과와 관련된 복통

Ovary	Fallopian tube	Uterus
Reptured graafian follicle Torsion of ovary	Ectopic pregnancy Acute salpingitis Pyosalpinx	Uterine rupture Endometritis

■ P/Ex 【14】【16】【17】

① **발열**

- 저열시 : Diverticulitis, Appendicitis, Acute cholecystitis
- 고열시 : pneumonia, UTI, septic cholangitis, Gynecologic infection

② **Rapid HR & hypotension : 복막염 진행시**

③ **시진**

- 종괴, scar, hernia, abdominal wall defect 여부 확인
  - └ Acute cholecystitis, acute pancreatitis, abdominal aneurysm & diverticulitis는 종괴 형성 가능
- 복부상태가 flat, scaphoid & distension되어 있는지 확인
  - └ 장폐색, 장마비 or Fluid (ascites, blood or bile)

④ **촉진으로 압통 부위를 찾자 (통증이 없는 부위부터 촉진한다)**

- GUARDING. : 촉진시 복부근육 tone 상승
- Rebound tenderness : 역시 복막염을 시사한다.
  - └ 손을 갑자기 뗄 때 복통 증가
- Murphy sign : acute cholecystitis

⑤ **청진**

- 장소리가 들리지 않으면 ileus를 시사한다.
- 장음 고조시: Gastroenteritis
- 장소리가 들리지 않다가 높은 장음이 → 기계적 장폐색
- Bruit 여부도 확인해야 함.

⑥ **타진**

- 타진시 tenderness가 있으면 염증이 있음을 의미한다.
- Hyperresonance or Tympany → gaseous distension or intestine or stomach.
- Resonance → free intraabdominal gas를 시사함.

■ 검사시 소견

① **WBC증가**를 확인하자.

WBC가 정상시 <u>WBC differential count</u> 가 중요하다.

└ marked left shift는 WBC count 증가보다 중요하다.

② 탈수가 심할 경우 이뇨제 복용여부를 알아보고, Na, K, BUN/Cr Glucose, Chloride 및 CO_2를 확인한다.

③ **serum amylase ↑ : 췌장염, 십이지장궤양천공, 소장 infarction**

④ Obstructed jaundice or Acute hepatitis : Bilirubin, ALK-P, serum Transaminase 증가

⑤ Urinalysis : UTI, Hematuria, Proteinuria, Hemoconcentration

⑥ β hCG : 가임기 여성에서

■ 영상 검사

1. X-ray 【15】【16】【17】

① **기복증 (Pneuoperitoneum)**

- Upright chest x-ray : 1 cc의 공기도 발견될 수 있다.
- Lateral decubitus : 5-10 cc의 공기 발견함.
- <u>75%의 Perforated DU는 X-ray에서 관찰가능한 기복증 소견을 지닌다.</u>

  └ 매우 빈출하는 영상소견이니 영상소견을 같이 꼭 공부하시길 바랍니다.

추가노트

cf) Appendicitis시의 소견 ★

- "Iliopsoas sign" : hip의 passive extension이나 저항에 반하는 active flexion시 통증 유발
- "Obturator sign" : flexed hip의 내전 혹은 외전 시킬 때 통증 유발
- infamed pelvic appendix 혹은 a pelvic abscess시 직장수지검사 (DRE)시 통증이 유발된다.

★★★★★ **소화성 궤양 천공으로 인한 기복증**은 매우 자주 출제되며 실제로 응급실에서 흔히 볼 수 있다.

② **석회화 (Calcification)**

- 10%의 Gallstone 및 90%의 kidney stone이 radiopaque! ★
- Appendicitis에서 Calcified Appendicholith가 보일 수 있고 **만성 췌장염**에서 Pancreatic calcification이 보일 수 있다.

③ **장 폐색**

- 소장폐쇄시 multiple air-fluid levels가 확장되며 복부중앙쪽으로 몰린 소장의 loop에 보일 수 있다. 이때 소장 loop의 valvula conniventes가 보인다. 대장 가스는 보통 보이지 않는다.

2. CT

- 장관내출혈, Mesenteric venous thrombosis 및 **"췌장염"**, **"게실염"** ★
  진단에 유용하다.

3. SONO

- liver, gallbladder, bile duct, spleen, pancreas, appendix, kidney, ovaries, adnexa, uterus,aortic, visceral artery aneurysm, venous thrombosis, AV fistula,vascular anomalies,appendicitis 등을 관찰할 때 빠르고 손쉽게 이용할 수 있다.

■ 나이에 따른 감별질환

① **소아** : 충수염이 소아급성복통의 가장 흔한 원인

② **노인** : 급성담낭염, 장폐쇄, 종양, 급성 장간막혈관 질환

③ **젊은여성**

: salphingitis, dysmenorrhea, **난소병변**, UTI, **임신**과 관련된 합병증

④ **내과적 원인** : 보통 국소화된 압통 및 guarding이 없다.

ACUTE VISCERAL ISCHEMIA

※ acute visceral ischemia가 있는 대부분의 환자는 개복술을 필요로 한다.

1. Acute SMA Embolism 【13】【15】【16】

- 갑작스런 격렬한 복통
- 이 허혈성 통증은 장괴사가 발생하기 전까지 계속 지속된다.
  이 통증이 복막염 기원이 아니라, **장허혈에서 기원**한 것이기 때문에 복부 압통, guarding 및 rebound tenderness를 동반하지 않으며, **통증**이 P/Ex소견보다 **더 과장**되어 나타난다. ★
- 장음감소
- 심장이 embolus의 가장 흔한 기원이기 때문에 **심부정맥 (esp. AF), 최근의 심근경색** 등이 위험인자에 속한다.

2. SMA Thrombosis

- SMA의 **atherosclerotic thrombus**로 인해 발생. 심한 leukocytosis & acidosis
- 중년 이상의 연령에서 많다.

3. Venous Thrombosis

- 젊은 환자에서, **경구 피임제**가 원인이 될 수 있다.
- acute visceral ischemia가 의심이 되면 혈관 촬영을 시행해야 한다.
  하지만 venous disease의 경우는 **혈관 촬영은 도움이 되지 못하고 CT** 및 **MRI**로 clot 위치를 찾을 수 있다.

4. Nonocculsive Visceral Ischemia

- Improving cardiac output to restore intestinal perfusion is important

ACUTE ABDOMINAL PAIN DURING PREGNANCY

1. 충수염 【14】

• 자궁이 충수돌기를 RUQ로 밀어내기 때문에 진단이 어렵다. 또한 염증수치도 일반적인 환자와 다르다.
→진단 즉시 **수술(복강경 혹은 개복)한다.** ★

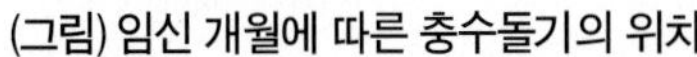

(그림) 임신 개월에 따른 충수돌기의 위치

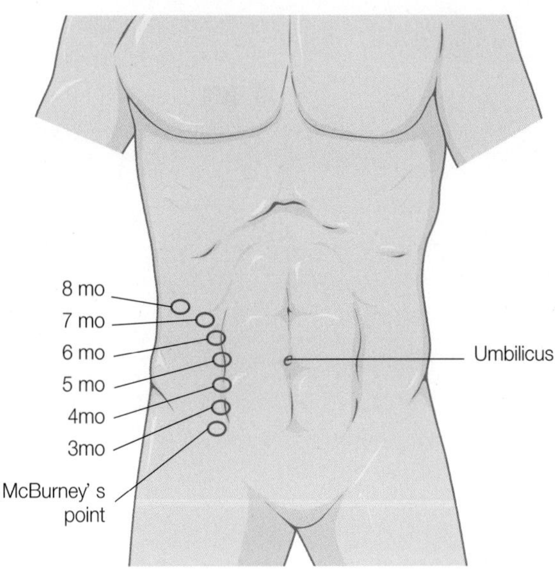

2. 담낭염

• Biliary colic이 심할 경우는 기다렸다가 임신 2기 (second trimaster)에 수술한다.
• 담석이 있는 환자에서 임신중 **심한 담낭염** 발생시 **즉각적인 수술**(보통 복강경하 담낭절제술)이 필요하다.

3. 기타

spontaneous rupture of Liver (d/t Preeclampsia), Placental rupture, Uterine rupture, Torsion of ovary, UTI & Pulmonary embolus

추가노트

☞ 복강경을 이용할 경우 15mmHg까지의 압력은 위험하지 않으며 CO_2수치 및 태아심장박동을 monitor해야 한다.

급성부종의 비외과적인 원인 ★★

1. 심장
   - Myocardial infarction
   - Acute pericarditis
2. 폐
   - Pneumonia
   - Pulmonary infarction
3. 위장관
   - Acute pancreatitis
   - Gastroenteritis
   - Acute hepatitis
4. 내분비
   - Diabletic ketoacidosis
   - Acute adrenal insufficiency
5. 대사성
   - Acute porphyria
   - Familial Mediterranean fever
   - Hyperlipidemia
6. 근육골격계
   - Rectus muscle hematoma
7. 신경계
   - Tabes dorsalis
   - Nerve root compression
8. 비뇨생식기계
   - Prylonephritis
   - Acute salpingitis
9. 혈액
   - Sickle cell crisis

[보충]

치료의 알고리즘

1. **갑작스럽게 발생**한 **심한** 전반적인 복통시
   → 가장 흔한 경우가 **위장관의 천공**이다. 흔치 않지만 복막염 소견이 없으면 혈관성질환 즉, arterial ischemia 및 mesenteric venous thrombosis도 감별해야 한다.

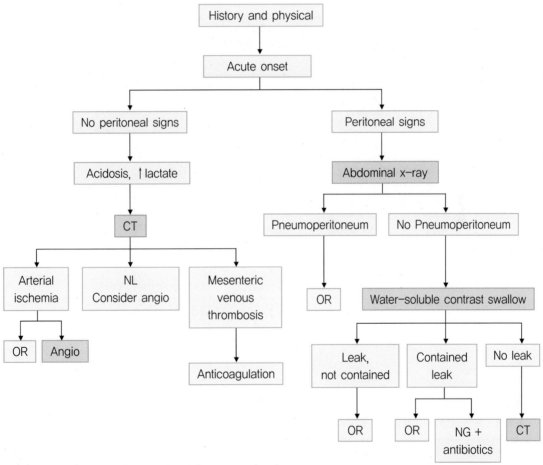

약자: NL, normal study; OR,operation; NG, nasogastric tube

Point!!

실제적으로는 **장관천공**여부를 감별하기 위한 **흉복부단순촬영** 및 **장간막혈전증**을 감별하기 위한 CT촬영이 필요한 상황이다.

2. **점차적으로 진행**되어 심한 전반적인 복통시

→ **췌장염** 및 **담관염**(cholangitis)를 감별해야 한다. amylase 및 간기능검사를 통해 가능성을 의심할 수 있으며 CT가 진단에 도움을 준다.

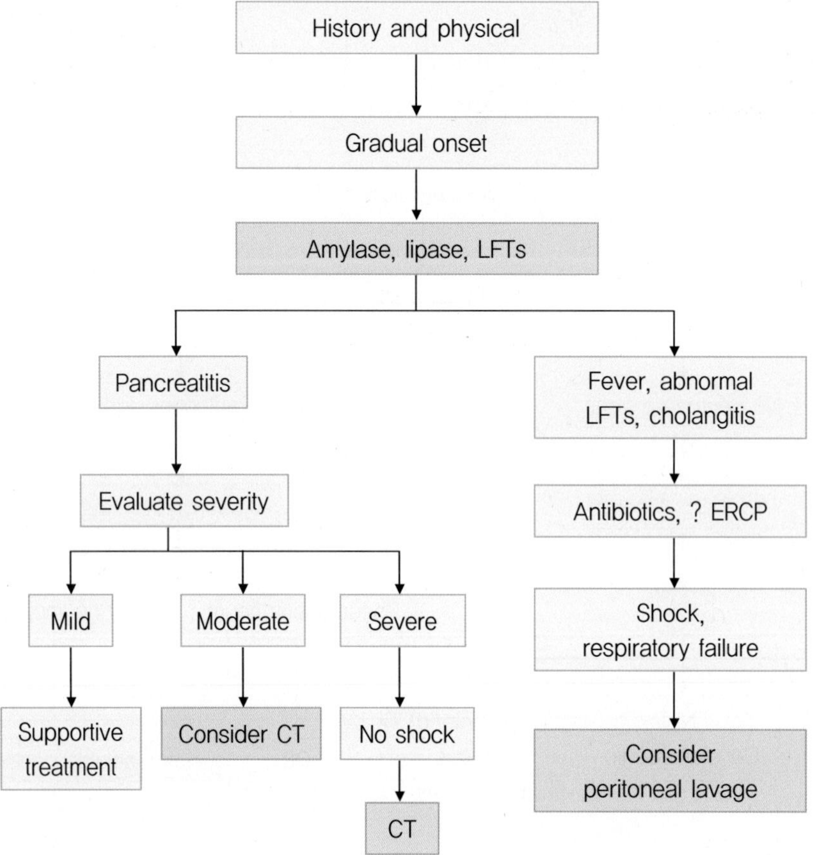

Point!!

실제적으로는 담낭염 및 췌장염을 감별하기 위해 복부 CT촬영을 시행한다.

3. LUQ pain의 경우는 CT검사를 시행하여 원인을 밝힌다.

4. RUQ pain의 경우 【13】【15】

→ **담낭염**, **담관염** 등을 포함한 간담도계 질환들이 여기에 속한다.

초음파검사가 초기검사로 매우 유용하다. 담관이 늘어난 경우에는 담관결석도 동반되어 있을 수 있으므로 CT 및 ERCP를 통해 확인해야 한다.

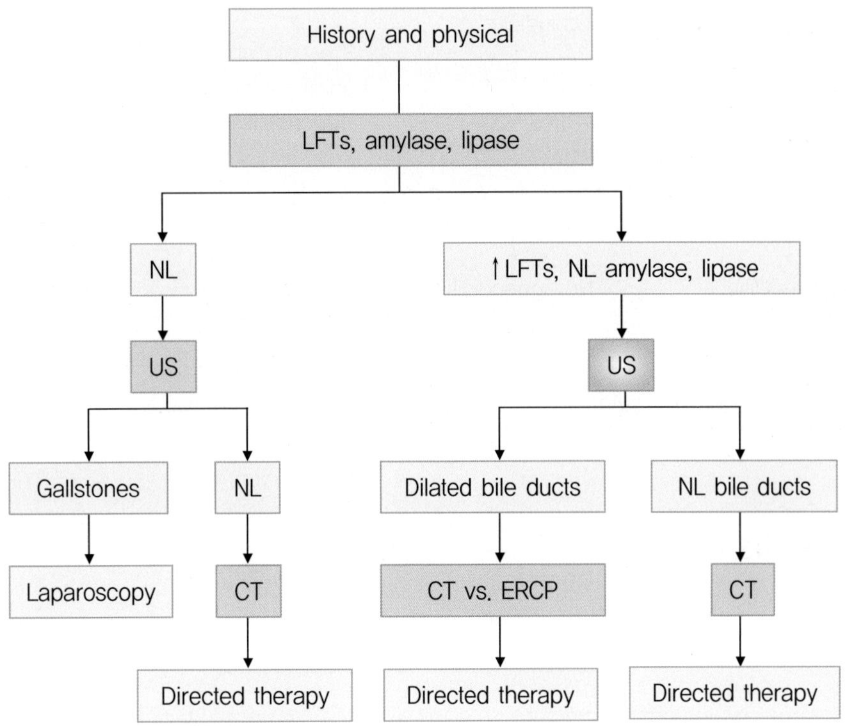

Point!!

우상복부통증시 초음파검사를 통해 쉽게 **담낭염** 여부 및 **담관상태**를 알 수 있으며 이상이 발견되지 않거나 담관상태를 확인하기 위해서 CT검사를 추가할 수 있다.

5. RLQ pain의 경우 【15】

Point!!

충수돌기염을 의심해야 한다. **남성**의 경우는 임상적으로 의심이 될 경우 CT검사 없이도 수술을 할 수 있지만 **여성**의 경우는 여러 감별질환들이 있기 때문에 충수돌기염 가능성이 높아도 **술전 CT검사**를 시행해야 한다.

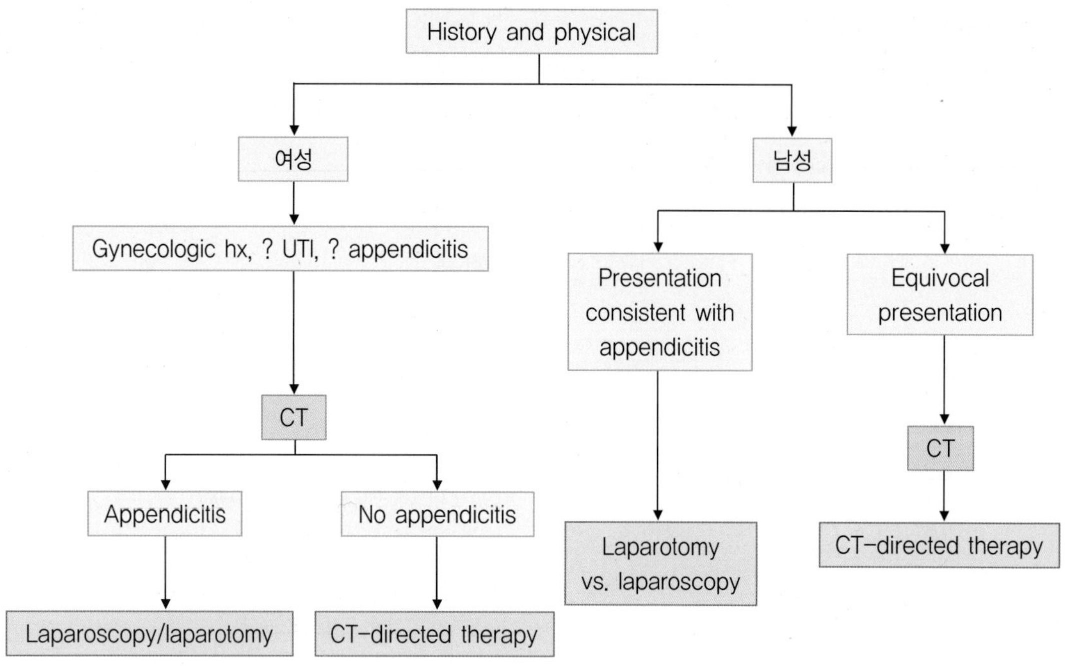

6. LLQ pain의 경우 【15】

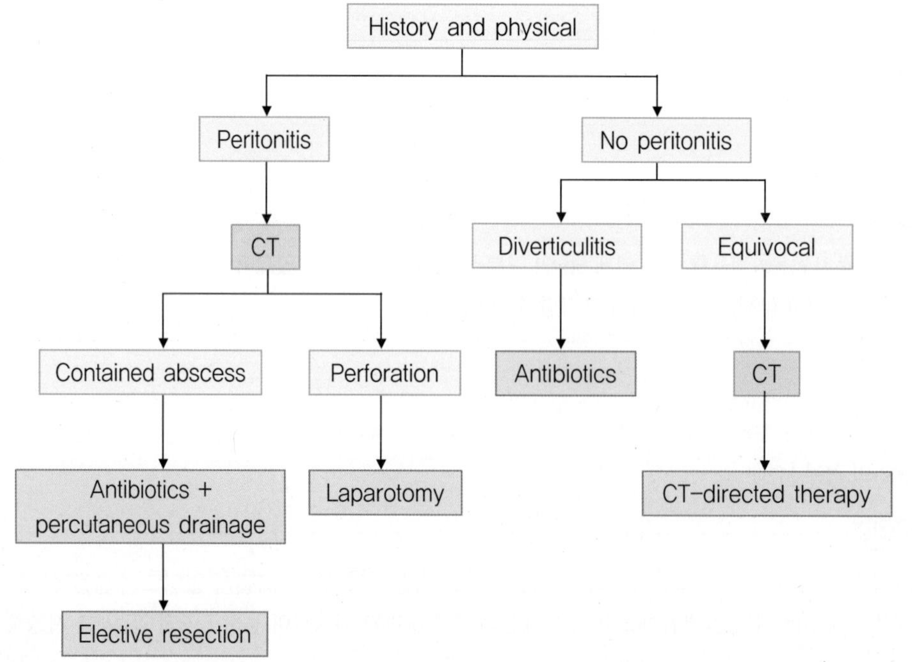

Point!!

가장 흔한 LLQ pain의 원인은 게실염이다. 역시 CT검사가 진단에 큰 도움이 된다.

★☆☆☆☆

Power

13 급성 위장관 출혈

Acute Gastrointestinal Hemorrhage

- 전체 사망률 : 5-12%
  지속성 혹은 재발성 출혈의 경우 : 40% 사망률
- >85%의 위장관 출혈 원인
  : **소화성 궤양, 정맥류 출혈, 결장 게실증, Angiodysplasia**
  a. 85% : 저절로 멈춤
  b. **15%** : major, ongoing bleeding (aggressive하게 치료해야 한다)
- **나이가 증가할수록** 출혈 위험 증가
  a. **상부** 위장관 출혈 **(85%)** : Treitz ligament 상방
  b. **하부** 위장관 출혈 (15%) : Treitz ligament 하방
  이중 소장 출혈은 1-5%로 적을 뿐만 아니라 진단하기도 어렵다. (Hemorrhage of Obscure origin)

위장관 출혈 초기 환자의 초기 치료

■ 1. 첫 평가

① 병력 청취 및 진찰

- 개인력, 출혈 양상, 기간, 동반증상, 복약력, 동반질환

② 출혈의 특징

a. "**토혈 (Hematemesis)**" : 상부 위장관 출혈

b. "**흑색변 (Melena)**" ★

- **상부 (주로) 혹은 하부 위장관 출혈 (small bowel, Rt colon 출혈시도 가능)**
- **50-60ml**의 blood로도 나타날 수도 있다.
- **출혈후 5-7일간 지속**될 수 있다.
- **출혈 3주까지 guaiac test (+) 나올 수 있다.**

c. "**혈변 (Hematochezia)**" :

- colonic hemorrhage, very rapid upper GI hemorrhage
- 상부위장관 출혈에서 동반시 짧은 간격 동안의 1,000cc 이상 출혈 의미

④ **관련 약제**

- Salicylate, NSAIDs
- Warfarin, LMWH (low molecular weight heparin)
- SSRI
- 심혈관계 약 : βBlocker, CCB, Antihypertensives

이러한 약제들이 hypovolemia의 정상적인 생리작용에 변화를 주기 때문이다.

⑤ **과거력 확인**

- Dysphagia, Reflux Esophagitis, Vomiting, Peptic Ulcer, H. Pylori Infection, Liver Disease, Alcohol Abuse, IBD...

⑥ P/Ex

a. Shock c hypotension, tachycardia, cold extremities	최소한 40% 실혈
b. Orthostatic vital sign (pulse 20회/min이상 증가, BP 10mmHg 감소)	20% 실혈
c. Peripheral hypoperfusion 증후시 : (Clammy, Cool, Pale extremities...)	20% 실혈

- **노인**에서는 postural change가 과장되어 나타나고, 심박동수 변화는 저명하지 않다.
- >20% 실혈시 : Prompt & Aggressive resuscitation
- Rectal Exam.을 시행해야 한다.

⑦ **검사실 소견**

- 초기 hematocrit은 정확한 출혈 정도를 반영하지 못한다.

(∵Intravascular volume repletion from extracellular fluid may not have occurred)

■ 2. 위험인자 분석

- 아래의 경우는 입원해서 치료해야 할 적응증이다.

(표) 급성 위장관 출혈에서 사망률 및 이환율을 증가시키는 위험인자

1) 나이 〉 **60세**	4) 지속적인 혹은 재발성의 출혈
2) **동반질환** : 신부전,간질환, 호흡기이상 및 심장질환	5) 입원기간의 출혈
3) 출혈의 정도 내원시 수축기혈압 〈 100 mmHg 수혈이 필요한 경우	6) 수술이 필요한 경우

■ 3. 소생술 (Resuscitation)

- IV line 확보
- **대량 토혈, 의식 저하 & 혈역학적으로 불안정한 환자**

  → **폐흡입**의 위험이 높기 때문에 **기관내 삽관술 (Endotracheal Intubation)** 시행해야 한다.
- 응고장애시 FFP & PLT 등을 보충한다.

■ 4. 출혈부위 확인

- 아래의 방법으로 출혈부위를 찾는다.

(그림) 급성 위장관 출혈의 진단

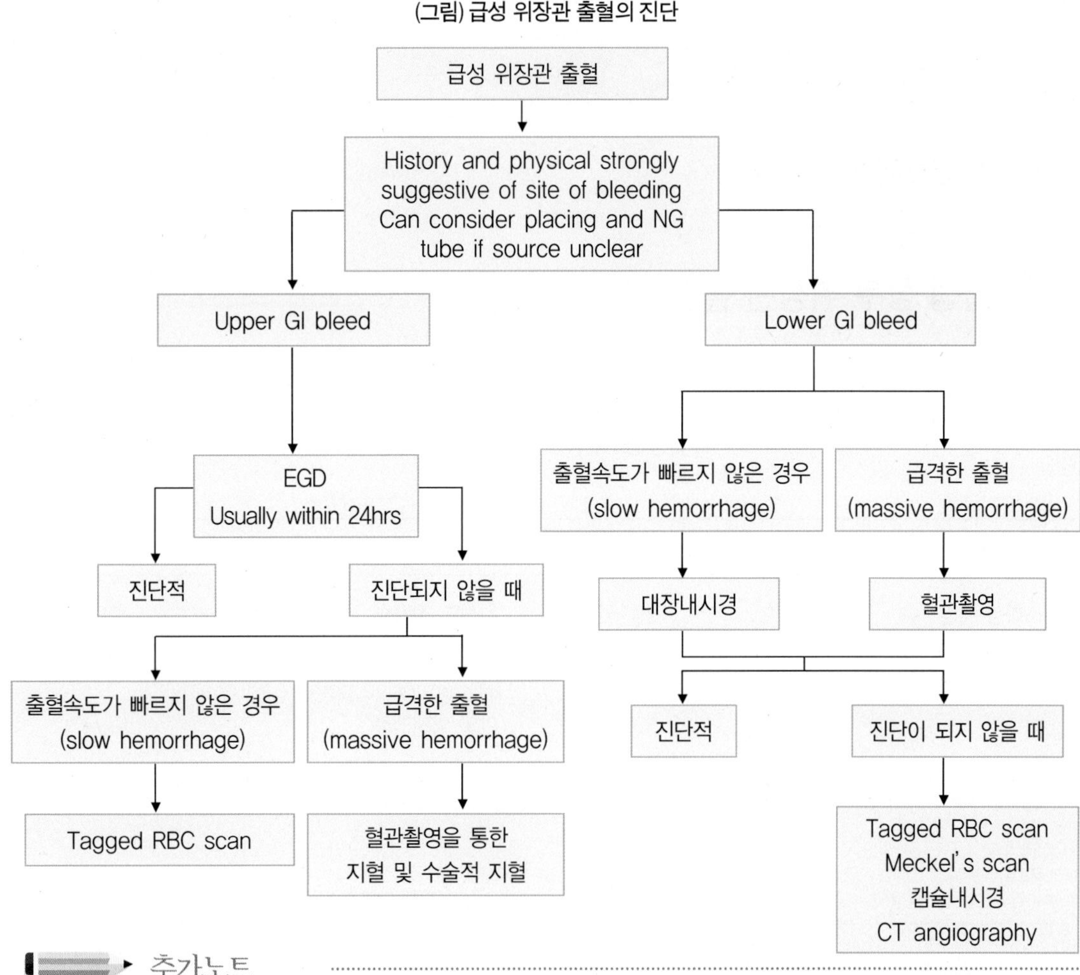

추가노트

☞ NG튜브를 통해 **"혈액이나 커피찌꺼기 양상의 물질"**이 나오면 상부 위장관출혈을 시사한다. 하지만 NG튜브 흡입물이 **"clear하며 혈액소견이 없을 때"**의 20%가 상부위장관 출혈소견이 있으므로 이 경우에도 위내시경을 시행해야 한다. NG튜브를 통해 **"담즙"**이 나오는 경우 보통 상부 위장관출혈이 아니라고 생각할 수 있으나 담즙으로 생각되는 분비물 중 60%만이 실제적인 담즙일 수 있으므로 주의를 요한다. 또한 십이지장에 심각한 출혈이 있는 경우(상부위장관 출혈) 위유문부의 기능이 정상적이라면 출혈은 위로 역류되지 않으므로 NG튜브 흡입물은 정상이고, melena나 hematochezia양상으로 나타날 수 있다.

→ 따라서 **"심각한 위장관 출혈"**이 있는 경우는 **"상부내시경검사"**를 시행해야 한다.

Point!!

위장관출혈시 첫 단계는 "**NG튜브를 삽입**" 하여 상부위장관 출혈여부를 확인하는 것이다. (하지만 상부 위장관 출혈의 확진은 상부내시경을 통해 이루어짐을 잊지 말자.)

상부 위장관 출혈이 의심될 때	**하부위장관 출혈**이 의심될 때
"**상부내시경**" 을 시행하고, 출혈량이 많을 때 **혈관촬영술**을 통한 지혈 및 **수술적 치료**를 고려한다.	출혈량이 많으면 "**혈관촬영**" 을 통한 진단 및 치료를 고려하고, 출혈량이 적으면 "**대장내시경**" 을 시행한다.

■ 5. 각각 질환에 따른 치료

급성 상부 위장관 출혈

※ 급성 상부위장관 출혈의 흔한 원인들

비정맥류성 출혈	(80%)	문맥고혈압성 출혈	(20%)
소화성 궤양	30-50%	**위식도 정맥류**	>90%
위염 및 십이지장염	20	고혈압성 문맥 위병증 (Hypertensive portal gastropathy)	<5%
Mallory-Weiss tears	5-10		
식도염	5-10	단독 위정맥류 (Isolated gastric varices)	Rare
AVM (Arteriovenous malformation)	5		
종양	2		
기타	5		

■ Bleeding Peptic Ulcer

- 상부 위장관 출혈의 **가장 흔한 원인** : Gastric (25%), Duodenal (25%)

1. 병인

- **NSAIDs를 복용하는 환자는 H. pylori감염환자보다 15-20% 출혈성 궤양 가능성이 높음**

2. 예후인자

- BLEED risk classification

3. 내시경소견

- 급성 출혈 시의 내시경이 elective때보다 위험도가 크다.
- 내시경상에서의 **궤양소견**이 가장 중요한 재출혈예측인자이다.
- Forrest 분류

(표) 소화성궤양에서 내시경적 소견 및 재출혈여부를 평가하기 위한 Forrest 분류

	내시경 소견	재출혈 위험
Grade Ia	**급성, 박동성 출혈 (pulsatile bleeding)**	**높다**
Grade Ib	**급성, 비박동성 출혈**	**높다**
Grade IIa	**출혈하는 혈관을 발견할 수 없음**	**높다**
Grade IIb	혈액응고 clot만 관찰됨	중등도
Grade IIc	검은 부위(black spot)을 동반한 궤양	낮다
Grade III	깨끗하고 출혈흔적없는 궤양저	낮다

4. 치료방법들

1. 약물 치료

① 급성 소화성 궤양의 출혈에서 **PPIs는 재출혈의 위험을 낮추고, 수술적 치료의 필요를 낮춘다.**

② H. pylori감염과의 관련성

- H. pylori감염과 궤양성 출혈과의 관계는 높지 않다.
  (출혈하는 소화성궤양 환자의 60-70%만이 H. pylori양성임)
- 하지만 **H. pylori(+)**인 환자에게서 **H. pylori박멸**을 시행할 경우 재출혈의 위험을 현저히 낮춘다.
  (H. pylori박멸후에는 장기간의 위산억제요법이 필요하지 않다)

③ 관련약제 중단

- **NSAIDs**나 **SSRIs**같이 궤양유발약제는 **중단**하고 대치한다.

추가노트

☞ 궤양크기가 클수록 (2cm) 재출혈 위험 증가

2. **내시경적 치료**

- 급성출혈을 멎게 하거나 재출혈 위험을 막을 수 있다.
- 방법 : **에피네프린(1:10,000) 주입**, heater probe, 응고요법 및 클립(hemoclips)을 통한 지혈법
- **20%**는 실패→ 내시경을 다시하거나 수술을 함.

(그림) 비정맥류성 상부 위장관 출혈시의 진단 및 치료

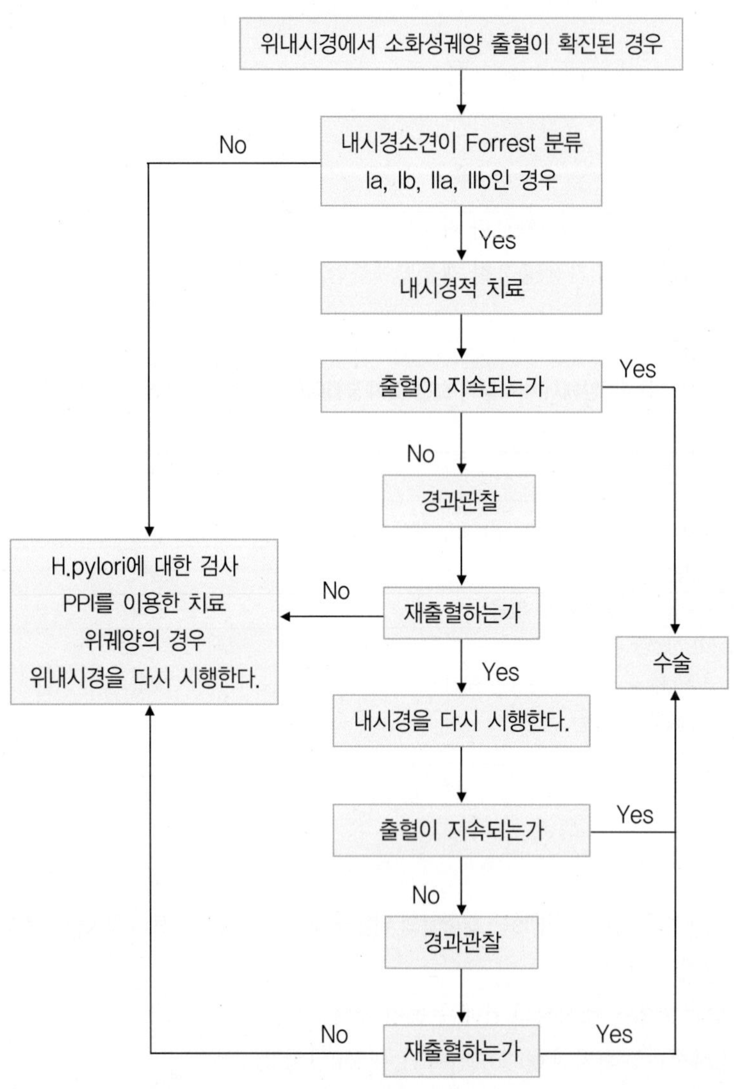

Point!!

소화성궤양으로 인한 출혈시, **내시경적 지혈술**이 기본이며 실패시 **수술**을 고려한다.

추가노트

☞ SSRIs : Serotonin-reuptake inhibitors로 NSAIDs와 함께 위장관 점막 미란(erosin)을 일으킨다.

3. 수술

• 적응증

1. 충분한 소생술을 시행했음에도(**6U** 이상의 수혈) 혈역학적으로 불안정할 때
2. 내시경적 지혈되지 않을 때
3. **2회**까지 내시경적 지혈술 후 다시 출혈할 경우
4. 재출혈과 관련되 쇽
5. 하루에 3U 이상의 수혈을 필요로 하는 지속적으로 천천히 출혈하는 경우

• **부위별 치료**

a. **십이지장 궤양** 출혈 : 출혈부위를 찾아 direct ligation + Truncal vagotomy

b. **위궤양** 출혈

- **악성의 가능성이 "10%" 있다.**
- **simple ligation하면 30%에서 재출혈 → "GU를 절제" 하자!**

(Truncal vagotomy 추가함)　　　　local excision or gastrectomy

■ Stress Gastritis ★

1. 정의 및 병인

① 위 전체에 다발성의 표재성 미란이 있는 상태 (특히, **위체부**)

② **"위 허혈이 있는 상태"** 에서 위산과 pepsin이 같이 작용하여 발생하는 것을 생각됨

ㄴ 중환자실 환자같이 **"중증도의 질환(critically ill)"** 이 있는 경우에 발생한다.

2. 위험인자 분석 및 예방

① 중환자실 환자들 중 실제적으로 stress gastritis로 인한 출혈 위험은 0.1%에 해당한다.

② **"기계호흡을 48시간 이상"** 하는 경우 및 **"응고장애"** 가 있을 경우 위험이 3.4%이므로 예방적 조치가 필요하다.

③ 제산제, H2수용체 차단제, PPI 및 Scralfate

추가노트

☞ 이런 것들은 암기하려고 하지 말고 상황을 이해하도록 하자.

3. 출혈시의 치료

① 위산억제 약물요법

② 혈관조영술

왼쪽 위동맥을 통해 octreotide나 vasopressin을 투여하거나 색전술을 시행

③ 내시경적 지혈술

④ 수술

- 출혈부위을 봉합하고 Vagotomy + Pyloroplasty 시행
- Near-total gastrectomy

■ Mallory-Weiss Tears

1. 특징

- UGIB의 10% . EG junction 부근의 위점막의 파열 (tear)
- 증상 : Vomiting, Retching, Coughing 후의 Hematemesis
- 평균 60세 이상, 80%가 남성. Alcoholism 환자에서 많다. 90%는 intervention 없이 저절로 멈춘다.

2. 치료

① Antisecretory agents

② 수술은 거의 하지 않지만 내시경적 지혈이 이루어지지 않을 경우 시행하며 high gastrotomy를 통한 oversewing of the mucosal tear를 시행한다.

■ Portal HBP로 인한 출혈

(그림) 문맥압 상승과 관련된 위장관 출혈의 진단 및 치료

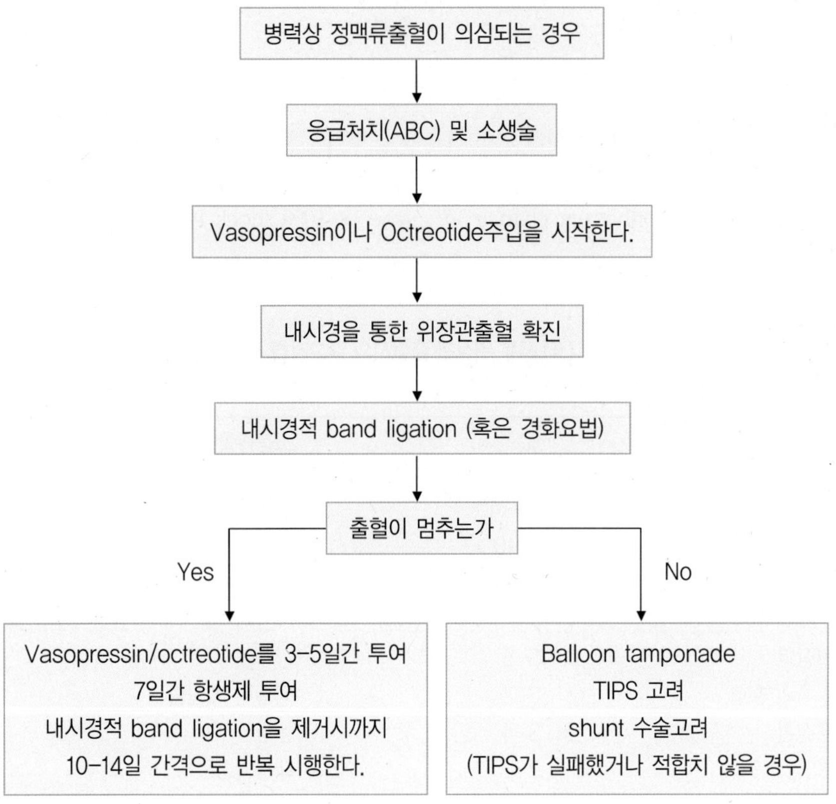

Point!!

정맥류출혈시, "약물요법(Vasopressin/octreotide) → 내시경적 치료(band ligation or sclerotherapy) → Balloon tamponade or TIPS or Shunt Op"를 고려한다.

급성 하부 위장관 출혈

• Treitz ligament 하방에서의 출혈 (**결장**이 95-97%) 위장관 출혈의 15% 나이가 증가할수록 빈도 증가 (Diverticulosis, Angiodysplasia)

▪ 임상양상

• Hematochezia, Melena, Hb/Hct의 감소
Hemodynamic instability (orthostatic change 30%, syncope 10%, shock 19%)

▪ 원인

(표) 하부 위장관 출혈시의 알고리즘

결장출혈 (95%)	%	소장출혈(5%)
게실 질환	30–40	**혈관형성이상**
허혈	5–10	미란 혹은 궤양
항문직장질환	5–15	(potassium 및 NSAIDs관련)
종양	5–10	크론씨 병
감염성 결장염	3–8	방사선
용종절제 후의 출혈	3–7	**멕켈씨 게실증**
염증성 장질환	3–4	종양
혈관형성이상	3	대동맥장관루
(Angiodysplasia)		(Aortoenteric fistula)
방사선 결장염 및 직장염	1–3	
기타	1–5	
원인을 모르는 경우	10–25	

• 원인을 찾기 어렵다.
왜? ① Intermittent hemorrhage
② 42%에서 multiple potential bleeding sources를 지닌다.

1. 게실증 (Diverticulosis, 40-55%) ★

- 하부 위장관 출혈증의 가장 흔한 원인 Diverticulosis환자의 3-15%가 출혈
  출혈은 보통 diverticulitis와 연관되지 않는다. (즉, diverticulosis와 diverticulitis를 구분하세요)
- **75%에서 저절로 멈춘다.**
  좌측 결장의 diverticulum의 빈도가 높지만 출혈은 **우측 결장**에서 흔하며, bleeding의 속도 및 양도 우측 결장이 더 많다.
- 가장 좋은 진단 및 치료 방법은 colonoscopy이다.

2. 혈관형성이상 (Angiodysplasia, 3-20%) -Arteriovenous Malformation ★

- **50세 이상에서 소장출혈의 가장 흔한 원인**
- 진단 : 대장경 검사 **(가장 민감)**, 혈관 촬영
- 50% 이상이 **우측 결장**에 위치, 출혈도 이곳에서 발생함
  Angiodysplasia와 관련된 Medical condition : ESRD, Aortic stenosis, von Willebrand' s disease

3. 종양 (20%)

- 출혈이 느리게 일어나며 Occult Bleeding 및 이차적인 빈혈 가능
- **Juvenile polyp (20세 이하에서 2번째 bleeding의 원인)**
  cf) 20세 이하의 m/c cause : Meckel' s diverticulitis

4. 염증성질환 (Inflammatory Conditions, 20%)

- 대부분 저절로 멈추거나 원인을 치료하면 멈춘다.

① Ulcerative colitis : 15%, Crohn' s disease : 15%

② Infectious : E.coli, typhoid, CMV, clostridium difficile, Radiation injury

5. 혈관질환 (Vascular Causes)

- Vasculitis(Polyarteritis nodosa, Wegener' s granulomatosis, RA)
  : associated with punctate ulceration of colon & small bowel
- Acute mesenteric ischemia : Hematochezia 가능

6. Hemorrhoid (2%)

- lower GI bleeding의 다른 원인이 있는지 찾아봐야 한다.

■ 첫 검사들

- 병력 : NSAIDs, Abdominal pain, Diarrhea, Fever, Aortic surgery, Radiation, Recent colonoscopy, 이전 bleeding 원인, FHx

※ 젊은 환자에선 Meckel' s diverticula 및 Intestinal polyps의 가능성을 생각한다.

- P/Ex : Orthostatic vital sign, Rectal exam

■ 진단

(그림) 하부 위장관 출혈의 감별질환들

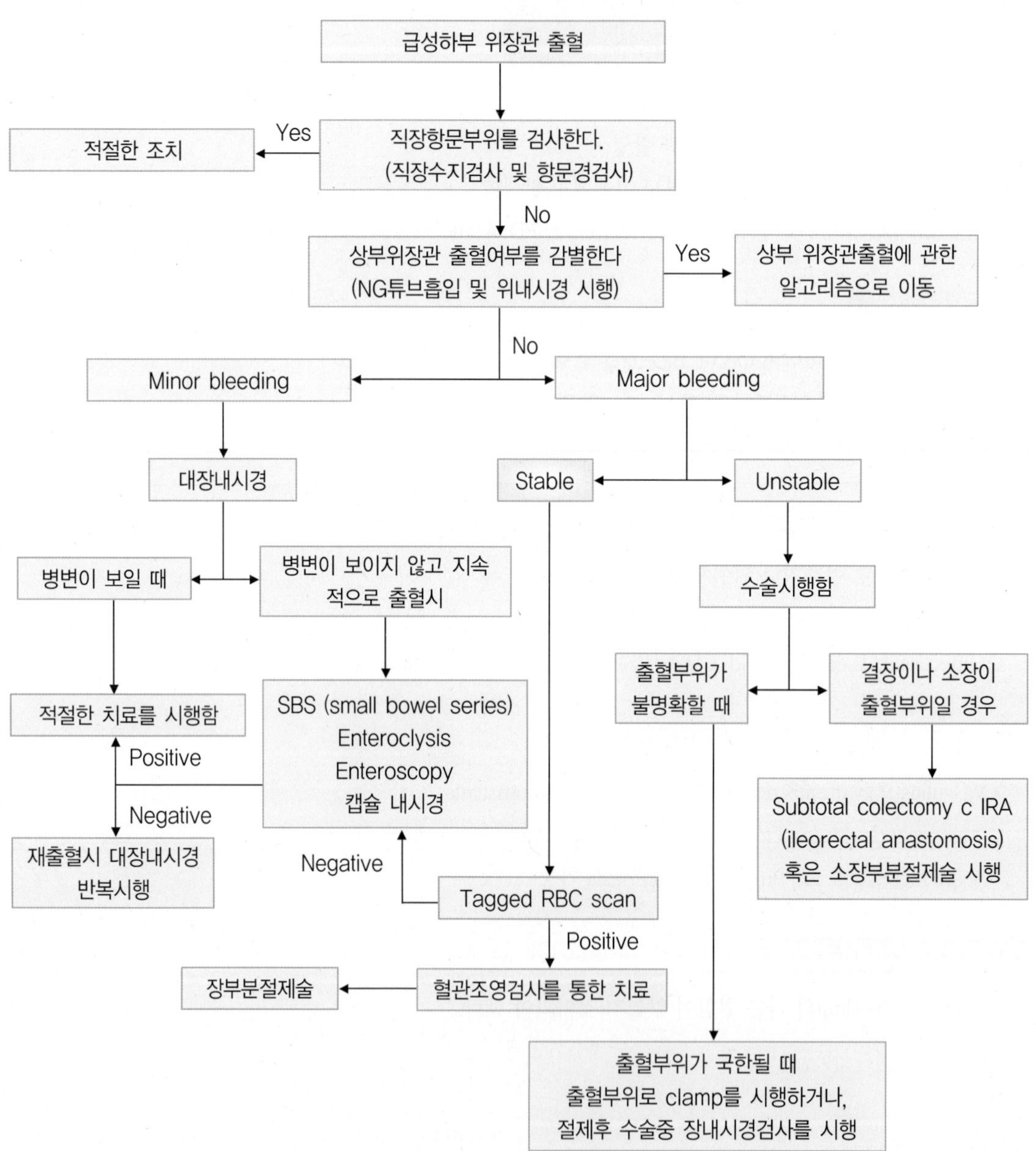

Point!!

하부위장관 출혈시 먼저 **상부 위장관 출혈이 아님을 감별**하고, 가장 많은 출혈부위(95%)인 대장항문쪽원인을 밝히기 위해 **대장내시경**을 시행한다. 병변이 발견되지 않으면 소장이 출혈가능성이 있으므로 **소장검사**들을 시행한다. 대량출혈일 경우 환자가 비교적 안정적일 경우는 **혈관촬영을 통한 지혈**을 시도하고 불안정시는 **수술적 조치**를 시행한다.

1. 대장경 검사 ★

- Emergent Colonoscopy : **심하지 않은 LGIB시**

※ **심한 LGIB시 Emergent colonoscopy는 적당하지 않다.**

즉, 대장경 검사는 acute LGIB이 멈추었거나 중등도의 UGIB시 유용 Colonoscopic polypectomy 후에 출혈에도 유용

- Urgent Colonoscopy : **지속되는 심한 출혈이 없고 hemodynamic stable한 환자**

(bowel preparation 후 시행)

2. Selective Visceral Angiography ★

- 0.5 ml/min **이상 출혈을 찾음** ★

급성출혈이 있으면 45-75%에서 위치를 알 수 있다.

(Diverticulosis, Angiodysplasia 등으로 **간헐적 출혈시 시술시 이미 출혈이 멈추어 발견하지 못할 수 있다**)

"상당한 량의 지속적인 출혈" 이 있는 환자에서만 시행

3. Technitium-99M RBC Scintigraphy ★

- 0.1 ml/min **출혈도 발견함** ★

출혈이 있다면 90%에서 위치를 알 수 있다.

- 결국 수술적 치료가 필요한 환자들에겐 Angiography 및 Scinitigraphy로 출혈부위를 알아보아야 한다.

■ 치료

1. 내시경적 치료

- 게실 출혈은 조절하기 힘듬. Bleeding angiodysplasia : 80% 이상 가능
  Polypectomy 부위의 지혈에 적당함.

2. Radionuclide Scanning

- 환자의 혈액을 technetium-99m(^{99m}Tc) 으로 라벨링하여 경정맥 주입하면 출혈하는 부위로 extravasation 되므로 진단이 가능하다.
- 0.1mL/min의 출혈까지 발견할 수 있으므로 가장 민감한 검사이지만, localization은 40-60%까지밖에 할 수 없는 한계를 지닌다.
- 혈관촬영술을 시행하는 좋은 지침이 될 수 있다.
  (RBC san이 음성이거나 수시간 후에 양성이 경우는 혈관촬영술을 통해 출혈부위를 찾기 힘들다)

3. 장간막 혈관촬영술 (Mesenteric Angiography)

- 0.5-1.0 mL/min의 출혈을 찾을 수 있다.
- 가장 큰 장점은 진단과 아울러 **치료**를 할 수 있다는 점이다. 카테터를 통해 vasopressin을 주입하거나 embolization을 통해 지혈을 유도한다. vasopressin의 경우 50%에 이르는 높은 **재출혈율**이 한계이다.
- **동반된 여러 질환으로 수술적 치료가 어려운 환자**들에게 사용될 수 있고 **혈역학적으로 불안정한 환자**에게서 (일시적이나마) 안정화시킬 수 있는 효과가 있다.

출혈부위를 알 수 없는 급성 위장관 출혈

• **소장출혈** : 2-5%

양상 : 상당량의 재발성 출혈이 수 주 및 수 개월후 멈추곤 한다.

(표) 원인을 분명히 알 수 없는 (obscure) 위장관 출혈의 원인

상부 위장관	소장	결장
혈관형성이상	**크론씨 병**	**장염**
소화성궤양	**멕켈씨 게실**	**궤양성 결장염**
대동맥장관루 (aortoenteric fistula)	**림프종**	**크론씨 결장염**
종양	방사선 장염	**허혈성 결장염**
HIV관련 질환	허혈	방사선 결장염
Dieulafoy's lesion	HIV관련 질환	감염성 결장염
림프종	세균성 감염	단독 직장 궤양
사코이드증 (sarcoidosis)	전이성 질환	아밀로이드증 (amyloidosis)
혈액담즙증 (hemobilia)	혈관형성이상	림프종
Hemosuccus pancreaticus		자궁내막증
GAVE (gastric antral vascular ectasia)		혈관형성이상
전이성 암		종양
		HIV관련 질환
		치핵

■ 임상양상

• acute LGIB시의 presentation과 비슷하다.

• Emergency upper endoscopy

→ 그 후 Selective visceral angiography or Emergency colonoscopy 시행

(99mTc RBC scan는 controversial)

■ 원인을 분명히 알 수 없는 (obscure)위장관 출혈에서의 검사

1. Repeated Endoscopy

• upper & lower endoscopy를 반복 하면 최대 35%의 환자에서는 이전 endoscopy에서 놓쳤던 병변을 찾을 수 있다.

• 다시 endoscopy를 하였음에도 불구하고 출혈의 원인을 찾지 못하면 소장 출혈을 의심하여 추가적인 검사를 진행할 수 있다.

■ 급성소장 출혈로 의심되는 환자에서의 검사 (안정화된 뒤)

1. Enteroclysis

① 소장의 조영검사 ② 급성 소장출혈후의 일차적 검사

③ 단점은 가장 흔한 소장출혈 원인인 angiodysplasia를 찾지 못한다.

2. 소장 내시경

: IV valve까지 볼 수 있으나 환자의 순응도가 좋지않아 거의 시행 않음.

3. 수술 도중의 내시경

• 70%에서 출혈 부위를 찾을 수 있다. → 제한된 소장절제를 가능하게 함.

4. Selective Mesenteric Angiography

• Angiodysplasia를 찾는데 유용하다.

5. Meckel's Scans

① Meckel's diverticulum은 ectopic acid-secreting gastric mucosa를 지닌다.

② 젊은 환자에선 Meckel's diverticulum이 많기 때문에 젊은환자의 소장 출혈이 의심될 때의 첫 검사가 된다.

■ 원인 및 치료

1. Angiodysplasia

① m/c : **소장 출혈**의 50-70% (50세 이상), 30-40% (젊은 환자) **우측 결장**에 흔하다.

② **치료** : 내시경으로 진단시 Endoscopic sclerotherapy or coagulation 시도하고 실패시 Surgical segmental resection 시도한다.

2. Neoplasms

① **소장출혈의 2번째 흔한 원인**. 대부분 양성

② **진단** : Enteroclysis or CT로 진단하고 절제술을 시행한다.

3. Meckel's Diverticulum

① IC valve에서 100cm 이내에 위치

② 30세 이하에서 소장출혈의 가장 흔한 원인 ★

③ **출혈량이 상당**하기 때문에, 급성출혈하는 **젊은 환자**에서 위내시경소견상 특이소견 없으며 혈역학적으로 불안정할 때 **즉시 시험개복술**을 시행한다.

④ Meckel's scan이 60%에서 양성소견

Power ☆☆☆☆☆

14 비만

Morbid Obesity

병적 비만 (Morbid Obesity)

1. 비만의 정의

1) 한국

- 과체중(overweight) : BMI(Body mass index)가 23kg/m^2 이상일 경우
- 비만(obesity) : BMI가 25kg/m^2 이상인 경우

2) WHO(world health organization)

- 과체중(overweight) : BMI가 25kg/m^2 이상일 경우
- 비만(obesity) : BMI가 30kg/m^2 이상인 경우
- 병적비만(Morbid Obesity): BMI가 40kg/m^2 이상인 경우

2. 비만과 관련된 생리적 변화

① **CCK (Cholecystokinin)** : 십이지장 및 소장의 근위부에서 분비되고 **"포만감"**을 일으킨다.

② **그렐린 (Ghrelin)** : 음식섭취시(특히 저열량 식이) 위의 근위부(fundus)에서 분비되고 **"식욕을 촉진"** 한다 즉, 식사량이 적지만 위(stomach)로의 식사 유입물이 있는 환자는 그렐린치가 정상이거나 정상보다 약간 높지만, 위우회술(gastric bypass)수술을 받은 환자는 수술 후 낮은 그렐린치를 지닌다.

3. 심한 비만과 관련된 질환들 ★

1) 심혈관계
고혈압
DVT
우측 심부전

2) 호흡기계
Obstructive sleep apnea
천식

3) 대사성
2형 당뇨
지방장애
(고지방혈증, 고콜레스테롤혈증, 고중성지방혈증)
지방간

4) 위장관
GERD
(Gastroesophageal reflux disease)
담석증

5) 근골격계
퇴행성 관절염
골관절염

6) 비뇨기계
스트레스성 요실금
신기능부전

7) 부인과적
월경불순

8) 종양학적
자궁암, 유방암, 신장암 및 전립성암

9) 신경정신적
우울증

4. 약물치료

① **치료목표**

- **1달** 동안 **10%**의 체중감량이 목표임 (0.5-2 lb/wk)
- 이러한 체중감량이 **6개월**동안 지속되면 초기치료성공으로 간주한다.

② **매우 낮은 열량의 식이:**

지방 제한식이와 탄수화물 제한식이 두종류가 있다.

③ **약제**

a. **Sibutramine :**

NE(Norepinephrine)과 세로토닌의 presynaptic receptor uptake를 차단하여 **NE 및 세로토닌에 의한 중추 신경계에서의 식욕부진효과를 증진**시킨다.

b. **Orlistat :**

췌장에서의 lipase 분비를 차단하여, 지방 흡수를 30%까지 감소시킨다.

5. 수술적 치료

1. **수술 적응증**

1. BMI가 **40** kg/m²이상일 때
2. BMI가 **35** kg/m²이상이며 연관된 **내과적 질환**이 있는 경우
3. 먼저 내과적 치료를 해야 하며 **내과적 치료에 실패한 경우**

2. **수술방법의 구분 ★★**

① "**식이 제한수술**" (Restrictive)	• **VGB** (Vertical banded gastroplasty) : 현재는 거의 쓰이지 않음 • **LAGB** (Laparoscopic adjustable gastric banding)
② 주로 "**식이를 제한**" 하지만 소화불량도 일으키는 경우 (Largely Restrictive/Mild Malabsorptive)	• **RYGB** (Roux-en-Y gastric bypass)
③ 주로 "**소화불량**" 을 일으키지만 식이제한효과도 있는 경우 (Largely Malabsorptive/Mildly Restrictive)	• **BPD** (Biliopancreatic diversion) • **DS** (Duodenal switch)

추가노트

☞ 이러한 절대적 수술적응증 외에도 아래의 기본적인 요건들이 충족되어야 한다.
1) 정신적으로 안정적이어야 함. 즉 술이나 약물 의존성이 아니어야 함
2) 환자자신이 수술을 받고자 하는 의지가 있어야 함
3) 수술위험인자가 없어야 함

병적 비만의 수술방법

1. AGB (Adjustable Gastric Banding)

1. 수술방법

AGB를 아래 그림과 같이 위(stomach)에 설치하여 "**식이를 제한**" 하는 방법으로 요즈음은 주로 복강경으로 수술한다.

(그림) 오른쪽 그림은 LAP-BAND이며 왼쪽그림은 수술시행후의 그림이다.

그림에서 port는 배 바깥에 있어서 saline을 주입하여 banding압력을 높여서 수술 후 원하는 체중감량을 유발한다.

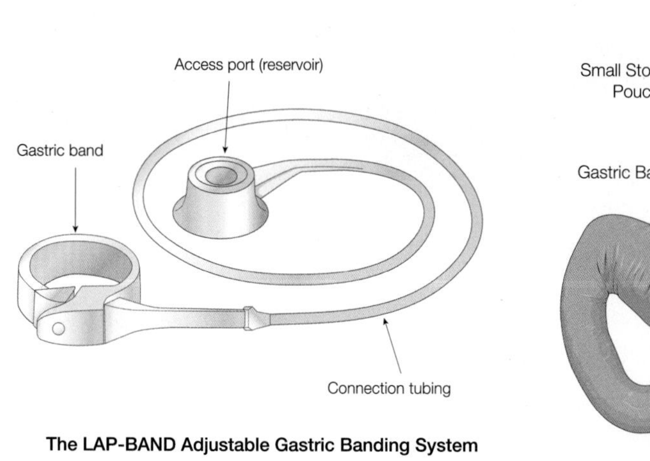

The LAP-BAND Adjustable Gastric Banding System

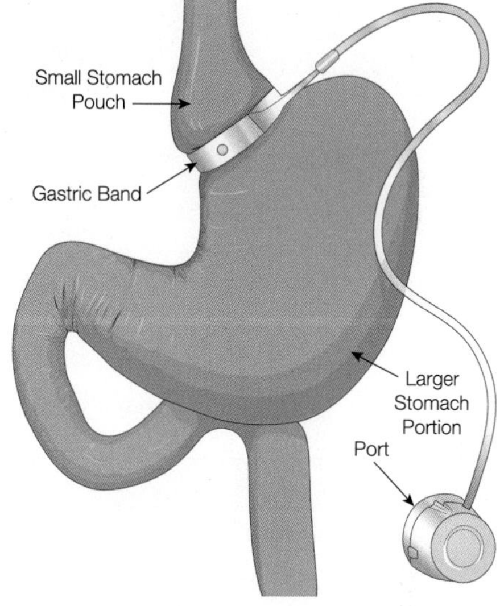

2. 장단점

장점	단점
• 수술이 쉽고, 해부학적 구조 변화을 유발하지 않으므로 **대사성 문제를 유발하지 않는다**	• 여러 수술방법 중 체중감량 **효과가 가장 낮다.** [합병증] 밴드가 미끄러져서(slippage) 음식물 통과를 막거나, erosion될 수도 있고, 외부에 설치된 port로 인한 여러 문제들이 발생할 수 있다.

2. RYGB (Roux-en-Y gastric bypass) 【15】

1. 수술방법

아래 그림과 같이 위(stomach)의 일부만을 남기고 우회함으로써 **"식이제한(restrictive)효과"** 가 크며, 공장-공장문합을 통해 소화불량도 일으킨다.

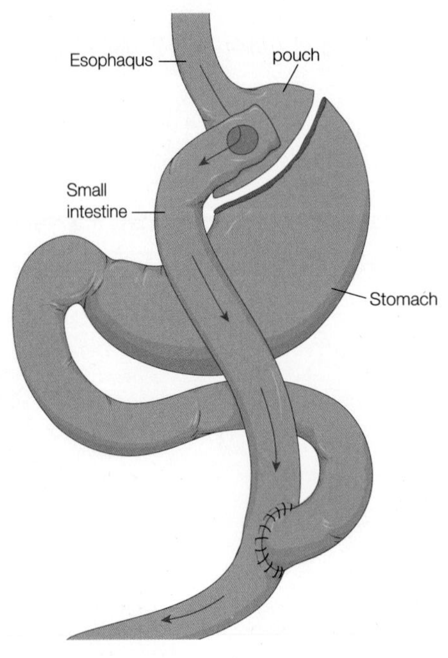

2. 장단점

장점	단점
• 비교적 체중감량 효과가 큰 편이다.	[합병증] 문합부 누출, 장폐색, 위공장문합부위의 협착, 변연 궤양(marginal ulcer), 탈수, 빠른 음식물 통과 (dumping) 철 및 비타민 B12흡수장애

 추가노트

☞ 철은 주로 **십이지장 및 공장 원위부에서 흡수**되는데 이 부분이 우회되기 때문에 RYGB후에 결핍되므로 보충해야 한다. 비타민 B12는 위(stomach)에서 분비되는 intrinsic factor와 합쳐저서 소장에서 흡수되는데 **intrinsic factor와 나중에 결합하므로 소장에서 충분히 흡수되지 못하므로** 결핍될 수 있다.

3. BPD (Biliopancreatic diversion)

1. 수술방법

biliopancreatic juice가 생리적으로 음식물과 혼합되지 않도록 우회시켜 **"소화불량"**을 일으키는 것이 주된 체중감량기전이고, 위부분절제로 식이제한도 일으킨다.

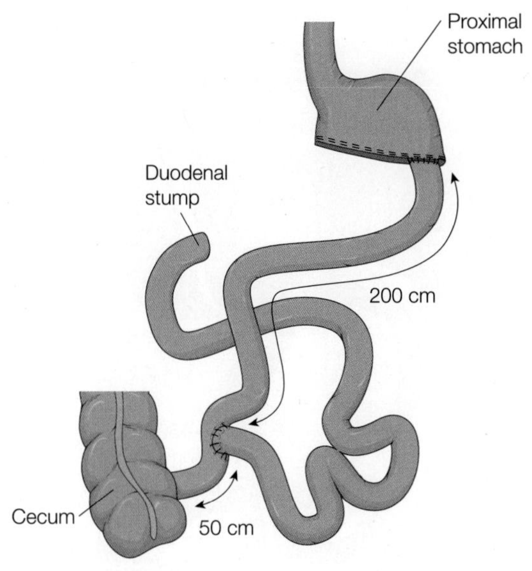

Alimentary channel = 250 (±50) cm
Common channel = 50 cm

2. 장단점

장점	단점
• **체중감량 효과가 가장 크다** • 비만으로 유발된 내과적 질환들에 대한 치료효과도 가장 크다.	• 부작용, 수술후 이환율(morbidity)및 사망률이 비만수술 중 가장 높다. [합병증] • RYGB와 유사한 수술관련 합병증을 지니며 • BPD는 소화불량을 유발하는 수술인만큼 아래와 같은 **"소화관련 합병증"** 들이 많다. ① **단백질 소화불량** – **가장 심각한 합병증**으로 호전이 없는 경우 재수술해서 common channel을 늘린다. ② 지용성단백질의 흡수장애 ③ thiamine결핍으로인한 Wernicke씨 뇌증 ④ 대변에서 좋지 않은 냄새가 나며 가스팽만(flatulence)

4. DS (Duodenal switch)

1. 수술방법

BPD의 변형된 수술방법으로 BPD에서 보이는 **높은 변연궤양(marginal ulcer) 빈도를 낮추기 위해 고안**되었다. 즉 아래그림과 같이 sleeve gastrectomy를 시행한다.

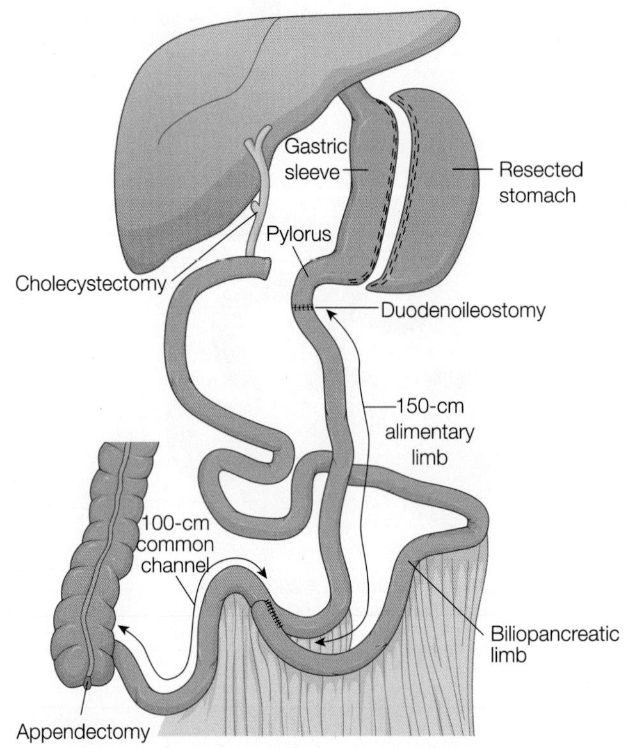

Power ★★★★★

15 위

Stomach

위의 해부

■ 위의 구분

• 위의 각 부위 명칭

① 위분문 (cardia)	식도와 연결됨
② 위저부 (fundus)	산분비 및 (음식물)저장 부위
③ 위체부 (body;corpus)	위의 가장 큰 영역임
④ 위전정부 (antrum)	운동성의 중심부위 (motility center)및 내분비기관
⑤ 위유문부 (pylorus)	십이지장과 연결됨

• 경계물

① Insura angularis

- LC (소만)의 원위부 2/3에 위치한다.

위를 오른쪽와 왼쪽으로 구분하며, oxyntic & antral mucosa의 경계와 인접한다.

② Angle of His

- 식도의 왼쪽 끝나는 부위 및 위저부가 시작되는 부위이다.

※ GC (대만)는 LC (소만)보다 4배 더 길다.

(그림) 위의 해부학적 구분

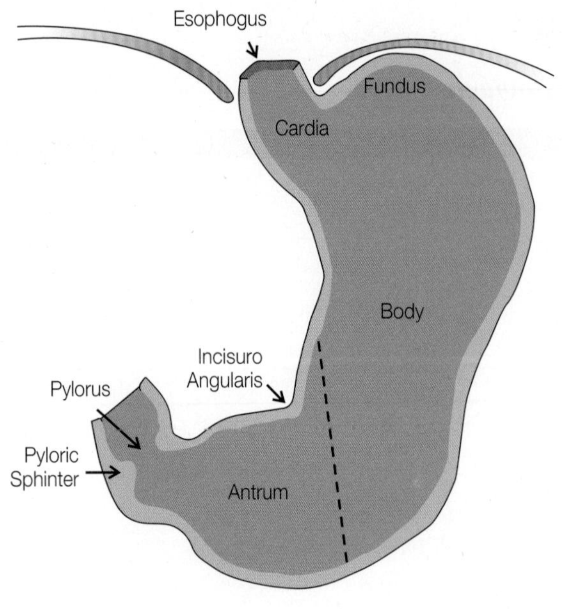

■ 위의 현미경적 구조

1. 위의 표면은 surface epithelial cells로 덮여있고, 군데군데 함몰된 부위가 gastric pit에 해당되는데, 이곳으로 평균 4-5개의 위샘이 개구한다.
2. 부위에 따른 위샘

① Cardiac gland	• mucous, endocrine 및 undifferentiated cells을 지닌다.
② Fundic glands (oxyntic gland)	• 위의 산분비 영역인 위저부 및 위체부를 구성하는 주된 샘이다. • 위산, pepsin, intrinsic factor등을 분비하고 구성하고 있는 가장 주된 세포는 **벽세포 (parietal cell)**이다. 가장 기저부에 있는 세포가 주세포 (chief cell)이다.
③ Pyloric gland	• endocrine, mucous 및 parietal cells로 구성된다. • 적은 수이지만 G세포 (gastrin분비세포)가 존재한다.

(그림) Oxyntic gland의 구조

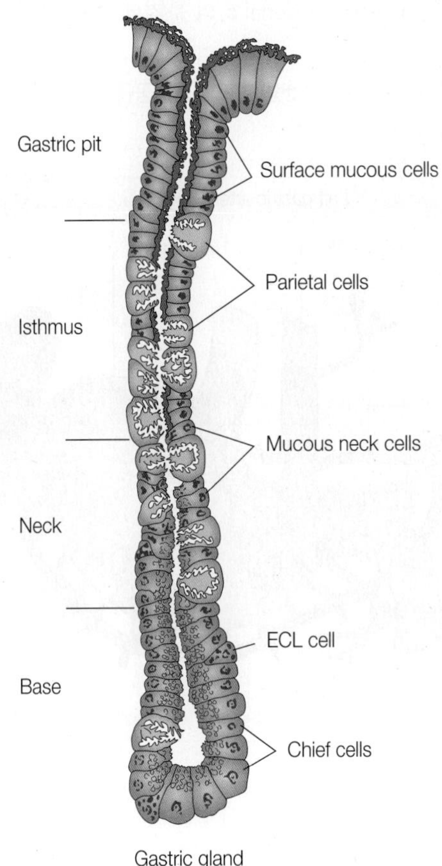

■ 위의 혈관

1. 동맥 【16】

- 혈액공급이 매우 풍부한 편이다.
  → 이는 한편 출혈 시 gastric a.의 ligation만으로 충분히 조절되지 못함을 의미하기도 한다.

① **소만쪽**

- 윗쪽 : Lt. gastric a.가 혈액공급함.
- 아랫쪽 : ① Rt. gastric a. ② Hepatic a.의 분지 혹은 ③ GastroDuodenal a. 분지가 혈액공급한다.

② **대만쪽**

- 위쪽 (및 위저부) : Short gastric a. 가 혈액공급

• 아래쪽

: 상부는 Lt. gastroepiploic a., Splenic a.의 분지에 의해

하부는 Rt. gastroepiploic a., Gastroduodenal a.의 분지에 의해 혈액공급

(그림) 위로의 동맥공급

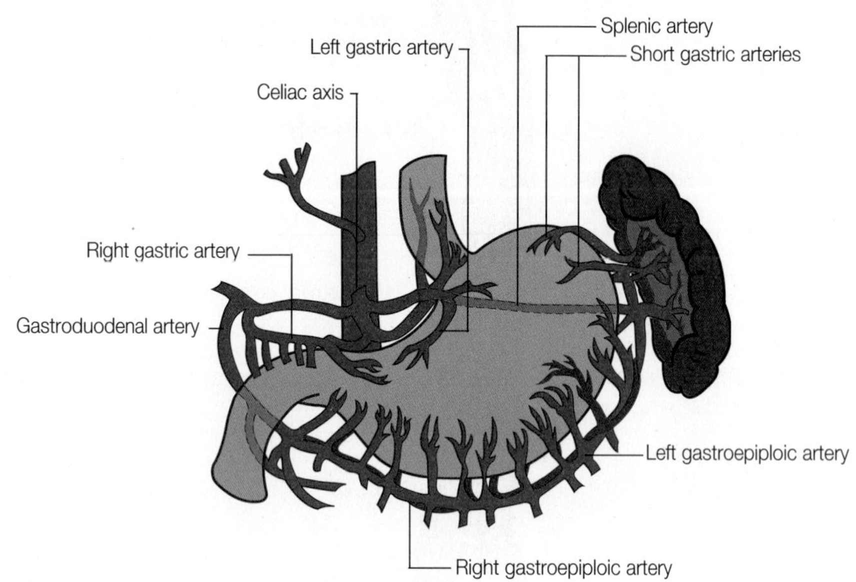

2. 정맥 ★ 【17】

• 정맥유입은 동맥주행과 평행하며, Portal v. 및 이의 분지, splenic v. 혹은 SMV로 drainage시킨다.

① Lt. & Rt. gastric vein은 LC(Lesser curvature)를 drainage한다.

└ Coronary vein이라고도 함

② Rt. & Lt. gastroepiploic vein은 위의 아래쪽과 GC(greater curvature)를 drainage한다..

- Rt. gastroepiploic vein과 그 분지들이 gastrocolic vein이 되며 궁극적으로 SMV쪽으로 drainage된다.
- Lt. gastroepiploic vein은 splenic vein으로 연결되는데, 이는 short gastric vein의 drainage도 받으며, 위저부와 upper GC의drainage를 주로 담당한다.

3. 신경지배

① 부교감 신경

• Rt & Lt vagus n.부터 시작함

- "Lt. vagus trunk"는 보통 식도의 **앞쪽**면에 붙어있게 되고,
  "Rt. vagus trunk"는 **식도와 Aorta의 중앙 부위**에 위치한다.
- 이들은 Distal esophageal plexus를 형성한뒤 Rt & Lt vagus n.를 낸다.

Lt or Ant. Vagus n.	Rt. or Post. Vagus n.
• **간**으로의 분지를 낸 뒤 소만을 따라서 주행하는 **Ant. n. of Latarjet이 된다.**	• **첫째 분지**가 criminal n. of Grassi로서, **궤양수술 시 절제하지 않으면 궤양의 재발 위험이 높다.** • 그후 **celiac plexus**에도 분지를 내고, 위뒤쪽으로 가서 소만을 따라서 주행한다.

- 대부분 vagal fb.는 구심성으로 장에서 뇌로 정보를 전달하고, 연수에서 기시한 원심성섬유는 acetylcholine을 통해 매개되어, **위의 운동기능** 및 **위산분비**에 관여한다.

(그림) Vagus n.의 경로

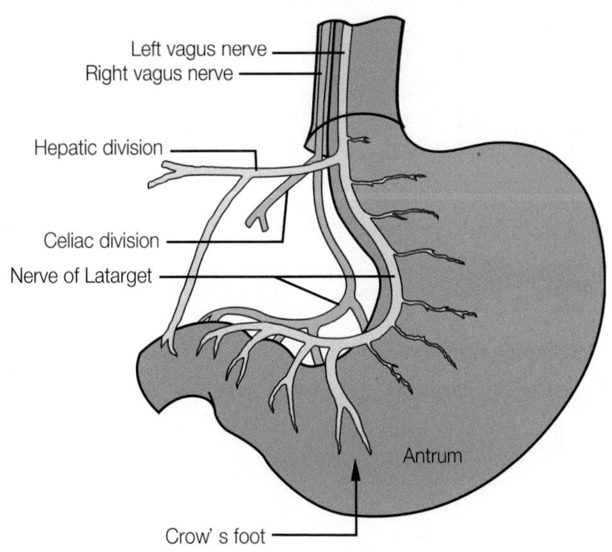

② **교감신경**

- T5-T10에서 기시하여 splanchnic n.를 통해서 celiac ganglion에서 synapse한다. 그 후 동맥의 주행을 따라 위에 도달하여 신경지배한다.

위의 생리

■ 운동성 & 위배출

1. 위의 electrical pacemaker

- **위치 : GC의 중앙 부위에 있다.**
- **작용 : 분당 3회**의 주기적인 potential을 발생시킴.

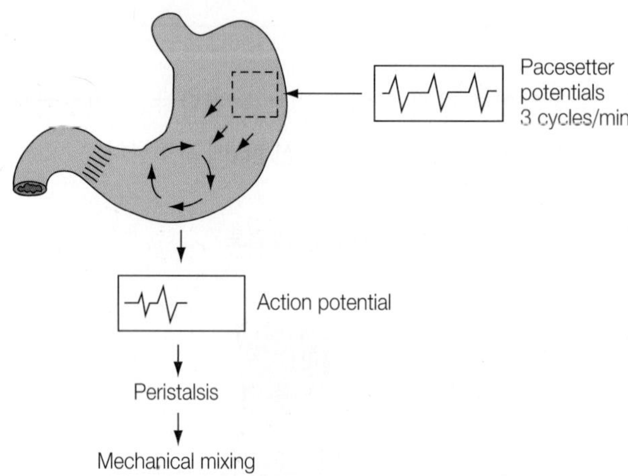

2. 금식시기

- MMC (Myoelectric Migrating complex) 발생함.
  각각의 MMC는 90-120분에 1회씩 발생하며, 4단계의 파형으로 구성된다.
- 위내용물을 규칙적으로 청소하는 효과를 지님.

3. 식후의 운동성

- Receptive relexation
  - 식후 위근위부 및 위저부의 휴식기 tone이 감소하게 된다.
  - "vagus n." 가 관여한다. 따라서 vagotomy시엔 early satiety가 나타난다.
- **전정부 중앙 부위**부터 반복적인 강한 수축이 이루어져서 유문부가 닫힌 상황에서 음식물의 혼합 및 분쇄가 이루어지게 된다. 이는 음식물이 십이지장으로 넘어갔을 때, **십이지장내의 단백질 및 고삼투압성물질**에 반응하여 "CCK" (cholecystokinin)이 분비되어, 위배출을 feed- back inhibition시키게 된다.

■ 위산 분비

1. 위산 분비

- 위산분비는 기초위산분비 및 자극위산분비가 있다.
  기초위산분비는 최대위산분비 (MAO:Maximal acid out)의 10% 가량에 해당되며, cholinergic & histaminergic input의 영향을 받는다.
  └ 즉, vagus n. 영향
  자극 위산분비는 아래의 3상으로 구분된다.

① 뇌상 (Cephalic phase)	• 20-30% 차지 • 음식물을 보거나 냄새를 맡거나 생각할 때의 자극은 Vagus n.를 통하여(**Ach**관여;cholinergic) 전달되어 위벽세포의 위산분비가 이루어진다.
② 위상 (Gastric Phase) 가장 중요!	• 60-70% 비중 • (자극원) 위내의 단백질 및 아미노산 & 위의 팽창 → **Gastrin** 분비 → 위산분비 촉진
③ 장상 (Intestinal Phase)	• 10% • 소장으로 유입된 chyme에 반응하여 소장점막에서 분비되는 entero-exyntin이 관여하는 것을 생각됨

※ Gastrin

- 위산분비의 위상을 매개하는 주요 물질일 뿐 아니라, 위점막보호 및 벽세포, ECL세포의 성장에도 관여한다.
- **위산분비억제제를 투여**시 Hypergastrinemia가 발생하는데 이는 위산에 의한 gastrin의 feedback inhibition이 억제되었기 때문이다. 이외에도 **악성빈혈, 요독증, 위절제술 후 및 Gastrinoma시**에 hypergastrinema가 발생할 수 있다.

2. 위산분비와 관련된 수용체들 ★

수용체	Second messenger	결합
① CCK-B 수용체	Ca	Gcell이 분비하는 **Gastrin**이 결합함.
② M3 수용체	Ca	Vagus n.가 분비한 **Ach**이 결합
③ H2 수용체	cAMP	ECL cell이 분비한 **Histamine**이 결합한다.
④ Somatostatin 수용체	cAMP	벽세포에서의 위산분비를 **억제**한다.

(그림) 산분비에 관련된 호르몬 및 수용체

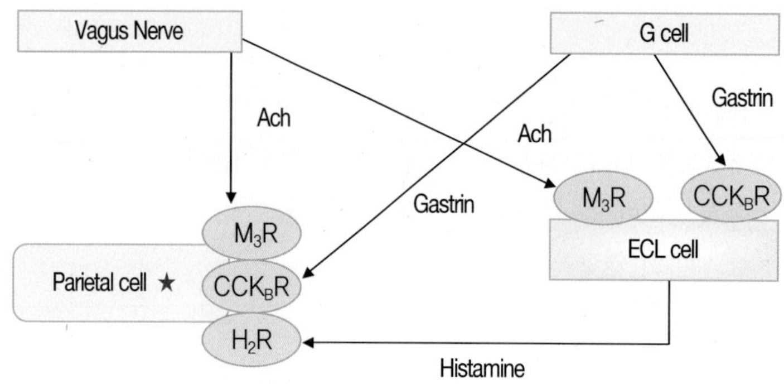

3. 위산분비 억제작용

① 뇌상 (Cephalic Inhibition)	• vagus n.는 위산과 gastrin, pepsin의 분비 증가/억제 모두에 관여 • **실제로 vagotomy 환자 → hypergastrinemia 상태임** ∵ Antrum에서의 vagal fb는 gastrin 분비에 억제기능 가짐
② 위상 (Gastric Inhibition)	• antral mucosa이 산에 노출되었을 때 → gastrin 분비 저하 (pH2 이하 시 완전 stop) • 위전정부 팽창 → 위산 분비 저하
③ 장상 (Intestinal Inhibition)	• 십이지장의 산성화, 고삼투성물질, 지방 존재 — (by secretin,somatostatin…) → 산분비저하 cf) **십이지장에,** **지방** 존재 → **산분비 저하** **단백질** 존재 → **위배출 억제**

※ Gastric acid secretion을 다시 정리합니다.

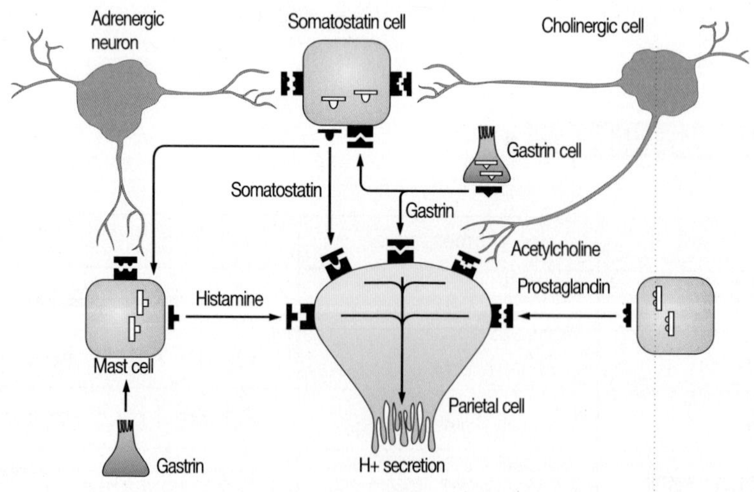

■ 다른 위 분비물

1. Pepsinogen 분비

① chief cell에서 Pepsinogen 형태로 분비

by acid

pepsin으로 전환됨

② Pepsin의 주된기능은 **단백질 소화를 시작**하는 것이다.

이러한 위내에서의 단백질 가수분해는 **불완전**하여, 위 및 소장으로 large peptide가 들어가게 되는데, 이것이 **위에서 gastrin을, 십이지장 CCK의 분비를 촉진**시킨다.

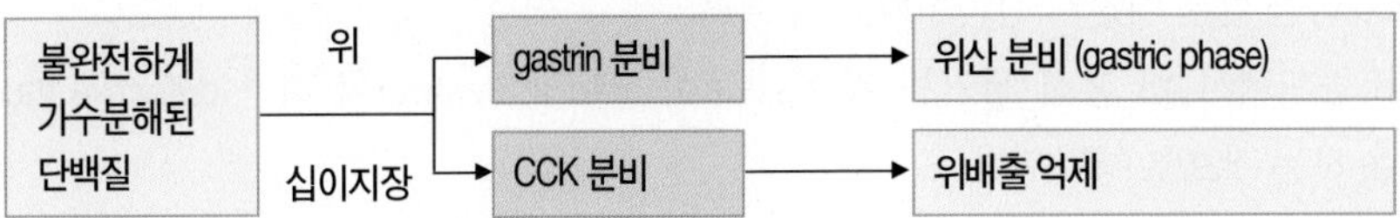

③ Vagus n.가 주된 분비자극이다.

2. Mucus 및 Bicarbonate 분비

← surface cell에서 분비

① 모두 위점막표면에서 위산을 중화시켜 산에 의한 점막손상을 막는다.

② 위점액분비를 증가시키는 것

: 미주신경자극 (콜린성), prostaglandin

∵ 항콜린성약제 및 NSAIDs는 점액분비를 막는다.

3. 내인인자 (Intrinsic Factor) 분비

① **벽세포**에서 분비되는 glycoprotein으로 Vit B_{12}가 terminal ileum에서 흡수되는데 필요함.

Intrinsic factor의 분비는 위산의 분비와 연관되어 있음.

② **악성빈혈** (Pernicious anemia) 및 **위전절제술** 후 내인인자결핍이 발생하므로 경정맥 Vitamine B12 보충해야 한다.

소화성 궤양 질환 (PEPTIC ULCER DISEASE)

■ 역학

1. H. Pylori

대부분의 Ulcer 환자들은 H. pylori 감염을 지니고 이 감염에 대한 치료는 Ulcer 재발을 막는다. 94%의 DU 환자와 84%의 GU 환자는 H. pylori 감염을 동반한다.

2. 위산

Acid의 존재만으로 Ulcer disease가 생기지는 않지만, Acid가 없는 곳에 Ulcer가 생기지도 않는다. 즉, 고전적인, **No acid, No ulcer**라는 말은 여전히 진리이다.
GU의 경우 낮은 acid 농도에서 더 흔히 생기는 것으로 보아 acid및 healing에 대한 **defective mucosal defense가 중요한 역할**을 하는 것으로 생각된다.

3. NSAIDs

궤양으로 인한 출혈과 연관되며, NSAIDs로 속발한 궤양질환의 경우, 일차적 치료는 위산에 대한 어떠한 조치없이 **NSAIDs를 끊는 것**이다.

■ 궤양의 위치 및 유형

(표) 소화성 궤양의 유형에 따른 차이 ★

Type I	• **m/c** (60-70%) • **LC 쪽, Incisura 근위부**에 위치함 즉, fundic & antral mucosa의 경계 부위임	위산과다 분비 X
Type II	• 15% • typeI와 같은위치이지만 **십이지장궤양과 연관**됨.	위산과다 분비 O
Type III	• 20%빈도 • **pylorus의 2cm내**에 위치함.	위산과다 분비 O
Type IV	• **위의 근위부** 혹은 **cardia쪽**에 위치함.	위산과다 분비 X
Type V	• medication induced(NSAIDs, aspirin) • 위의 어디든 생길 수 있음.	위산과다 분비 X

(그림) 소화성 궤양의 유형

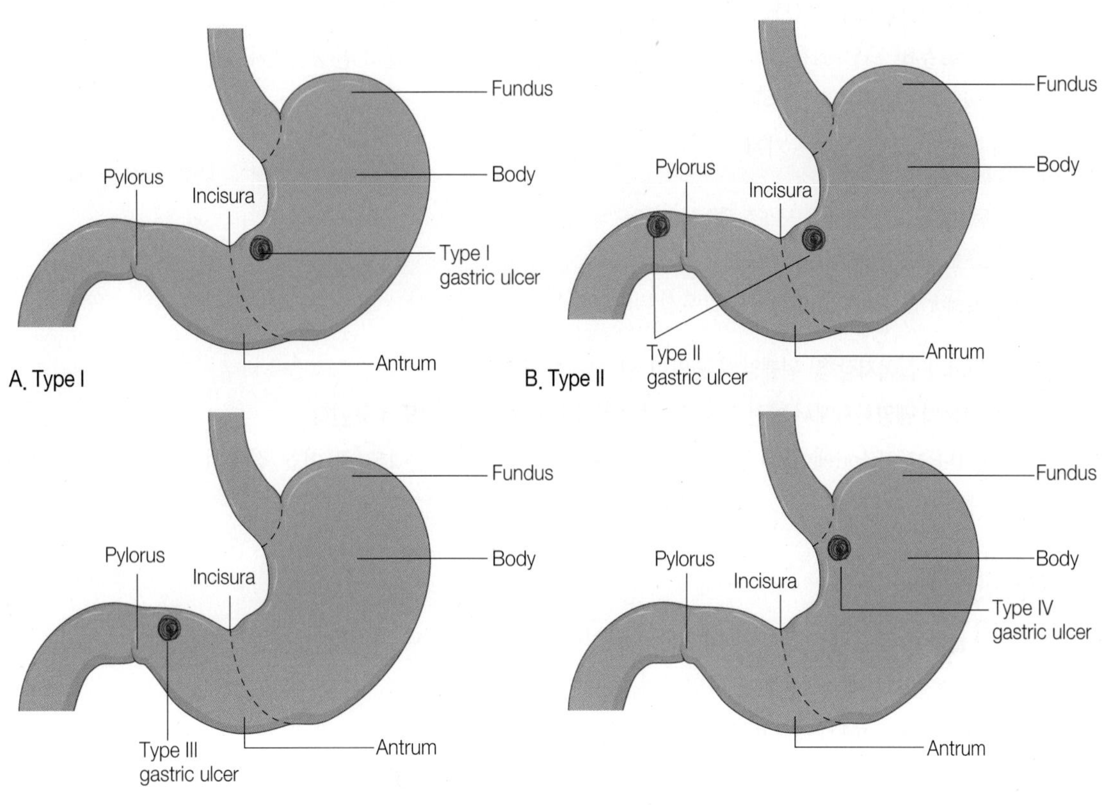

C. Type III

D. Type IV

■ 병인

- 산에 대한 방어결핍 및 점막치유손상과 관련됨.
- 일반적으로 십이지장궤양은 위산의 증가로 인한 공격의 우세, 위궤양은 점막의 방어의 열세로 이해될 수 있다.
- Gastric mucosal defense mechanism (아래의 4 lines의 defense★를 지닌다)

① **Mucus** & **Bicarbonate** 분비: H+와 Pepsin diffusion 억제
② 내피세포 (Intrinsic epithelial cell) 방어 : Mucosal surface is a barrier to acid back-diffusion
③ 풍부한 점막의 **혈액 흐름**
④ **점막**자체의 손상치유 능력

1. H pylori 감염

- H. pylori균은......
  a. 그람음성간균으로 나선모양이며, 활발한 운동성을 지니며, 천천히 성장한다.
  b. **Urease 분비** → Urea를 **ammonia**와 bicarbonate로 전환시켜 **알칼리** 환경을 만든다.
  c. 위의 점액층내 혹은 그 아래 존재한다.
- 위장관 손상을 일으키는 기전

  a. **독성물질**을 생성하여 국소조직손상을 일으킴.
  b. **국소 점막 면역반응**을 일으킴.
  c. **gastrin을 증가**시켜 결과적으로 위산분비를 증가시킴.

- H. Pylori가 **십이지장** 및 **위궤양**의 **원인**이 된다는 증거
  → **대부분의 궤양환자에서 발견되고, H. Pylori 감염을 치료하면 궤양도 치료된다.**
  ※ 그러나 H. Pylori에 감염되어도 소화성 궤양이 있는 경우는 15%로 이는 점막의 방어복구기전 장애 때문으로 생각됨.

2. NSAIDs

- **위장관 출혈**로 입원하는 경우의 대부분의 원인이 NSAIDs 사용과 관련됨.
  위장관 출혈은 복용 1-2주후에 나타나며, 용량에 비례한다.
- **NSAIDs궤양 vs H. pylori 궤양 비교**

NSAIDs 궤양	H. pylori궤양
• 주로 **위궤양**임 (십이지장궤양의 2배)	• 주로 **십이지장 궤양**임
• 위염은 흔치 않다(25%).	• 보통 Chronic active gastritis **동반**한다.
• 보통 **무증상** • **NSAIDs 끊으면 궤양은 재발하지 않는다.**	• **소화불량 증상** • **H. pylori박멸하지 않으면 1년내에 50-80% 재발한다.**

3. 위산

- 십이지장궤양에서는 위산과다가 동반되지만 **type 1, 4 위궤양에선 위산과다가 나타나지 않는다.**
  하지만 이경우에도 위산은 중요한 보조인자로 작용하여 위궤양을 악화시키거나 치유를 지연시킬 수 있다.

■ 임상 양상

1. 십이지장 궤양

① **복통**

- 상복부 동통이 음식물을 먹으면 완화됨.
- 통증이 지속적으로 나타나면, 궤양이 깊이 침습되었음을 의미하며 등에 방사통이 나타날 경우, 췌장으로 침습했을 가능성이 있다.

② **천공** – 5%에서. 응급상황

③ **출혈**

- 상부위장관 출혈 환자의 25%에 해당하며 궤양이 gastroduodenal a.로 침투했을 경우 발생한다.

④ **폐색**

- 오랜 구토로 탈수 및 hypochloremic hypokalemic metabolic alkalosis가 나타날 수 있다.

2. 위궤양

- 복통은 음식을 먹었을 때 분비자극으로 발생할 수 있다.
- 출혈은 35-40%에서 나타나는데 십이지장궤양출혈보다 경과가 좋지 않다.
- 가장 흔한 합병증은 **천공**으로 대부분 소만 부위의 앞쪽면에 발생한다.
- 우리나라 같이 위암이 많은 곳에서는 benign ulcer인지, malignacy가 있는지를 꼭 감별해야 한다.

3. Zollinger-Ellison syndrome

① triad

i) **위산과다분비** ii) **심한 소화성궤양** iii) non-beta islet cell of pancreas

② gastrin을 과다분비하므로 gastrinoma라고도 한다.
발생부위는 췌장두부, 십이지장벽 및 국소림프절임
절반가량이 다발성이며, 2/3가 악성이며, 1/4에서 MEN1과 관련된다.
parathyroid, pituitary 및 pancreas 종양

③ **증상** : 설사, 체중감소 및 지방변

④ **진단**

- 난치성 혹은 재발성 궤양환자에서 가능성을 생각한다.
- secretin test (provocative test)

⑤ **치료**

- 단독병변시 수술적 절제를 생각할 수 있다.
- 종양 및 전이소견이 없다면 PPIs혹은 H2blocker를 사용한다.

■진단

1. H. Pylori 검사 ★

① **점막생검 & 조직검사** "gold standard"

→ "**배양검사**" (least sensitive)나
Rapid urease test 를 할 수도 있다.
↓
항생제 저항성이나 감수성 검사에는 도움이 됨.

② **점막생검이 필요하지 않은 검사**

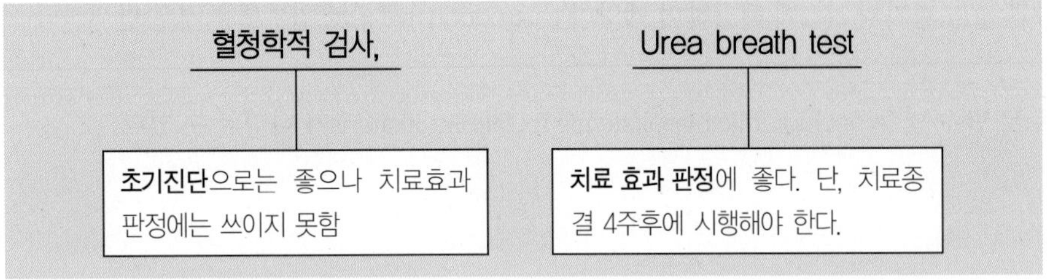

혈청학적 검사,
초기진단으로는 좋으나 치료효과 판정에는 쓰이지 못함
Urea breath test
치료 효과 판정에 좋다. 단, 치료종결 4주후에 시행해야 한다.

(그림) 각 테스트의 적용

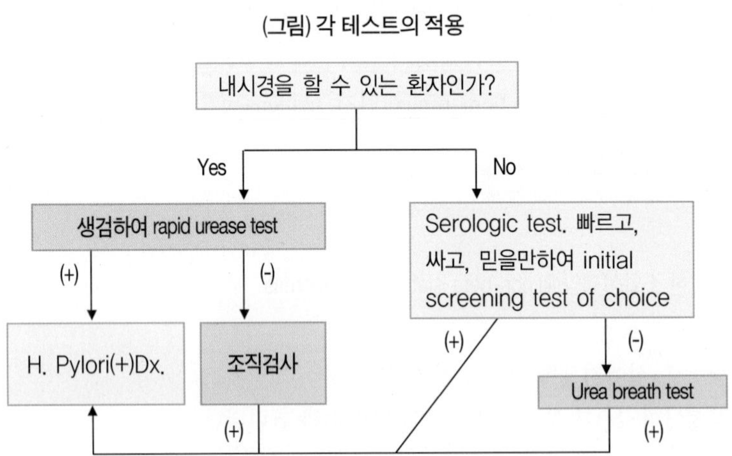

내시경을 할 수 있는 환자인가?
Yes
No
생검하여 rapid urease test
(+)
(-)
H. Pylori(+)Dx.
조직검사
(+)
Serologic test. 빠르고, 싸고, 믿을만하여 initial screening test of choice
(+)
(-)
Urea breath test
(+)

※ GU는 반드시 악성종양을 감별하기 위해 조직검사를 한다.

2. 상부위장관 조영검사

• 궤양의 위치와 깊이에 대한 정보를 준다.
크기가 클수록 악성위험이 높다.

3. 위내시경

- 악성을 시사하는 소견
  - 종괴가 관찰될 때
  - folds가 **곤봉모양**이거나 **융합**되거나 **궤양주변으로 단락**될 때
- 반드시 악성을 감별하기 위해 **여러군데 조직생검**을 해야 한다.

■ 내과적 치료

- **일반적인 지침**
  - 흡연, 음주 , NSAIDs, aspirin, 커피를 줄인다.
    └ 끊지 못하는 상황에서는 COX-2 억제제로 대치한다.
- **치료방침**
  a. 분비된 산을 중성화함: antiacid (미란타, 알마겔…)
  b. 산분비를 억제함.
     H_2 receptor blocker: famotidine, cimetidine…
     H^+ pump inhibitor: omeprazole
  c. coating agent: sucralfate

- 내과적 치료를 **4주** 받은 뒤, Ulcer가 50% 감소시는 양성질환가능성이 높지만, 그러나 50% 이하시는 악성종양가능성을 생각한다.
  8주 후 완전 치유되지 않으면 **악성종양을 감별**하기 위해 **내시경**을 해야 한다.★★

1. 제산제 (Antiacids)

- HCl과 결합 → 염 및 수분을 형성하여 산도를 낮춘다.
- Magnesium (미란타): **설사** 유발
- Aluminum (알마겔): hypophosphatemia, **변비** 유발

2. H2수용체차단제 (H2 Receptor Blocker)

(Famotidine, Ranitidine, Cimetidine)
Famotidine └ 가장 강력, Cimetidine └ 가장 약함

- 4주후 70~80% 치유됨. 8주 후 80~90% 치유됨.
- 간헐적 투여보다는 **경정맥을 통한 지속적 투여**가 더 효과적이다.

3. 양성자 펌프 차단제(PPI ; Proton-Pump Inhibitor (Omeprazole)

- proton pump에 공유결합하여 새로운 proton pump가 생성될 때까지 **반항구적**으로 위산분비를 차단한다.
- **4주까지**가 효과가 좋고 그 이후엔 효과가 떨어진다.
- 적절하게 작용하기 위해선 산성환경이 필요하므로 **H2수용체차단제와 복합 복용하면 효과가 떨어진다.** → **단독투여**하라!

4. 도포제 (Sucralfate) : 6시간 동안 coating하여 보호한다

5. H. Pylori 감염의 치료 【17】

- (필요성)
  십이지장 궤양의 경우, 치유후 다른 유지요법을 하지 않았을 때 재발율이 72%
  H2 Blocker를 사용한경우 25%, H. pylori박멸한 경우 2%이다.
- (Triple therapy regimen)

→ 1-2주 PPI + clarithromycin + amoxicillin (or metronidazole)
※ 급성질환인 경우 그다음 2주동안 PPI를 사용하거나, 4-6주간 H2blocker 사용함.

→ 치료효과 판정은 **약끊고나서 4주 후** 검사
무슨검사죠? 당연히 Urea breath test겠죠?

■ 수술적 치료

• 소화성 궤양의 수술 적응증

① 난치성	② 출혈
③ 천공	④ 폐색

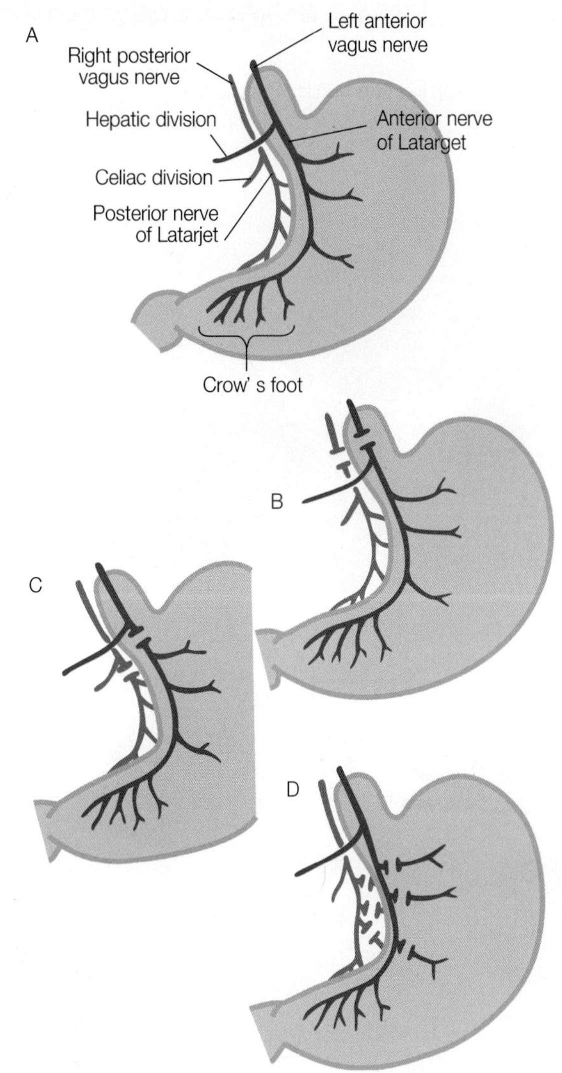

A. Vagus n.의 각분지들, 각각 Rt, Lt. 중 어느 쪽에서 나오는지 어느 부분을 다스리는지를 기억하자.
B. Truncal Vagotomy
C. Selective Vagotomy
D. Highly selective Vagotomy

1. Truncal Vagotomy & Drainage Procedures

Pyloroplasty or GastroJejunostomy
to facilitate Gastric emptying

- **Vagus n.**는 celiac & hepatic br. 위쪽인 GE junction바로 위에서 절제한다.
- **Pyloroplasty**는 일반적으로 Heineke-Mikulicz의 방법을 이용한다.
- 수술이 **쉽고 빠르게 시행**될 수 있으므로 궤양출혈로 **혈역학적으로 불안정**한 환자에게 적합하다.

(그림) Heineke-Mikulcz Pyloroplasty

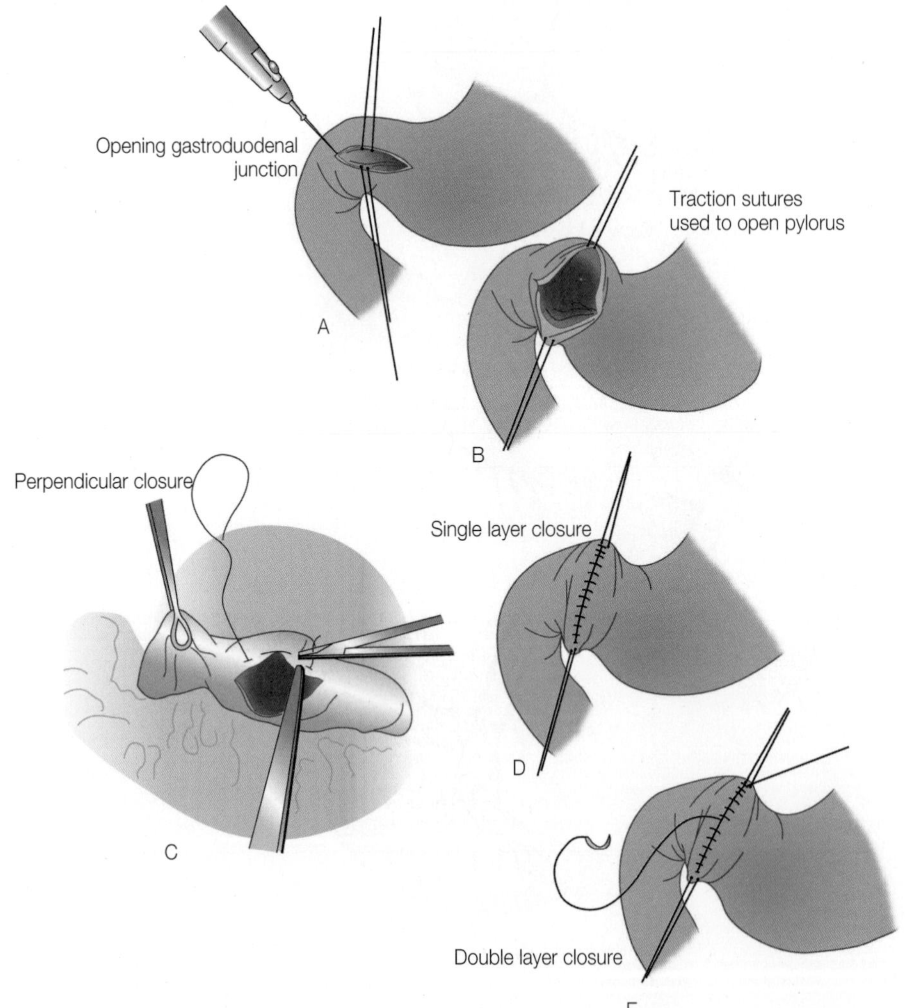

2. Highly Selective Vagotomy

(= Parietal Cell Vagotomy = Proximal Gastric Vagotomy)

- TV c drainage 술식이 pyloroantral mechanism에 악영향을 끼쳐 도입됨
  즉, vagus n.는 **산분비** 외에도 **위의 운동성**에도 관여하는데 vagus n. trunk를 절제하면 위의 운동성까지 감소하므로 pyloroantral region으로의 vagus n.를 보존하자는 술식
- 앞쪽 뒤쪽의 nerve of Latarget을 identification한 뒤 위저부 및 위체부로의 말단분지(crow' s feet)만을 절제하고 위전정부 및 유문부로의 분지는 보존한다.
  (유문부상방 7cm~GE juction으로부터 5cm까지 절제)
  단, 중요한 것은 post. vagus n.의 첫분지인 criminal n. of Grassi를 반드시 절제해야 한다는 점이다.
- 위산을 분비하는 벽세포의 기능만을 없앰으로써 Vagus n.의 다른 중요한 기능을 보존할 수 있는 장점이 있다. 그러나….★
  재발율은 10~15%로 높다. 그럼에도 재발시 H_2- blocker에 반응이 좋아 acceptable 하다.
- **prepyloric ulcer인 경우는 재발이 높으므로 본 술식을 이용하지 않는다.**

3. Truncal Vagotomy & Antrectomy

- **산분비를 줄이고, 재발을 방지**하는데 다른 방법들보다 효과적이다.
  재발율: 0~2% 그러나 **postgastrectomy & postvagotomy sequelae**가 많다(20%)

4. 위아전절제술 (Subtotal Gastrectomy)

- 적응증
  악성질환이거나 TV c antrectomy후 재발시 시행한다.
- 위절제 후 문합은 BII 혹은 Roux-en-Y를 이용한다.

※ (정리) 상황에 따른 수술방법의 결정 ★★

a. **응급**수술시: TV c Pyloroplasty
b. **예정**수술시: Highly selective vagotomy
c. **Prepyloric ulcer** 및 **난치성**궤양: TV c Antrectomy

추가노트

☞ 전정부절제후 문합에서, GastroDuodenostomy(BI)가 GastroJejunostomy(BII)보다 선호되는 이유
a. Retained antrum syndrome이 없다.
b. duodenal stump leakage가 없다.
c. A-loop syndrome이 없다.

※ 단, **과다한 pyloduodenal inflammation**시는 BI보다는 BII가 더 적합하다.

※ BII시행시 결장뒤쪽문합(Retrocolic Fashion)이 좋다.
└ A-loop이 짧아지고, twisting할 염려도 줄어서
A-loop syndrome이나 duodenal stump leakage빈도 감소

5. 복강경수술

- Taylor 술식 : 복강경을 이용하여 parietal cell vagotomy, posterior truncal vagotomy 및 seromyotomy를 시행한다.
- Simple perforation의 복구수술도 복강경으로 가능하다.

소화성 궤양 합병증의 수술

- 예정수술하기 **3일전** antisecretory agents **복용을 중단**하여 위산도가 정상으로 돌아오도록 하여 감염합병증의 빈도를 낮춘다.

■ 난치성 (Intractability)

난치성 십이지장 궤양	난치성 위궤양
• Highly selective vagotomy (= Parietal cell vagotomy) 혹은 Talor 술식	① type 1 – DG (Distal gastrectomy) + BI재건 ② type 2 or 3 – DG c vagotomy (selective or truncal) ③ type 4 – DG c 궤양절제 c ReY EsophagoJejunostomy

cf) Taylor 술식

복강경으로 post. truncal vagotomy를 시행한 뒤, endoscopic GI stapler를 이용하여 위의 앞면을 가로질러 seromyotomy를 시행하여 이 부위의 모든 vagus n.를 절제함.

■ 출혈

십이지장 궤양 출혈	위궤양 출혈
① 보통 내시경적으로 지혈후 PPI를 사용하고, H. pylori박멸한다. ② **내과적 치료 실패시, 십이지장을 열고,** **U stitch로 출혈 부분 봉합 후,** **trucal vagotomy c pyloroplasty 시행한다.**	① **type 1 : DG c B1 재건** ② **type 2 or 3 : DG c vagotomy**

■ 천공 【16】

십이지장 궤양 천공	위궤양 천공
① Simple patching후 H. pylori박멸 시행 단, H. pylori음성인 환자의 경우는 수술시 **acid-reducing procedure**도 시행한다. (예컨대 truncal vagotomy c pyloroplasty) ② **비수술적 방법** - H. pylori 치료 및 위산분비억제 - (적응) **i) 혈역학적으로 안정적이며** **ii) toxicity의 징후가 없을 때** - 상부위장관조영검사로 병변이 sealing되었음이 확인되면 비수술적 요법을 고려할 수 있다.	① **type 1** - **DG c BI재건**이 좋다. - simple patching을 할 수도 있으며 이 경우 반드시 Bx해서 악성감별해야 한다. ② **type 2 or 3** - patchy closure 후 H. pylori를 박멸한다.

(그림) 십이지장궤양천공의 수술: Simple patching
(보통 omentum으로 보강한 Graham patch이용)

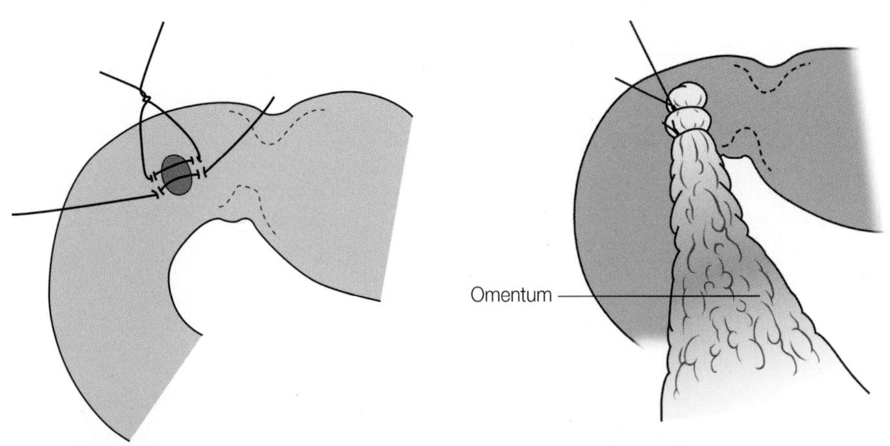

■ 폐색 【17】

① **급성시**

- pyloric edema & spasm와 연관된 경우
  일주간의 Nasogastric suction & H2-receptor antagonist으로 호전된다.
  어떤 경우는 Endoscopic dilatation이 필요하기도 함.

② **만성시**

- 수술하는 경우는 Higly selective vagotomy c GastroJejunostomy가 선호됨.

■ TYPE 4 위궤양

- 가급적 **궤양을 절제**하도록 한다.
  → i) gastrectomy c 궤양절제 c Roux-en-Y EsophagoJejunostomy
  ii) 궤양이 GE junction에서 2-5cm내에 위치하면 궤양을 포함하도록 DG를 시행한 뒤 GastroJejunostomy를 시행한다.

1. 위절제 후의 증후군

- 수술 후 대략 25% 환자가 위절제후증후군 (postgastrectomy syndrome)을 경험한다(단, highly selective vagotomy 시행한 환자에서의 발생빈도는 매우 낮다).

■ 위절제후의 Postgastrectomy Syndrome

1. 덤핑 증후군 (Dumping syndrome) 【15】【14】

- **위부분절제 환자의 50-60% 이상에서 발생 (Highly Selective Vagotomy : 1% 미만) BII 〈〉 BI)**에서 더 흔하다

1. **Early Dumping (식후 20~30분) ★증례**

① **증상**

a. 위장관 증상: 오심/구토, 상복부충만감, 격련성복통, 심한 설사
b. 심혈관계 증상: 심계항진, 빈맥, 발한, 실신, 현기증, 홍조, 시야장애

② 원인

a. 위저장능 상실과, 유문부 파괴로 인한 **고삼투압음식물**이 소장에 유입 → 삼투압에 의해 수액이 장내로 이동함 → 혈관내 용적 감소 → Vasomotor Sx	b. **소장팽창** → Hormone 분비 (Serotonin, bradykinin-like substance, Enteroglucagon) → Vasomotor Sx

③ 치료

a. **식이요법**

- **고탄수화물식이를 피하고★**, 단백질과 지방함유식이를 **적은 양**으로 자주한다. ★
  또한 식사 때 유동식 식이를 고형식이와 함께하지 않는다. ★

b. Octreotide로 호르몬 과다분비를 막는다.

c. **수술**

- 1% 이하에서 생각할 수 있으며, 위와 공장 사이에 10-20cm의 antiperistaltic limb을 삽입하는 방법 및 long-limb Roux-en-Y 문합을 만들어주는 방법 등이 있다.

2. Late Dumping (식후 2~3시간)

① **"심혈관계증상"** 이 15~20분간 지속되며 탄수화물 섭취로 호전된다.

② **원인**

소장에서 탄수화물의 급속한 흡수 → 고혈당 → insulin 과다 분비 → **저혈당**
→ **부신에서 catecholamine 분비하여 심혈관계 증상 유발**

③ 치료 ★★

a. **적은양의 식사를 자주하고, 탄수화물 섭취 제한해야 한다.**

b. 수술적 치료

- 잔여위와 십이지장사이에 10cm antiperistaltic jejunal segment 삽입

2. 대사성 장애

① **빈혈 【17】**

철결핍성 빈혈	거대적혈모구 빈혈(Magaloblastic anemia)
• 위절제환자의 30% 이상에서 발생 • 원인 – 철의 섭취, 흡수 등 다양한 단계에서 장애가 발생한 결과임.	• 주로 **위의 50% 이상 절제**시 나타남 • 원인 – intrinsic **factor**가 감소하여 VitB12흡수가 원활하지 않아 발생함. 혹은 **folate식이결핍**으로도 나타날 수 있다. • 치료 Cyanocobalamin을 매 3-4개월마다 근주해야함.

② **지방흡수장애**

• BII이후 담즙과 췌액이 음식물속의 지방과 적절하게 혼합되지 못해 발생

• 지방변이 반복되면 췌장효소를 보충해야 한다.

③ **골 장애**

• **칼슘부족**으로 수술 4-5년 후에 Osteoporosis및 Osteomalacia가 나타날 수 있다.

■ 위재건과 관련된 Postgastrectomy Syndrome

1. Afferent-Loop Syndrome ★★ 【14】

• B-II STG후 발생

- afferent loop가 30-40cm가량으로 길수록 antecolic fashion으로 문합했을수록 더 많이 발생한다.

• afferent loop이 막히면 팽창되고, 괴사 및 천공이 발생하며 bacterial overgrowth도 나타난다.

• **CT 촬영**으로 **진단**이 가능하다.

① **유형**

a. **급성**

- 원인 : 소장의 Internal herniation, A-loop volvulus, kinking A loop

b. **만성 혹은 부분적**

- 원인 : 협착, 염증 및 유착반응등으로 발생

- 진단이 어렵다.

내시경에서 afferent limb이 보이지 않는 소견이 도움이 될 수 있고 Radionucleotide scan(hepatobiliary scan)을 통해 정체되는 것을 확인할 수도 있다.

(그림) Afferent loop syndrome의 원인들

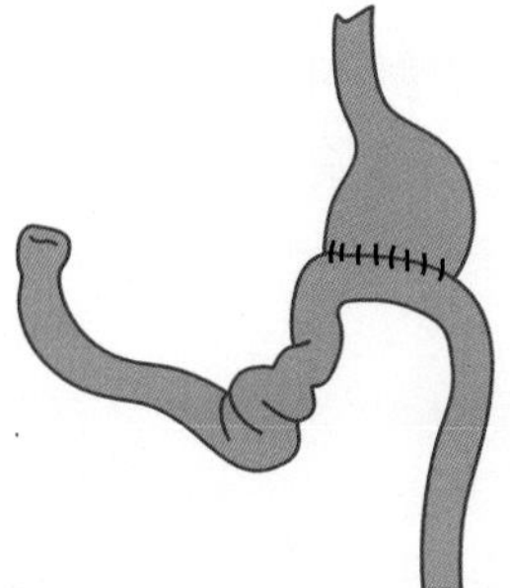
Kinking and angulation

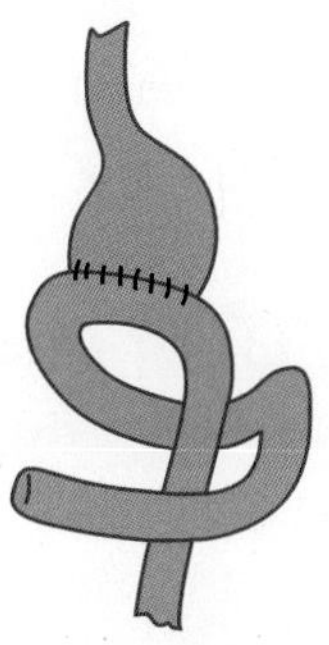
Internal herniation behind efferent limb

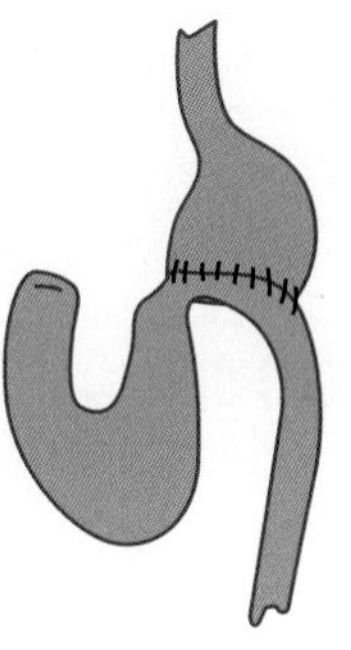
Stenosis of gastrojejunal anastomosis

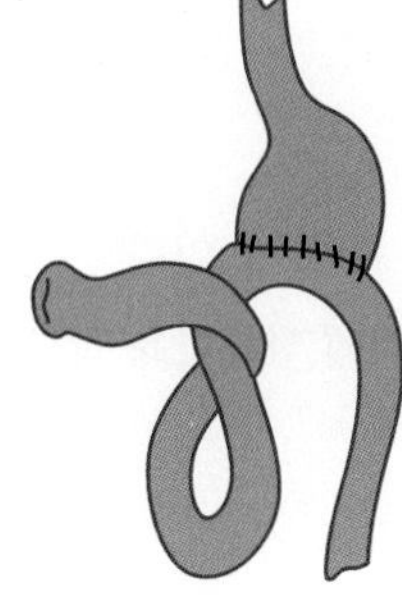
Redundant twisted afferent limb(volvulus)

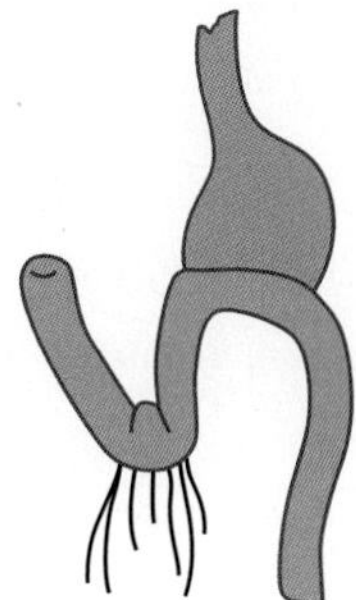
Adhesions involving afferent limb

② 증상

- 음식물 없는 담즙성구토를 하게 되고 (projectile) 구토후 증상이 호전된다.
  └ afferent limb의 내용물이 갑자기 분출되어 발생함.

③ 치료 (수술적 치료가 원칙임)

a. BII → BI혹은 Roux-en-Y로 전환
└이 경우 marginal ulcer 발생위험이 있으므로 concomitant vagotomy를 시행한다

b. stoma 아래쪽으로 afferent & efferent loop를 문합한다 (Braun술식).

2. Efferent Loop Obstruction 【17】

- 드물며,
  소장이 오른쪽에서 왼쪽으로 internal herniation되며 발생한다.
  절반이상이 수술 후 첫달에 발생하며 조영검사로 진단하며 수술적 치료가 필요하다.

3. Alkaine Reflux Gastritis ★【15】

- 주로 B-II 후에 더 흔하다.

① **증상**

- **지속적으로** 속이 쓰리고 쓴물이 올라오는 것 같은 **상복부 불편감**
- **담즙성구토**가 발생하는데 이는 음식물이나 제산제를 복용해도 **호전되지 않는다.**
  (Afferent loop syndrome과의 구분점)

② **진단**

a. Tc-HIDA scan : 담즙이 reflux되는 경로를 알 수 있다.
b. 위내시경 : stoma 부위를 생검하고, 위액에 담즙함유 정도를 검사한다.

③ **치료**

a. 내과적 치료를 먼저 할 것

H_2 -receptor blocker, antiacid, cholestyramine, motility agent (MCP)

b. 증상이 심하고, 내과치료에 반응하지 않을 경우 수술 시행

Choice : **"Roux-en-Y 술식"** ★★

reflux 예방 위해 Roux lim은 G-Jstomy로부터 **41-46cm하방**에 위치, 수술자체가 **ulcerogenic** 하기에, vagotomy, antrectomy가 안되어 있으면 시행함.

■ Postvagotomy Syndrome

1. Postvagotomy Diarrhea

• 위수술 후 평균 30%에서 설사가 나타남.
→ 보통 술 후 3-4개월 뒤 호전됨.

① **기전**

: 간외담도계와 소장의 denervation
→ unconjugated bile salt가 결장으로 빠르게 유입
→ 수분흡수 방해

② **치료**

• 대부분은 저절로 없어짐.
약제로는 **cholestyramine** ((bile salt 와 결합)이 효과적
• 내과 치료에도 1년이상 효과없으면 (1%) Reversed antiperistaltic jejunal segment interposition
: Treitz 하방 90~100cm에서 10cm sized jejunum을 거꾸로 위치시킴.

2. Postvagotomy Gastric Atony

• 미주신경절제 후 antral pump 기능이 상실되므로 일시적으로 gastric emptying이 지연될 수 있지만, 이것이 지속되는 상태를 가리킨다.

① **진단** :

a. 위내시경으로 다른 해부학적인 이상이 있는지 먼저 확인한다.
b. 위배출에 대한 scintigraphic accessment

② **치료** : prokinetic agents(Metoclopramide혹은 Erythromycin)

STRESS GASTRITIS

• 심한 화상, 외상, 출혈성쇼크, 호흡부전, 폐혈증 등의 stress시 발생함.
• **위의 상부 및 fundus에 다발성의 superficial erosion발생함 ★**
• stress상황의 1-2일내에 발생하며 상부 위장관 출혈을 야기할 수 있다.

■ 발생 기전

• **위산**에 대한 **방어능력저하★★**로 인해 발생
mucosal ischemia

■ 치료

① 일반적인 지지요법

• 수액공급, 응고장애교정, 광범위 항생제투여

② NG tube를 통한 gastric lavage

(효과)

a. 위에 고인 **혈액제거**

b. **위팽창억제**

c. **gastrin분비촉진**

d. bile, pancreatic juice 같은 위에서 **유해한 물질제거**

└ 위의 기능을 저하시킴

→ 80%이상이 이러한 lavage로 출혈을 멈춘다.

그후 PPI및 H2 blocker로 intraluminal pH를 5.0이상으로 유지

③ Angiographic Tx

: Lt. gastric a.를 통한 vasopressin주입이 지혈에 도움이 될 수 있다.

④ **수술 : 6U(3000cc)이상의 수혈이 필요할 때**

• 보통 출혈 부위는 proximal stomach, fundus이므로 이 부위로 **closing the anterior gastrotomy** 를 시행한 뒤 출혈 부위를 **figure-of-eight stitch**로 봉합한다.

→ 그 후 truncal vagotomy 및 pyloroplasty 시행

• 심할 경우 partial gastrectomy c vagotomy 및 TG도 시행할 수 있다.

■ 예방

① General care

② 위내산도를 **5이상으로 유지**한다.

→ Antacids, H2blocker or sucralfate를 이용할 수 있다.

cf) Antacid가 H_2blocker보다 효과적이며

H2blocker를 사용할 경우 간헐적 주입보다는 지속적 주입이 좋다.

sucralfate는 위내강의 알칼리화를 일으켜서 세균증식으로 인한 nosocominal pneumonia를 유발할 수 있으므로, 6시간마다 1g씩만을 사용한다.

③ 출혈위험이 있는 가장 강력한 두가지 위험인자 (호흡부전 & 응고장애)
※ 응고장애가 없거나 48시간 이하의 인공호흡기를 필요로 하는 경우 예방할 필요가 없다.

BENIGN TUMORS

1. Gastric Polyps 【16】

① Fundic gland polyps	② Hyperplastic polyps	③ Adenomatous polyps
• 2-3mm 가량의 다발성 sessile 병변이 주로 위체부 및 위저부에 존재한다. • 전체 polyp의 47%로서, malignant potential 없다. • **전암병변**은 아니지만 이병변을 지닌 환자의 **60%에서 결장직장암을 지닌다.** → colonoscopy 필요	• m/c (28-75%). 크기 ≤ 1.5cm • H.pylori 감염에 속발하는 chronic atrophic gastritis (4cm이상에서 40%에서 발생) → **H. pylori를 치료하면 병변이 없어지기도 한다.** • 자체는 nonneoplastic 병변이지만, dysplasia가 발생할 수 있다 (2% 선암동반) 발견시 조직검사를 위해 내시경적 절제를 해야 한다 cf) **H. pylori와 관련된 위장 질환들** ① 위선암 ② 위림프종 ③ Hyperplastic polyp	• gastric polyps의 10% antral, solitary & eroded의 특징을 지닌다. • tubular, tubulovillous or villous로 구분됨 • **선암이 21%**에서 발견되고, **크기가 클수록, villous histology에서 악성위험도이 높다.** (villous에선 33%가 선암임) 즉, 4cm이상의 경우 40%가 악성이며, tubular adenoma 중 6%가 악성인 게 비해 villous & tubulovillous adenoma중 33%가 악성이다. • **동시발생하는 선암**이 위의 다른 부위에 있을 수 있다(8-59%). • **내시경적 절제를 시행하며, 수술적절제의 적응증은,** a. **sessile polyp ≥ 2cm** b. **polyps에서 invasive tumor가 발견시** c. **통증이나 출혈의 증상시**

2. 이소성 췌장 (Ectopic Pancreas)

- Ectopic pancreas의 70%는 위, 십이지장 및 공장에 위치한다.
- 대부분은 무증상이지만, 소화성궤양증상을 유발할 수 있다.
- **진단** : 내시경적 생검을 시행하지만, 점막하층에 위치하므로 진단에 어려움이 있다. (EUS, guided Bx)
- **치료** : 증상 유발시 수술적 절제 시행

MALIGNANT TUMORS

1. Adenocarcinoma

■ 역학

1. 일반적인 위험인자들

① 식이
- **저지방 및 저단백질 식이**
- **절인 고기 및 생선**
- **높은 질산염 (nitrate) 섭취**

  cf) nitrates는 세균에 의해 carcinogenic nitrites로 전환된다.
  과일이나 야채에 많은 **"ascorbic acid"**★와 **"βcarotene"**은
  항산화인자로 작용하며, ascorbic acid는 nitrates → nitrites전환을 막는다.

- **높은 탄수화물 복합물 섭취**

② 환경
- 음식을 적절하게 준비하지 못하는 환경 (굽거나 절인 음식) ex) 훈제식품★
- 냉장고가 없는 환경
- 부적절한 음료수 (우물물 → 질산염함유)
- **흡연**

③ 사회적 인자
- 낮은 사회경계 계층

④ 기타
- 전에 양성질환으로 **위절제술**을 시행받은 경우★★
- H. pylori **감염**★
- Gastric atrophy 및 gastritis★ : **악성빈혈**(Pernicious anemia)때 나타남
- **용종**

  i) Hyperplastic polyp
  - 자체는 양성이지만, 위염을 유발하여 악성이 진행하는 환경을 제공한다.

  ii) Adenomatous polyps★
  - 암전구병변으로 크기가 **2cm** 이상이거나, **sessile** 용종 혹은 침윤성 선암을 동반할땐 수술적으로 제거해야 한다.

- **남성**

2. 유전인자의 변화

① 종양유전자의 활성화	• HGF(hepatocyte growth factor) 수용체인 c-met protooncogene이 k-sam, c-erbB2 oncogene으로 overexpression된다.
② 종양억제유전자의 비활성화	• p53, p16가 비활성화된다
③ cellular adhesion 감소	• adhesion molecule인 E-cadherin이 비만형(**diffuse type**) 위암의 50%에서만 발견된다.
④ microsatellite instability존재	• 20-30%의 장형(**intestinal type**) 위암에서 발견된다.

■ 병리

1. Borrmann의 분류

① I형	• polypoid 혹은 fungating lesion
② II형	• 경계부가 융기된 궤양성 병변 (ulcerofungating type)
③ III형(m/c):	• 위벽으로 침투된 궤양성 병변 (ulceroinfiltrative type)
④ IV형	• 비만형으로 침투된 병변 (diffusely infiltrating lesion) • 이 병변이 전체 위에 해당될 때 Linitis plastica라고 한다
⑤ V형	• 다른 범주에 속하지 않을 때 (unclassifiable)

(그림) Borrmann' s classification

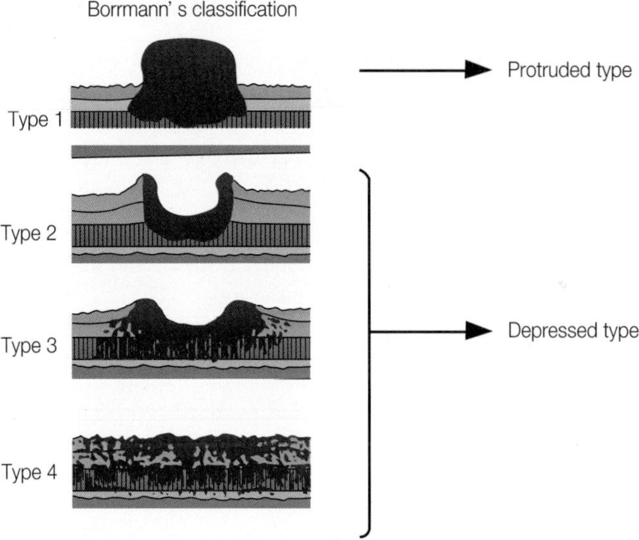

2. Lauren(1965)의 조직병리 분류법 ★

장형(intestinal type)	비만형(diffuse type)
• **환경적인 영향**을 받음. – 즉, endemic area에 집중됨 – gastric atrophy 및 intestinal metaplasia 등의 암전구병변에서 진행한다.	• **가족력**과 관련됨. – 혈액형 A와도 연관
• M 〉 F **나이가 많을수록 증가** **감소추세**	• F 〉 M **젊은 연령층**에 많음 **증가추세**
• **H. pylori 감염과 관련됨.**	• H. pylori 감염과 관련적다.
• 조직학적으로, **Well differentiated**이며 **gland**를 **형성**한다.	• **Poorly differentiated,** **Signet ring cell type**
• **Hematogeneous spread** **간전이가 많다.**	• **Transmural/ Lymphatic spread** **복막전이가 많다.**
• Microstellate instability	• E-cadherin감소
• APC 유전자 변이	
• p53, p16 비활성화	• p53, p16 비활성화

3. Correa가 제시한 장형(intestinal type) 위암의 발병기전 모델

(그림) Model of human gastric carcinogenesis

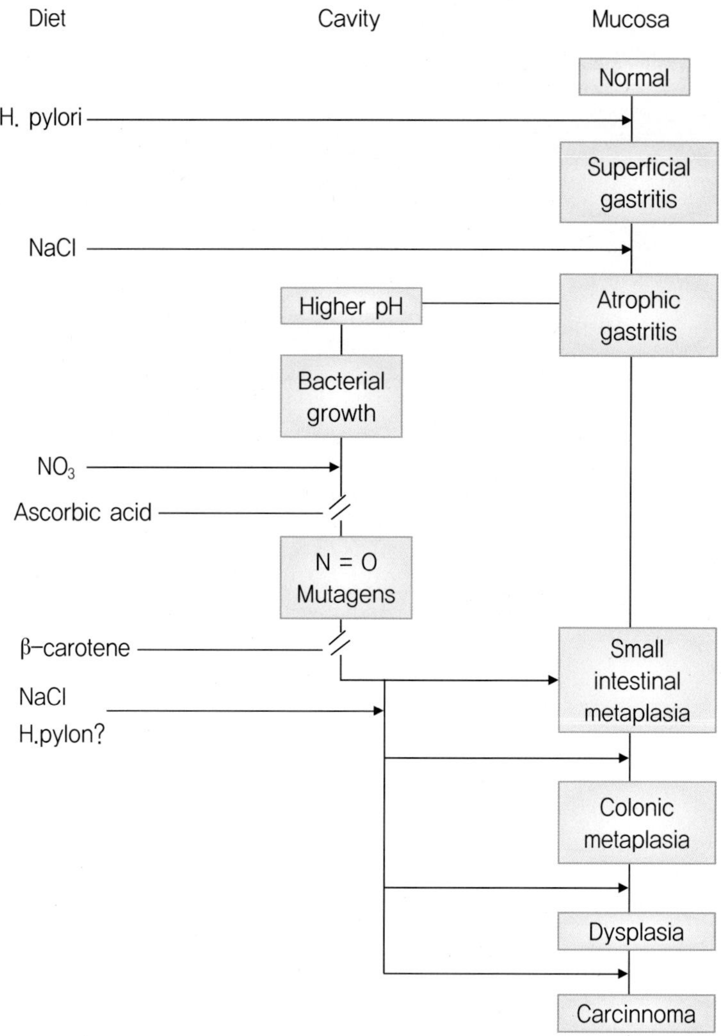

위염 진행함에 따라 parietal cell등의 **수 감소**
→ exocrine secretion과 gastric acid secretion **감소**
→ pH **상승**
→ bacterial colonization 조장
→ **세균**에 의한 nitrites와 N-nitrosamine 생성으로 더 **점막손상**
→ 점막의 metaplasia, dysplasia의 과정을 거쳐 **위암** 발생

4. 조기위암(EGC: Early gastric Cancer)

① **정의** : 림프절 침범유무와 무관하게, 점막 및 점막하조직을 침범한 악성종양(stage T1)

② **특징**

- Antrum에 호발★
- 육안소견상 가장 흔한 type은 IIc이다.★

> • **예후인자**
>
> a. 원발성 병변의 **침습**정도, b. **림프절** 전이유무, c. **조직학적 분류**

③ **분류**

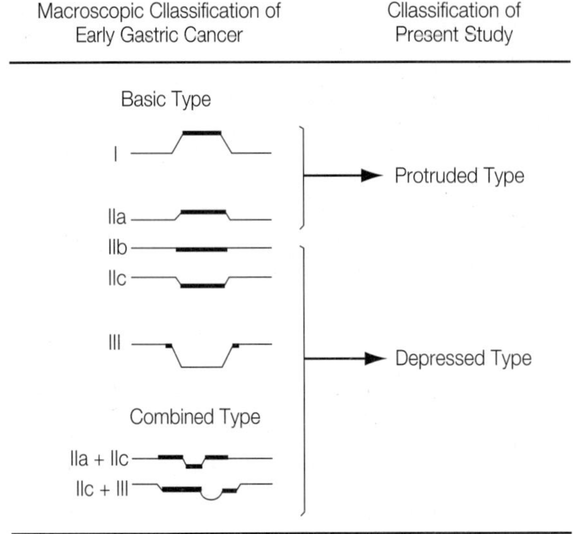

④ **치료**

a. EMR (Endoscopic mucosal resection) 적응증

> 1) 점막(mucosa)에 국한되고 (T1a)　2) lymphovascular invasion이 없으며
>
> 3) 종양의 크기가 2 cm 이하　4) ulceration이 없고　5) 분화도가 좋은 (well differentiated) 경우

b. **위절제술**

⑤ **예후**

- 5년 생존율은, 70%(점막하조직침범, 림프절양성시) ~ 95%(점막침범, 림프절 음성시)

추가노트

☞ **종양크기가 작고(<3cm), 점막에 국한**되어 있는 경우 림프절전이 위험이 **3%**이며 이와 함께 종양에 궤양이 없고, 조직학적으로 **림프전이(lymphatic invasion)**이 없는 경우 림프절 전이 위험이 1% 이하이다.

■ 임상양상

① 초기 증상이 **비특이적**이다. 즉, 상복부동통이 양성궤양 때와 큰 차이가 없다.
하지만 통증이 일정하게 지속되고, 방사통이 없으며 음식물을 섭취해도 호전되지 않으면 악성을 시사한다.

② 진행되면 체중감소, 식욕부진, 피로 및 구토 등 15%에선 hematochezia, 40%에선 빈혈 동반됨.

③ **부위에 따른 증상**

- GE junction → 연하장애(dysphagia)
- distal antrum → gastric outlet obstruction
- diffuse mural involvement(by linitis plastica) → 조기 포만감

④ **근치적 절제를 할 수 없는 경우**

a. **만져지는 복부종괴**
b. **Virchow's node** : Lt. supraclavicular LN가 촉진될 때 ★
c. **Sister Mary Joseph's node** : Periumbilical LN
d. **Blumer's shelf** : 직장수지검사에서 종괴가 촉진될 때
e. 간전이로 인한 **간비대, 황달, 복수** 및 **cachexia**
f. **Krukenberg's tumor** : ovary

■ 술전 검사

1. 위내시경검사

- **4군데** 이상 ulcer crater **주변부위**를 조직생검한다.
  필요시 EUS(Endoscopic Ultrasound)를 시행할 수 있다.

2. CT

- 기본적으로 복부 CT검사를 시행하며, 여성인 경우 pelvic CT, proximal gastric Ca의 경우 chest CT도 시행함.

3. 복강경검사

- CT로 5mm 이하의 병변을 찾지 못하기 때문에 필요성이 제기되었고, CT에서 절제가능하다고 평가된 환자의 23-37%에서의 전이병변을 발견하였다.
- peritoneal fluid lavage에서 **악성종양세포가 나왔을 경우** stage IV에 해당되지만, false (+) 가능성도 있고, 항상 수술결과와 일치하지는 않으므로 **수술 진행을 막지는 못한다**.

■ 병기

1. TMN Classification

(표) TNM Classification of Carcinoma of the Stomach (AJCC; 2010)

Primary Tumor, 원발종양 (T)		
TX		원발종양의 침윤정도를 알 수 없음
T0		원발종양의 증거가 없음.
Tis		상피내암 (Carcinoma in situ), Lamina propria를 침범하지 않음.
T1		mucosa 또는 submucosa까지 침범한 종양
	T1a	Mucosa (점막층)를 침범
	T1b	Submucosa (점막하층)를 침범
T2		muscularis propria (고유근층)를 침범한 종양
T3		Subserosa (장막하층)를 침범한 종양
T4		Serosa (visceral peritoneum) 또는 adjacent structures 를 침범한 종양
	T4a	Serosa (장막)를 침범
	T4b	Adjacent structures (주변장기)를 침범

Regional Lymph Nodes, 림프절전이 (N)		
NX		Regional lymph node 전이 유무를 알 수 없음
N0		Regional lymph node 전이가 없음
N1		1–2개의 림프절 전이
N2		3–6개의 림프절 전이
N3		7개 이상의 림프절 전이
	N3a	7–15개의 림프절 전이
	N3b	16개 이상의 림프절 전이

Distant Metastasis, 원격전이 (M)	
M0	원격전이가 없음
M1	원격전이가 있음

From AJCC cancer staging manual, 7th edition, New York, 2010, Springer.

2. R status : 위절제후의 tumor status을 표시한다.

① **R0** : microscopic margin (–)
② **R1** : 모든 macroscopic disease를 제거했지만, microscopic margin (+)
③ **R2** : gross residual disease있는 상태
cf) **장기생존은 R0후에만** 기대할 수 있다.

3. 림프절의 위치 및 명칭

(그림) LN station

림프절의 명칭 1: Rt. paracardial, 2: Lt. paracardial, 3: Lesser curvature, 4sa: Short gastric, 4sb: Lt. gastroepiploic, 4d: Rt. gastroepiploic, 5: Supraphloric, 6: Infrapyloric, 7: Lt. gastric artery, 8a: Ant. comm. hepatic, 8p: Post. comm. hepatic, 9: Celiac artery, 10: Splenic hilum, 11p: Proximal splenic, 11d: Distal splenic, 12a: Lt. hepatoduodenal, 12b, p: Post. hepatoduodenal, 13: Retropancreatic, 14v: Sup. mesenteric v., 14a: Sup. mesenteric a., 15: Middle colic, 16al: Aortic hiatus, 16a2, b1: Para-aortic, middle, 16b2: Para-aortic, caudal

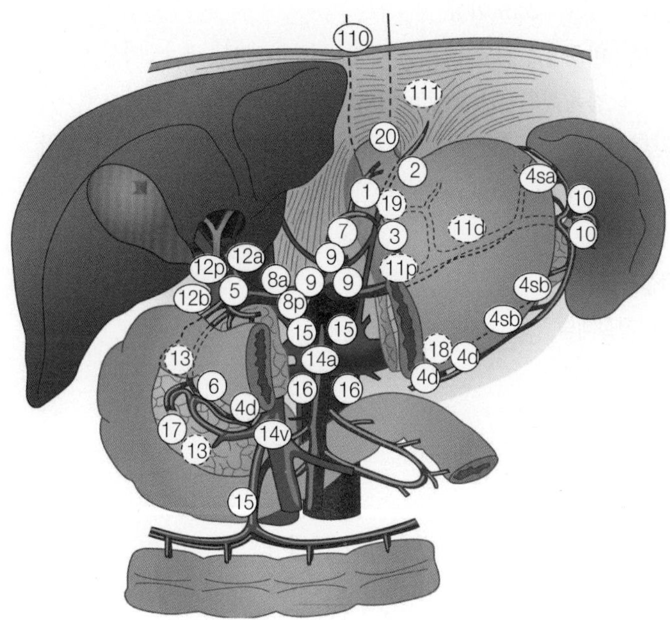

 추가노트

※ Greater, lesser omentum이나 stomach 주위의 ligament는 adjacent structure에 속하지 않는다.

• 정확한 병기결정을 위해선 최소한 16개 이상의 림프절절제가 필요하다.

◇ CIS시엔 Wedge resection만으로도 충분하다. ★

◇ 간전이★★

1. **남자**에서 호발한다
2. Well-differentiated type>Poorly-differentiated type보다 많다.
3. Bormann I, II > Bormann III, IV
4. 원발암의 Venous or Lymphatic invasion이 심한 경우 간전이 많다.

■ 치료 【17】【15】【14】【13】

▣ 근치적 치료

1. 위암 치료의 중요한 인자: 범위 (extent) & 위치 (location)

① **범위 (Extent)**

→ 위암은 광범위한 intramural spread를 하기 때문에 적어도 6cm의 cutmargin을 확보해야 한다.

→ Japanese guidelines에서는 proximal margin을

- T1(조기위암)인 경우 : 2cm 이상
- T2이상인 경우: 비침윤성위암(Bormann Type1, 2)에서는 3cm 이상
  침윤성위암(Bormann Type3, 4)에서는5cm 이상

을 권고하고 있다. 무엇보다 충분한 cut margin을 확보하는 것이 가장 중요히고, 필요시 수술중에 frozen section 검사를 통해 margin (-)를 확인하는 것이 좋다.

② **위치에 따른 치료**

- 위쪽 1/3 : **위전절제술**
- 아래쪽 2/3 : **위아전절제술**

2. 림프절 절제

① **JCGC (Japan)의 방식**

a. D1 절제 : 1군 림프절 절제

b. D2 절제 : 1군, 2군 림프절 절제

c. D3 절제 : D2절제 + para-aortic LN (16번) 절제

② **D2 LN절제**가 표준이다(동양에서).

조기위암에서도 **D1+절제**를 시행한다

(∵ **조기위암**의 10% (점막침범시의 3%, 점막하층침범시의 20%)에서 **림프절전이**가 발견됨)

단, clinical하게 LN 전이가 없을 경우 점막까지 침범이 있거나(T1aN0), 1.5cm 이하의 분화도가 좋은 점막하층암(T1bN0)의 경우 D1 절제를 할 수 있다.

③ 부위에 따른 절제해야 하는 림프절

(그림) 림프절절제의 범위

Lymph node dissection	
Total gastrectomy	Distal gastrectomy (Subtotal gastrectomy)
D0: Lymphadenectomy less than D1 D1: Nos. 1–7 D1+: D1 + Nos. 8a, 9, 11p D2: D1 + Nos. 8a, 9, 10, 11p, 11d, 12a.	D0: Lymphadenectomy less than D1 D1: Nos. 1, 3, 4sb, 4d, 5, 6, 7 D1+: D1 + Nos. 8a, 9 D2: D1 + Nos. 8a, 9, 11p, 12a.

3. 위절제술 후 재건 방법

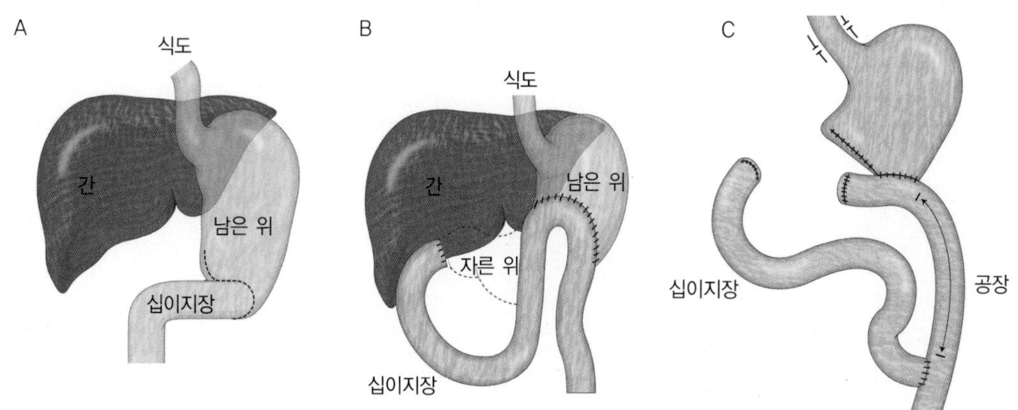

• **원위부 위절제술후 재건방법.** A. Billroth Ⅰ. B. Billroth Ⅱ. C. Roux-en-Y 문합술

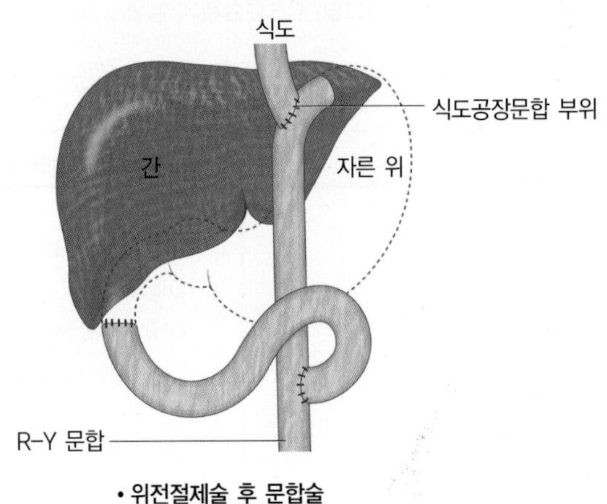

• 위전절제술 후 문합술

■ 치료 성적

① 위암 환자의 생존율은 55.9~64.5% 정도로 보고되고 있다. 근치적 절제를 시행한 경우에는 64.8~70.2%정도로 보고된다.

② 재발은 수술 후 3년내에 많이 발생하며,

locoregional failure가 38-45%, **복막전이**가 54%에 해당한다.

m/c재발부위 : 문합부위의 **잔여위**, gastric bed 및 **국소 림프절**

cf) 단독 원위전이 (to liver, lung, bone)는 드문 편

③ **수술후**,

첫 1년	다음 1년	그 다음
4개월 간격	6개월 간격	1년 간격

CBC, LFT, CXR, abdomen & pelvic CT를 시행할 수 있고, STG를 시행받은 환자는 **매년 위내시경**을 시행받는다.

추가노트

☞ 위암의 완화 치료 (Palliative Tx)

① 이미 4기인 상태로 병원에 오는 20-30% 환자를 대상으로 한다.

② 종류

- 수술적 & 비수술적
- 복막 및 간전이, 비만성 림프절 전이가 있는 환자의 출혈 및 폐색에 대한 치료는 **"비수술적"** 인 방법을 먼저 사용한다. (laser recanalization, 내시경적 확장술, stent 사용)

☞ 위암의 보조적 치료 (Adjvuvant Tx)

- R0절제후의 chemoradiation은 생존율의 증가를 가져온다.
- 복강내 화학요법을 시행하려면 수술직후 시행한다.

1. 위 림프종 (Gastric Lymphoma)

■ 역학

① **위는 위장관에서 림프종이 가장 많이 생기는 부위이다.**
하지만 일차성 위림프종의 빈도는 낮아서 위의 악성종양의 15% 이하 및 전체 림프종의 2%의 빈도이다.

② B symptom(fever, night sweats, weight loss)은 드물다. 절반이상의 환자에서 빈혈이 있다.

③ **M:F=2:1, 50세★ 이상에 흔함** (40세 이하에서는 거의 없다)
주로 antrum에 위치한다. 64-100%에서 **H. Pylori 감염**과 관련

■ 병리

※ 아래의 두가지 subtype이 가장 흔하다.

① Diffuse large B-cell lymphoma	② MALT lymphoma (Extranodal marginal zone lymphoma)
• 빈도 55% • 대부분 일차 병변이지만 Less aggressive lymphoma가 진행되어 나타날 수도 있다. • 면역결핍 및 H. pylori 감염이 위험인자	• 40% • 위(및 위장관, 폐, 침샘 및 갑상선)는 보통 림프조직이 없지만 **염증반응 후에 생기게 되며**, 염증반응 후 발달된 림프조직에 생긴 low-grade B cell lymphoma를 가리킨다. • **H. pylori감염이 선행한다. (→ 염증유발)** • H.pylori가 제균되고 위염이 좋아지면 저등급 MALT 림프종은 종종 사라진다

■ 검사 & 병기

① **위내시경 및 EUS (Endoscopic Ultrasound)**
: deep Bx.에 의해 정확도 90~100%

② **원발전이 여부를 알기 위한 검사들**
: 상기도검사. **CT(흉부 ~ 골반)**, 골수생검.
└림프절 종대 발견시 생검한다.

③ **H. pylori 검사 (by histology or serology)**

④ **수술시 병기결정**
- liver Bx. & mesenteric, retroporitoneal LN 생검할 것
  Celiac, paraaortic L/N도 생검한다.
- 위암에서 사용되는 TNM system이 사용된다.

⑤ 병기(Ann Arbor)

IE	종양이 위장관에 국한된다.
IIE	종양이 국소림프절로 파급된다.
IIIE	종양이 paraaortic LN 및 iliac LN로 파급된 경우
IIIE-IV	간,비장 등 다른 복강내장기로 파급되거나 복강밖 (가슴,골수등)으로 파급된 경우

■ 치료

※ multimodality Tx★가 원칙이다.
즉, 위절제는 아직 논란이 많고, 보통 CTx + RTx를 많이 시행한다.

① 항암요법
- 림프종치료의 기본이며, late-stage시에는 단독으로 쓸 수도 있다.
- 항암요법을 시행받는 환자의 위천공위험은 **5%미만**이다.

② 방사선요법
- 종양크기가 작을 때 효과적이다.
  즉, **3cm 이하**시 100%반응하지만, 6cm 이상시 60-70%만 반응한다.
- 방사선치료 10년 후 **30%** 가량의 환자에서 **장협착 등의 합병증**이 발생한다.
  → 즉, 젊은 환자에선 신중하게 결정해야 한다.

③ **수술** : isolated IE 혹은 IIE의 경우

④ H. pylori박멸
- 초기의 MALT 림프종 혹은 매우 제한적인 diffuse large B-cell 림프종의 경우 75% 이상에서 H. pylori 박멸만으로도 림프종이 치료될 수 있다.
- H. pylori박멸만으로 치료되지 않는 경우 : 위전층에 종양이 퍼져 있거나 림프절 침범한 경우 large cell phenotype, transformation (11;18) 혹은 Nuclear Bcl-10

2. 위 간질종양 (GIST)

- 전체 GIST의 60-70%가 stomach에서 발생 (m/c)
  (Stomach은 GIST 발생의 가장 흔한 부위이다)
  전체 gastric malignancy의 1~3% 차지
- M〉F (2배). 50대에 호발

■ 특징

① **병리**

조직학적으로 **근육층** ★에 있는 cells of Cajal (자율신경계와 연관된 GI pacemaker cell)에서 기원함.

※ 발현하는 물질: **Kit (CD117) 단백, CD34**

② **병기**

아래가 악성의 기준이며, 이 기준으로 **20%가 악성**이다. 즉, 전이여부는 양성악성기준이 아니다 (실제론 양성병변이 전이가 더 많다).

a. Mitotic index ⓐ 낮은 경우 (50HPF에서 ≤ **5** mitoses시) → **양성** ⓑ 높은 경우 (50HPF에서 〉 **5** mitoses시) → **악성** ⓒ 매우 높은 경우 (50 HPF 〉 **50** mitoses시) → **고도 악성** (High-grade malignant) b. 크기 (≥ **5cm**), **cellular atypia**, **necrosis** or **local invasion** c. **C-kit 변이**는 악성 GIST에서 주로 나타나며, 좋지 않은 예후인자가 될 수 있다.

※ GIST의 대부분(80%)는 양성 GIST에 해당한다. 대부분의 **악성 GIST는 전이를 하지 않는데** 비해, **많은 양성 GIST는 전이**소견을 보인다(malignant behavior). 이렇게 전이를 하는 양성 GIST는 **병변의 크기가 보통 크며** 이 경우를 "**Uncertain malignant potential**"이라고 부른다.

③ **임상양상** : 위장관출혈, 통증/소화불량

④ **진단검사** : 위내시경 (생검을 통한 진단율 50%), CT, double-contrast UGIS

■ 치료

1. 수술 【17】【16】【13】

- **병변이 침투된 주변 조직을 포함한 margin (-) En bloc 절제**
- 림프절 전이는 드물기 때문에 (〈10%), **림프절절제술은 시행하지 않는다.**
  (∵주로 **간**, **폐** 등으로 **혈행성 전이**)

2. 약물치료 – **글리벡 (Gleevec ; Imatinib mesylate)**

- **tyrosine kinase의 선택적 억제제**로 54%의 환자에서 최소 partial response를 보임.
- **CD117 양성**인 **절제불가능**★하며 **전이**를 지닌 GISTs에 사용함.

추가노트

☞ "**모든 GIST**"는 정의상 **Kit** (CD117, stem cell factor)를 발현한다.
그리고 "**대부분(70-80%)의 GIST**"는 **CD34** (hematopoietic progenitor cell antigen)양성이다.

☞ HPF: high-power fields

3. 예후

- 수술후 5YRS는 48%
- 재발은 주로 술후 2년내 발생함. **재발과 관련된 인자**

> ① Mitotic index (≥ 15 mitoses/30HPF)
> ② 혼합된 세포 양상 (spindle cell & epitheloid)
> ③ c-kit exon 11에 deletion/insertion **변이**가 있을 때
> ④ **남성**

Gastric GIST의 악성도 평가 guideline (Sizes and Mitotic Activity)
Benign (no tumor-related mortality)
• No larger than 2 cm, no more than 5 mitoses/50 HPF
Probably benign (<3% with progressive disease)
• >2 cm but ≤ 5 cm; no more than 5 mitoses/50 HPF
Uncertain or low malignant potential
• No larger than 2 cm; >5 mitoses/50 HPF
Low to moderate malignant potential (12%-15% tumor-related mortality)
• >10 cm; no more than 5 mitoses/HPF
• >2 cm but ≤ 5 cm; >5 mitoses/50 HPF
High malignant potential (49%-86% tumor-related mortality)
• >5 cm but ≤ 10 cm; >5 mitoses/50 HPF
• >10 cm; >5 mitoses/50 HPF

MISELLANEOUS LESIONS

■ Hypertrophic Gastritis (Menetrier' s Disease)

1. 병리

① 위저부(fundus)와 체부(corpus)에 두꺼운 gastric folds를 지니는 **전암병변**임. 점막은 조약돌(cobblestone) 혹은 체(cerebriform) 모양을 지님

② **조직소견** : foveolar hyperplasia + '벽세포 (parietal cells)가 없을 때'

2. 임상양상

- 위에서의 과다한 **점맥분비**로 인한 **단백질소실** 및 hypochlorhydria (or achlohydria)
- 소아에서의 CMV 감염 및 성인에서의 H. pylori 감염과 연관됨

3. 진단

① **조직생검** : 위암, 위림프종과의 감별 위해
② 24시간 pH monitoring : hypochlorhydria 평가
③ chromium-labeled albumin test : 위장관을 통한 단백질 소실 평가

4. 치료

① 내과적 치료 : 항콜린약제, 위산분비억제, Octreotide & H. pylori 박멸
② 내과적치료에 반응하지 않을 때 위전절제술 시행

■ 위석 (Bezoar)

1. 발생기전

위배출장애로 발생함.
└ vagotomy, antrectomy, outlet obstruction 등이 유발인자

2. Bezoar의 종류

위식물덩이 (Phytobezoar)	위창자털덩이 (Trichobezoar)
• 식물성 물질 → 효소 (papain, cellulose)로 용해시키거나, Orogastric tube로 세척 및 내시경으로 분쇄한다.	• 용해되지 않은 hair로 구성됨. → 크기가 큰경우 수술적 제거를 하는 경우가 많다.

■ Dieulafoy' s lesion

1. 특징

• 위 동맥 위쪽의 표층점막에 미란 (erosion)으로 인해 혈관이 손상되어 **"갑작스런 심한 출혈"을 일으킬 수 있다.**
• 병변은 주로 proximal stomach에서 발생함.

2.진단 및 치료

• 위내시경이나 혈관촬영을 통한 중재술로 치료하지만 조절이 안되면 수술을 시행한다.
└ gastric wedge resection

■ Gastric volvulus

1. 유형

① Organoaxial	② Mesenteroaxial
• 전체의 2/3 빈도 • **longitudinal axis**로 torsion • 급성 diaphragmatic defect와 연관	• 전체의 1/3 • **vertical axis**로 torsion • 부분적 (≤180도), 반복적

2. 증상 및 진단

- Borchardt' s triad

① 일정하며, 심한 상복부 동통 ② 토하지 않는 심한 구역질 ③ L tube가 통과하지 않음

- 확진은 조영검사 및 내시경검사로 한다.

3. 치료

- 급성인 경우 응급으로, 개복하여 꼬인 것을 풀어준다. 횡격막결손도 교정한다.
- 횡격막결손과 관계없는 자발성질환의 경우, gastropexy 및 tube gastrostomy를 통해 위를 고정한다.

Power

16 소장

Small bowel

★★☆☆☆

발생

(그림) 장의 회전

A. SMA axis를 중심으로 90도 rotation한 후의 모습(Proximal loop는 오른쪽에, Distal loop는 왼쪽에 있다.)
B. 그후 계속 180도 rotation을 한 후의 모습이다. T-colon이 십이지장 앞을 지난다.
C. 복강내로 들어간 후의 장의 위치이다. 소장이 늘어나서 소장루프를 형성함에 주목하자.
D. Cecum이 Rt. iliac fossa내로 들어간 후의 마지막 모습이다.

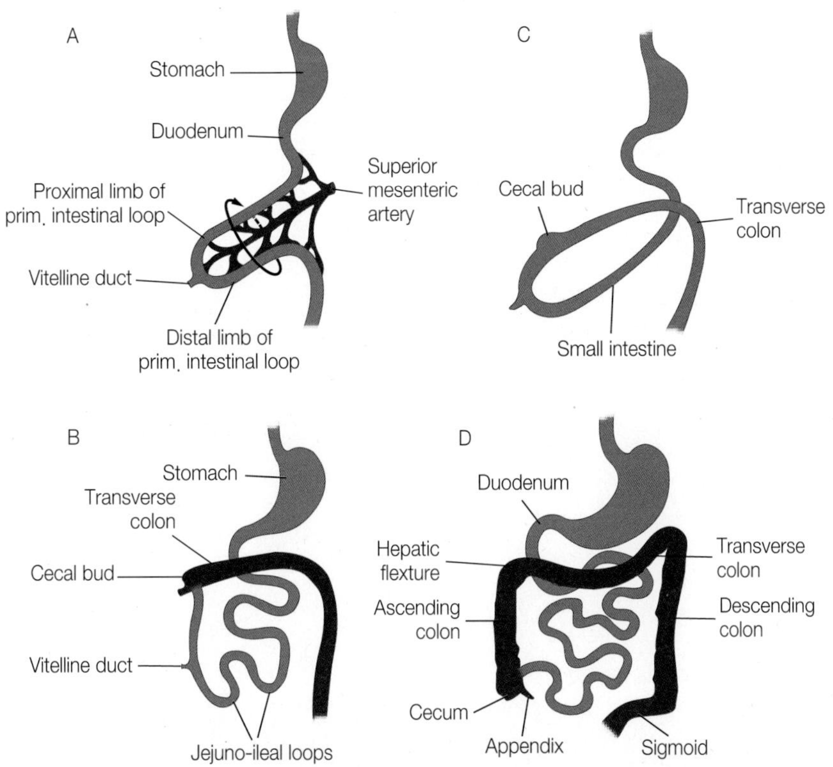

① 태생 4주 : 원시 소장이 생성됨.
십이지장만이 foregut, 나머지는 모두 midgut origin.

② 5주 : 배꼽을 통하여 midgut이 밖으로 나감.

- Cranial limb : 십이지장 원위부 ~ 회장 근위부 형성
- Caudal limb : 회장 원위부 ~ T colon의 proximal 2/3 형성함.

③ 10주 : 270도 회전하여 다시 들어옴 (cecum이 맨 마지막으로)

④ 10-12주 : Crypt formation

※ 4개의 세포로 분화된다.
: absorptive enterocyte, goblet cell, Paneth cell, enteroendocrine cell.

해부

■ 육안 해부

1. 일반적인 사항

① 전체 약 270-290 cm
→ 이중 십이지장은 20 cm, 공장은 100 cm, **회장**은 150 cm.
(공장: proximal 2/5, 회장: distal 3/5 **차지**)

※ "**공장**" 이 "회장" 보다

a. 더 **크고**,
b. 더 **두껍고**
c. 더 **주름지고** (Plicae circulares)
d. Vasa recta가 더 길고
e. 1-2개의 arcade를 지닌다. (cf. 회장은 4-5개의 short arcade)

(그림) 공장과 회장의 비교

공장은 직경이 크고, 벽이 두껍고, Plica circulares가 두드려지며, 1-2개의 arterial arcades인 긴 vasa recta를 지니며, mesenteric border에서 투명하게 (fat-free)하게 보인다.
회장은 작고, 벽이 얇고, plicae가 적으며, 많은 vascular arcades가 짧은 vasa recta와 함께 있으며, Mesenteric fat이 풍부하다.

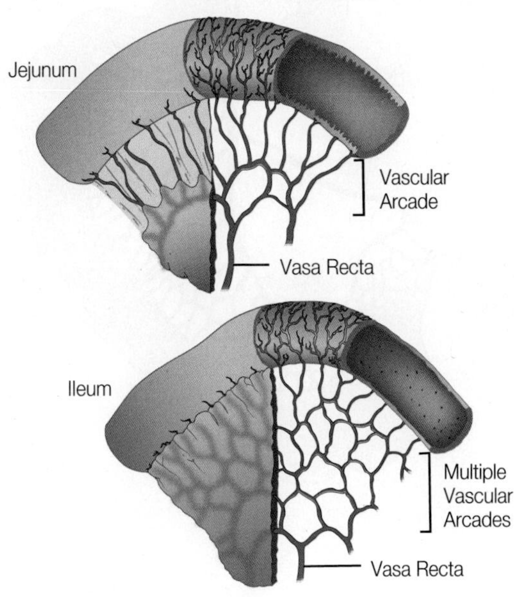

② **장간막** (Mesentery) : L2 척추의 왼쪽면에서부터 오른쪽 SI (Sacroiliac) joint까지 비스듬이 붙어있다.

2. 신경혈관 분포

① **동맥** : SMA가 췌장, 십이지장 소장, 상행 및 횡행결장 공급

(그림) 소장으로의 동맥공급

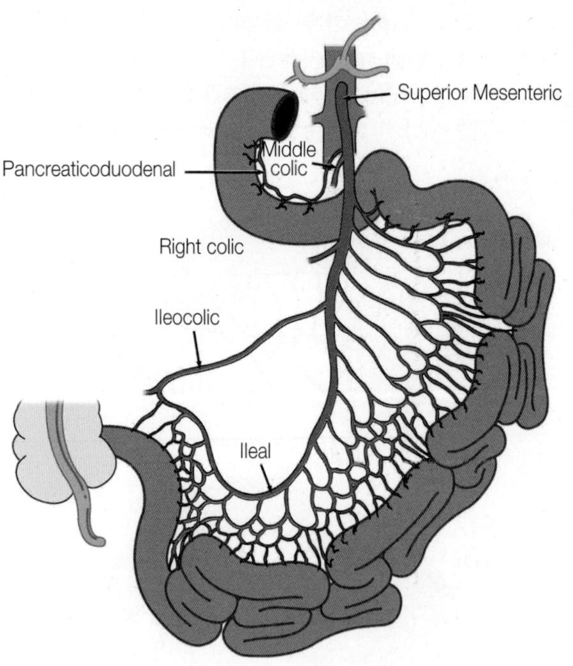

② **정맥** : 동맥와 평행하게 주행 (SMV로 유입 됨)

③ **신경**

교감신경	부교감신경
- **abdominopelvic splanchnic nn.** (greater, lesser & least)에서 유래하며, SMA의 base주위에 있는 plexus에서 synapse한 뒤 장벽에 도달한다. cf) **Visceral afferent fb.** - 장에서의 **감각(통증)**을 전달하며, **교감신경계내**에서 장벽에서부터 CNS로 retrograde하게 전달한다.	- **vagus n.**에서 유래하며, celiac ganglion을 거쳐 주행하며 분비, 운동성 관여 및 활동의 모든 시기에 관여 (synapse는 장벽에서 이루어짐) - Vagal afferent fb.가 존재하지만, 통증전달에 관여하지 않음

④ **림프계** : 소장 원위부에 있는 Payer patch에 집중
: mucosa → nodes adjacent to the bowel in the mesentery → regional LNs adjacent to the mesenteric arterial arcade → cisterna chyli → thoracic duct

■ 현미경적 해부

① 층

• 점막층 • 점막하층 • 근육층 • 장막층

- 점막하층
  - • 혈관과 신경(Meissner plexus)을 포함하는 fibroelastic connective tissue 층
  - • 가장 강한 부위로 문합부 봉합시 반드시 포함
- 근육층
  - 두 층의 smooth m. thin outer longitudinal layer & thicker inner circular layer

※ 점막층을 구성하는 4가지 세포들

① **Goblet cell** : mucus 분비

② **Paneth cell** : Lysozyme, TNF, Cryptidine 분비

③ **Absorptive enterocyte** : 흡수에 관여

④ **Enteroendocrine cell** : 10여종의 GI hormone 분비

② Villi

십이지장 원위부와 공장 근위부에서 가장 길고, 회장원위부에서 가장 짧다.

생리

1. 소화 흡수

① 소장 근위부 : Fe, Ca, Fat, CH(sugar), Folic acid

② 소장 중간 부위 : 아미노산, CH(sugar)

③ 회장 원위부 : 담즙, 비타민 B12, 비타민 D, 전해질

④ 결장 : 수분, 전해질

(그림) 소장과 대장에서의 흡수

Duodenum
• Amino acids
• Disaccharides
• Iron
• Electrolytes, water

Jejunum
• Disaccharides, monosaccharides
• Free fatty acids
• Monoglycerides
• Folate, Vitamins A, D, E, K
• Calcium, magnesium, zinc, copper
• Electrolytes, water

Ileum
• B_{12} with intrinsic factor
• Bile acids

2. 내분비 및 면역기능

① 소장은 신체에서 가장 큰 내분비기관으로서, ◇ Gastrin, Secretin, CCK, Motilin, GIP, VIP, Neurotensin, GRP(Gastrin-releasing peptide), Somatostatin, Enteroglucagon, Peptide YY 등의 Gastrointestinal hormone을 분비한다.

② secretory IgA를 분비하여 **국소방어기전**에서 중요한 역할을 담당한다.

③ 소장의 lamina propria 결합조직에 B-lymphocyte, plasmacell, T-lymphocytes, macrophage, dendritic cells, 호산구, 비만세포 등이 산재해 있으며, 림프세포의 60%은 T-cell이다.

소장 폐색

■ 원인

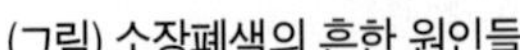
(그림) 소장폐색의 흔한 원인들

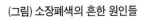

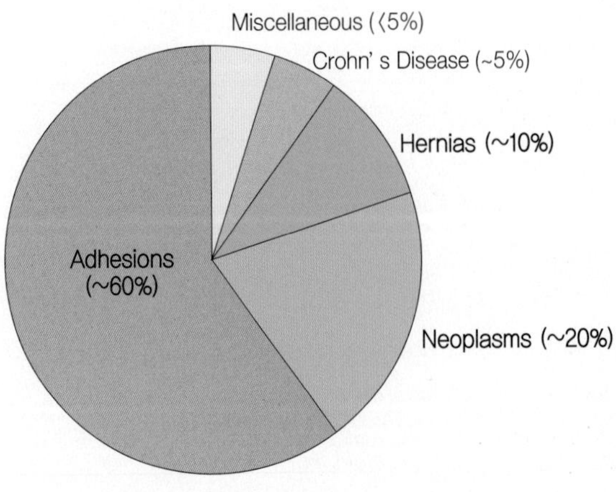

(표) 성인에서의 소장 기계적 폐색의 원인

1. 장벽 "**바깥**"의 병변으로 인한 폐색
   ① **유착 (보통 수술 후)**
   ② **탈장** External (ex. 서혜부, 대퇴부 탈장)
   Internal (ex. 횡격막 탈장 등)
   ③ **종양** : 암종증(carcinomatosis), 장외종양
   ④ 복강내 농양

2. "**장내**" 병변에 의한 폐색
   ① 선천적 : 장회전장애, 장중복증(duplication)
   ② **염증성** : 크론씨 병, 게실염, 결핵성 장염 등
   ③ **종양** : 장에 발생한 일차성 및 전이성 암
   ④ 외상 : 혈종, 허혈성 협착
   ⑤ 다양한 원인 : 장중첩증, 자궁내막증, 방사선장염

3. 장폐색을 유발하는 물질 : **담석, enterolith, bezoar, 이물**

■ 병태 생리

① 과정

- 폐색초기에는 장운동성 **증가**하다가 후기엔 운동성의 빈도 및 강도 **약화**됨
- 장이 확대되면서 장관내 수분 및 전해질이 증가하게 되고, 많은 양의 third space fluid loss가 일어나 **탈수** 및 hypovolemia가 생기게 된다.

② 근위부 및 원위부 폐색

근위부 폐색	원위부 폐색
• **전해질 이상**이 심함.	• **탈수**가 심함.
• 구토에 의하여 Hypochloremia, hypokalemia, metabolic alkalosis가 동반된 dehydration발생	• 소장으로 많은 양의 fluid loss발생, 전해질 변화는 심하지 않고, Oliguria, azotemia, hemoconcentration, 이 탈수와 동반되어 나타날 수 있다
• 저혈압, 쇼크 가능	• 저혈압, 쇼크 가능

※ Closed loop obstruction

- 장관내 압력이 심하게 높아져 arterial occlusion, ischemia로 진행될 수 있으며, 치료하지 않을 경우 천공과 복막염이 발생할 수 있다.

③ **장내 균의 변화**

- 장폐색이 없는 상태에서는 공장 및 회장의 근위부는 무균상태이지만 폐색발생시 E.coli, Streptococcus faecalis, Klebsiella등이 10^9-10^{10}까지 증가한다.
- 심할 경우 mesenteric lympho node를 거쳐 systemic organ까지 도달하여서 systemic sepsis, multiorgan failure를 일으킬 수 있다.

■ 임상양상 및 진단

① **병력**

- 경련성 복통, 오심/구토, 복부팽만, 가스 및 대변배출이 안됨.(폐색의 위치와 지속기간에 따라 다양하게 나타남)

  cf) 경련성복통 (4-5분간격)은 근위부폐색시 더 심하다.
  오심/구토는 상위폐색시 흔하고, 하위폐색시 통증만 있을 수 있다.
  설사 및 무른변이 있더라도 완전한 장폐색을 배제할 수 없다.

② P/Ex

- 빈맥 및 저혈압 → severe dehydration을 의미함
- **장교액** (strangulation)을 시사하는 소견 : **발열, 국소화된 압통, 반발압통**

(표) 단순 & 교액성 폐색의 차이

	단순폐색	교액성 폐색 ★【16】【14】
조직혈류장애	(−)	(+)
임상증상	• 간헐적 복통 활력상태: 양호 복막자극 증상(+) 장음: 증가 전해질 불균형: 경미	• **진통제에도 반응하지 않는 지속적 복통** **불량 (빈맥, 저혈압)** **복막자극 증상(++)** 장음: 증가 혹은 소실 전해질 불균형: 심함
방사선 소견	• 역동성 루우프	• 무력성 루우프
수술	• 지연	• **응급**
검사실 소견	• 백혈구 증가(±)	• **백혈구 증가(+)**
복수	• 투명	• 혈성

- 장폐색 초기에는 peristaltic wave가 보일 수 있다(특히 마른 환자에서는 hyperactive bowel sound 청진가능)
- 서혜부, femoral & obturator foramen에서의 감돈탈장을 r/o하기 위해 신체검진을 자세하게 시행
- 또한 DRE를 시행하여 종괴 및 잠혈여부를 확인

③ 진단검사들

- 복부단순촬영 : 임상적으로 의심되는 상황에서 확진에 도움을 주는 검사법, 60% 진단율
  : colonic distention 소견은 보이지 않으면서 소장의 확장된 loop 확인
  : multiple air-fluid levels(stepwise pattern)
- CT : bowel strangulation을 보기에 좋으나 초기에 발견을 못하는 한계가 있다
- 초음파(특히 임신시), Barium-enema

■ 치료 ★ 【17】【16】【14】【13】【12】

1. 보존적 치료

① 수액보충 & 항생제 치료 ★

- Isotonic saline solution 주입. HUO 확인 위해 Foley catheter 삽입 (Essential)
  소변이 잘 나오는 것 확인 후 필요시 KCl을 infusion한다.
- Central line 확보, 광범위항생제 투여 (Bacterial translocation을 막기 위해 투여하지만, 이를 뒷받침할 증거가 충분하지는 않다 → 수술이 필요한 환자에서 수술전처치로 투여)

② L tube를 이용한 감압 ★

- 목적 : 흡입 (Aspiration)방지, 위의 지속적 팽창 방지
- Long intestinal tube (Cantor or Baker tubes) : 효과 없다.(오히려 재원기간과 수술 후 ileus의 지속기간을 늘린다는 보고도 있다)

2. 수술

① 적응

- 완전한 소장폐색시 urgent surgical intervention이 필수적임.
  : **12-24시간** 정도의 지연은 안전하나 그 이후는 Strangulation과 다른 합병증의 위험이 증가한다.

② 환자에 따른 수술방법의 차이

- Adhesive band에 의해 발생한 폐색의 경우에는 band lysis (serosal trauma를 줄이기 위해서 gentle하게)
- Malignant tumor의 광범위한 전이가 있는 환자는 비수술적으로 치료해야하며, 그럼에도 호전이 없을 땐 단순우회술을 고려한다.
- 크론씨 병에선 급성폐색은 보존적 치료를 하며, 합병증을 동반한 만성협착시에는 bowel resection 혹은 strictureplasty 등 수술적 치료를 고려한다.

③ 수술 시 **Bowel의 viability 판별방법**

> a. **따뜻한 생리식염수**에 젖힌 sponge에 놓는다.
> → **15-20분** 후 장색깔 및 연동운동 여부를 확인한다.
> b. **Doppler** 이용한다.
> c. 18-24시간 후 **second-look OP** 시행한다.(주로 initial OP후에 환자의 상태가 나빠지는 경우에 시행)

④ 장폐색증의 **복강경 수술 적응증**

a. **경미한** 복부팽창시
(∵ 복강경하 **시야확보**가 가능하다고 생각될 때)
b. **근위부 폐색**시
c. **부분 폐색**시
d. single band obstruction이 의심될 때

■ 특별한 문제들

1. 재발성 소장 폐색

- 먼저 보존적으로 치료하고 그럼에도 호전이 없으면 수술을 고려한다.
- 유착을 줄일 수 있는 수술기술

a. Serosal tearing 막기 위해 장을 조심스럽게 handling
b. 불필요한 dissection 피함
c. 이물(foreign material) 사용을 줄인다.
(가능한 한 absorbable suture, gauze sponge 사용 제한, glove의 starch 제거).
d. Adequate irrigation & Debridement
e. 수술 부위 및 denuded pelvis에 적절하게 omentum으로 covering한다.

2. Ileus

- 정의
: Mechanical obstruction없이 장이 팽창되고 장 내용물의 통과가 느려지거나 없는 것

① **Ileus의 원인**

1. **개복수술 후**
2. **대사 및 전해질 이상** (ex. 저칼륨혈증, 저나트륨혈증, 저마그네슘혈증, 요독증, 당뇨성 혼수)
3. **약물** (ex. 아편제, 항정신약제 및 항콜린 약제)
4. **복강내 염증**
5. **후복막 출혈 및 염증**
6. **장허혈**
7. 전신 **패혈증**

② **증상**

- **경련성 복통이 없는 복부팽대 : 가장 특징적!**
- 오심/구토
- 가스배출 가능, Diarrhea → Mechanical obstruction가 감별가능

염증성 질환

■ Crohn' s Disease

- Chronic, transmural inflammatory disease
- 입에서 항문까지 어디라도 침범가능 : "**소장**"과 대장에서 가장 많다. 소장에서 수술을 요하는 가장 흔한 질환
- 가장 흔한 증상 : 복통, 설사, 체중감소
- 합병증 : intestinal obstruction, 장루형성에 의한 국소적천공 등

1. 역학

- Mimodal peak : 10-20대 & 50대
  └가장 많이 발생
- M=F.(경구피임제의 사용으로 여성에서 조금 더 호발)
- 흡연자 (2배), Whites, Jews에 많다.
- 형제간에 30배 위험, 직계간 14-15배 위험 → **가족력**이 매우 강한 질환임.

2. 원인

① 감염성 원인

- Mycobacterium paratuberculosis 및 장관부착성 대장균(enteroadherent E.coli)와의 연관성이 제기됨.

② 면역학적 원인

- IL-1, IL-2, IL-8 & TNF-α가 증가함(원인인지 결과인지 불분명함)

③ 유전적 인자

- **가족력은 CD의 단일한 가장 강력한 위험인자임**
- 16번 염색체에 있는 NOD2 **유전자**의 변이시 40배 발병위험이 있다.
- 일란성쌍생아의 경우 발현되는 경우와 그렇지 않은 경우가 있어서 유전적 원인이 100%를 차지하지 않고 다량한 원인들이 복합되어 나타나는 것으로 생각된다.

3. 병리

• 침범부위

- 소장과 대장을 모두 침범하는 경우가 55%
- 소장만 침범하는 경우 30%, 대장만 침범하는 경우 15%임
- 병변은 **단락적이며 (discontinuous), 분절적**이다.

  결장을 침범할 때 직장은 침범하지 않는 것이(rectal sparing) 특징적이다. (UC와의 구분점)

  직장 주위 및 **항문** 주위 침범이 1/3에서 나타남 (특히 결장을 침범한 병변시)

---

① 육안소견

- 병변과 정상조직이 분리되어 보인다 (skip areas 존재)
- 병변 장주변을 장간막의 지방이 광범위하게 둘러싼다. (extensive fat wrapping)
- 병변부위의 장벽이 두꺼워지고, 딱딱하고 좁아져있으며 정상인 부분은 확장되어있다.
- 장점막에 aphthous ulcer이 있고, 선형으로 있는 궤양들이 연결되어 Transverse sinus를 형성한다. 이렇게 정상점막과 transverse sinus가 혼재되어있는 전반적인 모습이 조약돌모양 (cobblestone app.)을 띈다.

---

② 현미경 소견

- 점막 및 점막하 부종
- 염증반응 – extensive edema, hyperemia, lymphangiectasia, intense infiltration of mononuclear cells and lymphoid hyperplasia
- **Langerhans씨 거대세포**를 지닌 **비건락성 육아종** 형성함

---

4. 임상양상

① **간헐적인 경련성 복통**, **설사**, 미열, 체중 감소
   └ mc Sx (간헐적인 경련성 복통)
   └ **UC와 달리 혈변, 점액변 및 고름변 아니다.** (설사)

② 주된 합병증은 장폐색 및 장천공으로, 장천공의 경우는 free perforation은 드물고 주변장기와 **fistula**를 형성하는 경우가 많다.

③ 오랜시간 지속된 CD는 소장 혹은 결장의 악성종양으로 진행할 수 있다

- Ileum에서 가장 많이 발생
- 대부분 advanced stage로 발견되며, 예후는 좋지않다
- 따라서 extensive UC환자와 마찬가지로 aggressive colonoscopic surveillance가 중요함

④ 장외 종양

- vulva 및 항문관의 편평세포암종, 림프종 (HL, NHL) 발생과 연관됨

⑤ **항문주위질환 (치열, 치루, 협착 및 농양)**

- 소장만 침범한 CD환자의 25%, 결장만 침범한 CD환자의 48%에서 발생한다.

⑥ **장외증상**

- **30%**에서 나타나며 **피부병변**이 가장 흔하다.
  └ 결절홍반(Erythema nodosum), 괴저고름피부증(pyoderma gangrenosum) 등
- 이외에 관절염, 포도막염, 홍채염, 간염 등이 나타날 수 있다

(표) CD에서서의 장외증상

1. 피부 • Erythema multiforme • Erythema nodosum • Pyoderma gangrenosum 2. 눈 • Iritis • Uveitis • Conjunctivitis 3. 관절 • Peripheral arthritis • Ankylosing spondylitis 4. 혈액 • Anemia • Thrombocytosis • Phlebothrombosis • Arterial thrombosis	5. 간 • Nonspecific triaditis • Sclerosing cholangitis 6. 신장 • Nephrotic syndrome • Amyloidosis 7. 췌장 • Pancreatitis 8. 전신 • Amyloidosis

5. 진단

• 반복적인 복통, 설사 그리고 체중감소를 보이는 환자에서 CD에 대한 감별이 필요, 바륨검사와 내시경이 가장 많이 쓰임

① 바륨검사

- 조약돌 모양(Cobblestone appearance), 선형궤양, cleft 등의 소견 확인

Kantor string 증후
└회장말단부가 길게 좁아져 보임 (오랜 시간 경과시)

② CT - Transmural thickening, 장외 합병증의 진단에 도움

③ Colonoscopy, Sigmoidoscopy

- 아프타궤양, skipped lesion(병변의 비연속성), Cobblestone appearance
- 소장병변에 대한 evaluation을 위해 여러가지 내시경기술의 발달이 이루어지고 있음(single-balloon entersocpy, double-balloon enteroscopy)

cf) 면역혈청검사

pANCA (perinuclear antineutrophil cytoplasmic Ab)

pASCA (anti-Sarccharomyces cerevisiae)

→ pANCA 음성/pASCA 양성시 CD (특이도 92%)

pANCA 양성/pASCA 음성시 UC (특이도 98%)

→ pASCA는 CD와 UC의 감별뿐 아니라 어떤 환자에서 수술적 치료가 필요한지 결정하는데에도 도움이 되는 지표

※ DDx

: 세균성감염(Salmonellosis, Shigellosis)

장결핵, 아메바증, 급성충수돌기염, 면역력이 떨어지는 환자에서의 감염(Mycobacteria, CMV)

수술시 Acute distal ileitis (CD의 초기소견)가 의심될 때는 이 증상은 **저절로 호전**되므로, ileum의 **생검 및 절제는 절대로 하면 안된다.**

(표) CD와 UC의 감별점★★

	크론씨 결장염	궤양성 대장염
1. 임상양상		
① 설사	흔함	흔함
② 직장출혈	흔하지 않음	**거의 항상 동반**
③ 경련성 복통(Cramps)	중등도~심함	경미~중등도
④ 복부종괴	가끔	거의 없음
⑤ 항문질환	**흔함 (>50%)**	흔치 않음 (<2%)
2. 방사선소견		
① 회장병변	**흔함**	드묾 (backwash ileitis)
② nodularity, fuzziness	없음	있음
③ 분포	**Skip areas**	**직장에서 위쪽으로 연속적으로 진행함**
④ 궤양	**Linear, cobblestone, fissures**	Collar-button
⑤ Toxic dilation	드묾	흔치않음
3. 내시경 소견		
① Anal fissure, fistula Abscess	**흔함**	드묾
② Rectal sparing	**흔함(50%)**	드묾 (5%)
③ Granular mucosa	없음	있음
④ 궤양	Linear, **deep**, scattered	**Superficial**, universial

6. 치료

- CD는 완치가 없다.
- 약물요법을 통해 관해(remission)를 유도, 유지하고 급성악화와 합병증을 예방하는 것이 중요하다.

① 약물요법

a. Aminosalicylate
  - Sulfasalazine, Mesalamine이 있고 결장침범시 효과적이다.

b. 스테로이드
  - 관해를 유도하는데는 효과적이지만 관해유지 효과는 없다.
  - moderate-severe 환자에서 효과가 좋고, 고용량 prednisone(40-60mg/d)을 증상이 완화될 때까지 투여한다

c. 항생제
  - 크론병의 감염 관련 합병증과 perianal disease에 효과적이다
  - Metronidazole, ciprofloxacin, rifaximin, ethambutol, isoniazide 등

d. 면역억제제
  - Azathioprine, 6-Mercaptopurie 및 Cyclosporine, Taclolimus

e. TNF-a antagonist
  - infliximab, adalimumab, cerolizumab 등

※ 재발한 환자에서의 first-line therapy : 면역억제제 ± TNF-a antagosnit

② 수술

- 20년 이상의 오랜 기간의 질환시 대부분 수술이 필요함.
- 70%의 환자에서 진단받고 15년 내로 surgical resection 시행받음
- 대부분은 예정된 수술을 받지만 일부에서 응급수술이 필요한 경우가 있다
  : 장천공, 복막염, 과도한 출혈, toxic megacolon
- **적응증**

a. **장폐색**, **장천공**, **장루** 형성, **장농양** 및 **위장관 출혈**
b. **비뇨기계** 및 **항문주위** 합병증
c. **악성종양**으로의 진행
d. 소아에서의 **성장장애**
e. 내과적 치료의 실패

- 장외증상은 장절제 후 대부분 회복되지만 **강직성 척추염**과 **간에 발생한 합병증**은 회복되지 않는다.
- **수술원칙 ★★**

a. Minimal surgery : 광범위 절제가 아님!! 주변에 병변이 있어도 "**합병증이 발생한 부분만**" 절제한다!(short bowel syndrome발생위험 때문)
b. Frozen section : 필요없다 (Malignant disease가 의심되는 경우에만 시행)

7. 예후

- 수술은 curative가 아니다(Only Palliative!!) : 증상의 재발은 40%-80%에서 나타난다
- 명확히 밝혀진 risk factor : Smoking(금연이 중요)
- 사망률의 증가 : 20세 이전에 발병한 경우와 13년 이상 질병이 지속된 경우에서 사망률의 증가를 확인함
- 사망원인 : chronic wound Cx, sepsis, GI cancer, thromboembolic Cx 등

소장 종양

■ 일반적인 고려사항

1. 소장에서의 악성종양이 드문 이유

> ① 장내용물이 **빨리 통과**하며
> ② 소장 상피세포의 **turnover**가 빠르며,
> ③ 장내용물은 **알칼리성**을 지니며
> ④ 장벽에 **IgA**가 높은 농도로 있고,
> ⑤ 장내 **세균수**가 적기 때문이다.

2. 소장종양의 특징

① **발생 부위**
- 양성의 경우 **소장 원위부**에 호발한다.
  (하지만, 단위면적당으로 계산하면 **십이지장**이 가장 호발하는 부위이다)
- 악성의 경우, **선암이 소장 근위부에 호발**하고, 나머지 악성질환은 **소장 원위부**에 호발한다.

② 보통 양성의 경우 증상이 없거나 적고, **악성**의 경우 **증상을 유발**한다.
③ 위험인자 : FAP, HNPCC, Peutz-Jeghers syndrome, CD, PUD 등
④ Colorectal cancer와 마찬가지로 K-ras mutation이 흔하다

3. 진단

① UGI tract series : 진단율 53-83%
CT Enteroclysis : 진단 정확도 약 95%
② 위내시경으로 십이지장을, 대장경으로 말단회장부를 확인할 수 있다.
③ CT : GISTs와 같은 장관외 종양의 확인과 악성종양의 staging에 도움

■ 양성 종양

① **빈도** : Adenomas 〉 양성 GISTs(Gastrointestinal stromal tumor, 위장관기질종양) 〉 Lipomas 순서

└ **증상을 유발**하는 양성종양 중에선 가장 빈도가 높다.

② **증상** : 무증상 〉 복통(장중첩 유발로 인한 장폐색이 원인임) 〉 출혈

└ 증상중에선 m/c!

③ **치료**

- 장분절절제후 일차문합을 시행한다.
- 다발성 병변이 있을 수 있으므로 다른 부위에 병변이 있는지 확인해야 한다.

1. Benign GISTs

① **증상을 유발**하는 양성종양 중 가장 흔하다. / Origin : Interstitial cell of Cajal(GI tract의 pacemaker)

② 95% 이상에서 **CD117**(c-kit 원발암유전자)를 발현하고 70-90%에서 **CD34**(human progenitor cell Ag)을 발현한다.

③ M=F, 40대에 흔함

④ 유사분열지수 ≥ 2/HPF (high power field)시 **재발**위험이 높다

⑤ 육안소견 : cut surface에서 단단한 소용돌이 모양(whorled appearance)의 회백색 병변
현미경소견 : well-differentiated smooth muscle cell

⑥ 위장관 내로 자라서 폐색을 유발하거나, 출혈을 일으킬 수 있다

2. ADENOMA (15%)

① **십이지장** 〈 **공장** 〈 **회장** 분포
(20%) (30%) (50%)

② 세가지 타입으로 나뉨 : true / villous / Brunner gland adenomas

③ Villous adenoma

a. **십이지장**에 호발하며, FAP과 연관될 수 있다.

b. 크기는 보통 5cm 이상이며, **35-55%가량의 악성도**를 지닌다.

c. 양성의 경우 내시경적 용종절제만으로 치료가 끝날 수 있지만, 악성변화가 있을 경우 췌십이지장절제술을 해야 한다.

④ 치료 : 내시경적 치료, 수술적 치료

- 공장, 회장에 위치 : 분절절제(segmental resection, TOC)
- 십이지장 : duodenal adenoma에서 EMR(Endoscopic mucosal resection) 시행가능 → 췌십이지장절제술로 인한 사망률이 20-30%에 이르므로 수술은 신중하게 생각해야함

3. HAMARTOMA (Peutz-jegher syndrome과 관련)

① 상염색체 우성 유전, 점막피부의 색소침착과 소화기폴립을 특징으로 하는 유전질환

② **1-2 mm 가량의 갈색 혹은 검은 반점**이 입주위, 볼점막, 전완, 손바닥, 발바닥, 손가락 및 항문 주위에 나타난다.

③ Hamartoma는 전체 공장 및 회장에 호발하는데 50%는 직장결장에, 25%는 위에서 병변이 나타난다.

④ 증상은 장중첩유발로 인한 경련성 복통, 종괴를 동반한 하복부통증(1/3), 출혈로 인한 빈혈(대량출혈은 rare)

- **선종성 변화**가 3-6% 나타남.
- **결장외 악성종양**이 흔하게 나타난다(50-90%)
  └ 소장, 위, 췌장, 난소 폐, 자궁 및 유방

⑤ 치료 : 합병증(출혈, 폐색 등)을 보이는 부분에 대해서만 **제한적** resection

→ 장을 광범위하게 침범하기 때문에 extensive resection을 할 없다(완치는 불가능!)

4. HEMANGIOMA

① GI tract어디서는 나타날 수 있지만, 주로 공장(jejunum)에 발생한다

② 다발성(60%)으로 나타나며, 가장 흔한 증상은 위장관 출혈이다

③ 진단 - 혈관조영술, 99mTc-RBC scan

■ 악성 종양

① **빈도** : Adenocarcimona(30-50%) 〉 NETs(Neuroendocrine tumors) 〉 Lymphomas 〉 악성 GISTs

② **항상 "증상"을 일으킨다.**
  └ 통증, 체중감소, 설사, 위장관 출혈, 장천공

③ **선암** (**십이지장**에 호발)을 제외하고 대부분 **회장(ileum)**에 호발한다. ★

④ **치료**

a. 선암 → 국소림프절을 포함한 광범위절제술
  → Neoadjuvant CTx를 통해 크기를 줄일 수 있다

b. 림프종 → 증상을 보이면 수술적 절제 후 항암 방사선요법을 시행한다
  → 증상이 없으면 항암화학요법(B-cell lymphoma가 더 chemo-sensitive함)

c. 악성 GISTs → 장분절절제술(capsule rupture를 막기 위해 En-bloc resection)
  → 광범위절제 및 림프절절제는 의미없다
  → 수술 후 Gleevec(TKI, Imatinib) 항암요법 시행

1. 선암
- 60대. M〉F
- 대부분 **십이지장** 및 **공장 근위부(Prox. jejunum)**에 발생함.
  └ 황달 및 만성출혈 유발 → 췌십이지장절제술이 필요
  단, CD와 연관이 된 경우는 젊은 나이에 발생하며 회장에 호발한다.
- 예후 : poor, 5년 생존률 14-33%

추가노트

☞ 장폐색으로 통증이 유발되며 양성종양과 달리 (←장중첩) 종양의 침윤 및 유착이 장폐색의 원인이 된다.

2. 악성 GISTs
- M 〉 F
- **공장 및 회장**에 호발. 80%에서 5cm 이상임.
- 주변조직으로 직접 침윤하거나 간등으로 혈행성전이를 한다. **(림프절전이는 드물다)**
- 전이위험인자 : **크기, 유사분열지수, 고유층으로의 종양 침윤**

3. 악성 림프종
- 주로 **회장**에 호발함, **10세 미만의 아동에서 m/c 소장종양**
- 대부분 5cm 이상이며, 장벽에 미만성 침윤을 보인다
- 증상 : 통증, 체중감소, 오심, 구토, bowel habit change, 천공(25%)
- 예후 : 5년 생존률 50-60%

■ Neuroendocrine Tumors(NETs)

- NETs는 폐, 기관지, 위장관 등 여러 장기에서 발생할 수 있다(위장관에서 m/c)
- small bowel NETs는 주로 60대에서 발생

1. 특징

① Crypt of Lieberkuhn의 Enterochromaffin cell에서 기원함.

Kulchitsky cell=Argentaffin cell

→ 주로 serotonin, substance P 등 분비

└ Carcinoid syndrome 유발할 수 있다.

but, 대부분은 무증상으로 우연히 발견된다.

② Grade : low(G1), intermediate(G2), high(G3)로 나눔

- 형태, 유사분열정도, Ki-67, behavior, 분화도가 기준
- 분화도가 가장 중요 : well-defferentiated(G1, G2), poorly-differentiated(G3)

③ **악성도**와 관련된 인자 : 종양위치, 크기, 침범깊이, growth pattern과 관련있다.

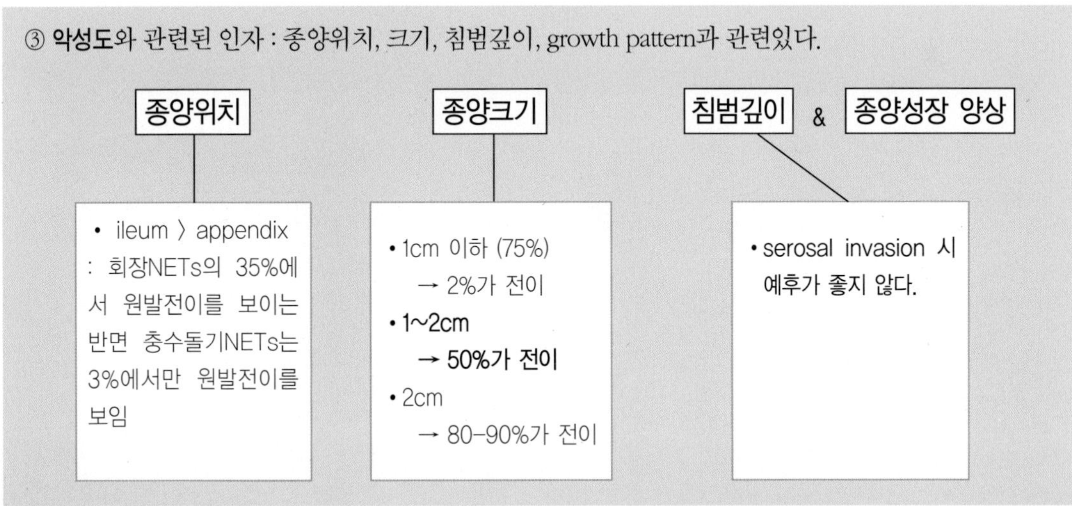

종양위치
• ileum 〉 appendix
: 회장NETs의 35%에서 원발전이를 보이는 반면 충수돌기NETs는 3%에서만 원발전이를 보임
종양크기
• 1cm 이하 (75%)
→ 2%가 전이
• 1~2cm
→ 50%가 전이
• 2cm
→ 80-90%가 전이
침범깊이 & 종양성장 양상
• serosal invasion 시 예후가 좋지 않다.

④ **20-30%**에서 **다발성**병변을 지니며, **secondary primary malignancy**(대부분 대장에서)가 **10-20%**에서 나타난다. 10%에선 MEN type I과 연관된다.

⑤ NETs는 위장관에서 가장 흔하며, 그 중에서도 충수돌기가 m/c

충수돌기 〉 **소장(IC valve에서 60cm내)** 〉 **결장** 〉 **위** 〉 **직장**

38% 29% 13% 12% 8%

2. 임상양상

① 복통 (가장 흔함), 장폐색은 주로 장중첩 때문에 발생함.

② 설사 & 체중감소 : 분비성 설사가 아니라 장부분폐색에 의하여 발생함.

cf) 카르시노이드 증후군에서는 분비성 설사임.

③ **악성 카르시노이드 증후군**

- 빈도 낮다 (〈10 %)
- 주로 **serotonin**, 5-hydroxytryptophan, histamine, dopamine kallikrein, substanceP, prostaglandin, neuropeptideK 등이 관여
- 대부분 **간전이**시 증상이 나타난다.
- **증상** : 크게 i) **혈관운동성** , ii) **심장 증상** iii) **위장관 증상**으로 나뉜다.
  - a. 피부홍조 (**Cutaneous flushing ; 80%**)
  - b. 간비대 (71%)
  - c. 심장 병변: 주로 심장의 **"오른쪽"**에 관여한다.(Rt-sided heart valvular disease, 41-70%)
    - ex) pulmonary stenosis (90%), tricuspid insufficiency/stenosis (47/42%)
  - d. 천식 (25%)
  - e. **설사** (76%)
    - 식후 watery, explosive diarrhea
    - Serotonin에 의한 분비성설사 Secretory diarrhea
    - serotonin 길항제인 **Methysergide**에 의해 치료함
- **치 료**: Octreotide

3. 진단

① 24hr urinary 5-HIAA (hydroxyindoleacetic acid) 측정: 특이도 높다.
└ serotonin의 대사산물(간, 폐에서)

② Chromogranin A측정 : 80%에서 증가되어 있음.

③ 바륨 조영검사 : multiple filling defect 나타날 수 있다.

④ 혈관촬영술 및 고해상 초음파 : 장간막 및 간침범에 대한 정보제공

⑤ CT : 간 및 림프절 전이 확인

⑥ SRS (Somatostatin receptor scan) → 하지만, 술전에는 대부분 진단되지 않는다.

4. 치료 【13】 – Multidisciplinary Approach!

① 절제술

a. 1cm 이하 & 림프절 전이 없을 때 : **장분절절제술** (segmental resection)
b. 1cm 이상 & 다발성 or 림프절 전이시 : **장 및 장간막의 광범위절제술** (ex. terminal ileum의 병변 → Rt. hemicolectomy)

※ 수술 중 carcinoid crisis
- 저혈압, 기관지연축, flushing, 빈맥
- 치료 : IV Octreotide(bolus, 50-100ug)

② **광범위한 간전이시 간동맥 결찰술, 경피적 색전술 시행할 수 있다.**

③ **항암요법** : Streptozotocin & 5FU or Cyclophosphamide
└ 다른 치료에 반응하지 않고 증상을 유발하는 전이성 병변시

5. 예후

• 전이여부에 관계없이 소장종양 중에선 예후가 가장 좋다.
- Primary site에 국한된 병변은 절제시 : 생존률 100%
  국소 부위에 국한될 때 : 5년생존율 65%
  원발전이를 지닐 때 : 5년생존율 25-35%
  → ChromograninA의 상승시 예후가 좋지 않다.

추가노트

☞ 다발성 병변이 가능하므로 복강내를 철저히 확인해야 한다.
광범위하게 전이된 병변이 있더라도 가능한한 종괴를 절제하는 것이(debulking) 증상호전에 도움을 준다.

■ 전이성 병변

- 소장의 이차종양은 일차종양보다 빈도가 높고, 복강내 다른 장기에서 소장으로의 전이가 가장 많다.
- 복강밖 종양이 소장으로 전이하는 경우는 흔하지 않지만, Cutaneous Melanoma(m/c), breast adenocarcinoma, lung carcinoma에서 나타날 수 있다.

게실 질환 【16】

■ 십이지장 게실

- **십이지장은 결장 다음으로 게실이 많은 부위**
- M〈F (1:2), 40세 이후, 주로 2nd portion에 있음.
- 대부분 무증상임, 5% 미만에서 합병증으로 수술을 요함.

■ Meckel' s Diverticulum

1. 특징

a. 소장의 most common true congenital diverticulum **(Omphalomesenteric duct의 잔유물)**

b. **anti-mesenteric border**에 존재, **IC valve에서 45-60cm이내에 존재, M=F**

c. **이소성 점막** (Heterotrophic tissue)을 지님 : **위점막 (50%** 정도), 췌장 점막 (5%), 결장점막

2. 증상

※ **가장 흔한 증상은 위장관 출혈 & 장폐색 이다.**

① **위장관 출혈 : 2세이하의 m/c Sx, 전체 합병증의 25-50% 차지**

대량출혈이 가능하며 출혈의 원인은 ileum의 만성적인 acid-induced ulcer 때문(위점막을 지닌 메켈게실)

② **장폐색**

→ Vovulus, Intussusception으로 인해 나타나며 volvulus는 strangulation으로 진행할 수 있음(급성)

③ Littre' s hernia : inguinal hernia에 Meckel' s diverticulum이 incarceration되었을 때

④ Diverticulitis (10-20%) : 어른에서 흔하다.

cf) 아주 드물지만 Meckel' s diverticulum에 종양이 있을 수 있다.

대부분 양성종양 (Leiomyoma등)이지만, 악성종양이라면 대부분은 NETs이다.(77%)

3. 진단

① sodium 99mTc-pertechnetate가 단일검사로는 가장 유용
(소아에서 정확도 90%)
위점막의 점액분비세포에 의해서 선택적으로 흡수됨

② 성인은 소아에 비해서 게실 내 위점막이 적게 존재하므로 sodium 99mTc-pertechnetate의 진단 민감도가 떨어진다

③ 성인에서는 pentagastrin, glucagons 및 H_2blocker를 사용하여 핵의학검사의 민감도를 높여서 검사한다. 그래도 정상인 경우는 바륨조영검사를 시행한다.

④ 급성 출혈의 징후를 보이거나 혈역학적으로 불안정한 경우에는 바로 surgical intevention 시행

4. 치료

① **증상이 있는** Meckel diverticulum은 즉각적 수술의 적응증
- 출혈하는 환자는 반드시 **소장 분절절제**를 시행해야 함.
  (∵ 출혈 부위가 게실 "옆" 의 회장이기 때문)
- 출혈이 없는 환자는 hand-sewn technique이나 stapling으로 치료가능

② 소아에서 개복술 도중 우연히 발견한 무증상의 diverticula는 절제해야 한다.
성인의 경우는 controversial
→ 하지만 **80세 이하라면 수술**하자는 쪽의 주장이 많다)

기타 질환들

■ 이물 (foreign body)을 삼킨 경우의 치료

- 보통은 **경과관찰**만으로도 충분하며, radioopaque material인 경우 연속적으로 복부촬영을 하여 passage 여부를 확인한다.
- 장을 뚫을 위험이 있는 물질을 삼킨 경우 **복통, 발열, 장폐색** 등의 증상이 나타나면 **즉각적 개복술**을 시행한다.
- 하제는 금기이다

■ 소장 누공

1. 특징

• 대부분이 iatrogenic(75-85%가 surgical intervention 중에 발생), mortality 10%
• **소장 근위부** (proximal)에 발생할수록 수액 및 **전해질 손실이 많고 더 심각**해짐.
• 진단
  a. High-output fistula : 500ml/day이상의 output 또는 24시간 이상의 output인 경우
  b. 반드시 조기에 수용성 조영제를 이용한 **Fistulogram** 시행한다.
    → tract의 길이, 소장벽 손상 정도, 누공의 위치, distal obstruction 여부를 알 수 있다.
  c. **CT**는 underlying fluid collection or pus여부를 알기에 좋다.
• 주요합병증 : 패혈증, 수액 및 전해질 고갈, 피부괴사, 영양결핍

(표) Spontaneous Fistula closure를 막는 인자들 ★★

1. High output (**>500mL/24hr**)
2. 장의 연속성이 심하게 파괴된 경우 (장 둘레의 **>50%**이 손상된 경우)
3. 해당되는 장이 **염증성** 장질환의 **급성기**에 있을 때
4. **종양**
5. **방사선** 장염
6. 누공의 **원위부** 장이 **막혀있는** 경우 (distal obstruction)
7. **배농되지 않은 농양**이 누공과 연관되어 있는 경우
8. 누관(fistula tract)에 이물이 있는 경우
9. **누관 길이<2.5cm**
10. 누관에 **상피화** 반응이 나타난 경우

2. 치료

① **보존적 치료**
  a. Sump drain등으로 controlled drainage를 한다.
  b. 패혈증 치료 : 적절한 영양공급치료가 이뤄지면서 가장 흔한 사망원인이 됨(과거엔 malnutrition, fluid loss)
  c. 수액 및 전해질 교정
  d. Skin보호 : zinc oxide, aluminum paste ointment, karaya powder
  e. 적절한 영양보급 (TPN)
    - Octreotide는 output의 양을 줄이는 데는 유용

※ 1개월 이내에 90%가 막히고, 2개월에는 10%이하, 3개월 후에는 안 막힌다.
→ 4-6주간 **보존적 치료**를 해도 안 막히면 수술

② **수술**

a. 이전 창상으로 개복하여 **tract 절제 및 장분절절제** 시행

b. 예상못한 농양이 있거나 장이 딱딱하거나 팽대되어 있으면 장을 exteriorization했다가 나중에 수술하여 문합한다.

c. 장우회술은 가급적 시행하지 않는다.

■ 방사선 장염 (Radiation Enteritis)

1. 관련인자

① **방사선조사량 ≥ 5000cGy**
② 전에 개복수술을 시행받은 경우
③ 환자의 병력 : 혈관질환, 고혈압 및 당뇨가 있을 때
④ 5FU, doxorubicin, dactinomycin, methotrexate등의 항암요법을 같이 시행할 때

2. 손상의 정도

① **초기의 급성반응** (self-limiting)
이때의 증상은 설사, 복통 및 흡수장애이다.

② **후기현상**
: **혈관손상**으로 인해 **혈전** & vascular insufficiency가 생긴다.
→ 결과적으로 장의 **괴사**, **천공**, **협착** 및 **누공**이 발생함.

3. 수술 적응증

- 1-2%의 환자에 수술적 intervention 필요
- **장폐색**(m/c), 누공, 장천공, 위장관 출혈
  - 장폐색 └ Bypass 시행
  - 장천공 └ Resection c reanastomosis 시행

■ 짧은 창자 증후군 (Short Bowel Syndrome)

짧은 장의 길이에 의해 영양공급이 불충분한 경우

1. 원인 - 아래의 질환으로 인한 수술 후에 발생

- **성인** : mesenteric occlusion, midgut volvulus, traumatic disruption of the SMA…
- **소아** : NEC (Necrotizing enterocolitis)

2. 증상

- 설사, 수액 및 전해질 결핍, 영양장애
- 담석증가(장간순환부전), 신결석증가(hyperoxaluria)

3. 특징

① 말단 회장과 IC valve**가 보존되면 소장의 70%까지는 절제 가능함.**

② 소장의 근위부 절제가 원위부 절제보다 더 안전하다.

③ 소장절제후 citrulline의 흡수후 농도를 측정하여, 소장기능장애가 일시적인지 영구적인지 평가할 수 있다.

4. 치료

① 중요한 것은 예방(CD의 경우 합병증이 발생한 부분에 한해서 제한적 resection)

② **초기단계의 치료** : **"설사"** 치료, TPN, 수액 및 전해질 교정

> 설사의 원인 및 치료
>
> a. **고가스트린혈증, 위산과다분비**가 원인일 때 → H2 blocker, PPI로 조절
>
> b. 회장절제로 담즙산의 **enterohepatic circulation이 파괴**되어 결장으로 많은 량의 담즙산이 가 내려가서 발생할 수 있다. → **Cholestyramin으로 조절**
>
> c. 기타 장운동제제 (**Codaine**), **Octreotide**도 치료에 이용된다

③ **후기의 치료** : 적절한 영양공급이 중요

a. **고탄수화물 및 단백질 식이공급**

(지방섭취은 제한하지만, 주로 medium-chain triglycerides를 이용하여 100g 이상은 공급해야 한다.)

b. 유산물(milk product)는 피한다.

c. Iso-osmolar부터 시작하여 서서히 늘린다.

d. 지용성 단백질(A,D,E,K) 공급, 칼슘, 마그네슘, 아연 공급

e. 호르몬(Neurotensin, Bombesin, Glucagons-like peptide 2)

→ 장점막 성장을 유도한다.

④ **수술**

a. 소장일부를 역연동문합 (Antiperistaltic anastomosis)하여 통과시간을 늘린다.

b. **소장이식**

■ Vascular Compression of the Duodenum

• SMA syndrome ★【16】【14】【12】: 십이지장의 3번째부위가 SMA에 의해서 압박되어 발생

(그림) SMA Syndrome : aorta에서 SMA가 지나치게 예각으로 기시할 때 duodenum의 3th portion이 눌리게 되어 위장관 폐색 증상이 나타난다

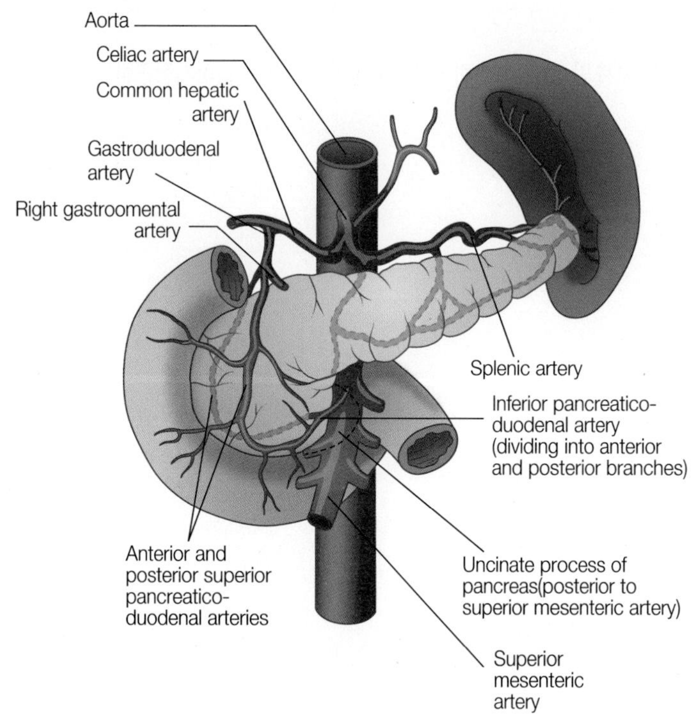

• 젊고 허약한 환자 및 여자가 더 많다. **"체중감소"**가 증상 시작 전에 먼저 나타난다.

1. 선행요인

① **체중감소**
② supine immobilization, 척주측만증 (scoliosis)
③ body cast를 착용했을 때
④ 십이지장 및 소화성 궤양

2. 진단

: Hypotonic duodenography, , Barium-UGIS, CT
가장 좋은 진단법

3. 치료

고열량식사 등의 보존적 치료만으로 충분하지만, 수술을 할 경우 **십이지장공장문합술**(DuodenoJejunostomy) 시행

★★★☆☆

Power

17 충수돌기

Appenidix

ANATOMY

① **길이** : 평균 9 cm (2~22 cm)

② **Appendix base** : cecum base에서 3개의 taenia coli가 만나는 지점이다.

③ **Appendix tip** : 정상위치는 "Retrocecal position" 이다.

- Inf. cecum의 아래쪽 (in peritoneal cavity) 65%,
- Pelvic location 30%,
- Retroperitoneal location 7–10%

(그림) Vermiform appendix의 다양한 위치

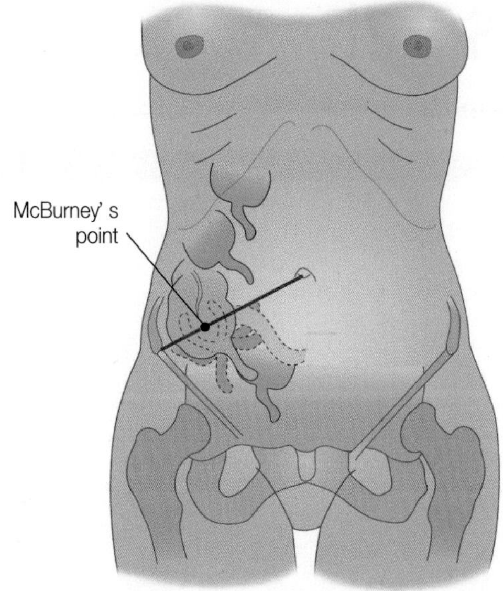

APPENDICITIS

• 10대 후반 및 20대에 가장 많이 발생함. M>F

■ 병태생리

• 충수돌기 장관폐색 - 길이에 비해 좁은 Luminal diameter

ex) Lymphoid hyperplasia, Fecalith (Inspissated stool)...

→ appendiceal lumen이 막힘

→ 세균과다증식 및 계속된 mucus 생산

→ lumen 확장 및 내강압 상승

→ Lymphatic & Venous obstruction

→ 충수돌기의 부종 및 허혈

→ 충수돌기벽의 괴사 (gangrenous appendicitis)

→ 천공 (perforated appendiceal)

■ 세균

① 충수돌기의 Normal flora : colon 대장 내 세균과 유사

② peritoneal fluid culture에선,

- nonperforated appendicitis : 〈 50%에서 양성
- gangrenous appendicitis : 〉 85%에서 양성

(표) Perforated Appendicitis에서 흔히 동정되는 Bacteria

TYPE OF BACTERIA	PATIENTS (%)
Anaerobic	
Bacteroides fragilis	80
Bacteroides thetaiotaomicron	61
Bilophila wadsworthia	55
Peptostreptococcus spp	46
Aerobic	
Escherichia coli	77
Viridans streptococcus	43
Group D streptococcus	27
Pseudomonas	18

■ 진단

1. 임상양상 ★

① **전형적인 병력**

- Generalized abdominal pain 발생 후 Anorexia/Nausea
- 통증의 이동 : **Epigastrium** → umbilical pain → **RLQ로 통증이 국소화됨**
- Diarrhea, Constipation도 나타날 수 있다.
- 충수돌기**천공★시 복통은 intense**, diffuse해지며, **muscle spasm도 증가**한다.

  동시에 HR 상승 및 **체온 (39-40℃) 상승** (드물게는 appendix의 distension 감소로, 통증이 경감되는 경우도 있다)

② **P/ Ex ★**

- Low-grade temperature elevation(〈38.5)
- 복부진찰

  : Td (+) → McBurney point(Umbilicus와 ASIS 사이의 1/3지점)

  : if Rd (+) → Localized peritonitis

  : if Rd, Abd. wall rigidity (+) → strongly suggestive of Perforation
- **Retrocecal appendix**시는 복통보다는 **flank pain**이 심할 수 있고

  appendix가 pelvis내에 걸쳐있을 땐 복통은 경미하며

  Rectal exam시 suprapubic area 및 rectum에서 tenderness가 느껴질 수 있다.

• 여러 징후들 ★

a. "Rovsing sign" : LLQ에 압력을 가했을 때 RLQ에 통증이 느껴짐 (non specific)
b. "Psoas sign" : 환자를 왼쪽으로 눕히고 Rt. thigh를 extension 시켰을 때 → Psoas m. 앞쪽으로 inflamed appendix 있을 때 통증이 유발됨.
c. "Obturator sign" : 환자의 supine position에서 flexed Rt. hip을 passive rotation시킬 때 통증 유발됨.

• 직장 수지 검사 (Rectal Exam) : typically normal

- 만약 appendiceal tip이 pelvis내에 위치하거나 abscess가 있는 경우에는 palpable mass나 tenderness를 보일 수 있다.

2. 방사선 검사

① 단순 복부 촬영

• Sensitivity, specificity가 낮아 rarely helpful

• fecalith, localized ileus, loss of the peritoneal fat stripe

• Perforated appendix 시 erect film에서의 pneumoperitoneum는 드물다. (1-2%)

② CT

• 충수돌기염의 진단에 가장 흔하게 쓰이는 영상검사
appendix 부위에서 5mm 간격의 fine image를 얻어야 한다.

• 소견 ★

a. Appendix 직경 $\geq$ 7 mm
b. Appendicolith (50%)
c. Appendix wall의 circumferentially thickness로 인해 "Halo" or "Target" 모양이 나타날 수 있다.
d. Periappendiceal abscess, fluid collections, edema & phlegmon

• CT 조영제 증강 후 Inflammed appendiceal & periappendiceal tissue가 잘 나타나기 때문에 환자가 **병원에 늦게 왔을경우 (48-72시간 경과) CT는 특히 더 유용**할 수 있다.

• 90-100% 민감도, 91-99% 특이도

③ 복부 초음파★

• 소견

a. AP diameter 7mm이상	b. Enlarged, immobile, noncompressible appendix
c. Appendicolith (or target lesion)	d. Periapendiceal fluid or mass

④ MRI

• 임산부 진단에 주로 쓰임

• 민감도 100%, 특이도 98%

• MRI 진단 Criteria

a. Appendiceal enlargement(>7mm)	b. Thickening(>2mm)
c. presence of inflammation	

3. 검사실 소견

• Leukocytosis (12,000-18,000/mm^3) : neutrophil 비율 증가 (left shifting)

• Urinalysis : DDx appendicitis from GU tract inflammation

4. 감별질환

① **소아** : 장중첩증, AGE (Acute gastroenterifis), Meckel' s diverticulitis
Inflammatory bowel disease, Testicular torsion(남아)

② **젊은 남성** : Crohn' s disease, Sickle cell disease, UC & Epididymitis

③ **젊은 여성** ★ : Crohn' s disease, PID, Ovarian cyst or torsion, Ectopic pregnancy, Ovarian tumor & UTI

④ **성인 및 노인** : 위장관 및 생식기계 악성 종양, 게실염, 궤양 천공, 담낭염

■ 치료

1. 급성 발병시

• 즉시 appendectomy

• 수술 전 예방적 항생제 : G(-)와 Anaerobe를 포함하는 광범위항생제

① **내과적 치료**

• Medical Tx(항생제)만 시행시 재발률은 35%

② **수술** : Appendectomy

• 절개선 : Dais-Rocky (transverse incision), McArther-McBurney (oblique version), conservative midline incision

추가노트

☞ 초음파검사의 민감도는 78-83%, 특이도는 83-93%

☞ false (+) : secondary inflammation d/t IBD, salphingitis,
false (−) : cecum이 gas로 차 있을 때, retrocecal appendix시 보이지 않을 수 있다.

2. Perforated Appendicitis의 경우

① 수술 전 충분한 수액과 광범위 항생제를 주입한다

② Culture : 반드시 해야하는 것은 아니다

③ 수술 후 광범위 항생제를 4-7일간 지속해서 투여한다

(그림) 충수돌기염이 의심될 때의 진단법

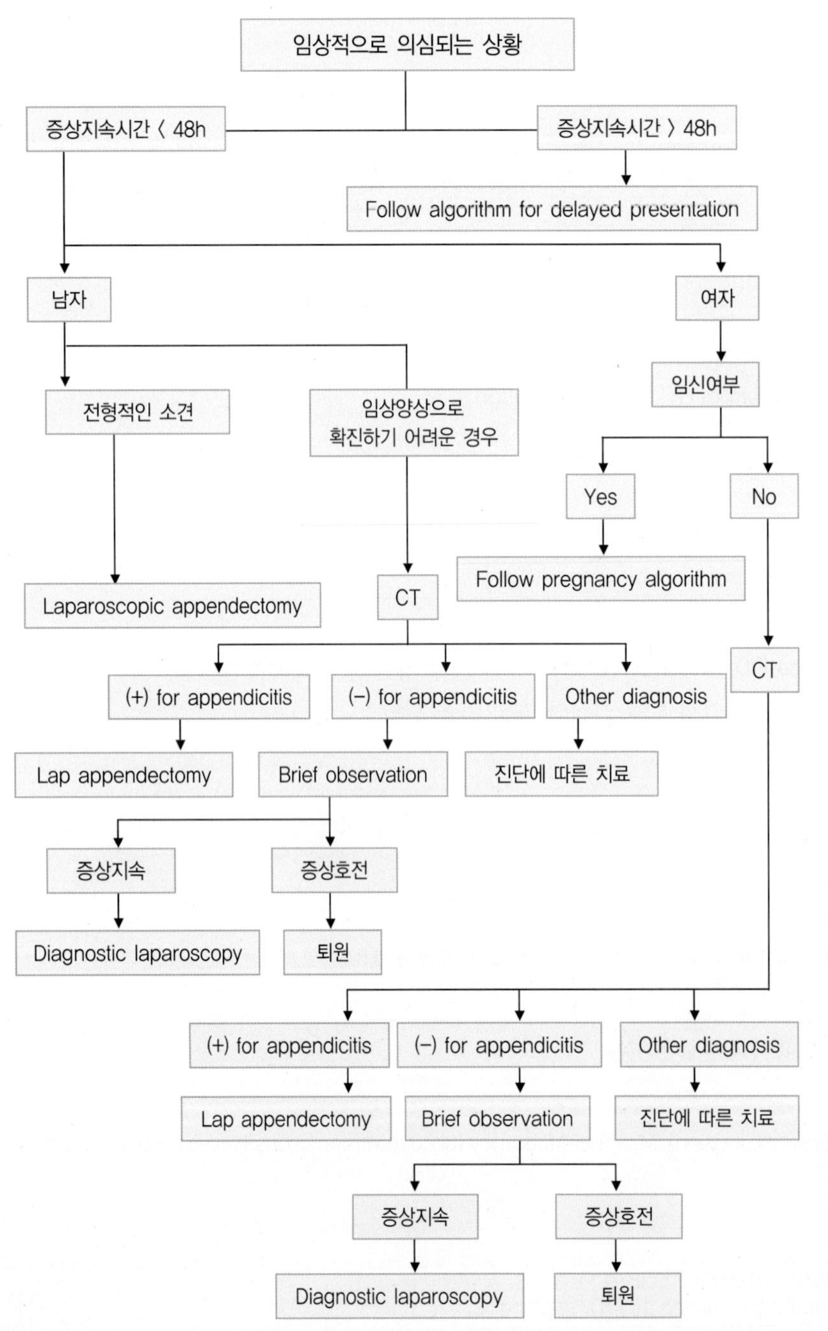

Point!!

급성 충수돌기염의 개연성이 **높으면 진찰** 소견만으로도 **수술**을 시행할 수 있다. 하지만 충수돌기염이 **의심스러운** 경우 CT및 **초음파** 검사도 도움을 받는다. **고령**의 환자는 진찰소견이 불분명하며 악성가능성도 배제해야 하므로 가능성이 낮다고 생각되어도 CT검사를 시행하는 것이 좋다.

3. Delayed presentation of Apendicitis(〉48h)

① 급성 충수염이 있고 어느정도 시간이 경과된 후 병원을 방문한 경우이다. 이 경우 "**비수술적 치료**"를 먼저 시행하고 "**후에 수술**"하는 것이 수술합병증 및 재원기간을 줄일 수 있다.

- 충분한 수액공급과 예방적 항생제의 투여

② 영상검사를 시행하여 농양의 크기가 큰 경우(〉 4-6 cm), "**방사선적 배농술**"을 시행한다.

③ 후에 interval appendectomy를 시행하는 이유는 **재발성 충수돌기염**의 빈도가 15-25%이기 때문이다. 보통 **6주 후**에 복강경으로 충수돌기절제술을 시행한다.

(그림) Delayed presentation에 대한 알고리즘

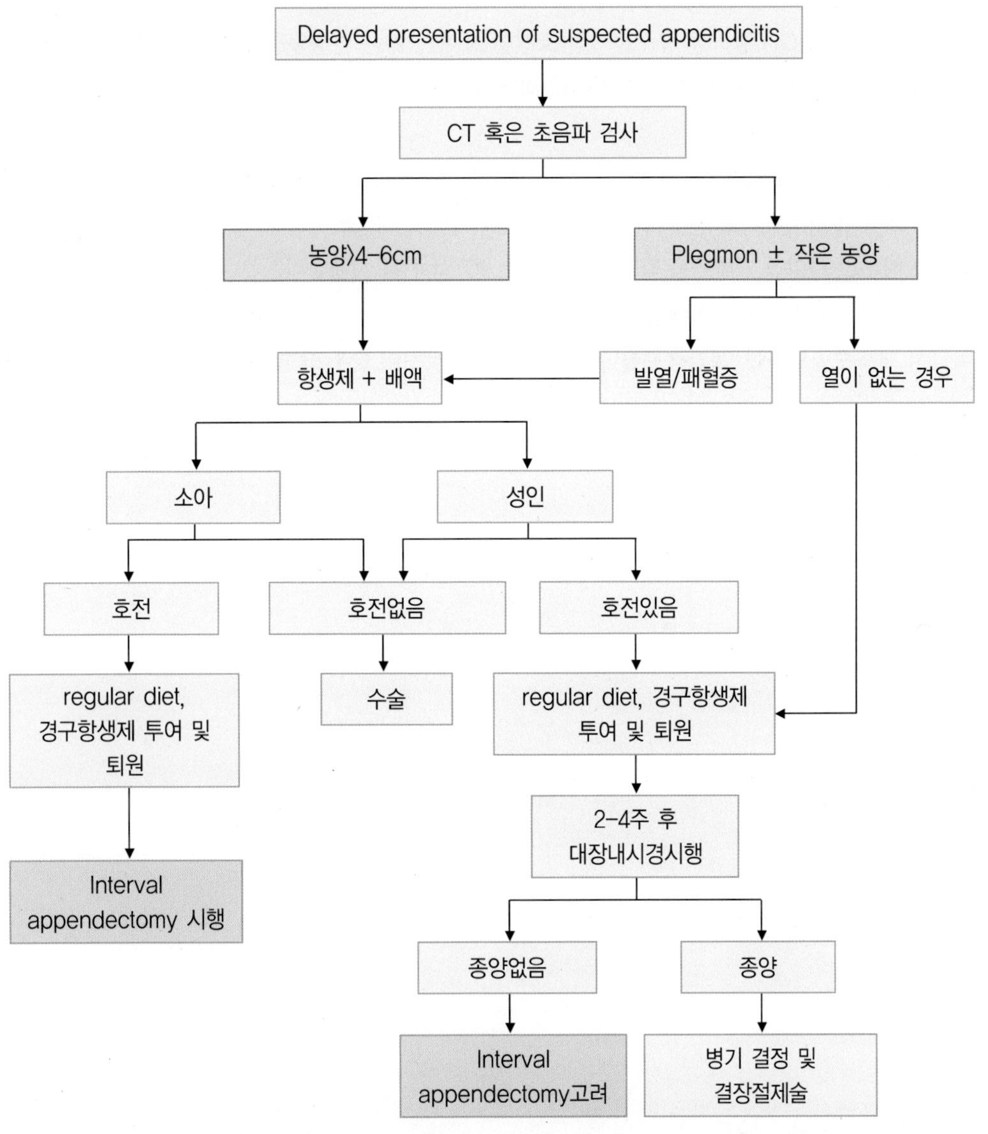

3. 충수돌기부위의 종괴 및 합병증이 발생후 늦게 병원에 왔을 때

① Appendiceal mass시

→ Percutaneous drainage (US or CT-guided) & IV Antibiotics
(against GNB & Anaerobes)

② Late Complicated Appendicitis시

→ Cecectomy 및 Rt. Hemicolectomy가 필요할 수 있다.

4. 만성 및 재발성 충수돌기

① Appendectomy - 만성적인 복통을 지닌 환자의 임상양상과 CT결과가 충수돌기염과 일치하는 경우에 시행한다.

② 문제는 (초음파나 CT) 검사상 충수돌기염 소견을 보이지 않은 만성통증 환자로 이 경우 수술하면 대부분 충수돌기는 정상소견이므로 가급적 여러 검사를 시행하여 통증의 원인을 찾아야 한다.

5. 고령환자에서의 충수돌기

① 증상이 비특이적이며 치료가 늦어지고, **천공**이 많이 발생한다. ★

② 종양을 비롯한 다양한 질환들을 감별해야 하므로 "CT검사"를 시행한다.

③ 수술 후 심장, 폐, 신장 등의 **합병증 빈도**가 높다.

따라서 개복수술보다는 "**복강경 수술**"을 통해 stress를 낮추어 술후 합병증을 줄이는 것이 현명하다.

(그림) 급성 충수돌기염 치료의 알고리즘

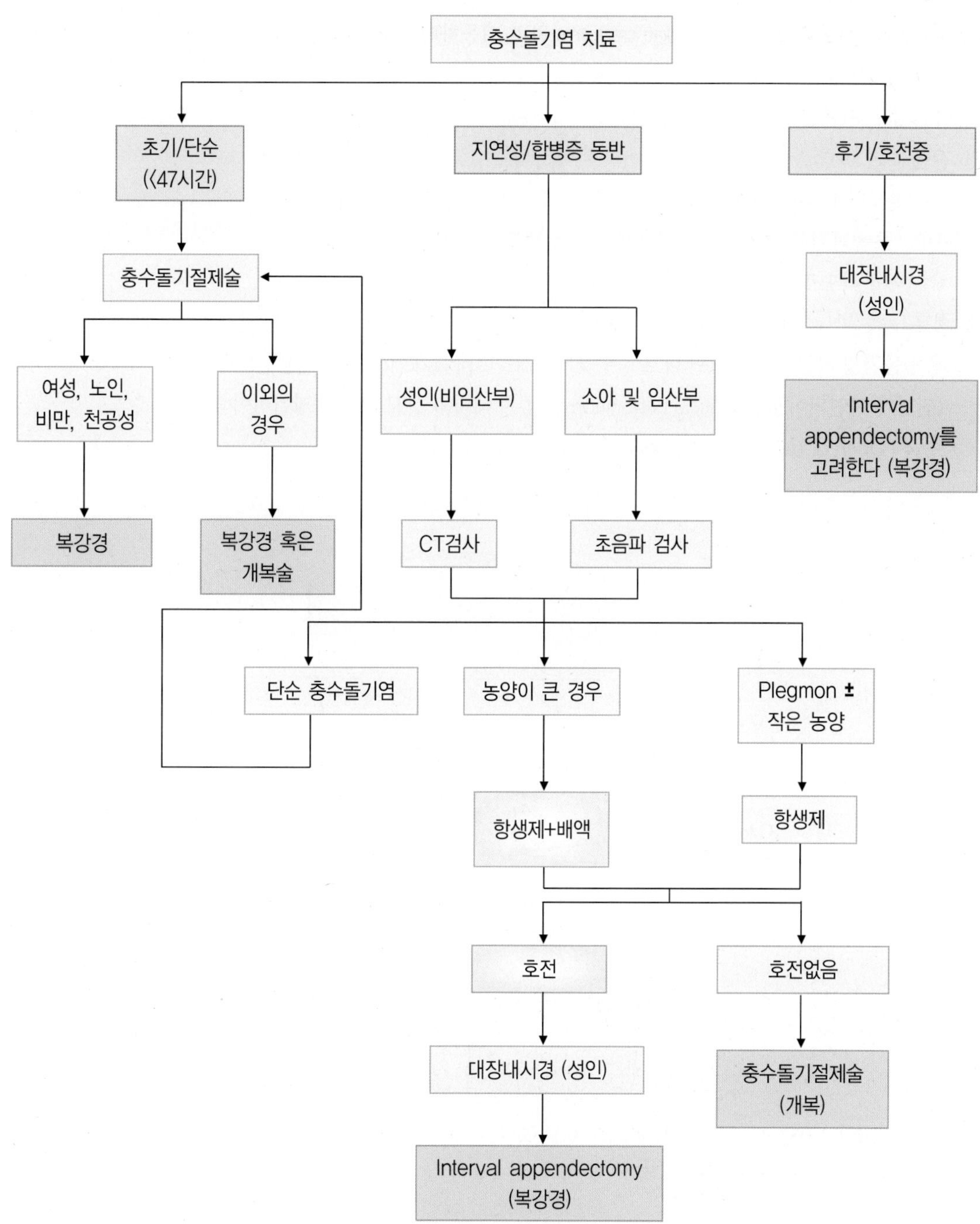

6. 임신시의 충수돌기염

① gestation **5개월 뒤** appendix는 **iliac crest crest**위로 이동하며, appendix tip은 자궁에 의해 **내회전** (medial rotation)된다.

② 임신 중 충수돌기염으로 인해 조산(11%), fetal loss(6%) 등이 나타날 수 있다.

③ 진단

- 초음파 : Initial study of choice
- MRI : 초음파검사 결과가 불분명한 경우 시행해볼 수 있다.
- CT : 제한적으로 시행

④ 치료

- 충수돌기염 가능성이 높으면 바로 충수돌기절제술(Appendectomy)를 시행한다★
  (진단이 지연되어 appendiceal pefroration 발생 시 태아와 산모 모두 사망위험이 높다)
- 수술 : Open or Laparoscopic Appendectomy

(그림) 임신도중의 충수돌기의 위치

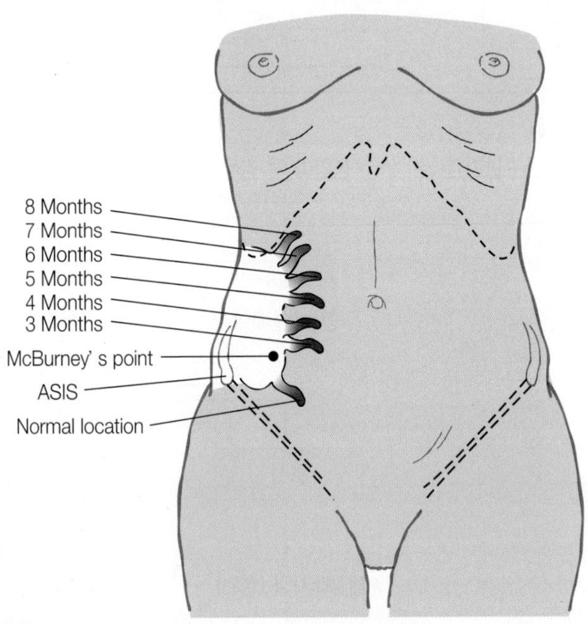

APPENDICEAL NEOPLASMS

※ 충수돌기에서의 가장 흔한 종양은 **"점액성 종양"** (m/c)이며 그 다음이 **카르시노이드**이다.

1. 충수돌기 카르시노이드

① 특징

- 충수돌기의 Neuroendocrine cell에서 발생한다
- 전형적으로 small, well-circumscribed mass로 충수돌기 원위부에서 주로 발생한다.
- 기본적으로 악성으로 분류되지만 임상적으로는 양성양상을 띤다.
- 위장관 및 비뇨생식기계에 secondary primary tumor의 빈도가 18.2%까지 보고되었으므로 이를 찾기 위해 대장내시경을 포함한 검사들을 시행해야한다.

② 치료 【13】

1. 충수돌기 tip에 위치한 〈1cm의 종양 → **"충수돌기절제술"**로 충분하다.
2. 〉 1-2 cm이거나 충수돌기 base를 침범하거나 mesoappendix를 침범한 경우 → **Right hemicolectomy** with regional lymphadenectomy

2. 점액성 선암 (Mucinous adenocarcinoma)

① 특징

- 5년 생존율이 50% 이상으로 예후가 좋은 편이다.
- 충수돌기내부가 점액으로 가득 찬 점액낭종(mococele)을 형성할 수 있다.
- 악성은 아니지만 rupture되면 복강내로 퍼져 Pseudomyxoma peritonei(PMP)로 진행될 수 있다.

② 치료

1. **"충수돌기절제술"** 이 때 점액낭종을 터뜨리면 종양이 퍼질 수 있으므로 조심스럽게(필요시 복강경보다는 개복수술) 수술하며, 림프절 전이여부를 알기위해 mesoappendix모두를 제거한다.
2. 충수돌기 base로의 종양 침범시 → **"우측 결장반 절제술"**을 시행

추가노트

☞ 카르시노이드 종양 중 goblet cell type의 경우 예후가 좋지 않다.
☞ 점액낭종 크기가 2 cm 이하면 대부분 양성이며 큰 경우는 악성에 해당한다.

※ 복강가성점액종 (Pseudomyxoma peritonei)

① **정의** : **점액낭종이 파열**되어 점액에 포함된 (악성) 상피세포가 **복강 전체**에 퍼진 경우

② **특징**

- **충수돌기** 기원인 경우가 가장 높다.
- 종양이 복강전체에 퍼진 것이지만, 이 종양자체가 **비침윤성**이므로 심각한 위험은 아니다.
- 간 및 림프절 전이보다 **국소 재발**을 많이 한다.
- 얼마나 **많은 양**의 점액이 복강 내에 퍼졌는지가 중요한 예후인자이다.

③ **치료**

"광범위한 복막제거" + "수술전후 복강내 항암요법"

Power ★★★★★

18 결장 및 직장

Colon & Rectum

해부

■ 대장의 일반적 구조

① 일반적인 특징 ★

- 결장 : IC valve ~ Anus를 말하며 전체 길이는 135-150 cm으로 비교적 일정하다.
- 상행 및 하행결장은 후복막에 고정되어 있다.

② 독특한 구조물

a. **결장뉴 (Taeniae coli)** : outer longitudinal muscular coat가 3개의 분리된 longitudinal trips을 형성한다.

b. **Haustra** : Taeniae coli가 수축할 때 연속적인 sacculations or protrusions를 지니는 독특한 형태

c. **Appendices epiploicae** : 결장의 antimesenteric border에 걸려있는 peritoneal fat의 extension

■ 맹장 (Cecum) & 충수돌기 (Appendix)

① 맹장(Cecum)

- 평균 직경은 7.5cm, 평균 길이는 10cm이며, 대장의 내부직경은 맹장에서 가장 크다.
- 어느 정도 팽창에 견딜 수 있지만, 직경이 12cm 이상으로 팽창되면 허혈성 괴사와 천공이 나타날 수 있다.
- 가동성이 있으므로 맹장염전(Cecal volvulus)이 발생할 수 있다.

② 충수돌기(Appendix)

- 회맹판(ileocecal valve)으로부터 약 3cm 정도 떨어져있다, 평균 길이 8-10cm
- appendix는 다양한 위치에 있을 수 있다. : Retrocecal(65%), pelvic area(31%), subcecal(2.3%), preileal(1.0%) 등

■ 상행결장 (Ascending Colon) 및 간곡 (Hepatic Flexure)

- 상행결장의 평균 길이 : 15cm
- 후복막에 고정되어있다
- **간곡**에서 결장은 후복막, 간 및 담낭 등과 유착되어 있다.
  → 간곡 부위를 dissection할 땐 "**십이지장 손상**" 여부에 주의하자!

■ 횡행결장 (Tansverse Colon) 및 비장곡 (Splenic Flexure)

- **길이 : 35~50 cm**
- 횡행결장은 가장 가동성이 좋은 부위이며, (후복막아닌) 완전한 복강내 장기이기도 하다.
- **비장곡**은 간곡보다 더 **각**이 졌으며 (acute) 더 **위쪽**에 위치한다. 직장 부위과 더불어 수술할 때 가장 시야가 좋지 않은 부분임.

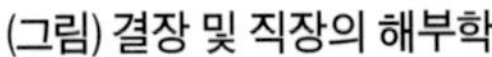
(그림) 결장 및 직장의 해부학

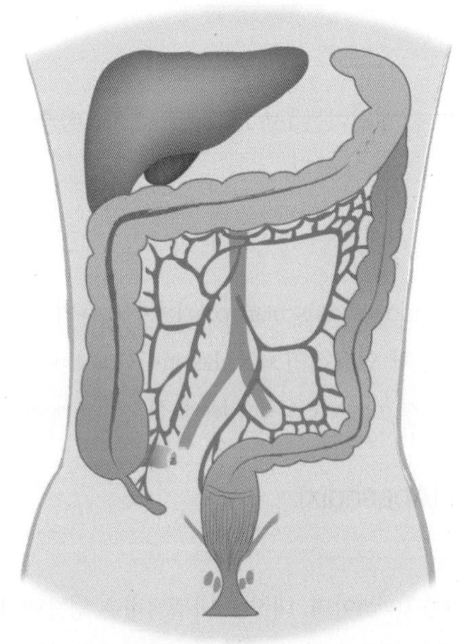

- 좌측결장과 우측결장의 직경이 차이나는 것을 확인.
- 비장곡이 간곡보다 위에 위치함을 확인.
- SMA와 IMA가 Arch of Riolan과 Marginal a. of Drummond에 의해 연결됨을 확인한다.

■ 하행결장 (Descending Colon) 및 에스자결장 (Sigmoid Colon)

- 하행결장의 길이는 평균 25cm, S자 결장은 15-50cm(평균 38cm)
- S자장결장 역시 장간막이 축 늘어져서, 맹장과 더불어 **염전 (Voluli)**이 생길 수 있는 부위이다.

■ 직장 (Rectum)

- 직장의 길이는 12-15cm이고, 복막주렁(epiploic appendices)과 taeniae coli(결장끈)이 없다.
- 직장근위부 1/3의 ant. surface는 visceral peritoneum으로 덮여있고, 직장원위부는 복막에 싸여져 있지 않다.
- 직장의 내강에 3개의 휴스터판(valves of Houston)이 있어서 주름을 만드는데, 상부판과 하부판은 왼쪽에, 중간판은 오른쪽에 위치한다.

  : 직장절제시 직장을 주위 조직으로부터 완전히 박리하면 굴곡이 펴져서 약 5cm가량 더 길어진다.
- 직장의 뒷부분은 두꺼운 mesorectum(직장간막)이 덮고 있으며, Fascia propria(직장고유근막)가 mesorectum을 감싸고 있다.

  : Total mesorectal excision(TME) → 직장암 수술 시 Presacral fascia(천골전방근막)과 fascia propria(직장고유근막) 사이를 박리하여 mobilization시키는 maneuver
- 직장으로의 혈액공급, 림프계 및 신경은 mesorectum을 통해 공급된다.

(그림) 위에서 내려다 본 직장

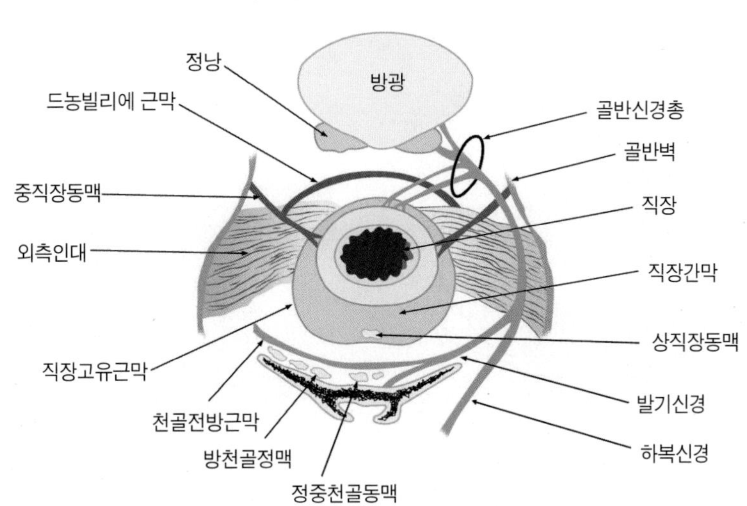

(그림) Endopelvic fascia

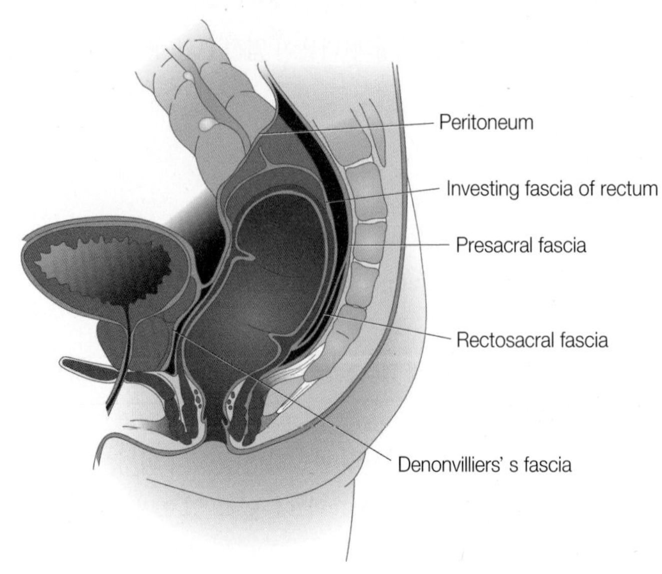

(그림) 천골전방근막 및 직장천골근막 (발데이어근막)

A. 제4천골높이에서 직장천골근막이 천골전방근막으로부터 반전되어 나온다.

B. 직장천골근막을 예리하게 절단하면 직장이 후복막으로부터 분리되어 완전가동화된다.

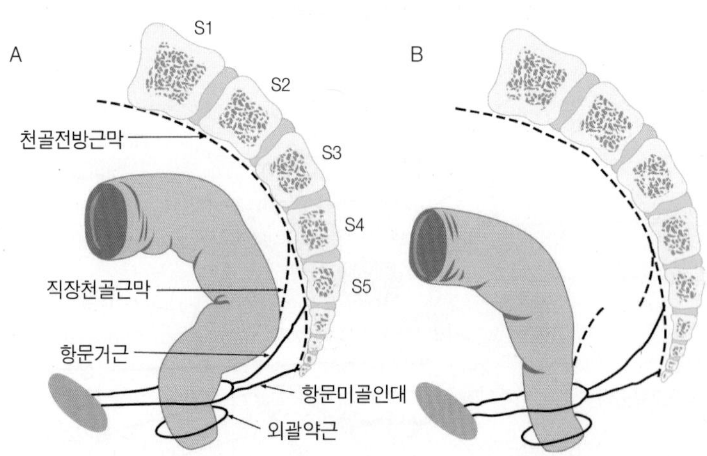

※ **발데이어 근막 (직장천골근막)**의 임상적 중요성

1. 이를 정확히 인식하지 못하고 접근하면 직장천공이나 천골전방정맥총으로부터 **출혈**을 초래할 수 있다.
2. **이를 절단하여야 직장이 완전히 가동화**된다.

■ 혈액공급 ★

1. 동맥

① SMA : 맹장, 상행결장, 간곡, 횡행결장의 근위부
  └여기서 Ileocolic a.Rt. colic a & Middle colic a.가 분지된다.
IMA : 횡행결장의 원위부, 비장곡, Descending colon & Sigmoid colon
  └여기서 Lt. colic a, Sigmoid & Sup. rectal a.(Sup. hemorrhoidal a.)가 분지된다.

※ SMA와 IMA의 연결

a. Marginal artery of Drummond
: 주혈관이 장간막을 통해 장벽으로 향할 때, 이 혈관이 전후방 둘로 나누어져서 장간막 변연에서 1-2cm 떨어져서 형성하는 arcade로 SMA와 IMA의 marginal a. or Drummund는 연결되어 있다.

b. Anastomosis of Riolan
: SMA와 IMA사이의 Arcade가 문합을 형성하는 것으로 약 7%에서 발견된다.

② Middle&Inf. rectal(hemorrhoidal) aa.로부터의 network가 직장으로 혈액공급한다.
- Middle rectal a.는 internal iliac a.의 branch이고, Inf. rectal a.는 pudendal a.의 branch이다(pudendal a.는 internal iliac a.의 branch)

(그림) 결장의 동맥 분포

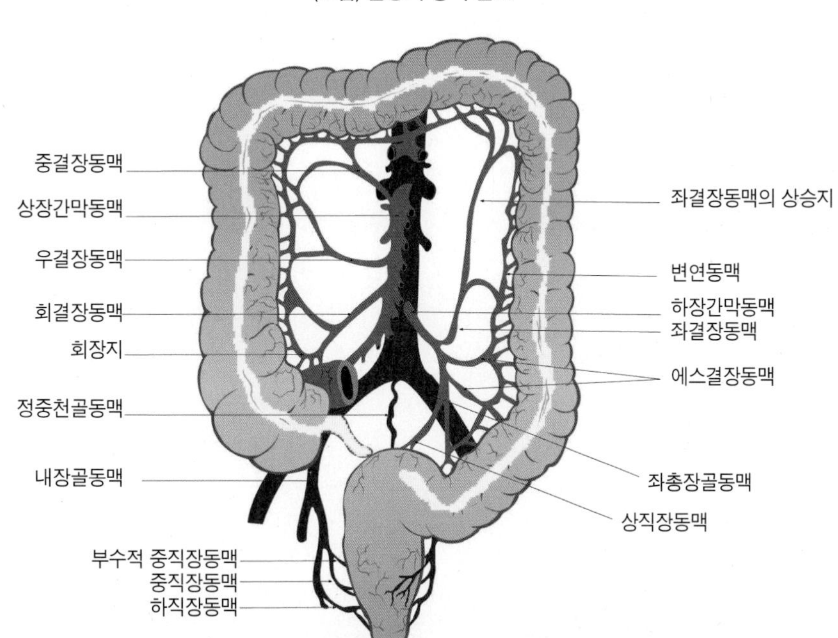

(그림) 직장으로의 혈액공급
A. 동맥 B. 정맥

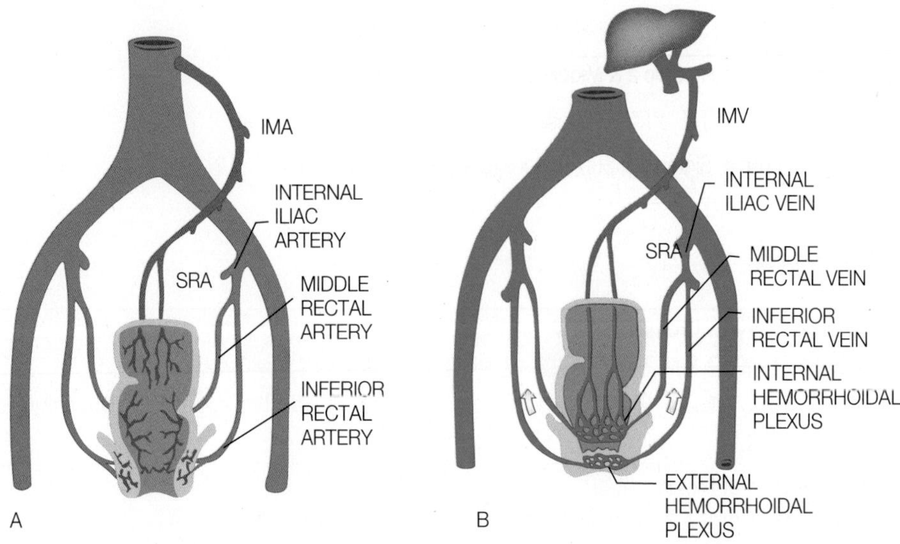

2. 정맥

① 우측 및 근위부 횡행결장의 혈액

→ SMV → SV (Splenic vein)

② 원위부 횡행결장, 하행결장, S자결장 및 대부분의 직장의 혈액

→ IMV → SV

③ 항문관의 혈액

→ middle & inf. rectal v. → IIV (int. iliac v.) → IVC

■ 신경 ★

교감 신경 (Thoracolumbar division)	부교감 신경 (Craniosacral division)
[우측 및 횡행결장] T6-12에서 기원 → preaortic gaglia에서 연접 → 혈관의 주행을 따라 장에 도달	[우측 및 횡행결장] Rt. vagus n.에서 내려옴 → 장벽에서 연접 → 장에 도달
[좌측결장, 직장 및 비뇨생식계] L1-3로부터의 Lumbar sphlachnic nn. → preaortic plexus에서 연접 → 혈관 주행을 따라 장벽에 도착	[좌측결장, 직장 및 비뇨생식계] S2-4 → **발기신경** (nervi erigentes) → (Pelvic plexus에서 교감신경계와 혼합됨) → 좌측결장, 직장 및 비뇨생식계에 도달하여 연접 → 각장기 지배
※ 단, 직장하부 및 항문관 등으로의 신경은 Pelvic plexus에서 연접함 이 pelvic plexus는 **Rt. & Lt. hypogastric n.**를 통해 요도로 연결되어 정액을 요도로 전달하는 역할을 하므로 손상시 **사정 장애**가 생긴다. Ex) **IMA고위결찰시 hypogastric n.의** 손상을 줄수 있다. → **역행사정** 및 **방광장애** 발생	※ 수술 시 **부교감신경이 많은 pelvic plexus 손상시 신경원성 방광** 및 **성장애** 발생 ※ **교감 및 부교감신경이 혼재된 Periprostatic plexus 손상시 발기장애** 및 **방광무력증 (atonic bladder)** 발생할 수 있다.

(그림) APR시 손상받기 쉬운 자율신경의 위치

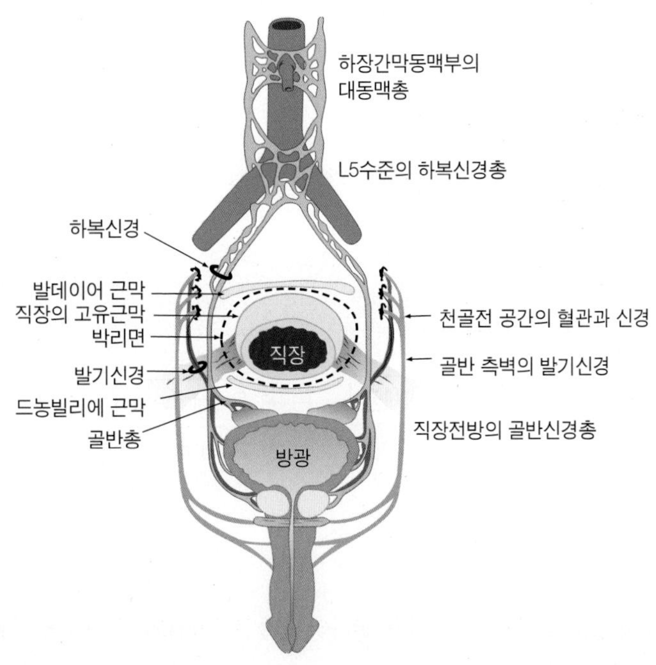

생리

• **결장**의 주요기능은 **영양분의 재활용**이며

즉, 소장에서 영양분을 주로 흡수하지만, 결장으로 내려오는 내용물은 아직도 많은 수분, 전해질 및 영양분을 함유한다. 이를 재활용해야 한다.

직장의 기능은 적절한 배변기능이다.

■ 내인성 대장내 세균

• Bacteroides가 대장전체에 걸쳐 가장 많다 (10^4-10^7cfu/sample).

→ 이는 대장 근위부의 선체균 중 66%, 직장에서는 68.5%에 해당함.

• 장내세균은 400종이 넘고, 대부분은 anaerobes이다.

• 대장 내용물에는 10^{11}에서 10^{12}개의 bacterial cell이 존재하고 이는 fecal mass의 약 50%를 차지한다.

• 내인성 대장내 세균의 역할 ★

① 병원성 미생물 출현 억제
② 탄수화물, 단백질 분해
③ Bilirubin,담즙, Estrogen, Cholesterol 대사
④ Vitamin K 생산
⑤ Urea 재활용 질소대사의 최종산물인 urea의 10%를 재활용함.
⑥ microbial breakdown과 starch의 발효를 통한 Short-chain fatty acids(SCFAs)의 생성

■ 발효 (Fermentation)

① 장내세균은 숙주에게 발효산물인 butyrate를 제공하는데 이는 대장내피세포의 주된 에너지원일 뿐만 아니라, 전신적으로 흡수되어 에너지원으로 이용된다.

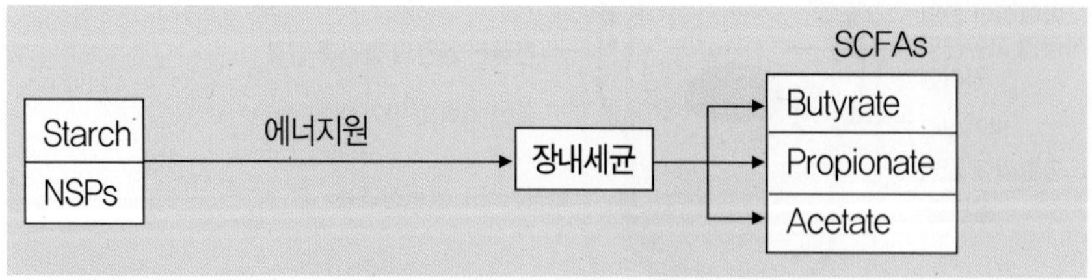

cf) **NSPs** : Nonstarch polysaccharides = Dietary fiber

SCFAs : Short chain fatty acids

장내세균이 영양분을 재활용한 결과의 산물로 (butyrate가 대표적), 사람의 **일일에너지 소비량의 10%**를 차지한다.

② colon transit time및 대변의 양은 NSPs의 종류에 따른 발효정도가 결정한다.

발효가 잘되지 않는 NSPs (식이섬유) (보통은 비수용성)	발효가 쉽게되는 NSPs (보통 수용성)
대변량을 늘리고 transit time을 가속화함 → 변비의 치료에 이용	대변량을 줄이고 transit time이 늦어짐 → 설사의 치료에 이용됨

③ SCFAs의 기능

a. 결장의 형태유지 및 **기능**에 관련됨
　└ 10%의 영양분의 recycling 효과

b. **위장관 운동성**에 관여
　ex) 음식물이 ileocolic junction에 도달하면 위배출을 지연시킴.

c. butyrate는 **정상결장세포의 성장을 도우며**, **악성세포의 성장을 막는다**. 또한 결장세포의 adhesion에 관련된 분자의 발현을 돕는다.

■ 흡수 & 분비

① 흡수

a. 수분 및 Na에 대해 10배 가량의 **흡수**능력을 지닌다.
물은 수동적으로, Na은 능동적으로 수송된다.
이러한 흡수에 사용하는 에너지원이 주로 butyrate로서 예컨대 광범위 항생제사용으로 인해 장내세균의 감소로 장내세균에 의한 발효가 이루어지지 않으면 수분 및 Na의 흡수가 되지 않아 **설사**가 유발될 수 있다.

b. **담즙산을 흡수하여** enterohepatic circulation에 **관여**한다.
흡수할 수 있는 양 이상의 담즙이 내려오면, 장내세균은 담즙산을 deconjugation하며, 이러한 deconjugated bile acids는 수분 및 전해질 흡수를 방해하여 **설사**를 유발할 수 있다(secretary diarrhea).

② 분비

• 주된 분비물 : K^+, H^+, Cl^-, HCO_3^-

■ 운동성

• **우측결장**은 **"fermentation chamber"라고 불리만큼 대사가 활발**하며 **좌측결장**은 주로 **저장 및 Stool dehydration**이 일어나는 부위이다.

• Colonic transit time 결정인자
① Stool SCFA 농도　② Distal colonic pH

• **운동양상**

- Colonic motility 패턴은 크게 두 가지로 나눌 수 있다 : Segmental activity, Propagated activity
  → Segmental activity : 단일 수축을 통해 형성된 압력차에 의하여 fecal matter의 이동과 혼합을 일으킴
  → Propagated activity : motor complex에 의하여 나타나는 mass movement로 대량의 fecal matter의 이동에 관여

① **우측** 결장 : antiperistaltic, retropulsive wave (**주로** segmental contraction)
즉, 결장구조물을 역방향인 cecum으로 밀어넣음.

② **좌측** 결장 : tonic contraction, separating wave

③ Mass peristalsis
- 주로 횡행 & 좌측결장에서 발생함.
- 식후에 자주 발생. 내용물을 전반적으로 밀어 한번에 결장길이의 1/3까지 내용물을 내린다.

④ Gastrocolic reflex
- 식후 15분 후 발생하며 S자결장이 식후 수축력이 가장 큼

■ 대변 형성

• **정의★: '설사'는 ≥ 3회/day 무른변 , 변비는 ≤ 3회/week**

• **Colonic transit time은 폐경전 여성에서 길어지고, 흡연자에선 짧다.**

NSPs를 섭취한다고 colonic transit time이 짧아지지 않는다. 하지만 특발성 변비에선 NSPs 섭취는 colonic transit를 줄이고 대변량을 증가시킨다.

■ 배변

• **정상 배변의 요건 :**

① **적절한** colonic transit time ② Stool consistency ③ Fecal continence

• **대변이 직장에 도달하면,**

① Anorectal inhibitory reflex	항문외괄약근의 수의적 수축
② Retrocolic reflex	결장이 비워질 때까지 직장에 계속적으로 대변이 채워지는 현상

수술준비

① **기계적 장세척액**

• 생리식염수 세척 : 10-14L
• 경구 Mannitol (10%) : 4L
• PEG (Polyethylene glycol) 용액 : 4L

② **예방적 항생제**

- 결장대장에 대한 예정수술의 감염도는 **'clean contaminated'** 로 분류된다. 따라서 **수술절개 30분 전 경정맥항생제를 투여**하고, 수술이 길어질 경우 **4시간** 간격으로 추가적인 항생제를 투여해야 한다.
- 수술 후 항생제투여 및 경구용항생제의 효과에 대해선 입증된 바가 없다.

술식

■ 결장절제술(Colostomy)

① **손상을 피해야 할 부위 ★**

a. **우측** 결장반절제술시 : **오른쪽 요도, 십이지장**

b. **좌측** 결장반절제술시 : **왼쪽 요도, 비장피막**

※ **요도손상**은 i) **IMA결찰시** ii) **외측 인대 절단시** iii) **후복막을 열고, 닫을때** 빈번하므로 주의해야 한다.

② **전결장절제술 (Total Colectomy)의 적응증★**

a. UC (Ulcerotive colitis)
b. FAP (Familial adenomatous polyposis)
c. 대장에 국한된 CD (Crohn's disease)
d. 출혈부위를 알수 없는 **대량 대장 출혈**

③ **종양부위에 따른 절제 영역**

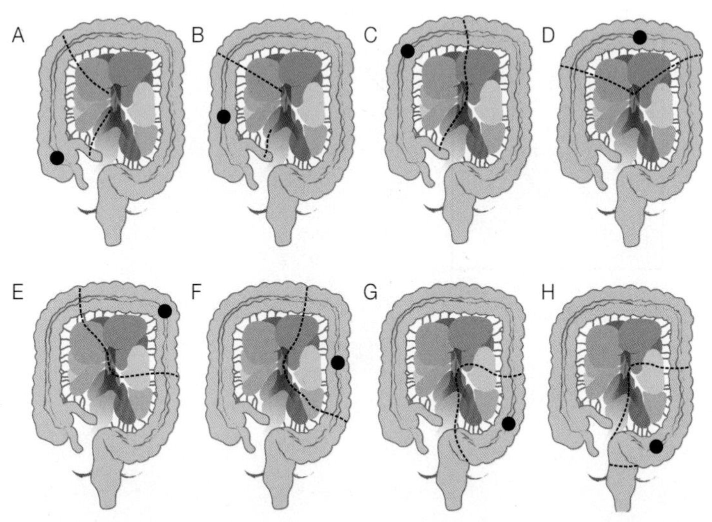

■ 직장절제 (Proctectomy)

- 복회음부절제술 (APR; Abdominoperineal resection) or 저위전방절제술 (LAR; Lower anaterior resection)
- **APR시 2가지 주된 합병증**
  - ① **신경성 방광 (Neurogenic bladder)**
  - ② **생식장애 (발기부전, 역행사정)**

■ 대장절제후의 문합

① **전복부결장절제 (Total abdominal colectomy) 후**

ileocolostomy시행

└ 회장과 직장 (혹은 S자결장)연결한다.

이때 환자의 만족스런 장기능을 위해선 직장 잔유부가 18-20cm 이상이어야 함.

② **전직장을 자른 경우** 회장이나 결장을 항문와 연결해야 하며, urgency, diarrhea, incontinence, tenesmus & seepage(누출) 등의 문제가 생긴다.

→ 직장을 회장이나 결장을 이용한 "pouch"로 대체해야 한다.

└ IPAA

(Ileal pouch anal anastomosis=Restorative Proctocolectomy= Ileal pull through)

- 적응증 : UC or FAP
- IPAA는 sacral parasympathetic n.의 손상이 적어 골반내 Urogenital Cx이 적다는 장점이 있다.
- 응급으로 수술한 경우는 일시적인 장루를 만들어줌 (two-stage OP)

(Sch) IPAA시행그림

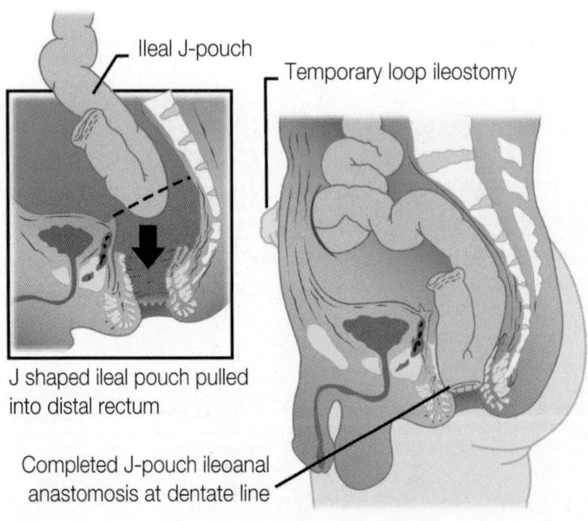

※ 장루 형성 (Exteriorization Of Intestine)

- 고려해야 할 상황
  - 좌측결장 수술 시 장세척이 안되어 있으며, 감염이 있거나, 허약한 환자시
    ex) 좌측결장의 관통상
    농양을 동반한 S자결장게실
    면역억제제를 과량 복용한 IBD환자
- Permanent fecal disversion은 T-loop colostomy보다 ileostomy가 낫다.

• 이상적인 장루의 조건 ★

① **배곧은집(rectus sheath)을 통과**한다 (Peristomal hernia를 줄일 수 있다.) **배꼽아래**로 해야 하며, 환자가 **직접 관리**할 수 있는 위치여야 하며, **주름진 피부 및 늑골궁, 상천상골극 (ASIS), 치골 등에 가까운 부위는 피하자**
② **장간막을 paracolic gutter에 고정**하고, 결손 부위를 interrupted suturing한다(Int. hernia막음). 장간막이 장루쪽으로 올라오고 하고 장력이 적어야 한다.
③ Appliance를 붙일 수 있는 stoma 주변의 **여유 피부**가 1/4~1/2인치 가량 있어야 함

(그림) 장루를 내는 여러 수술들

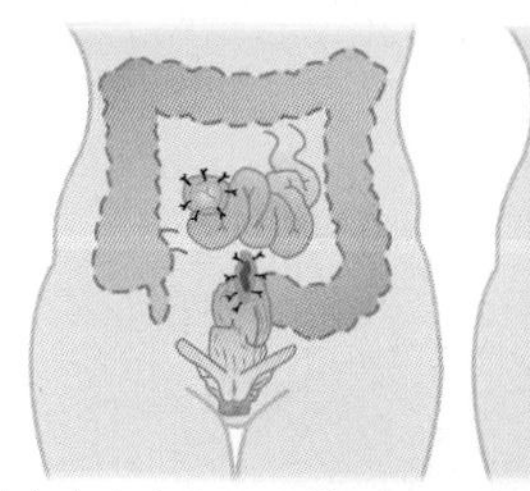
Abdominal colectomy and ileostomy (rectum undisturbed)

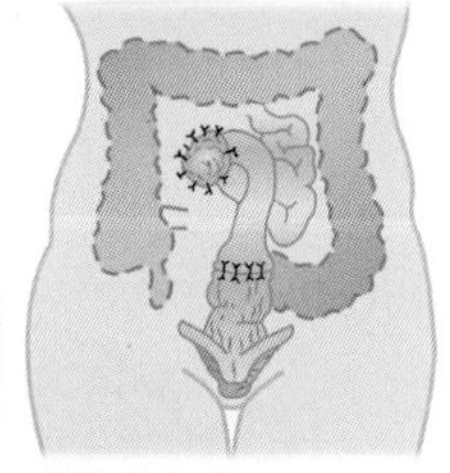
Abdominal colectomy with ileal-rectal anastomosis (temporary ileostomy)

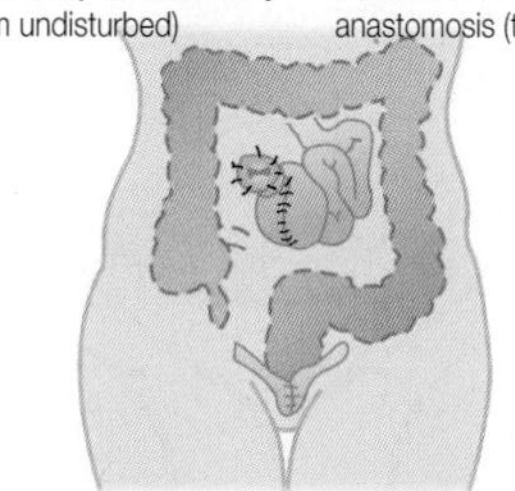
Total abdominal perineal proctocolectomy with koch pouch (continent ileostomy)

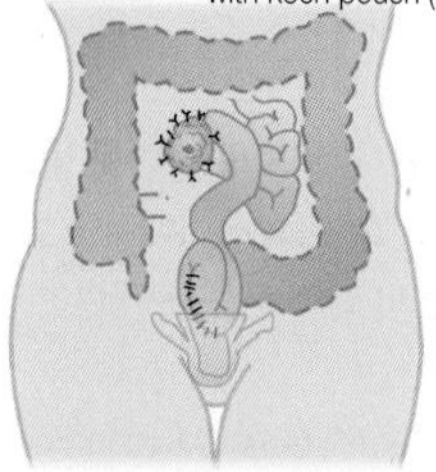
Total abdominal colectomy mucosal proctectomy ileal pouch anal anastomosis (temporary ileostomy)

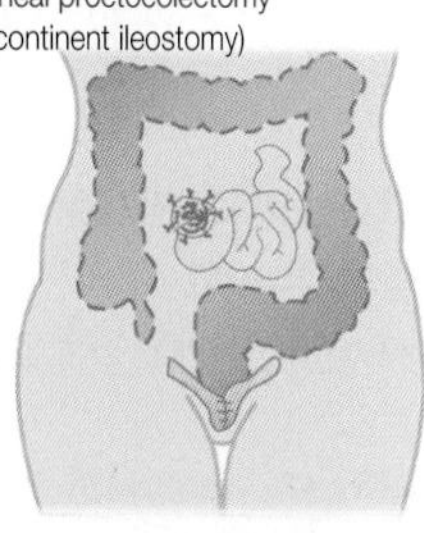
Total abdominal perineal proctocolectomy (permanent ileostomy)

게실 질환 (DIVERTICULAR DISEASE)

게실질환은 대장벽의 비정상적인 outpouching lesion으로, 높은 내강압과 비정상적인 장운동, 장 구조물의 변화, 그리고 저섬유식이 등에 의해서 발생하는 질환이다.

- **종류**
  a. true : 장벽의 전층의 탈장
  b. false :
  - mucosa와 submucosa가 근육층 바깥으로 돌출된 것으로 pseudodiverticulum이라고도 한다.
  - 보통의 게실질환이 여기에 속함
- **연관인자 ★**
  a. **나이**는 질환의 중요한 인자로, 30세 이하에선 드물지만, 80세에선 2/3가 게실질환을 지닌다.
  b. 저섬유, 고탄수화물 및 고단백질 식이와의 연관성이 제기되었다.

■ 병리

① **세동맥** (arteriole)**이 근육층을 통과하는 부위**로 점막이 탈장되는 것
antimesenteric teniae의 mesenteric side에 발생함.
→ **대량출혈**을 유발할 수 있다.

(그림) 게실질환의 발병기전

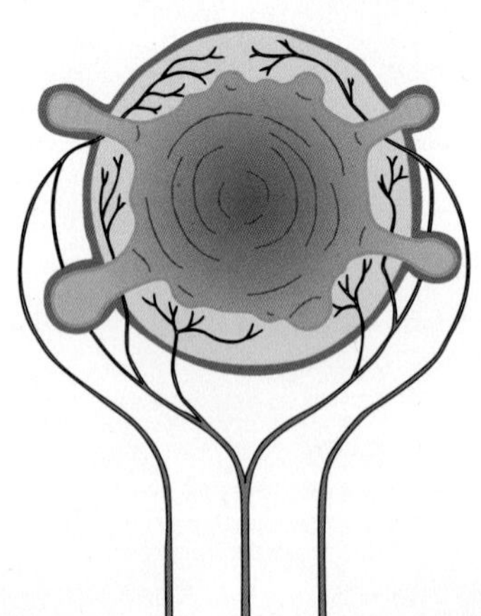

게실은 혈관이 근육층을 가로질러서 통과하는 부분으로 점막이 돌출, 탈장되는 질환이다.
게실이 mesenteric taeniae와 2개의 lateral taeniae 사이에서만 발생함에 주의하자.
결장의 antimesenteric side에는 관통혈관이 없기 때문에 게실이 형성되지 않는다.

② 근육층의 비대, 내강직경의 감소
- S자 결장(m/c), 하행결장에 주로 나타난다.

■ 게실염 (Diverticulitis) ★

① **정의**

결장게실이 천공되어서, feculent fluid의 extravasation되어서 유발되는 pericolonic inflammation이다. S자 결장에서 가장 많이 발생한다.

② **증상**

- LLQ pain : S자 결장에서 주로 발생하므로
- 장습관변화, fever/chill, urinary urgency (bladder에 염증이 유발된 경우)

  cf) 감염성 염증반응이므로, **직장출혈은 흔치 않다.**
- PEx : Abdominal distention, Localized tenderness

  : Tender mass → phlegmon, 농양을 시사
- Lab findings : leukocytosis

③ **진단**

a. CT ★

감염 위치, 범위, abscess 여부, 다른 장기 및 이차 합병증 여부 등을 알 수 있고 필요시 배농도 가능하므로 매우 유용한 검사

→ **확진**이 가능하며, **예후**까지 추정할 수 있는 가치가 있다.

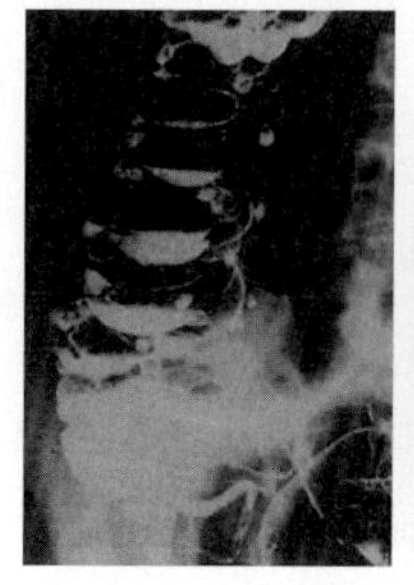

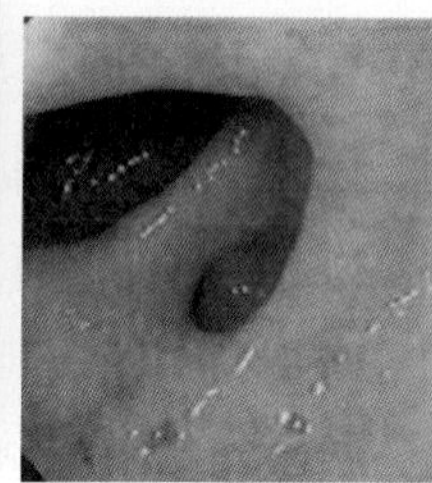

b. 기타 검사법: MRI, 초음파, 수용성조영제를 이용한 대장조영검사

c. 악성종양과 감별하기 위해 응급 <u>S자결장경검사 (sigmoidoscope)를</u> 할 수 있다.

> (주의점)
>
> i) 이때 공기를 주입하면 염증반응이 악화될 수 있으므로 **공기주입하지** 않는다.
>
> ii) AV에서 12 cm 이상 sigmoidoscope를 진행시키지 않는다.

④ **처치**

- 질환의 severity에 따라서 처치가 달라진다. Abscess, fistula, obstruction, free perforation을 동반한 Complicated diverticulitis인 경우에는 수술적 처치가 필요하고, Uncomplicated diverticulitis는 비수술적 치료가 원칙이다.

■ 합병증이 없는 게실염 (Uncomplicated Diverticulitis)

① 외래에서 항생제 치료가 원칙이다. 하지만 통증이 심하면 입원하여 경정맥 항생제를 투여한다.

② 고섬유식이 권장

③ 진통제 : meperidine(morphine은 결장내압을 증가시키므로 meperidine이 적합하다)

- 대부분 치료 시작 48시간 이내에 증상이 완화된다. 증상완화를 보이지 않으면 further evaluation이 필요하다.
- Colonoscopy : 증상이 가라앉은 후 4-6주에 시행, 다른 neoplasm이나 IBD같은 질환을 배제하기 위해
- 약 33%에서 재발한다

④ Elective colectomy : 재발의 빈도와 severity에 따라서 수술을 계획하여 진행할 수 있다.

cf) 면역억제환자는 선택적으로 게실염 첫 발생시 염증 가라앉힌 후 수술 시행함.

■ 합병증을 동반한 게실염 (Complicated Diverticulitis)

※ 게실염의 합병증 : 농양, 장루, 복막염

1. 농양 (Abscess)

① **증상** : pain, fever, leukocytosis, ileus

② **치료**

- 크기가 작은 경우에는 항생제 투여하면서 경과관찰한다.
- Percutaneous drainage : 4cm 이상, CT or US guided drainage
- 예정수술은 배농 **6주 후**에 시행하며 재발의 위험이 있으므로 **병변을 완전절제**한다. 전체 대장침범한 경우, 두꺼워지고 brittle한 부분만 절제

2. 장루 (fistula)

① **종류**

- 피부와 방광, 질 및 소장과의 루 및
  결장과 방광과의 루 (sigmoid vesical fistula)
  └ 48% (m/c)
- **남성**이 여성보다 많다 (여성은 자궁이 막는 역할을 함).

② **증상** : **기뇨** (Pneumaturia), fecaluria, 반복되는 비뇨기감염
└ **소변에게 거품이 남.**

③ **진단** :

- CT : most reliable test, 방광 내 공기 음영 확인
- Colonoscopy : 장루의 원인으로 Crohn's disease나 colon cancer의 가능성을 배제하기 위해 시행

 추가노트

☞ 게실염이 크론씨병이나 종양보다 장루의 더 흔한 원인이다.

④ **치료**

- Broad-spectrum antibiotics
- Sigmoidectomy c primary anastomosis
  : 1회 수술로 가능하며, fistula와 병변부위를 제거한다.
  : 수술 후 7일 동안 Foley catheter로 소변 drainage해준다.
  : 방광defect 크기가 작으면 자연적으로 healing되나, 크기가 큰 경우에는 primary closure를 해준다.

3. 범복막염 (Generalized peritonitis)

① **증상 및 징후**

diffuse abdominal tenderness intraperitoneal free air 나타날 수 있다. leukocytosis., fever, tachycardia, hypotension

② **치료 (2회 수술)**

Hartmann 술식 : S자결장절제 후 proximal end는 distal colostomy,distal end (직장근위부)은 closure시행함	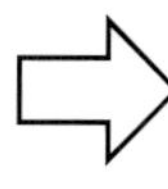 10주 후	복원술

※ 수술의 적응증 (complicated diverticulitis)을 경우를 정리하면,

① Peritonitis 혹은 Closed-Loop Obstruction 소견시

→ **응급 수술 : 2번으로 나누어 수술한다.** Hartmann술식 → 10주 후 복원

② 2차례 이상의 반복된 acute diverticulitis, 심각한 fistula 발생

→ **예정수술 : "한번의 수술로 가능하다."**

i) 먼저 수술준비하고, 농양이 관찰되면 경피적배액을시행한다.

ii) Sigmoidectomy (1회 수술)

※ **문합부 합병증**

- leakage, dehiscence & stricture
- 원인 ① **허혈 (d/t tension)**
  ② **문합 부위에 게실이 있는 경우**

결장 염전 (Colonic VOLVULUS)

- 가동성부분 : S자결장 〉 맹장 〉 횡행결장의 순★
  (이 순서대로 염전이 호발한다)
- 5%의 대장폐색의 원인

■ 결장 염전 (Colonic Volvulus)

1. Sigmoid Volvulus ★

- 결장염전의 2/3을 차지
- 남=녀

① **선행인자**

a. **만성변비**

b. **고령** : 나이 60-70대에 많다.

c. **신경정신질환** 및 **약물 복용**

d. 식이섬유 및 야채의 과다섭취 (제3세계 나라에서)

② **증상**

- 급성 및 아급성 장폐색 → 갑작스런 복통, 구토, obstipation 발생
  i) 심한복통, ii) rebound tenderness 및 iii) 빈맥시 ominous sign임.

※ 주로 만성변비 환자가 지사제 과다 사용 (laxative abuse)시 Megacolon 발생함.
환자들은 특징적으로 노령, 허약 및
다른 질환을 가지고 있는 경우가 많다.
└ Cecal volvulus와 비교시 예후가 좋지 않다.

(그림) Sigmoid volvulus

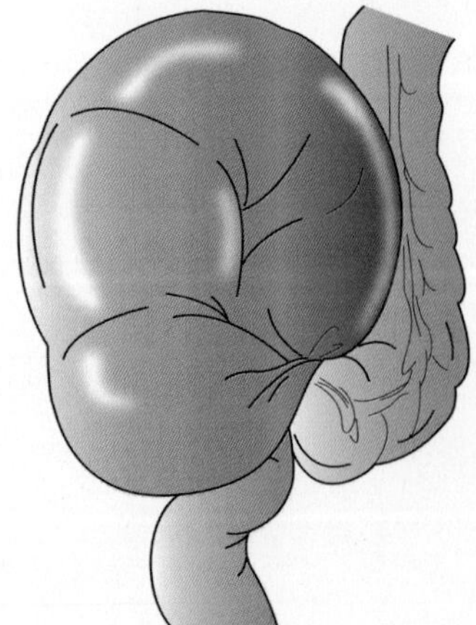

(그림) Sigmoid volvulus Plain film

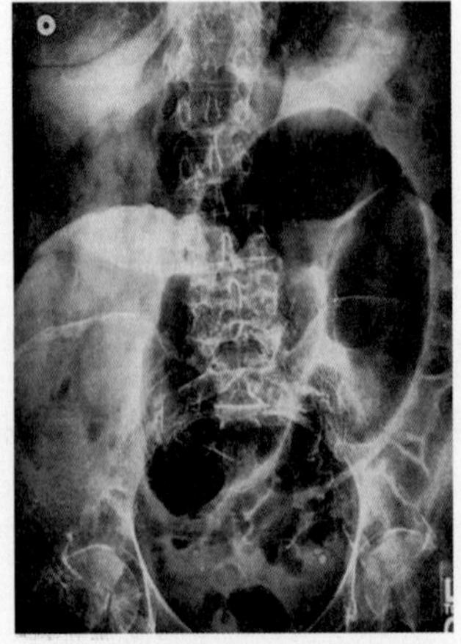

③ **진단**

a. **단순복부촬영**

apex가 RUQ에 위치한 bent inner tube 모양, airfluid level, rectal gas소실 등의 소견이 나타남.

b. **대장조영검사** : 막힌부위에 **새부리모양(Bird' s beak deformity)**이 보임.

c. **CT : mesenteric whirl 소견**

④ **치료 ★ 【17】**

a. 먼저 비수술적 치료로 Decompression을 시행한다

Rigid Sigmoidoscope + Rectal tube (성공률 80-90%. 하지만>50% 재발)

- rectal tube 1-2일 유지
- 하제 (cathartics)로 장청소
- 실패시 응급 S자결장절제술 (Hartmann술식)을 시행한다.
- 환자가 colonic necrosis 소견을 보이면 응급 S자결장절제술(Hartmann술식)을 시행한다.

b. 다음엔, **예정수술 (S자결장절제술)**을 시행한다 (∵ 재발률 ≥ 50%).

- 수술전 악성종양을 감별하기 위해 Colonoscopy 실시한다.

2. Cecal Volvulus

① 엄밀하게 말하면 cecocolic volvulus임

여성에서 더 많이 발생하며, 늦은 50대 즉, sigmoid volvulus보다 젊은 연령에서 발생한다.

② **관련인자들**

전에 수술받은 경우, 임신, malrotation, 좌측결장의 폐색성 병변

③ **증상** : **갑작스런 복통** 및 복부팽창

LUQ쪽으로 종괴 만져짐.

④ **진단**

a. 단순복부촬영에서,

- 팽창된 맹장이 왼쪽으로 밀려서 보임, gas-filled comma shape

b. 대장조영검사

- leading point로서의 종양이 있는지 여부를 확인할 수 있다.

⑤ **치료 ★**

우측결장절제술 (procedure of choice!)

가급적 primary anastomosis하자.

추가노트

cf) Cecopexy는 재발율이 높아서 선호되지 않는다.

■ 가성장폐쇄 (Pseudobstruction; Ogilvie씨 증후군)

① **정의** : 폐색의 물리적 원인이 없이 결장폐색 및 확장이 발생할 때

② **종류**

일차성	이차성
가족성 visceral myopathy 장의 자율신경에 관계된 범 운동성장애	• **약제** : 신경이완제, 아편 등 • **질환** : 심한대사질환, 점액부종, 당뇨, 요독증 부갑상선기능항진증, 루프스, 공피증 (scleroderma), 파키슨씨병, 외상성후복막혈종

③ **기전** : **교감신경기능**이 부교감신경보다 항진되어 발생하는 것으로 생각됨

④ **증상** : 내과적 중증 환자에서 갑자기 복부팽만이 발생시 의심

⑤ **진단**

a. 수용성조영제를 이용한 **대장조영검사** 초기검사로 가장 유용하다.

- mechnical obstuction과 pseudo-obstruction 감별가능

b. 대장경검사: 치료에도 이용될 수 있다.

⑥ **치료**

a. **보존적** : L튜브 통한 감압, 수액보충 및 전해질 교정

b. bowel motility를 저해하는 모든 medication을 끊는다 ex. opiates, antihistamines

c. 대장내시경을 이용한 감압

d. Neostigmine(parasympathomimetic agent)

추가노트

☞ 근거

부교감신경 물질인 neostigmine가 치료에 이용되고 교감신경을 차단하는 경질막외 마취제 (epidural anesthetic agents)로 증상호전이 있다.

☞ Neostigmine

Acetylcholine과 acetylcholinesterase결합부위를 경쟁함으로서 **부교감신경기능을 향상**시킨다.

부작용은 부교감신경 기능항진과 관련된 **서맥**으로, 부작용시 antidote인 atropine을 이용한다. **심장질환**이 있는 환자에서는 neostigmine을 사용하지 않는다.

궤양성 대장염 (Ulcerative Colitis)

• 궤양성대장염환자의 1/3이 결국 수술까지 가게 된다.
→ 내과적난치성 (intractability), 여러 합병증 및 악성으로의 진행이 원인

■ Etiology

1. 원인

① **식이**와 관련성 : 저섬유식이, 음식알러지, 음식첨가제, 정제설탕, cow's milk(모유수유기간이 짧음)
② Smoking : protective effect를 보임(but CD 위험은 2배)
③ M=F : 경구피임약을 복용하는 여성에서 더 많이 발생한다(=CD)
④ 10-30대에 가장 많이 발생
⑤ 가족력 : 중요한 risk factor
10대~ 30대에 가장 많이 발생. 가족력 - 부모자식간 및 형제간에 많이 발생함.
⑥ **유전적인자**
a. DNA 복구유전자
b. class II MHC 유전자
DR1501 → 양성 경과를 지닌다. DR1502 → 경과가 좋지 않다.

2. 염증성을 시사하는 소견들

① 초기증상발현시, 호중구가 장의 고유판 (lamina propria)로 유입된다.
② 75%에서 p-ANCA 양성임 (CD와 감별할 때 이용된다)
└ perinuclear antineutrophil cytoplasmic Ab
③ 혈중 IL-4, IL-5, IL-6, IL-10 & IL-13이 증가한다.

■ 병리특징

1. 육안소견

① **직장점막** → 결장 근위부 쪽으로 뻗은 **"연속된"** 염증 소견, 직장점막의 침범이 중요한 소견이다.
② **점막**이 약해서 벗겨진 부위도 많고 (→ 궤양)
이로 인해 재생되는 점막이 대장경검사에서 **"다발성 용종"** 같이 보임.
가성용종(pseudopolyp) 혹은 **염증성용종**(inflammatory polyp)이라고 함

추가노트

☞ **직장은 100% 침범**하며 여기서부터 병변이 연속적으로 위로 올라간다.
cf) 크론씨 병은 skip 병변이 관찰된다.
☞ crypt abscess는 UC의 특이한 소견은 아니고, 크론씨 병이나 감염성 결장염에서도 나타날 수 있다.

③ **협착** : Chronic UC의 5-12%에서 나타난다.

※ UC가 진행하여 **악성병변발생시** 협착이 생길 수 있고 이때의 특징은 아래와 같다.

a. **늦게** 나타남 (60%에서 20년 병진행 후 발생)
b. splenic flexure **근위부**에 나타남.
c. **대장 폐색**을 일으킴.

2. 현미경 소견

① 염증은 결장의 **점막 및 점막하층**에 국한됨.

cf) CD는 전층을 침범함 (transmural inflammation)

② PMNL (polymorphonuclear leucocytes)가 점막기저 부위 crypts of Lieberkuhn에 침착되어, crypt abscess을 형성한다.

→ 진행하면 "점막 및 점막하층에 국한된 궤양"을 형성한다.

■ 임상양상 ★

① 가장 흔한 증상 : 설사 & 직장 출혈

└ **중등도와 연관, 특히 야행성 설사는 좋지 않다.**

② P/Ex상 abdominal tenderness (특히 Lt. side)

만성으로 진행시 → 체중감소 및 빈혈

③ **독성거대결장증** (Toxic megacolon)시 : 복부팽만, 발열, 빈맥, 백혈구 증가

④ 심하면 urgency, tenesmus & Fecal incontinence도 가능하다.

(즉, 염증이 진행되면 직장은 elasticity를 소실하여 내강이 collapse되어 심한 tenesmus가 발생한다.)

⑤ **장외 증상** (Extraintestinal Manifestation)

IBD 환자의 25%는 **장외 증상**을 지닌다.

a. 말초관절염 (Peripheral Arthritis)	• m/c. 주로 무릎이나 발목에서 발생 (20%) • 결장절제 후 **호전**된다.
b. 강직척추염 (Ankylosing Spondylitis)	• 결장절제후 **호전**된다. • 3-5%, HLA-B27(+)
c. 원발경화성담도염 (PSC: primary Sclerosing Cholangitis)	• 가장 심각한 합병증, 5-8%, 40세 이하의 남자에서 주로 나타난다 • **결장절제후에도 호전되지 않는다.** • PSC가 동반시 **암발생 위험이 5배 증가**하며 암은 주로 Splenic flexure의 근위부에 발생한다.

(표) IBD을 비교한 표 ★★

	궤양성 대장염	크론씨 병
1. 육안소견		
• 벽의 비후	0	4+
• 장간막 비후	0	3+
• 장막의 "fat wrapping"소견	0	4+
• segmental disease	0	4+
2. 현미경 소견		
• Transmural lesion	0	4+
• Lymphoid aggregate	0	4+
• Granuloma	0	3+
3. 임상양상		
• 직장출혈	3+	1+
• 설사	3+	3+
• 장 폐쇄증상	1+	3+
• 항문 및 항문주의 질환	드묾	4+
• 악성종양 위험	2+	3+
• 소장 질환	0	4+
4. 대장내시경 소견		
• 분포	연속적	비연속적
• 직장병변	4+	1+
• Friability	4+	1+
• 아프타 궤양	0	4+
• 깊은 longitudinal ulcers	0	4+
• 조약돌변성 (cobblestoning)	0	4+
• 가성용종 (pseudopolyps)	2+	2+
5. 수술적 치료		
• 전 직장결장 절제술 (Total proctocolectomy)	치료적	결장과 직장에 병변이 동반될 때
• 부분절제술	드묾	항문직장질환이 없을 때
• Ileal pouch	선호됨	금기증
6. 합병증		
• 수술후 재발	0	4+
• Fistula	드묾	4+
• sclerosing changitis	1+	드묾
• 담석증	0	+2
• 신장결석	0	+2

■ 진단

① **대장경 검사**

급성기땐 직장경 및 flexible sigmoidoscopy만으로도 충분 (∵**직장**을 침범하므로)

악성종양을 감별해야하므로 여러 군데에서 생검을 시행한다.

② CD를 감별하기 위해, **소장검사**도 시행해야 한다.

: small bowel follow-through 혹은 colonoscopic intubation of the ileum 시행

③ Stool test : bacteria, parasite 등을 확인하기 위해 시행

※ **감별질환**

- CD, C. difficile colitis, infectious colitis, amebiasis, collagenous colitis

  └ CD에선 **항문주위 질환**이 훨씬 **많고**, **직장**을 침범하는 경우가 **적다**는 점이 감별에 도움이 됨.

■ 추적 관찰

① **악성종양**으로의 진행 위험 ★

- 관련인자 : **이환기간**, **발병연령**, **결장 침범정도**
- 0-3%에서 5-10년내 발병, 50-75%에서 30-40년 후에 발생한다. (암이 발생하기 전 평균이환기간 : 17년)

② 대장경을 이용한 추적관찰

- 1-2년 마다 surveillance colonoscopy

  a. pancolitis(Universal involvement) 발생 8년 후부터

  b. left-sided colitis 발생 12-15년 후부터

- Biopsy

  : 10개 이상 무작위로 biopsy 시행할 것을 추천

  : invasive carcinoma로 진행되기 전에 dysplastic lesion을 보인다

 추가노트

☞ high-degree dysplasia가 두번째 숙련된 병리학자에 의해 확정되면 protocolectomy을 시행한다. low grade시는 strong consideration

☞ Multiple areas of dysplasia의 경우에는 protocolectomy의 적응증에 해당된다.

■ Medical therapy

: Aminosalicylates, corticosteroids, immunomodulators, biologics 등이 있다.

- Immunomodulator의 선택

: 스테로이드에 반응을 보이는 환자에서는 thiopurine을 쓴다(UC에서 MTX는 더이상 효과가 없다고 생각됨)

: 스테로이드에 저항성인 환자에서는 Cyclosporine 혹은 infliximab이 추천된다.

- Aminosalicylates – mesalamine, 5-ASA
- Coricosteroids – 대부분 7-14일 내에 반응을 보인다.
- Immunomodulators – Thiopurines, MTX, Tacrolimus, Cyclosporine
- Biologics – anti-TNFa medications(Infliximab, Adalimumab)

※ UC의 수술원칙 ★【16】

UC의 직장결장에만 발생하므로 **전 직장결장절제술 (total proctocolectomy)**가 표준 술식이며, 복원은 소장으로 인공직장을 만드는 **IPAA (ieal pouch-anal anastomosis)**가 적합하다.

하지만 응급상황에선(ex. toxic megacolon) 이러한 표준 술식을 시행하는 것이 어려우므로 아래와 같이 임시적인 수술을 시행한다.

■ 수술 적응증

① 난치성 (intractability)	• m/c 적응증 fulminant colitis가 내과적치료에 반응하지 않고 4일간 지속될 때 조기 수술이 적합하다. • ileal-anal pouch **술식**이 선호된다.
② Dysplasia – Carcinoma	• high-degree dysplasia는 수술의 절대적응증임 • 술식의 선택 병변의 위치 및 병기에 따라 결정한다.
③ 대량출혈	• 이렇게 수술하는 경우는 5%이하로 드물다. • Subtotal colectomy가 선호된다.
④ Toxic Megacolon 혹은 전격성 결장염	• 먼저 보존적 치료 시도하여 반응하지 않을 때 수술함. └ 항생제, 스테로이드, 면역억제제 • 술식 (2단계수술) abdominal colectomy c ileostomy → 수 개월뒤 직장을 제거하고 ileostomy를 내려서 ileal-anal pouch를 만든다.

■수술

① Total proctocolectomy c End-ileostomy	② Hartmann 술식 proctocolectomy c End-ileostomy	③ Total Proctocolectomy with ileal pouch-Anal Anastomosis(IPAA)
• 모든 결장,직장 및 항문을 한단계수술로 제거한다. → 모든 mucosa를 제거함으로써, dysplasia, carcinoma로의 진행가능성을 예방		• 대부분 UC 환자 치료의 gold standard! • ileal pouch는 회장 원위부 30cm로 만든다. (항문부와 double-stapled technique으로 연결해준다)
• 적응증 : **나이가 많거나 배변장애가 있는 환자에게 적합** distal rectum에 carcinoma가 있는 환자에게 적합.	• 적응증 : **- 전격성 결장염 및 toxic megacolon 환자에게 적합하다.** - 수술전 UC와 CD 사이의 감별이 안될 때도 가능	• 적응증 : **항문직장기능 및 괄약근 기능이 intact한 65세 이하에서 시행한다.**
• 단점 : 영구적인 permanent stoma가 남으며, 회음부 창상치료의 어려움이 있다	• 장단점 : 수술시간이 짧지만 질환을 지닌 직장 및 S자결장원위부를 남긴다.	• 합병증: - 조기 : 장폐색, pelvic sepsis (leak에 의해서) - 후기 : Pouchitis

(그림) anorectal mucosectomy후 hand-sewn ileal pouch-anal anastomosis

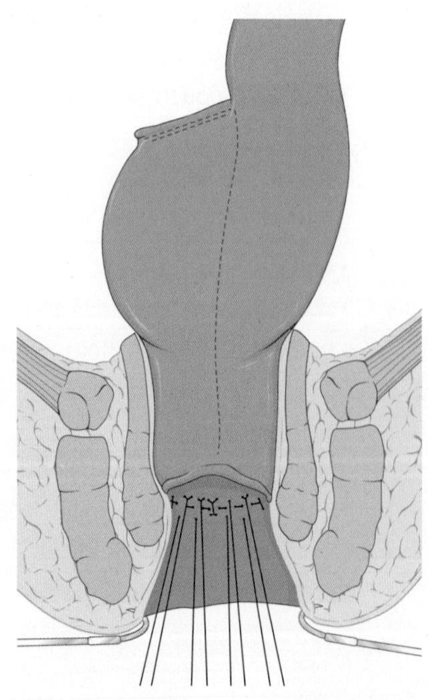

cf) pouchitis

- Total proctocolectomy c IPAA 시행 환자의 7-33%에서 발생
- 원인 : Unknown(박테리아과증식, 점막허혈 등과 관련)
- extraintestinal manifestation이 있는 환자에서 더 많이 발생
- Sx : Increased stool frequency, 발열, 출혈, cramps, 탈수증상
- **치료** : Rehydration, Oral antibiotics(metronidazole, ciprofloxacin)

cf) total abdominal proctocolectomy c IPAA를 시행시, 일시적인 회장조루술 (ileostomy)을 시행할 것인지에 대한 논란이 있다. 고위험환자, 예컨대 고용량의 corticosteroid 복용 환자에선, temporary ileostomy를 함께 시행하는 것이 적합하다. 또한 직장점막조직 완전제거 (mucosectomy) 여부에도 논란이 있는데 mucosectomy는 잠재적 악성조직을 제거할 수 있는 장점이 있지만 nocturnal staining 및 괄약근기능저하 등의 위험이 있다. 이상의 수술방법들을 정리하면 아래 표와 같다.

(표) UC에서의 elective operation

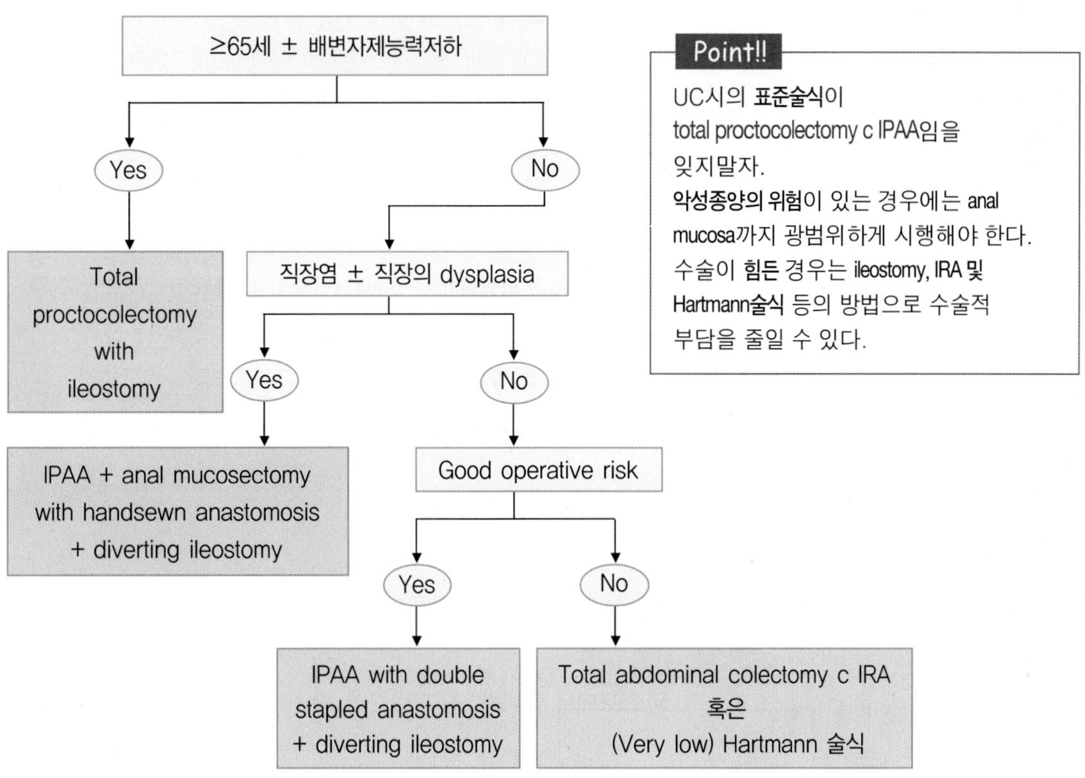
≥65세 ± 배변자제능력저하
Yes
No
Total proctocolectomy with ileostomy
직장염 ± 직장의 dysplasia
Yes
No
IPAA + anal mucosectomy with handsewn anastomosis + diverting ileostomy
Good operative risk
Yes
No
IPAA with double stapled anastomosis + diverting ileostomy
Total abdominal colectomy c IRA 혹은 (Very low) Hartmann 술식
Point!!
UC시의 표준술식이 total proctocolectomy c IPAA임을 잊지말자.
악성종양의 위험이 있는 경우에는 anal mucosa까지 광범위하게 시행해야 한다.
수술이 힘든 경우는 ileostomy, IRA 및 Hartmann술식 등의 방법으로 수술적 부담을 줄일 수 있다.

추가노트

☞ IRA : ileal-rectal anastomosis

크론씨 대장염 (Crohn' S Colitis)

• 위장관의 어느 부분을 침범할 수도 있다.
• 결장에만 침범하는 경우는 15% diffuse하게 침범할 수도 있고, UC와 달리 **부분적**으로 침범할 수도 있다.

■ 역학

• Bimodal age distribution
: 15-30세에서 가장 많고, 55-80세에서 그 다음으로 많다.
• 원인 : 명확하게 알려진 바는 없으나, 항원에 과도한 노출로 인한 mucosal barrier defect와 dietary antigen에 의한 비정상적인 반응 등이 원인으로 알려져있다.
• Smoking : 수술 후 흡연자에게서 재발이 많다
• 경구피임제와 연관이 높다
• 16번 염색체에 위치한 NOD2/CARD15 gene과 연관이 있다.

■ 병리

① **육안 (대장경) 소견**
결장벽이 두꺼워져 있으며,
점막에 **선형 궤양**, cobblestoning, **협착** 및 aphthoid ulcer 소견
└ 긴 형태가 **기차길모양** (railroad track) 혹은 **곰발톱** (bear claw)모양으로 나타남

② **현미경소견:**
전층염증 (transmural inflammation), **점막하부종** (submucosal edema)
림프구응집 (lymphoid aggregation), 비건락성육아종 (Noncaseating granuloma)

■ 임상양상

① 증상이 서서히 진행되며 보통 복통과 설사가 반복됨 → 체중감소
(viral gastroenteritis나 IBS과 감별요)
② CD의 2/3에서 결장 전체를 침범하며, **50-75%에서 직장병변**을 지니는데, 즉, UC는 100% 직장병변을 지니므로 구분된다.
③ **CD의 30%에서 항문질환**을 지닌다.
└ 치루, 치열, edematous skin tags, anoderm의 미란
병변이 클수록 항문질환의 빈도는 높다.

④ **장외질환중,**

일차 경화성 담도염 (Primary sclerosing cholangitis), **간경화** 및 **강직성척추염** (Ankylosing spondylitis)는 장절제후에도 **호전되지는 않는다.**

cf) 참고

	UC	CD
직장침범	100%	50-75%
항문병변	0%	30%

■ 진단

Crohn's colitis의 진단은 임상적, 내시경적, 영상학적 특징을 바탕으로 이루어진다.

① **대장경** : most sensitive

: 초기 크론병에서 점막부종과 아프타성 궤양을 볼 수 있다

: Biopsy를 진행할 수 있으나, granuloma를 확인한다고 하더라도 UC와 CD의 확실한 구분이 어렵다.

② **상부위장관조영검사** : 소장도 침범할 수 있으므로 시행한다.

→ 방사선 검사에서 longitudinal & transverse ulcers, cobblestone-like mucosal pattern 및 skip lesion이 보인다.

③ Small bowel series, CT, MRI

※ Infectious colitis 및 UC를 감별해야 한다.

※ 소장침범소견은 CD의 진단에서 중요하다.

■ Medical therapy

- CD의 수술이 curative하지 않으므로 내과적 치료가 중요하다
- Aminosalicylates, corticosteroids, immunomodulators, biologic therapy 등이 있다.

 추가노트

☞ 학생들은 수술적응증 이름 및 수술원칙 정도만 알면 된다. 다음 페이지의 나머지 자세한 것은 참고만 한다.
CD는 외과적으로 완쾌가 되지 않은 병으로 내과적 치료가 주가 되어야 한다.

■ 수술 적응증 ★

- UC와 달리 only palliative Tx이다. ★
  즉, 수술목적은 증상완화, 합병증의 교정 및 암으로의 진행을 예방하는 것이다.
- 수술하기 전에 약물치료에 최선을 다해야 한다. (Medical therapy is the mainstay of treatment of Crohn' s disease)

(표) 수술적응증

① 난치성 (Intractability)	⑥ Toxic megacolon
② 장폐색	⑦ 대량 출혈
③ 복강내 농양	⑧ 암으로의 진행
④ 누공형성 (Fistula)	⑨ 성장 장애
⑤ 전격성결장염 (Fulminant colitis)	

난치성 (intractability)	• 내과적 치료에 반응하지 않는 경우 • m/c 수술의 적응증
장 폐색	• 회장 말단부에서 가장 많이 발생 • 치료 ① bowel rest, nasogastric decompression, IV fluids, anti-inflammatory medications ② 호전안되면 balloon dilatation이나 수술 시행
복강내 농양	• CT guided drainage시도 → 호전없으면 수술
누공 형성	① Internal fistula – 1/3 환자에서 발생하며, 주로 소장에서의 CD에 의해 발생한다. 합병증이 있으면 수술한다. ② Colocutaneous & Enterocutaneous fistula – 보통 복벽이나 피부로의 fistula는 colonic CD보다는 terminal ileum CD에 의해 발생한다. – 보통 bowel rest 등의 비수술적으로 치료하며, high output (≥500ml/day)의 경우 TPN이 도움이 된다. 이렇게 비수술적 방법에도 4-6주 후에 closure되지 않으면 수술한다. ③ Colovesical & Colovaginal fistula – 병변이 있는 장을 절제하고, fistulectomy 후 장봉합한 부위와 주변 장기 사이에 omentum을 interposition한다.
전격성 결장염 및 Toxic megacolon	• aggressive iv fluid, antibiotics, steroids 2-3일 간 • 호전없으면 수술 : Subtotal colectomy c end-ileostomy • CD에서의 Toxic megecolon은 UC같은 결장확장소견은 없다. 하지만 중등도은 동일하다.
대량 출혈	• 회장 말단부에서의 출혈이 m/c
암으로의 진행	• high-grade dysplasia는 colectomy 적응증 협착이 오래되면 곧 악성종양이 발생한다.
성장장애	• 심한 병변을 지닌 사춘기이전 소아에서 병변절제는 growth retardation 호전을 가져온다. 이 경우 수술 전후의 영양공급이 중요하다.

■ 수술

• strictly palliative

가장 중요한 원칙 : 가급적 장절제를 최소화하자. ★

• **"육안적으로 심한 병변만"** 을 제거하도록 한다.

의심되는 병변을 모두 절제하려고 하면 결국 short bowel syndrome을 유발한다.

경계의 frozen section로 수술 후 재발여부를 예측할 수 **없다.**

• 수술 후 재발률이 높기 때문에 수술을 고려하기 전, **약물치료를 극대화**해야 한다.

① Ileal-Cecal resection	• m/c • 적응증 : 회장말단부에서 폐색 및 천공이 있을 때 • 수술시 장간막 및 장 경계를 손으로 만져보아 intraluminal disease여부를 확인하여, 정상 장까지 절제하지 않도록 한다.
② Total proctocolectomy c Ileostomy	• 모든 결장, 직장 및 항문을 제거한다.(→ 재발율이 가장 낮은 술식) 회음부창상이 치유되는데 어려움이 있을 수 있다. • 적응증 : 전결장과 직장을 involve한 CD
③ Total Abdominal Colectomy c Ileal-Rectal Anastomosis	• 직장을 보존한다. → 후에 재발할 여지가 있다.(후에 copletion proctectomy and ileostomy시행)
④ Subtotal Colectomy c Hartmann's closure of Rectum & Ileostomy or Mucous Fistula	• 역시, 전체 결장을 제거하고 직장을 보존하는 방법으로, 고위험 환자에게 짧은 시간내에 수술을 시행할 수 있다.
⑤ 결장부분절제술	• 병변이 결장의 특정 부위에 국한될 때 시행할 수 있고 재발율이 높다. • 5년 내 재발율이 30-50%이고, 60%의 환자에서 10년 내에 재수술을 받는다.

(표) 크론씨 결장염의 Elective operations

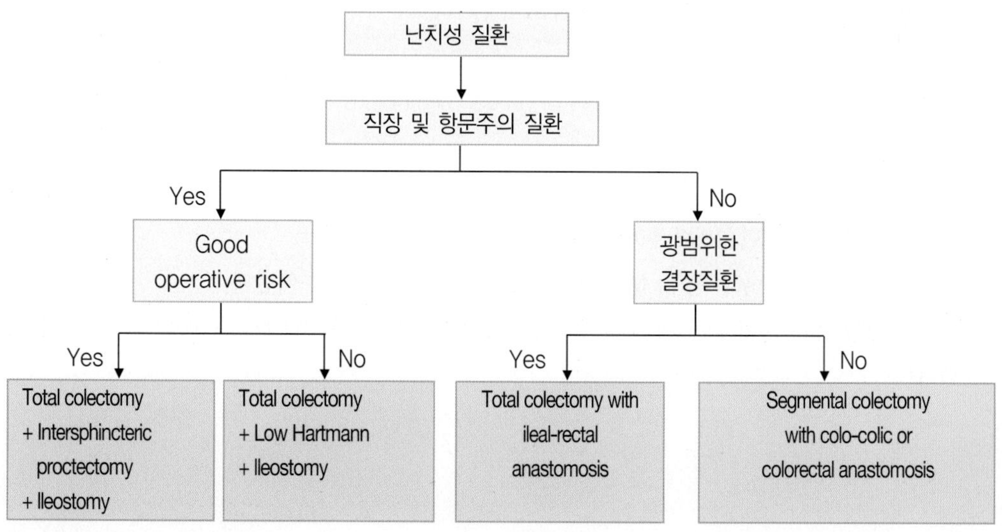

■ 수술후의 경과

- 재수술율은 매년 4-5%
- 재발위험인자 : Duration, severity, smoking, 잘라낸 병변의 granuloma의 존재유무
- 수술 후 유지요법

: 5-acetylsalicylic compounds 및 sufasalazine, prednisolone, azathiopurine mesalamine 등 이용
(회장 및 회장결장에 병변이 있는 환자가 결장에만 병변이 있는 환자보다 수술 후 유지요법에 더 잘 반응한다)

Clostrium Difficile colitis

1. 원인

- Clostrium difficile는 포자(spore)를 생성하는 그람 양성, 혐기성균으로 장기간(4-9일) 항생제 투여시 상대적 과다증식이 발생하여 toxin A, B를 분비하면서 장염을 유발한다.
- 병원감염성설사(nosocomial infectious diarrhea)와 관련있으며, Clindamycin, cephalosporins, fluoroquinolones 등의 항생제의 사용이 중요한 risk factor이다.

2. 진단

① **ELISA검사**
수시간 내 결과가 나오지만 정확도가 떨어져서 음성결과가 나왔다고 병이 없다고 할 수 없다.

② **stool cytotoxin test**
민감도(94-100%)와 특이도(99%)가 높다.
검사방법이 힘들고, 하루이상 배양해야 하며 고비용이다.

③ **직장경 및 flexible sigmoidoscopy**
: 점막에 yellowigh plaque-like membranes or pseudomembranes 확인

3. 치료

① 경미한 경우 치료 중이던 **항생제 투여를 중단**하면 된다.
② 좀 더 심한 경우 Vancomycin (경구), Metronidazole (경구 혹은 경정맥)을 투여한다.
③ 전격성 결장염 혹은 Toxic megacolon으로 진행한 경우 Abdominal colectomy + ileostomy 시행(직장은 보존한다)

허혈성 대장염 (Ischemic Colitis)

- 허혈성대장염은 GI-ischemic episodes의 50%를 차지한다.

1. 원인

① Occlusive causes : 대장으로의 혈액공급이 감소하는 상황

ex. Atrial fibrillation이 의한 thromboembolism, 대동맥류 repair surgery 시에 IMA occlusion

② Non-occlusive causes

- 알려진 risk factor로는 Old age(>65세), 부정맥, IBS, 변비, COPD 등이 있으며, 나이가 젊은 경우에는 혈관염, 약물, 먼거리달리기, sickle cell disease 등이 있다.

2. 증상

- 허혈의 정도에 따라,

→ 복통, hematochezia, 발열, 백혈구증가증, 산증, 복막염 징후

3. 진단

① 단순촬영

- 보통은 nonspecific

ileus, 일부확장된 결장 loop, **thumbprinting**, free air

└장벽의 부종 및 점막하출혈로 인해 발생

② 조영검사

- Acute ischemic colitis가 의심되는 상황에서는 barium enema와 water-soluble contrast study 모두 사용해서는 안된다(perforation risk때문)
- 급성기후, 조영검사를 시행하여 장협착 여부를 알 수 있다.

③ Flexible Sigmoidoscopy or Colonoscopy

- 조직생검은 도움이 안된다.
- 허혈 위험이 큰 부위★ → **S자결장, 완창자굽이(splenic flexure)**

(따라서 대장경검사는 splenic flexure까지만 시행한다)

- (소견) 출혈, dusky mucosa inflammatory patch가 건강한 점막와 혼재

점막질환과 전층을 침범한 gangrene을 구분할 수 없는 것이 대장경검사의 결정적 단점이다.

④ Abdominal CT

- 장벽의 비후, pneumatosis, pericolonic stranding, portal venous air 등을 볼 수 있다.

⑤ Endoscopy

- 장의 점막을 직접 확인할 수 있으며, 생검을 진행할 수 있다는 장점이 있다.
- hemorrhagic, pale mucosa와 정상 mucosa가 섞여있는 양상

⑤ **동맥촬영술**은 소장을 침범하지 않았으면 하지 말자.

(그림) Colonic ischemia의 관리

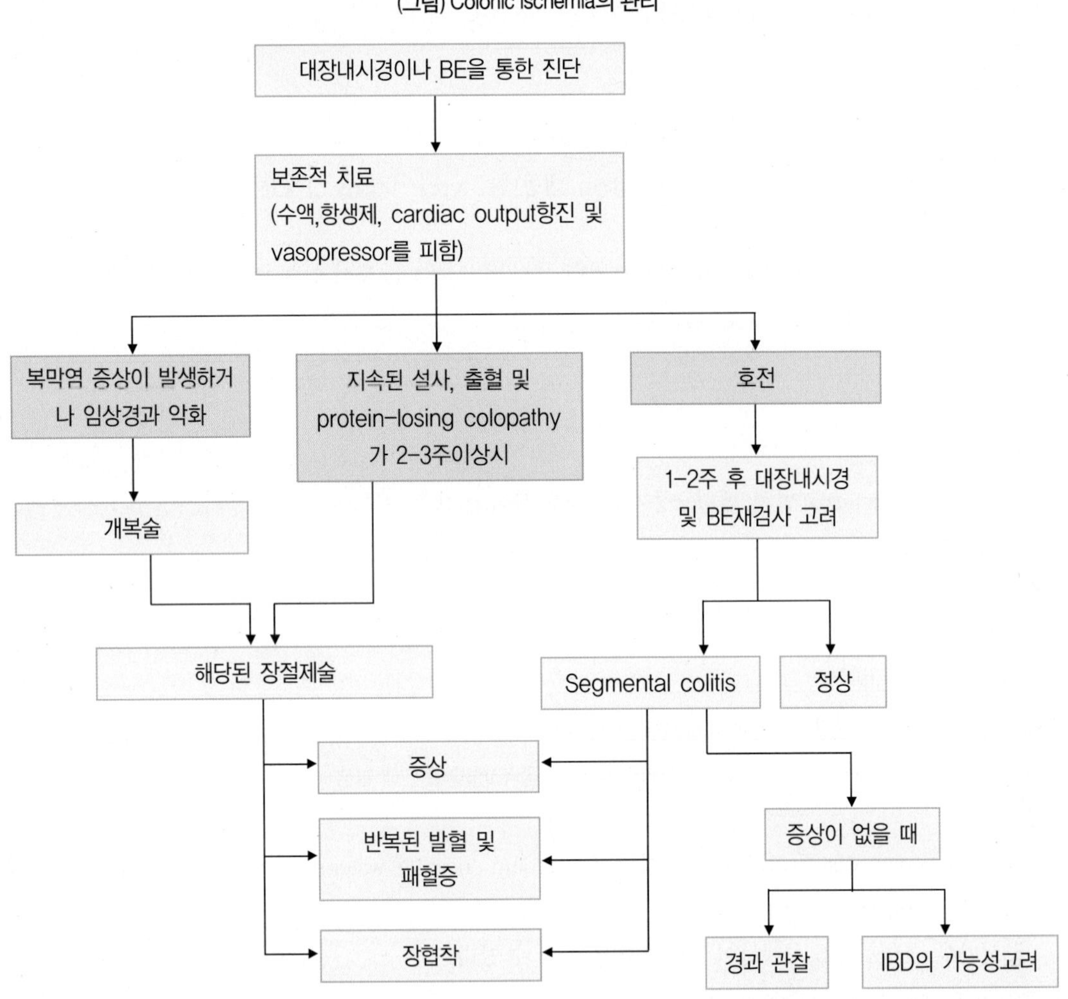

4. 치료

: 대부분의 허혈성 대장염에서는 응급으로 수술적 중재가 필요하지 않음

① 보존적 치료

- Bowel rest, IV fluids, serial abdominal exminations, ileus가 있는 경우 nasogastric tube
- 저혈압에 대한 치료와 hydration을 통해서 blood flow가 적절히 유지되도록 한다
- 광범위 항생제 : bacterial translocation의 위험을 줄이기 위해 투여

② 수술

• **적응증**

---

a. 급성 적응증
- **복막염** 증상 (Peritoneal signs)
- **대량 출혈** 등 Hemodynamic instability의 상황
- 결장전체를 침범한 **전격성 결장염**

---

b. 아급성 적응증
- 2-3주간의 지속적 치료에도 호전이 없거나, Protein-losing colopathy시
- 패혈증이 반복될 때

---

c. 만성 적응증
- 증상을 유발하는 결장협착
- 증상을 유발하는 segmental ischemic colitis

• **술식** : 부분결장절제술 c primary anastomosis 혹은 전결장절제술 c ileostomy
이때 필요하면 end stoma를 형성할 수도 있다. 단, small bowel에서의 mesenteric ischemia와는 다르게 결장에서는 revascularization은 시행하지 않음

종양

• 결장대장암은
① hereditary, ② sporadic or ③ familial forms이 있다.

유전성	산발형	가족형
• 가족력이 있으며 젊은 나이에 발현한다. 다른 특이한 종양 및 결손이 동반될 수 있다.	• 가족력이 없고 60-80대의 고령에서 많다.	• 일차친척 중 50세 이하에서 결장직장암을 진단받았을 때 위험율이 2배에 이른다.
• 유전자변이가 전체 세포에 있다. ex) FAP HNPCC	• 유전자변이는 종양 자체에 국한된다.	• Genetic polymorphisms, gene modifiers, tyrosine kinase의 결함 등이 원인이 된다.

■ 유전자 변이

1. 종양억제 유전자 (Tumor Suppressor Genes)

• 종양형성을 기시하기 위해선 두 개의 alleles 모두 기능정지가 되어야 한다.

① **APC 유전자**

a. 5q21에 위치

b. 작용기전

i) 세포질내 β-catenin발현에 관여함으로써 세포주기를 조절함.

ii) 세포분열 및 종양생성에 관련된 **Wnt 유전자**의 발현에 관련됨.

c. APC 절단변이와 FAP와의 관련성

Classic FAP	• APC 절단변이가 **codon 1250~1464 사이**에 나타남. → 결장 및 직장을 침범하는 **100개 이상**의 용종을 지님.
Attenuated FAP	• APC 절단변이가 유전자의 5'end에 가깝게 나타남. 즉, 매우 짧은 절단단백질이 생성됨. → 임상적으로 **100개 이하의 용종**을 지니며, 병변은 **직장을 침범하지 않는다**.
Gardner's syndrome	• FAP의 변형된 형태 • 장외병변으로 **하악골, 머리뼈**의 osteoma, 장간막의 desmoid tumor 및 **팽대부주위종양**을 지님. • APC 절단변이가 생기는 위치에 따라 장외병변 발현에 차이를 보임

추가노트

☞ **대장암의 risk factor** ★

① aging

② hereditary risk factors (family history) (FAP)

③ environmental & dietary factors (high in animal fat & low in fiber)

④ inflammatory bowel disease (ulcerative pancolitis)

⑤ cigarette smoking

– Schwartz's, 8th, Ch.28 Colon, rectum, and anus

유전자변이 유형	관련된 유전자	관련 질환
Germline	APC	Familial adenomatous polyposis
	MMR	HNPCC (Lynch syndrome)
Somatic	Oncogenes: *myc* *ras* *src* *erbB2* Tumor suppressor genes: *TP53* *DCC* *APC* MMR genes: *bMSH2* *bMSH1* *bPMS1* *bPMS2* *bMSH6* *bMSH3*	Sporadic disease
Genetic polymorphism	*APC*	Familial colon cancer in Ashkenazi Jewish persons

(그림) APC 유전자의 변이 위치에 따른 발현의 차이

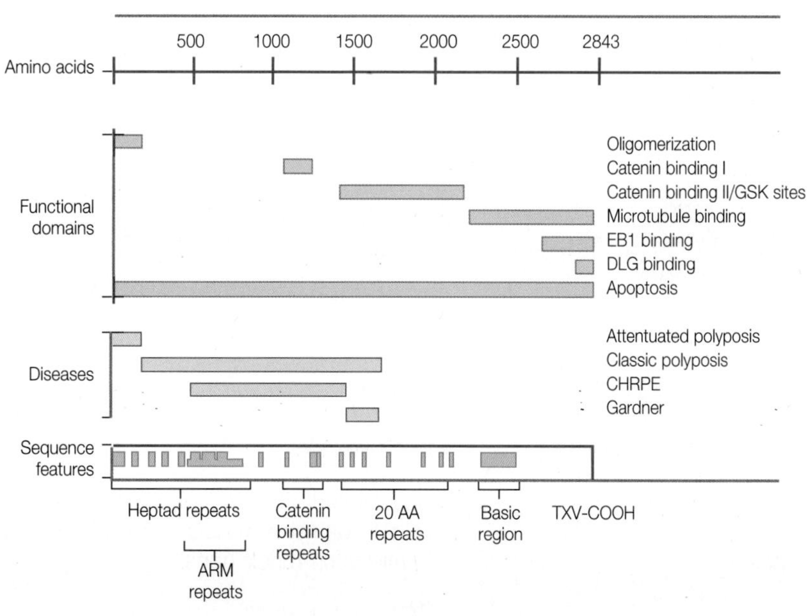

② **p53** (guardian of the genome) : 17번 염색체에 위치

- Colorectal caner의 75%에서 p53 mut(+)
- p53변이가 없는 환자는 생존율이 좋음 → 예후와 관련

③ **SMAD2, SMAD4, DCC** : 18번 염색체에 위치

- sporadic colorectal cancer에서 SMAD2, SMAD4 mutation은 5-10%

2. Mismatch Repair Genes (MMR ; caretaker genes)

① **종류** : hMLH1, hMLH2, hMLH3, hPMS1, hPMS2, hPMS6

② **기전** : MMR 변이

→ Microsatellite instability 유발

→ **HNPCC** (Hereditary nonpolyposis colorectal cancer)를 일으킴

cf) Microsatellite instability는 Sporadic tumor의 10-15%, HNPCC의 95%에서 나타남

3. 종양유전자 (Oncogenes)

- protooncogene은, 세포 성장 및 증식을 일으키는 유전자로, 이 유전자 변이가 일어날 때 oncogene이라고 한다.(Gain of function)
- 예컨대, RAS protooncogene는 12번 염색체에 위치하며 이 RAS 변이는, sporadic colorectal Ca.의 50%에서 나타난다.

■ The Adenoma-Carcinoma Sequence

- 양성 결장직장 용종이 가장 높게 발생하는 시기는 **50세**인데 비해, 결장직장암이 발생하는 시기는 **60세**이다. 이는 선종에서 선암으로 진행하는데 '**10년**' 가량 소요됨을 의미한다.

(그림) Sporadic & Hereditary colorectal cancer에서의 Adenoma-carcinoma sequence
어떤 유전자변이가 초기에 일어나고 어떤 변이는 나중에 일어나는지 알아두자.★

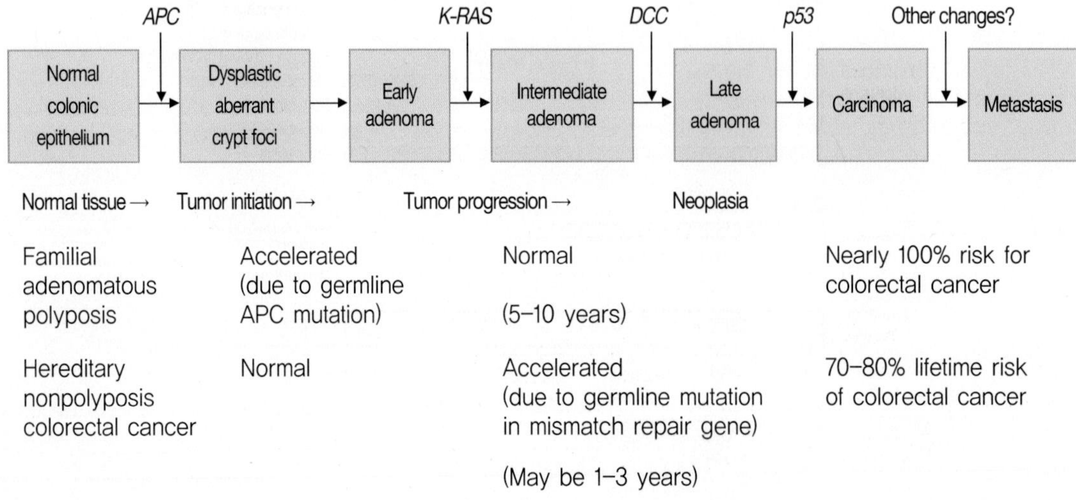

■ Colorectal Polyps

1. Adenomatous Polyp

▣ 분류 ★★

- Gross의 형태에 따라 : pedunculated(stalk이 있는 병변), sessile(stalk이 없고 편평한 병변)
- 조직학적인 특성에 따라 : Tubular adenoma, Villous adenoma, Tubularvillous adenoma

	Tubular	Tubulovillous	Villous
빈도	• 65-80% (m/c)	• 10-25%	• 5-10%
형태	• Pedunculated 형태가 많다.	• Sessile이 많다.	• sessile이 많다
조직소견	• 경미한 atypia 동반		• 심한 atypia or displasia 동반

▣ 악성도를 결정하는 인자 ★

: ~~용종~~의 크기 + 조직학적 소견

ex) 1cm 이하의 adenomatous polyp의 5%가 악성화되지만, 2cm 이상의 villous adenoma는 50%의 확률로 침윤성 종양을 동반한다.

▣ 치료 ★

① 모든 종류의 용종은 Colonoscopy를 이용해 제거하는 것이 치료!

- **stalk가 있는 경우** → 대장경을 통한 올가미법 (snare)으로 제거함.
- **stalk가 없는 경우** → 크기가 크거나 central depression이 있는 경우에는 segmental colectomy 시행

② Atypia or Dysplasia : cellular change가 muscularis mucosa를 통과하지 않은 경우를 말하며,
이는 Complete endoscopic excision으로 치료가 가능하다.

Invasive carcinoma : 반면 muscularis mucosa를 통과한 경우를 invasive carcinoma라고 하며,
광범위한 장절제가 요구된다.

■ 침윤성종양이 동반되어 있는 경우

① 분류(Haggit의 분류)

Level 0	• muscularis mucosae를 통과하지 않은 경우 (carcinoma-in-situ, intramucosal carcinoma)
Level 1	• muscularis mucosae를 침범하여 submucosa까지 병변이 도달했지만, 용종의 head에 병변이 국한된 경우
Level 2	• 용종의 neck level로 병변이 침범한 경우 (head,와 stalk의 경계 부위)
Level 3	• stalk의 어느정도까지도 병변이 침범한 경우
Level 4	• stalk 아래 submucosa까지 침범했지만, 근육층(muscularis propria)에는 침범하지 않은 경우 Sessile polyp은 모두 Level 4에 해당한다

(그림) pedunculated & sessile adenoma의 해부학적 지표

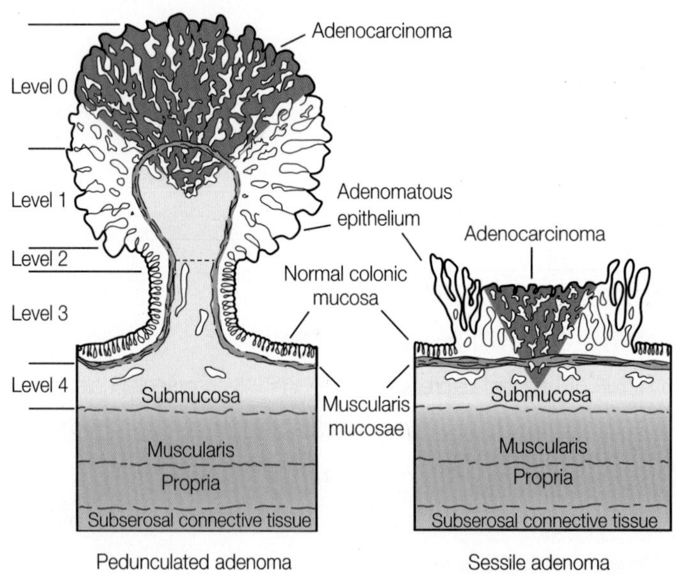

Pedunculated adenoma　　Sessile adenoma

추가노트

cf) muscularis mucosae와 muscularis propria를 혼동하지 말자.

장벽은

a. 점막(mucosa)

b. 점막하층(submucosa)

c. 고유근육층(muscularis propria)

d. 장막(serosa)의 4층으로 구성되며, 이중 mucosa는, 상피(epithelium), 고유층(lamina propria) 및 점막근육판(muscularis mucosae)의 3층으로 구성된다.

② **치료** ★ 【17】

- **원칙**

 용종에 poorly differentiated invasive carcinoma가 있거나, lymphovascular invasion이 있으면, 전이의 가능성은 10% 이상으로 aggressive**하게 치료**해야 한다.

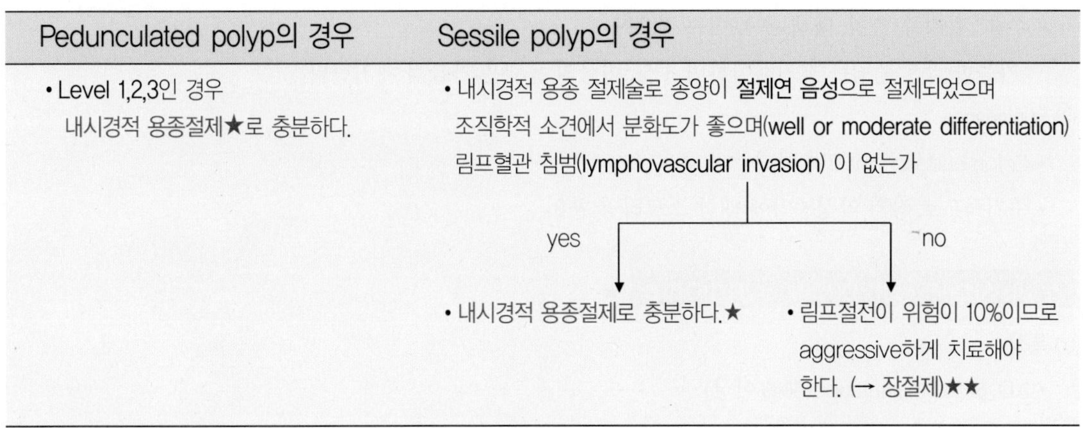

Pedunculated polyp의 경우	Sessile polyp의 경우
• Level 1,2,3인 경우 내시경적 용종절제★로 충분하다.	• 내시경적 용종 절제술로 종양이 **절제연 음성**으로 절제되었으며 조직학적 소견에서 분화도가 좋으며(well or moderate differentiation) 림프혈관 침범(lymphovascular invasion) 이 없는가 yes → • 내시경적 용종절제로 충분하다.★ no → • 림프절전이 위험이 10%이므로 aggressive하게 치료해야 한다. (→ 장절제)★★

※ **직장**에 발생한 sessile cancer의 경우도 림프절전이 가능성이 높으므로 aggressive하게 치료해야 한다.

2. Hyperplastic Polyp

- 결장폴립의 m/c, 대부분 크기가 작다
- 조직학적으로 톱니모양 (serrated)이다.
- 90%는 3 mm 이하이며, 이렇게 **작은 병변**은 **악성 위험도가 없다고 본다.**
 하지만 adenomatous changes**가 발견될 수 있으므로 조직학적 검사를 위해 절제**하는 것이 원칙이다.
- serrated adenoma는 특히 노령의 여성 및 흡연자에게 Rt. colon의 악성과 연관되며 microstellite instability 소견도 지닌다.

■ Hereditary Cancer syndrome

1. Peutz-Jeghers syndrome

① **특징**

- AD

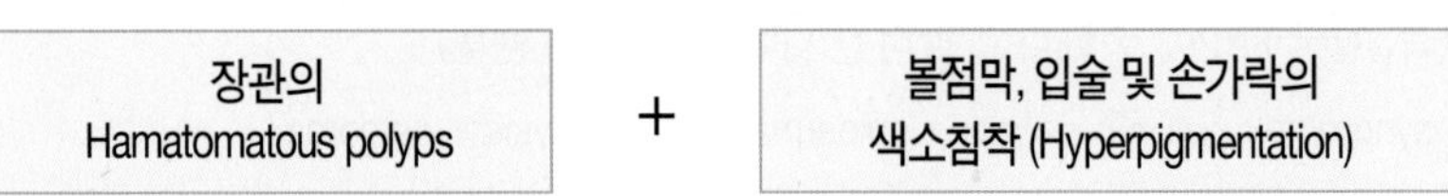

- **STK11**의 유전결함과 연관됨 (tumor suppressor gene)

- **동반질환**
  a. 위장관 암 risk 증가(stomach~rectum) : 2-10%
  b. 장외 악성종양의 위험 : 유방, 난소, 자궁경부, 나팔관, 갑상선, 폐, 담낭, 담도, 췌장 및 고환
- 폴립이 위장관 출혈 및 폐색을 일으킬 수 있다.

② 치료

- 수술 : 합병증(출혈, 폐색)을 보이는 경우에
  : 가능한 많은 폴립을 제거해야하며, 1.5m이상의 폴립은 가급적 제거한다.

② Surveillance

- Colon endoscopy : 2년 마다
- 주기적으로 장외 악성종양에 대한 스크리닝 필요

2. Juvenile Polyposis Syndrome ★

① 특징

- AD, SMAD 4 mutation(50% 이상)
- 위장관 악성종양과 장외 악성종양 risk ↑
- 증상 : 위장관 출혈, 장중첩증 및 저알부민혈증
- 폴립은 hamartoma 및 adenomatous polyps 성분을 모두 지닌다.
- 악성위험 10%

② 치료

- Endoscopic polypectomy : 폴립의 수가 적은 경우
- Abdominal colectomy c IRA(Ileorectal anastomosis) : 폴립의 수가 많은 경우, 수술 후에 주기적으로 직장내시경을 시행해야한다.
- Restorative proctocolectomy with IPAA : 직장점막까지 침범한 경우에 시행

3. FAP (Familial Adenomatous Polyposis)

① 정의

- APC 유전자 (5q21) 변이
  └ 세포증식 및 apoptosis를 조절하며, 대장점막증식의 gate keeper
- 멘델 우성유전: 부모중 한 명이 FAP면 자녀는 **50%**가 질환에 이환됨.

20세 이전	→	29세	→	39세
APC 유전자변이		**FAP 발견**		**FAP으로 인한 결장직장암 발견**

- 다른 형태 (즉, 결국 FAP에 속한다고 밝혀진 다른 이름의 질환들)
  i) Gardner' syndrome : colonic polyps + epidermal inclusion cysts + osteoma
  ii) Turcot' s syndrome : colonic polyps + brain tumors

추가노트

※ 10-20%는 가족력없이 발생하며 이 경우는 spontaneous mutation의 결과임.

② 동반 질환 및 치료

• 용종	• Gastric polyp → hyperplastic. 즉 수술이 필요하지 않다. • Duodenal & Ampullary polyp → 만약 early stage에서 ampullary cancer가 발견되면 pancreatoduodenectomy(Whipple procedure)시행 • jejunum & ileum에서의 Adenomatous polyps & cancer 동반 가능
• 골종 (osteoma)	• 머리뼈, 하악골 및 정강뼈 (tibia)에 발생함
• 데스모이드 종양	• 복벽 및 장간막 등에서 발생하며 일차적으로 Sulindac및 tamoxifen으로 치료 후 호전없으면 **방사선 및 수술**을 고려할 수 있다.
• CHRPE	• Congenital hypertrophy of the retinal pigment epithelium : 75%에서 나타나며 도상 검안경검사 (indirect opthaloscopy)로 진단할 수 있다.
• 기타	• 장외 종양 : 간외담도, 담낭, 췌장, 부신, 갑상선 및 간

③ 치료 ★ 【16】

Restorative proctocolectomy c IPAA (ileal pouch anal anastomosis)	Abdominal colectomy c IRA (Ileorectal anastomosis)
• 가장 많이 이용되는 수술법으로, **종양의 재발이 가능한 원위부 직장까지 모두 제거**할 수 있는 장점이 있다. • 원위부 직장의 mucosectomy까지 시행함으로서 모든 premalignant colonic mucosa를 제거할 수 있다.	• **직장은 보존**하는 방법으로 수술이 손쉽고 합병증이 적지만 남아있는 직장에서 종양이 재발할 위험이 있다. → 수술후 Sulindac 혹은 Celecoxib 복용하여 재발을 줄인다. (하지만 20년내에 1/3환자에서 재발) • 직장내 용종수가 적을 때 고려할 수 있다

※ **"유전자 검사"** 로 IRA를 시행할지 IPAA를 시행할지 결정하기도 하는데, 이는 결손이 있는 APC 유전자중 1250 codon 뒤에 변이가 있는 경우가 앞에 변이가 있는 경우보다 **3배 더 직장암 가능성이 높아** 이경우 **IPAA를 시행**하는 것이 유리하다.

5. Hereditary Nonpolyposis Colorectal Cancer (HNPCC, Lynch syndrome)

① **양상**

- 전체 결장직장암 환자의 3% 및 가족력이 있는 대장직장암 환자의 15%
- **원인**: DNA 수리기전 결손
  즉 hMLH1, hMLH2 변이 : 90%에서 나타남.
  hMLH6 변이시 : 자궁내막암 빈도도 증가
- 상염색체 **우성**유전

② **특징★**

a. **젊은 나이**에 발병 (평균나이: 44세)
b. 결장의 **근위부**에 분포함(70%가 우측결장)
c. **Mucinous** or **poorly differentiated** (signet cell) adenocarcinoma가 많고, **동시성** 및 **후시성** 종양이 많다.
d. 선행하는 선종 (adenomatous polyp)은 **적다**.
e. 수술 후 경과가 **좋다**.

③ **종류**

- Lynch syndrome은 두가지로 나뉘는데, 개념상 overlap되는 부분이 있어 명확히 구분되지 않는다.

Lynch I syndrome	Lynch II syndrome
• 비교적 젊은 나이에 **우측결장암**시 가능성을 생각할 수 있다.	• 대장암 및 대장밖의 종양을 지님 **자궁내막, 난소, 요관암, 위, 소장췌장암, 췌장암, 요관 및 신우 종양**

④ **진단 → 가족력**이 가장 중요

- **가족력**
  - Amsterdam criteria

(표) HNPCC의 임상적 진단

1. Amsterdam Criteria

   – 친척관계인 결장암 환자가 적어도 **3명**이 있어야 하며 아래 조건에 맞아야 한다.
   ① 한 명 환자가 다른 두 명의 **제1친척**이어야 함
   ② **두 연속된 세대**가 관련되어야 함
   ③ 적어도 1명이 **50세** 이전에 결장암을 진단받아야 함
   ④ FAP가 아니어야 함

2. Modified Amsterdam Criteria

   – 암스테르담 기준과 동일하며 종양이 **결장암**뿐만 아니라 HNPCC와 관련된 다른 종양 (**자궁경부암, 소장암, 요관암 및 신우암**)에도 적용된다.

3. Bethesda Criteria

   – 암스테르담 기준이 포함되며 아래 중 한가지를 지닌 경우도 포함한다.
   ① 한 환자에게 **HNPCC관련 종양이 2개** 있는 경우 (synchronous, metachronous 종양 포함)
   ② 환자는 **결장암**을 지니고, **제1친척**이 **HNPCC관련 종양** 혹은 **결장선종**을 지니는 경우
   (종양의 경우 중 적어도 1명은 **45세** 이전에 진단받아야 하며 결장선종은 **40세** 이전에 진단받아야 한다)
   ③ **45세 이전**에 진단받은 **결장암** 혹은 **자궁내막암**
   ④ **45세 이전**에 진단받은 **미분화패턴(solid, cribriform) 혹은 signet-ring패턴**의 우측결정암
   ⑤ **40세 이전**에 진단받은 **결장 선종**

  - HNPCC의 20%는 spontaneous germline mutation에 의함. (즉, 가족력이 저명하지 않다)
- **유전자 검사** : DNA복구유전자 변이를 알아봄.(MMR gene 등)
  - 단, 가족력이 확실한 환자의 50%에서도 원인 유전자를 입증하지 못한다.
    즉, 완벽한 검사는 아니란 말

⑤ **치료**

- 결장암 발견시 : Abdominal colectomy-ileorectal anastomosis(IRA) 시행
- 임신할 의사가 없는 여성 Prophylactic TAH c BSA 추가
  (Total abdominal hysterectomy c both salphingoadnexectomy)
- 직장에 종양이 생길 가능성이 있기 때문에, 수술 후 매년 직장경 검사가 필요함.
- Lynch syndrome 환자에서 prophylactic colectomy에 대한 universal acceptance는 이루어지지 않음

⑥ **FAP 및 HNPCC 환자에서의 surveillance계획**

(표) FAP와 HNPCC환자에서의 선별검사

관련종양	위험도	선별검사 권고안
〈FAP〉 ★		
• 결장직장암	100%	10-12년부터 1-2년마다proctosigmoidoscopy 시행, 35세 후 부터 3년 간격으로 시행
• 십이지장 및 팽대부주위암	5-10%	처음 폴립이 발견된 후 부터 1-3년마다 upper GI endoscopy 시행
• 췌장암	2%	가능하면 정기적인 복부초음파검사
• 갑상선암	2%	매년 갑상선 검사
• 위암	〈1%	상부내시경
• CNS암	〈1%	매년 이학적 검사
〈HNPCC〉		
• 결장직장암	70-80%	20세부터 2년마다 대장내시경하며 35세 부터 매년 대장내시경 (가족력상 조기발병인 경우 10년일찍 검사한다) - polyp 발견되면 바로 내시경적 제거 시행
• 자궁내막암	30-60%	20-25세부터 매년 Transvaginal US, Endometrial aspiration 시행
• 상부 비뇨기암	4-10%	30-35세부터 매년 요분석검사(occult blood) 및 초음파 시행
• 담낭암 및 담관암	2-18%	권고사항 없음
• CNS암	〈5%	권고사항 없음
• 소장암	〈5%	권고사항 없음

■ Sporadic Colon Cancer

1. 증상 ★

우측 결장암	좌측 결장암	S자 결장암
• Mass • Anemia • Dxspepsia	• Bowel habit change • Obstraction • Bleeding	• 게실염 증상과 유사 └ 통증, 발열, 장폐색증상 • S자결장암의 20%에서 게실염을 함께 지닌다. • Colovesical 혹은 Colovaginal Fistula 유발 가능

2. 진단 (직장수지검사를 가장 먼저 시행) ★

① Colonoscopy : "gold standard"

- **조직생검** 가능
- 조영검사에서 발견안되는 작은 polyps을 발견할 수 있다.

② Barium enema

③ CEA (Carcinoembryonic antigen)★

> • 5ng 이상이 의미있음
> • **종양이 장장막 (bowel serosa)을 침범했을 때 증가**
> • **증가하는 경우**
> a. **양성 : 간경화, 췌장염, 신부전, 궤양성 대장염**
> b. **결장암 : 종양의 bowel serosa 침윤시, 종양 재발 및 전이**
> c. **다른 종양에서 : 폐암, 유방암, 췌장암 및 위암**
> • 재발된 직장암환자에는 유용하나 **민감도와 특이도가 낮아 선별검사론 좋지 않음**
> • 수술후 정기적으로 검사하면 **임상적으로 재발이 확인되기 전에 먼저 CEA가 증가**하여 조기 진단할 수 있다. 하지만, **재발한 환자의 50%에서만 증가**하고, **질병이 만연된 환자의 75%에서만 증가**하며, **7-36% 환자에서는 재발이 없어도 일시적으로 증가**할 수 있다.
> • **2-3배 증가하면 간내전이**를 강력히 시사하므로 다른 검사를 시행해야 함.
> • **F/U 도중 갑자기 증가하면 (혹은 7.5 이상이면)** 재발가능성이 높다.
> 이때 다른 소견이 없어도 수술을 **시행하면 90-95%에서 복부내 혹은 골반 내 재발**을 확인할 수 있으며 이중 **58%에서는 근치적으로 절제**할 수 있으므로 다른 검사에서 재발소견이 보이지 않아도 **빨리 수술**하는 것이 유리하다.

④ CT, MRI, PET

⑤ Endorectal ultrasound : rectal cancer의 staging에 도움

※ 불완전폐색 및 출혈을 동반한 종양의 경우 전이여부에 대한 검사를 시행함(Chest PA, 간기능검사 및 CEA level)

※ **간전이**가 있어도 일차종양에 대한 **수술적 치료가 가능**하다. 이유인즉,

i) 결장암을 치료하지 않은 채로 두면, 죽음은 임박하다. 종양자체보다도 폐색 혹은 출혈로 죽을 것이다.

ii) 간전이가 있음에도 수술한 경우 생존율이 상당히 향상되었다.

3. 종양으로 인한 급성장폐색의 치료 ★【17】

① Hartmann's OP	② 세척후 일차문합	③ Subtotal colectomy & Ileosigmoid anastomosis	④ **stent삽입 후 지연수술** ★
• 종양부위 결장을 절제한 뒤 윗부분으론, End colostomy를 만들고 아래쪽은 closure한다. → 수개월 후 복원함.	• 종양부위 결장을 절제 후 충수돌기나 회장을 통해 생리식염수 Lavage 후 일차문합시행	• 종양을 포함한 결장전체를 절제 후 문합함. • hidden malignancy까지 제거할 수 있는 장점이 있지만, 수술 후 설사 등이 잦다.	• 대장내시경을 통해 폐색된 결장내로 Stent 삽입 후 감압이 이루어지면 장전처치 후 elective 수술로 일차문합 시도

※ 위의 방법들은 **좌측 결장**이 막혔을 경우이다.

우측 결장 폐색시엔, 수용성 조영제를 이용한 검사를 통해 다른 부위에 또다른 병변이 있는지 확인 후 Rt. hemicolectomy c primary anastomosis를 시행한다.

4. 일반적인 치료 ★【16】【14】【13】【12】

① **Rt. Hemicolectomy** : ileocecal valve로부터 4-6cm 원위부에서 Middle colic a.의 right branch로부터 혈류를 공급받는 transverse colon까지 절제, terminal ilum과 transverse colon을 문합해준다.

② **Extended Rt. Hemicolectomy** : Rt. colic a, Middle colic a.로부터 혈류를 공급받는 부위 절제, terminal ileum와 proximal left colon을 문합해준다.

③ **Lt. Hemicolectomy** : splenic flexure에서부터 rectosigmoid junction까지 절제

④ **Sigmoidectomy** : ileum부터 rectum까지 전체 colon의 절제

cf) **문합시 S자결장 근위부로의 문합을 피하는 것이 좋은데** 이는 혈류공급이 좋지 않고 게실이 많기 때문이다.

⑤ **Abdominal colectomy (Sutotal or Total colectomy)**

- **60세 이하**에서 시행해야 한다. 대장의 흡수능과 저장능이 떨어지므로 stool frequency가 증가하는데, 고령에서는 수술 후 설사가 호전되지 않을 수 있다.
- **적응증**

a. **다발성** 일차 종양
b. **HNPCC** 환자 중에서
c. 때때로 **완전 폐색**을 유발하는 **S자결장 종양**

추가노트

☞ Abdominal colectomy는 회장부터 직장에 이르는 전 결장을 제거한 뒤 ileorectal anastomosis를 시행하는 방법이다.

(그림) 결장 및 직장의 수술

A. Rt. hemicolectomy
B. Sigmoidectomy
C. Abdominoperineal resection of rectum

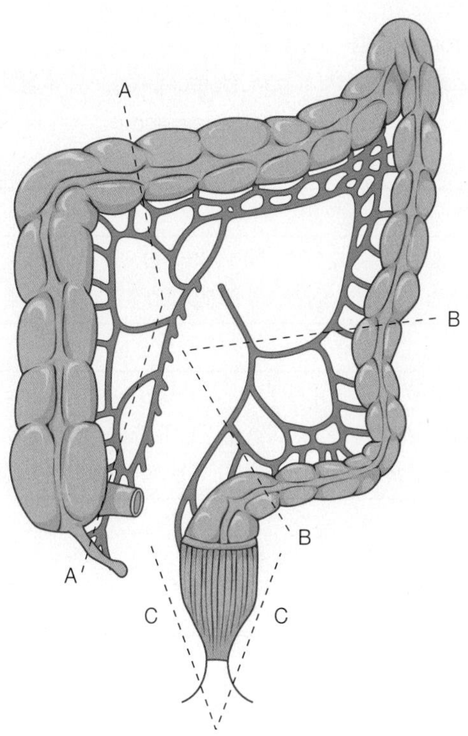

5. 병기 (Staging)

① Modified Dukes' s classification

a. stage A : 장벽(bowel wall)내에 국한됨
b. stage B : 장벽을 침투함
  B1 : 장벽을 **부분적**으로 침투함
  B2 : 장벽을 **완전** 침투함
c. stage C : **림프절전이** 있음
  C1 : 림프절 침범하고, 전체 장벽을 침투하지 않음
  C2 : 림프절 침범하고, 전체 장벽을 침투함
d. stage D : **원발전이** 있음

② TNM Staging (AJCC staging system)

T (Primary Tumor)	
Tis	Intraepithelial or invasion of lamina propria
T1	submucosa 침범
T2	muscularis propria 침범
T3	muscularis propria를 넘어서서 pericolorectal tissue까지 침범
T4a	visceral peritoneum의 surface까지 penetration
T4b	주변의 다른 기관, 구조물로 direct invasion
N (Regional Lymph Nodes)	
N1	1-3개 국소림프절 침범 (N1a : 1개, N1b : 2-3개)
N2	4개 이상의 국소림프절 침범 (N2a : 4-6게, N2b : 7개 이상)
M (Distant Metastasis)	
M1	원발전이가 있는경우
M1a	하나의 organ or site로의 원발전이(e.g., 간, 폐, 난소, nonregional node)
M1b	하나 이상의 organ or site로의 원발전이 혹은 복막으로의 원발전이

(표) STAGE GROUPING

STAGE	T	N	M
0	Tis	N0	M0
I	T1	N0	M0
	T2	N0	M0
II A	T3	N0	M0
II B	T4a	N0	M0
II C	T4b	N0	M0
III A	T1-T2	N1/N1c	M0
	T1	M2a	M0
III B	T3-T4a	N1/N1c	M0
	T2-T3	N2a	M0
	T1-T2	N2b	M0
III C	T4a	N2a	M0
	T3-T4a	N2b	M0
	T4b	N1-N2	M0
IVA	Any T	Any N	M1a
IVB	Any T	Any N	M1b

6. 수술 후 관리

- 수술적 치료 후 재발 환자 중 85%는 2년 내에 재발한다.

1기암(5YRS 90%)	2기암(5YRS 75%)	3기암(5YRS 50%)	4기암(5YRS 5%)
a. **대장내시경** • **매년** 대장내시경을 시행하며 용종이 있으면 제거한다. 용종이 발견되지 않을때까지 매년시행한다. • 그 후 **5년**마다 대장내시경을 시행한다. • 가족력이나 유전적 위험인자가 있으면 좀 더 자주 대장내시경을 시행한다. b. CEA • CEA는 첫 2년동안 매 3개월마다 시행한다. 증가시 CT, PET 등 전이여부에 대한 검사를 시행한다.	a. **수술후 항암요법의 적응증** i) 불충분한 **림프절** sampling (<12개) ii) T4 병변 iii) 분화도가 낮은 종양 (poor differentiation) iv) **장천공**시 → 일차적으로 5FU중심의 항암요법을 시행한다. b. 검사들 • CEA는 첫 **2년**동안 **3개월**마다 시행 후 그후 **3년**동안 **6개월**마다 시행함 • 첫 **3년**동안 **복부 및 흉부 CT**를 매년 촬영	a. **수술후 항암요법** – FOLFOX(Oxaliplatin+5FU) cf) Irinotecan항암제의 3기암에서의 우월성은 입증되지 않았다.	a. **단독** 폐 및 간전이는 **절제**할 수 있다. (항암제 3-6 cycle 후) b. 증상없는 4기암 환자의 first approach : 항암요법(5FU) c. Monoclonal Ab i) Bevacizumab (Avastin): Epidermal growth factor억제제로 **단독** 및 **병용**투여한다 ii) Cetuximab (Erbitux): Vascular endothelial growth factor억제제로 다른 항암요법과 **병용**투여한다.

■ 직장암 (Rectal Cancer)

1. 증상 ★

- Hematochezia(m/c), mucus discharge, tenesmus, bowel habit change 등

  cf) **50세 이상**의 출혈하는 치핵을 지닌 환자들은 결장직장암 여부에 대한 검사를 받아야 한다.

- 감별질환 : UC, CD, 단일직장궤양, colitis cystica profunda
  - 단일직장궤양 : hidden rectal prolapse 혹은 반복된 장중첩증(S자결장→직장)에 의한 chronic trauma로 인해 직장점막에 궤양이 생긴 것
  - colitis cystica profunda : 반복된 장중첩으로 인해 mucosa trauma가 발생하여 형성된 polypoid lesion의 조직학적 패턴, invasive adenocarcinoma와 감별이 필요

• 수술전 평가

항문괄약근과의 거리	직장벽의 침범정도
• 대장경검사를 통해 진단이 이루어진 후에도 정확한 거리를 알기 위해 Rigid proctosigmoidoscope or flexible sigmoidoscopy가 필요하다.	• 직장수지검사 (DRE), 경직장초음파 (EUS) 및 MRI 검사로 평가한다.

2. 치료

• 직장의 distal 3-5 cm에 있는 종양 : greatest challenge for the surgeon!!
→ **술전항암방사선요법**으로 downstaging을 한다.

※ **술전 방사선요법의 장점** ★

1. 수술전 방사선요법은 수술후 방사선요법보다 우월하다.
2. 적응증은 **"국소적으로 진행된 원위 직장암"**이다.
   ㄴ AV로부터 10-15cm 이내, 2기 이상의 직장암
3. 용량은 **4500-5040 cGy**이다.
   이러한 술전 방사선치료를 5FU/Leucovorin근간인 항암요법과 함께 사용하면 치료효과가 매우 크다.(20%에선 complete eradication)
4. 항문을 보존할 수 있으며, 종양 없는 원위 경계를 확보할 수 있는 장점이 있다.
5. 보통 수술 전 **5-6주**동안 방사선요법을 시행하고, 수술은 방사선요법이 끝나고 **6-10주** 후에 시행한다.
   수술 시 문합부위의 안전성을 확보하기 위해 **diverting stoma** (ileostomy 혹은 transverse colostomy)를 시행하고 이 stoma는 수술 **10주** 후에 closure한다.

① **국소 절제술 (Local Excision)**

• 직장원위부의 근육층을 침투하지 않은 작은 종양에 효과적인 수술 (T1NO)
• transanal approach로 하며, 종양을 덮는 **전직장벽을 제거**한다.
(제거 후 직장벽 결손 부위를 반드시 봉합할 필요는 없는데 이는 수술 부위가 peritoneal reflection 아래 부위이기 때문이다)
• Tumor가 직장 원위부 3-5cm에 위치한 경우
→ submucosa에 국한된 경우(T1N0)
: Local excision 시행(림프절전이 발생률 8%)
→ 직장의 근육층을 침범한 경우(T2N0)
: 더 aggressive Tx가 필요, but 환자의 건강상태와 preference를 고려하여 결정한다
① Proctectomy with total mesorectal excision(APR or LAR)★
- 5YRS〉95% for stage I, T2N0
② Local excision with chemoradiation
- 크기가 작고(〈3cm), 직장 원위부에 위치하고, 조직학적으로 poor-differentiation이 아니며, lymphoneural 혹은 perineural invasion이 없는 경우에 한해서 고려해볼 수 있다

• 적응증 ★★

① Mobile tumor 이며 ② 직경 < 3cm ③ 장벽의 30% 이내 침범 ④ AV에서 6cm 이내 (즉, distal rectum에 위치할 경우) ⑤ T1 (submucosa) or T2 (muscularis propria)에 국한 (Stage I) ⑥ Well or moderate differentiated ⑦ **혈관** 및 **림프계**침범이 **없으며** ⑧ 술전 US 혹은 MRI에서 **림프절** 침범 증거**없을** 경우

• 위의 원칙만 따르면 local recurrence가 APR(Abdominal perineal resection)과 비슷하다.
cf) advanced cancer 환자에서 심한 동반질환이 있을 때, 완화목적으로 local excision을 시행해볼 수 있다.
• T1 병변의 8%가 재발하며, T2 병변의 20% 이상이 재발한다.
따라서 T2 병변의 경우 Adjuvant chemo-radiation 혹은 radical excision(LAR or APR)이 필요하다.

② 방전요법 (Fulguration)

• **방법** : 전기소작으로 종양 부위에 full-thickness eschar를 만들어서, 종양과 직장벽을 파괴시킨다.
→ peritoneal reflection 아래 있는 병변에서 유용하다.
cf) 얻어진 조직으로 staging 할 수는 없다.
• **합병증** : 발열, 출혈 (수술 후 10일까지도)
• **적응증** : 장기생존이 힘든 환자에서 palliation으로 시행

③ 복회음절제술 (APR; AbdominoPerineal Resection)

• **방법** : 직장과 항문을 복강 및 회음부접근을 통해 완전 절제한 뒤, 회음부를 봉합한 뒤 permanent colostomy를 만드는 방법
즉,
복강을 통해 → pelvic dissection은 levator ani m. level까지 시행하며
회음부를 통해 → 항문, 괄약근 및 직장원위부를 절제한다.

※ 직장 원위부 3-5cm에 있는 종양에서 술전 항암방사선요법으로 downstaging한 후, sphincter-sparing abdominal perineal resection 시행가능 (괄약근기능이 좋은 young patient에서 고려해볼 수 있다)

• **적응증**

a. **항문괄약근**를 침범했거나 너무 가까이 있는 종양
b. **부적절한 신체습관**이나 **술전 괄약근기능장애**로 괄약근 보존수술이 불가능한 경우

④ **전방절제** (Ant. resection) vs **저위전방절제** (Low Anterior Resection)

• 비교

Ant. Resection	Low Anterior Resection ★
• 복강내로 접근하여, peritoneal reflection 위의 직장근위부나 rectosigmoid 절제함.	• 복강내로 접근하여, peritoneal reflection 아래의 직장근위부나 rectosigmoid 절제함.

※ **전직장간막절제** (TME;Total Mesorectal Excision)

1. 방법

직장과 직장 주변의 **mesorectum**을 완전히 제거하는 방법으로 직장의 **low half**에 종양이 침범했을 때 시행한다. tumor bed로부터 배액되는 림프채널이 mesorectum에 위치하기 때문

2. 결과

– **5YRS** 증가 (50% → 75%), **국소재발** 감소 (30% → 5%)

– **impotence, bladder dysfunction** 빈도가 감소 (85% → ≤ 15%)

추가노트

※ 어떤경우에도 **S자결장은 제거**해야 하는데 이는 IMA를 결찰한 뒤 S자결장으로의 혈액공급이 충분하지 않아 문합시 문제가 될 수 있고, S자결장에 게실증이 많이 발생하기 때문이다.

※ 수술시 직장경으로 문합부을 확인했을 때 문합 부위의 안전성이 의심되거나 환자가 수술 전 고용량의 항암방사선요법을 시행받았을 경우는 **10주간 일시적인 장루**를 형성할 수 있다.

(그림) TME 모식도

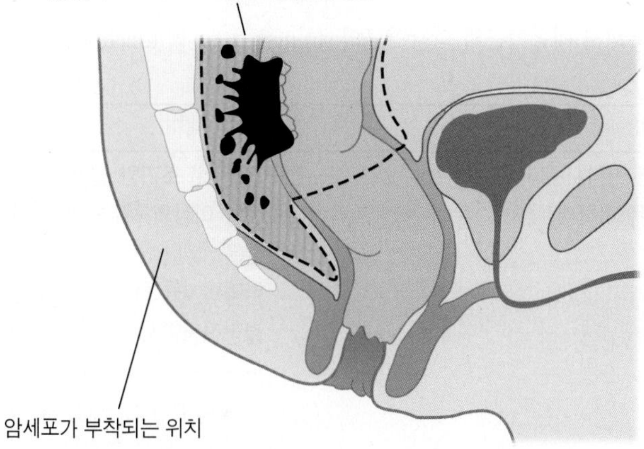

• **회장직장문합의 방법들**

단단문합 (end-to-end)	J pouch 이용	Coloplasty 이용
• Anal verge로 부터 문합부가 **9 cm 이상**일 경우 안전하게 시행될 수 있다.	• 직장용적감소로 인한 bowel habit change를 막기 위해 시행할 수 있다. : 문합부~anal verge가 9cm이하일 때 이점이 있다	• **비만환자나 좁은 골반시** J-pouch가 힘들 수 있다. 이 경우 coloplasty 실시
• 직장용적감소로 인해 bowel habit change가 나타남 (소장운동빈도증가)	• **pouch의 길이는 상대적으로** 짧아야한다. (6cm) : 이보다 길면 배변기능이 떨어짐	
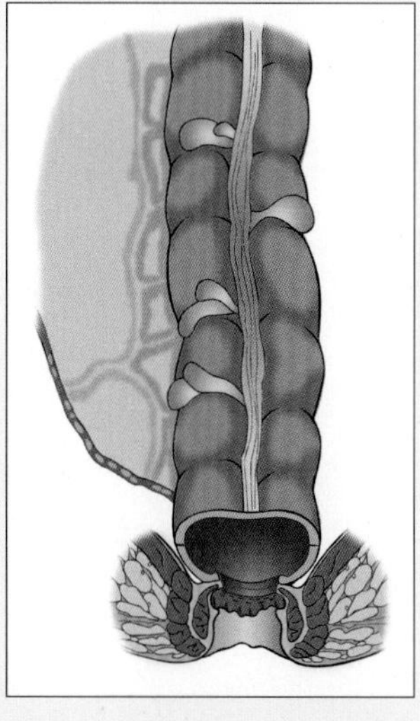	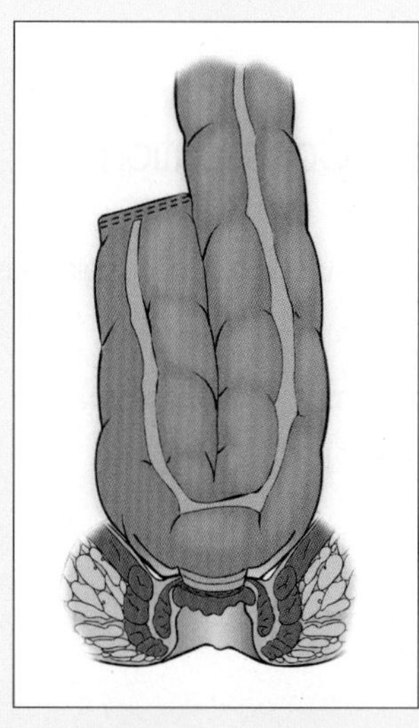	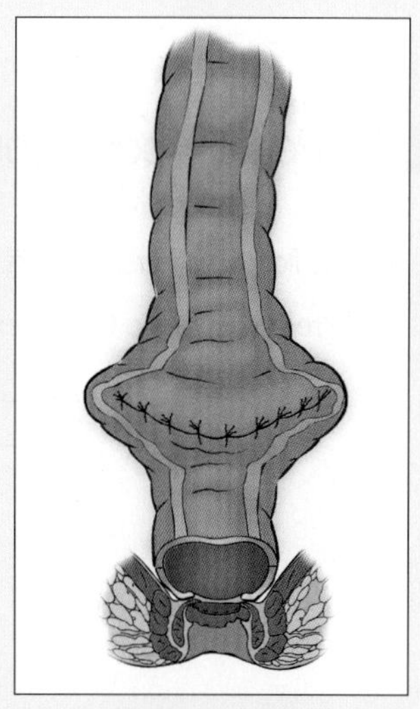

■ 결장직장암의 예방 및 선별검사

① 예방의 종류

• 휴식기와 수축기 압력을 통해서 내괄약근과 외괄약근의 strength, tone 및 function을 확인할 수 있다

일차 예방	이차 예방
- **환경인자**를 찾고 이를 변형시킨다. : 식습관 고치기, 환경위험피하기, chemoprevention	- **전구병변 및 조기암 발견** ex) 2명 이상의 제1 친척이 결장직장암 혹은 한명의 제1 친척이 60세 이전에 결장직장암시 → 위험도 3-4배증가 ★FAP, HNPCC, UC, CD를 지닌 환자들도 위험군

② 예방법

a. **FOBT** (fecal occult blood testing) : 결장직장암으로 인한 사망률이 33% 감소했으나 하지만, False (-) 높음 (결장직장암의 24%만 양성반응)

b. **5년마다 FOBT + flexible sigmoidoscopy**

c. **DCBE** (double-contrast barium enema) : polyp의 크기에 따라 발견율에 차이를 보여 1 cm 이상의 polyp 중 48%만이 발견된다.

d. **대장경** : gold standard!
특히 1 cm 이상의 polyp은 모두 발견 가능함. 보통 **10년**마다 1번 이상 시행해야 한다.

Pelvic Floor Disorders & Constipation

• **pelvic floor disorders의 원인들 : colorectal, urologic, gynecologic causes**
→ rectal prolapse (procidentia), enterocele,
rectocele, 근육의 <u>기능성장애</u> (anismus, levator spasm)
└ 해부학적 이상은 없는 상태

■ 검사방법

1. 항문직장 생리검사

① **항문압 측정** (Manometry)

- 휴식기와 수축기 압력을 통해서 내괄약근과 외괄약근의 strength, tone 및 function을 확인할 수 있다.

휴식기 압력	수축기 압력
• 주로 **항문내괄약근**에 의해서 좌우 (80%) • **평균 40 mmHg**, 여성, 노인에서 낮음	• **항문외괄약근** 및 **puborectalis m.**의 수축으로 발생. **평균 80 mmHg** • 휴식기 압력의 **두배** 이상임. • 수축기압을 최대로 유지할 수 있는 시간은 **1분 가량임.** • 부적절한 시간에 직장내용물이 proximal anal canal로 leakage되는 것을 막아준다.

② **근전도** (EMG) **recruitment**

- puborectalis근의 motor unit potential
- Paradoxical puborectalis 및 Inappropriate puborectalis contraction시 증가

③ **외음부신경말단운동지연검사** (pNtml : **Pudendal Nerve Terminal Motor Latency**)

- 외음부신경을 ischial spine 수준에서 자극한 후 외항문괄약근이 수축할 때까지 걸린 시간을 측정 (정상인은 1.8-2.2 msec)
- **목적**
  a. **대변실금시** 괄약근 기능저하의 원인이 되는 **신경** 및 **근육요소** 평가
  b. **출산**시 음부신경과 항문괄약근에 가해진 **신경학적 손상**을 평가
  c. 직장탈의 복원술 전에 항문괄약근의 신경 및 근육기능을 평가

2. 배변조영술 (Defecography) ★

- **방법** : 항문내 조영제를 넣은 뒤, defecation시켜 촬영한다.
- **판독** : Anorectal angle 및 Defecography 소견
- 알 수 있는 **질환**들
  a. **해부학적 이상** : rectocele, enterocele, vaginal vault prolapse
  b. **기능적 이상** : paradoxical puborectalis syndrome

■ 직장탈출증 (Rectal Prolapse ; Procidentia)

1. Etiology

- **정의**

dentate line, 3인치 가량 위에서 anal verge까지의 full-thickness rectal intussusception

- **50세 이상의 여성**에서 남성보다 6배 더 많다.

여성 60대가 가장 많은 반면, 남자는 40세 이하의 젊은 남자
└정신질환을 지닌 경우가 많다.

2. 해부 및 병태생리

① **해부학적 특성**

- levator ani의 diastasis
- 비정상적으로 **깊은 cul-de-sac**
- **과잉결장** (redundant sigmoid colon)
- patulous anal sphincter
- rectal sacral attachment의 소실

② **동반증상들**

- Chronic constipation(50%↑), Diarrhea(15%)
- **대변실금** 50-75%
  → 대변실금을 동반한 경우 **회음부신경손상**을 동반하는 경우가 많다.
- Rectal prolapse는 multiparity의 결과 나타날 수 있으나, 35%에서 nulliparity

③ **증상**

- 배변이나 힘주기시 mass 등으로 느껴지며 prolapse로 인한 fecal incontinence 및 회음부의 chronic moisture 및 mucous drainage가 나타난다.
  → 만성화되면 thickened, ulcerated, bleeding 심하면 incarceration되어 응급수술이 필요하기도 한다.

3. 감별질환 및 검사

- 탈출한 감돈내치핵(prolapsed incarcerated internal hermorrhoid)
  : 이 경우는 concentric하지 않고 radial invagination 지님. 심한 동통, 발열 및 urinary retention 등의 소견이 나타난다.
- 술전 검사
  a. 종양이 leading point가 될 수 있으므로 Colonoscopy 시행
  b. 대변실금에 대한 평가를 위해, anal manometry 및 PNTML 시행한다.

4. 수술

- 수술방법의 결정

  환자의 동반질환의 여부 및 나이, 수술자의 경험 등의 결정

  회음부 및 복부접근법이 있으며 이중 **회음부접근법**은 수술 전후 이환율, 통증, 재원기간단축 등의 이점이 있지만, 하지만 **재발률이 높다.** 따라서 **수술위험이 큰 환자 및 고령에서 시행**한다.

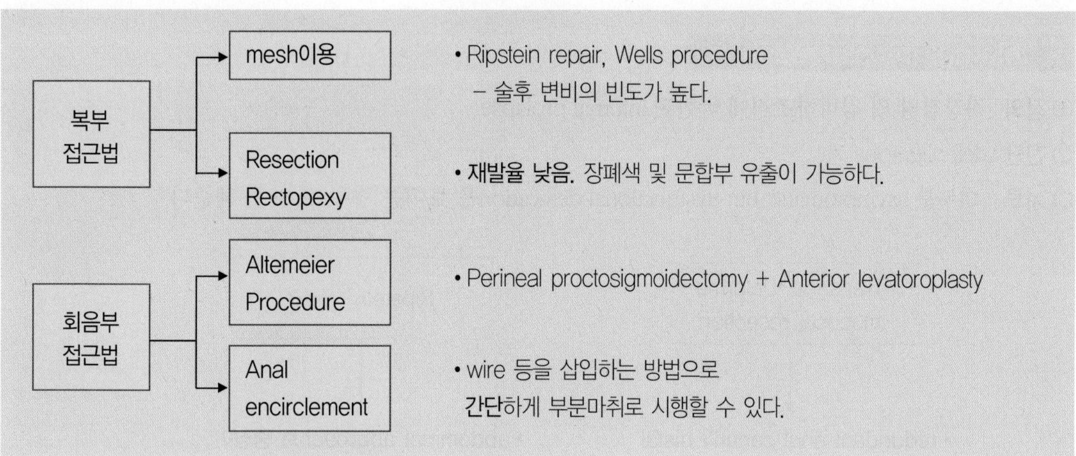

■ Internal prolapse & SRUS (Solitary rectal ulcer syndrome)

1. SRUS (Solitary rectal ulcer syndrome)

① **특징**

- 전형적인 fibrinous central depression을 보이는 전형적인 crater-like ulcer부터부터 polypoid lesion까지 포함한다.

  AV 4-12 cm **상방의 직장 앞쪽 벽**에 위치한다. (puborectalis sling 위치)
- internal intussusception 및 full-thickness rectal prolapse와 연관된다.
- 환자는 보통 **25세가량의 젊은 여성**이며 straining이나 difficult evacuation의 **과거력**을 지닌다.

  흔히 직장경검사 혹은 S결장경검사시 발견되며 과도한 힘주기나 변비시 직장출혈을 초래한다.
- ulcer의 fold가 intussusception의 leading point가 될 수 있으며, 반복적인 strain 및 prolapse에 의해서 허혈, tissue breakdown 및 ulceration이 진행될 수 있다.

② Histology

- lamina propria를 덮고 있는 두꺼운 fibrosis와 central fibrinous exudate

③ **진단** : Defecography

- full thickness rectal prolapse, internal prolapse, paradoxical puborectalis syndrome, thickened rectal folds등의 소견을 확인할 수 있다.

④ **치료**

- SRUS 환자의 1/3이 full-thickness rectal prolapse를 보이며 abdominal prolapse repair후 80%의 SRUS이 호전됨.
- 식이조절, pelvic floor retraining(biofeedback), 국소 항염증제 도포 (mesalamine)
- 심한 출혈, 통증 및 spasm시 일시적인 diverting colostomy를 시행한다.

cf) local excision은 도움이 되지 않는다.

2. Internal intussusception

① **정의** : 직장점막 및 점막하조직에 국한된 internal prolapse

② **진단** : defecography

③ **치료** : 대부분 asymptomatic, but dysfunctional defecation을 보이는 경우 repair를 해준다

Transanal Delorme mucosal resection	Ripstein repair
↓	↓
• redundant anal canal과 distal rectal mucosa를 제거하고 근육층을 vertical sutures로 봉합함	• abdominal approach로 증상이 있는 경우 적합하다.

추가노트

cf) internal intussusception만 있으면 수술결과는 좋지 않다.

■ Rectocele

① **정의** :

직장 원위부에서 항문관으로의 ant. sac-like projection pelvic floor 손상 후 복압증가로 직장에서 질로의 앞쪽방향으로의 전층 탈장이 발생한다. (즉, 직장내압이 질내압보다 높다)

② **증상** : stool trapping 즉, 배변장애가 발생함.

③ **치료**

- **수술 적응증**

a. **손가락**을 이용한 배변 및 **질지지** (vaginal support)가 필요한 **stool trapping**이 있을 때 b. rectocele병변이 커서 질점막을 introitus 위로 밀어내어 **건조, 궤양** 및 **불편감**을 유발할 때

- **수술** : "**경항문** (transanal)" 및 "**경질** (transvaginal)" 접근법

■ 변비 (Constipation)

- 정상배변빈도 : 3회/일주일 ~ 3회/일
- 고령에서 많다. 두 번째로 많은 연령은 매우 젊은 연령 (unremitting Sx)

① **원인들**

a. **갑자기 발생시, 우울 , 허약, 새로운 약제 복용, 갑상선기능저하증 등의 내분비질환 밀 악성질환** 가능성 생각하자.

→ 대장경검사를 통한 악성감별

b. 대부분은 **만성적, 기능적 원인**으로서 수액 섭취 및 섬유질 섭취 등으로 호전될 수 있다.

c. 힘을 주어도 불완전한 배변이 이루어지며 정상배변 빈도를 지닐 때 obstructed defecation의 가능성을 생각해야 한다.

→ P/Ex, & defecography

d. 정상해부를 지니며, paradoxical puborectalis syndrome이 의심될 때

→ anal manometry 및 EMG를 시행한다.

constipation환자 관리의 algorithm

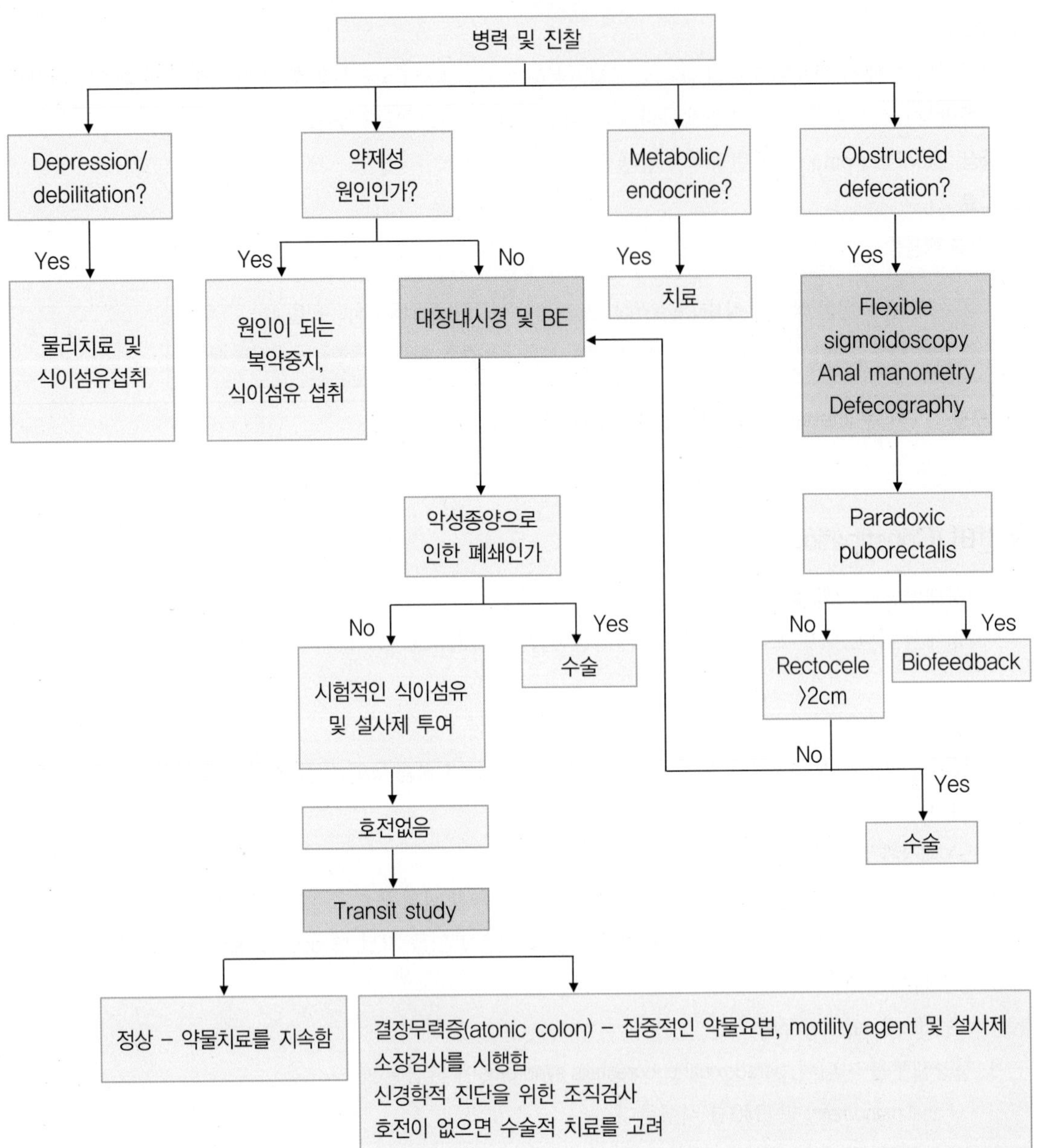

정상 – 약물치료를 지속함	결장무력증(atonic colon) – 집중적인 약물요법, motility agent 및 설사제 소장검사를 시행함 신경학적 진단을 위한 조직검사 호전이 없으면 수술적 치료를 고려

② **진단 - Transit Studies**

- slow-transit constipation or colonic inertia를 진단
- 방법 : 20개의 radiopaque markers 복용

→ 7일동안 혹은 전체가 배출될 때까지 관찰

캡슐은 오른쪽, 왼쪽 및 rectosigmoid의 3부분에서 계산된다.

정상은 **5일내 80%가 배출**된다. 이 기준에 맞지 않는 것이 colonic inertia이다.

③ **특수한 변비의 형태**

a. Colonic inertia (Slow-Transit Constipation)

- 30세 이전의 젊은 여성 (보통 소아시절 발생하여 청소년기 및 초기 성인기때 악화된다).
- 대장조영검사로 악성을 감별한 뒤 transit study 시행하여 진단한다.
- 동반증상 : 복통, 복부팽창, 오심 등
- **치료**

- aggressive bowel regimen : 설사제 (laxatives), 섬유질과 polyethylene glycol 함유수액이 적절하다. 5HT4 receptor agonist도 효과적
- 배변조영검사가 정상이며 transit study상 diffuse delay를 보이는 일부환자에서 수술을 고려할 수 있다. (Subtotal colectomy c IRA)

Ileorectal anastomosis

b. 거대결장을 지니는 Colonic inertia (Slow transit constipation)

- **신경학적 원인**이며, 50%가 남성임. 보통 수술적 치료가 필요함.
- 종류

Hirschsprung's disease	Neuroal intestinal dysplasia
• 20대 남성 / 원위부 직장의 일부에서 involve된 경우가 대부분이다. • 진단 – 아동에서와 마찬가지로 distal rectum은 stool이 없고 비어있다 – 대장조영검사 – 항문압측정 : 직장항문억제반사가 없다. – Suction mucosal & superficial punch Bx : dentate lig.위로 3군데 이상 시행 Acethylcholinesterase염색 시행 (submucosa, lamina propria에서 많은 수의 갈색으로 염색된 nerve fiber를 확인할 수 있다)	• intestinal mural ganglia의 선천적 defect에 의해 발생 • 분류 : Type A → children 교감신경 innervation의 hypoplasia : Type B → children, adults submucosal plexua의 dysplasia • 치료 : Surgical resection with IRA

항문

Anus

항문관 (Anal Canal) 질환

■ 해부

- **항문관 (anal canal)** : anorectal ring ~ anal verge 약 4 cm 길이임

(그림) 항문관

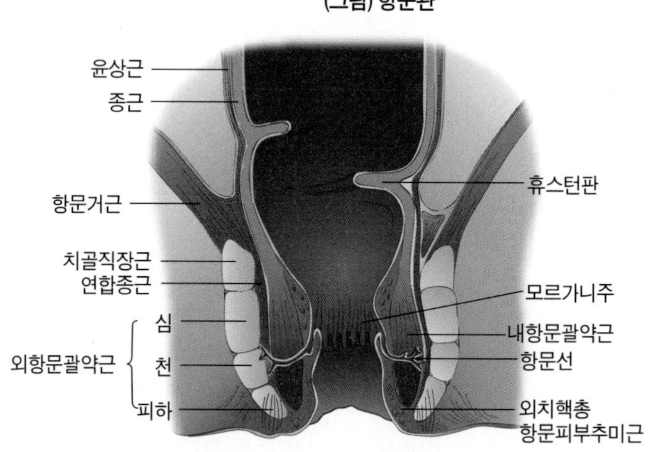

■ 생리

- anal canal의 주기능 : Defecation 조절 & Continence 유지

1. 항문압

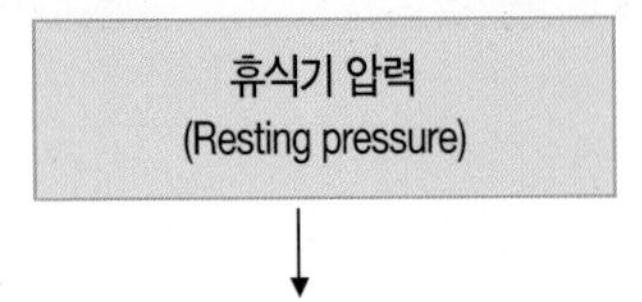

↓

- 주로 Int. sphincter m.에 의해서 좌우 (80%)
- 평균 90cmH_2O, 여성, 노인에서 낮음

수축기 압력
(Squeeze pressure)

↓

- Ext. sphincter m. & puborectalis m.의 수축으로 발생
- 휴식기 압력의 두 배 이상임

2. 대변 자제 (Continence)에 관여하는 인자 ★

① 직장내 **압력** (6cmH_2O)과 항문관내 압력 (90cmH_2O)의 차이로 인해 발생

② **항문직장각** (Anorectal angle)

- Anorectal ring에서 직장을 둘러싸는 Puborectalis m.의 ant. pull에 의해 발생하며 항문직장각이 flap valve로 작용하여 sphincter와 같은 기능을 한다.
- 즉, 이 angle을 더 **각지게** 하는 조작은 **대변자제를 강화**하고 이 angle을 더 평평하게 하는 조작은 배변을 일으킨다.(resting상태에서 평균 75-90도로 유지됨)

③ **항문직장 감각** (Anorectal sensation)

- 장내용물의 성질 (gas,liquids, solids)감별, 내용물을 통과시킬 필요성 탐지
- **감각 수용체** → 직장 근육층, 골반계 근육계에 있음.

④ **직장항문 억제반사** (Rectal anal inhibitory reflex)

- 대변으로 **직장이 팽창**하면 **내괄약근이 이완**되는 현상

■ 항문질환의 진단

1. 병력청취 & P/Ex

- 출혈(m/c), 통증, discharge(화농성여부), 배변습관의 변화 등을 확인한다.
- 출혈 : 항문과 대장질환에서 가장 흔하게 호소하는 증상
  → 대변과 상관없이 뚝뚝 떨어지는 선홍색 출혈 : rectal outlet bleeding(내치핵 등)
  → 흑색변 : more proximal source of bleeding
- Lt. lateral positoin 혹은 prone Jackknife position으로 PEx 시행
- DRE : 시진(힘을 준 상태에서도 확인), 촉진(palpable mass), 휴식기와 수축기의 항문압 확인

2. 진단 검사

① **배변조영술** (Defecography) ★

- **적응증**

a. 심한 힘주기를 하는 **병력이 오래된 변비**
b. 불완전한 직장의 배설, 즉 **잔변감**을 감지하는 경우
c. 직장을 배설하기 위해 **손가락**을 사용하는 경우
d. 골반내 압력감이나 동통을 느끼는 경우
e. 변비의 과거력이 있는 대변실금증

- **방법** : 항문내 조영제를 넣은 뒤, defecation시켜 촬영한다.
- **판독** : Anorectal angle 및 Defecography 소견
- **이상 소견을 보이는 경우들** :

  Rectocele, Internal intussusception, Obstructed defecation

  Descending perineum(장체강), Rectal prolapse

② **항문직장압력측정술 (Manometry)**

- **측정 : 휴식기압, 수축기압, 직장항문 억제반사**

③ **경항문 초음파** (Endoanal Ultrasound)

- **적응증** : 항문암의 수술전 병기, **대변 실금**, 항문주위 농양, 복잡 및 재발치루

동통이 없고, 괄약근 구조를 잘 나타내기 때문 Endoanal Ultrasound는 외음부신경말단운동지연검사(PNTML)와 함께 **배변실금**을 검사하는 가장 중요한 검사

④ **근전도** (EMG : Electromyography)

- **외음부신경 말단 운동지연 검사 (PNTML ; Pudendal Nerve Terminal Motor Latency)**

  : 외음부신경을 ischial spine 수준에서 자극한 후 외항문괄약근이 수축할 때까지 걸린 시간을 측정 (정상인은 2.0±0.2 msec)

- **목적**

  a. **대변실금**시 괄약근 기능저하의 원인이 되는 **신경** 및 **근육요소** 평가

  b. **출산**시 **음부신경**과 **항문괄약근**에 가해진 **신경학적 손상**을 평가

  c. 직장탈의 복원술 전에 항문괄약근의 신경 및 근육기능을 평가

■ 대변실금 (Incontinence)

대변실금 정의 : 4세 이상의 연령에서 반복적으로 배변을 자신의 의지대로 조절할 수 없는 상태가 1개월 이상 지속되는 경우

1. 임상양상

① **원인**

- **내괄약근 손상**

 : 치핵, 치루, 치열 등의 수술 및 **분만시의 손상**

 └ episiotomy+pudendal n. 손상 : **m/c** ★

- 기타 : 방사선. 일차 항문질환, 고령, 신경질환 등에 의해 발생

(표) 대변실금의 흔한 원인들

분류	기전	흔한 원인
1. 기능적 원인	① 분변막힘, 내괄약근 확장	• **골반저 근육협력장애** (pelvic floor dyssynergia), 약물 부작용, 척수 손상
	② 설사: 갑자기 많은 량이 배출될 경우	• 과민성 대장증후군, 대사성 혹은 감염성 설사
	③ 인지/정신적 문제	• 치매, 정신질환
2. 괄약근 약화	① **괄약근 손상**	• **산과적 손상**(obstetric trauma), 자동차 사고 등
	② **음부신경**(pudendal n.) 손상	• **산과적 손상**, 당뇨성 말초신경병증, 다발성 경화증
	③ CNS 손상	• Spina bifida, 외상성 척추손상, CVA, 다발성 경화증
3. 감각손실	• Afferent n. 손상 : rectal filling을 감지할 수 없을 때	• 당뇨성 신경병증, 척수 손상, 다발성 경화증

② **대변실금의 정도 평가**

- 가스, 묽은변, 고형변에 대한 환자의 조절정도, 삶에 영향을 미치는 정도 등을 고려
- Major incontinence : complete loss of solid stool
- Minor incontinence : Occasional staining or seepage

TYPE	NEVER	RARELY	SOMETIMES	USUALLY	ALWAYS
Solid	0	1	2	3	4
Liquid	0	1	2	3	4
Gas	0	1	2	3	4
Pad use	0	1	2	3	4
Quality of life impace	0	1	2	3	4

추가노트

☞ 골반저 근육협력장애 (pelvic floor dyssynergia) : 배변시 괄약근 이완이 잘 되지 않는 것이다.

③ 진단

a. PEx : 해부학적 이상소견(탈출증, 치핵, 치루, 농양 등) 확인, DRE

b. 대장내시경 : 다른 질환 감별(직장염, impaction, 신생물 등)

c. Manometry : 항문 내 & 외괄약근 손상 정도를 파악

d. Endoanal USG : 항문괄약근, 직장벽 그리고 puborectalis m.의 구조적 결함 확인

e. 배변조영술 (Defecography)

(그림) 대변실금 환자에서의 검사

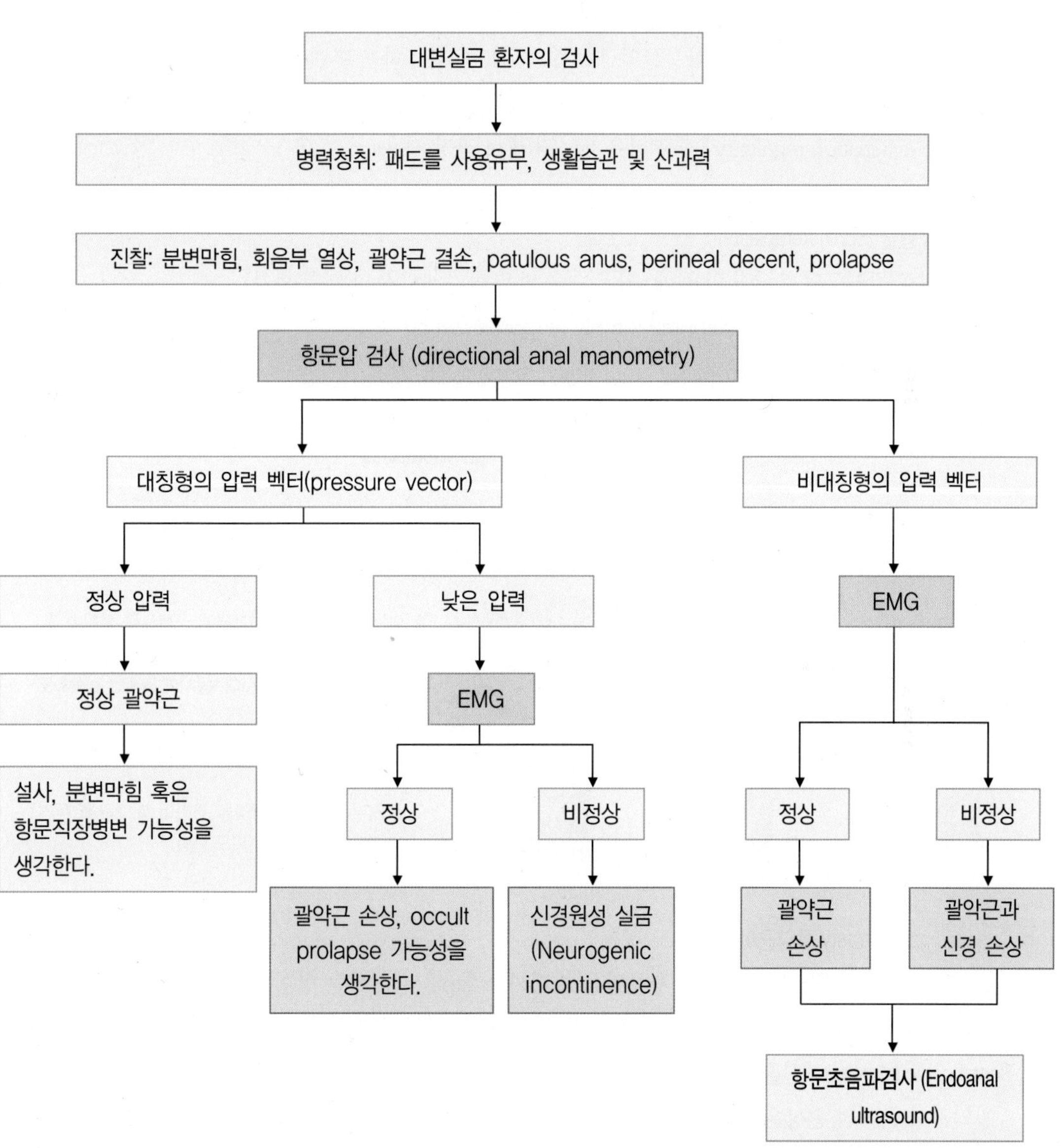

2. 치료

① **내과적 치료**

- 교정이 필요한 해부학적 이상소견이 없는 mild incontinence환자에서 initial option
- transit time을 느리게하고 대변량을 늘리는 medication
  - Loperamide(antidiarrheal effect), Methylcellulose(bulking agents), hyoscyamine(anticholinergics)
- 식이 : 자극적이고 매운 음식 피하기, 커피, 맥주, 감귤류, 우유제품 피하기
- Biofeedback
  - a. 구성 : 직장감각향상훈련, 항문괄약근강화훈련
    직장충만에 반응하여 항문괄약근이 수축되도록 협조하는 훈련
  - b. Anatomic defect가 확인 안된 경우 사용
- maximize evacuation regularity (직장 비우기) : 좌약 or 관장 사용

② **외과적 치료**

a. 괄약근 성형술 (Sphincteroplasty)
- 명백한 외괄약근의 손상이 있을 때 (치루 수술 받은 환자, 3도 분만 열창 환자)
- 두가지 방법이 있다 : Overlapping, simply reapproximating
  → Overlapping sphincteroplasty : morbidity, mortality가 낮다

(그림) Direct overlapping sphincteroplasty

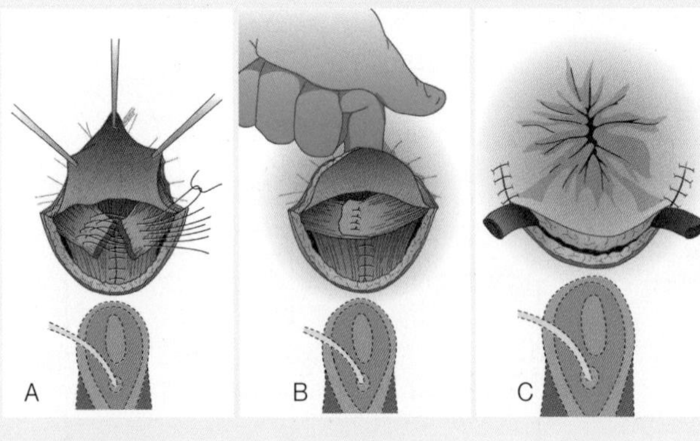

A. 항문과 질 사이의 회음부에 곡선으로 절개한 후, 손상된 외괄약근을 잘 박리한 후 두 끝을 겹쳐서 혹은 인접해서 봉합한다. 동시에 levator-plasty도 시행한다.
B. 직장항문손가락검사(DRE)로 교정부위의 tightness 확인
C. 절개부위를 봉합(배액을 위하여 배액관을 두거나, small gap을 남기기도 한다)

b. Dynamic graciloplasty(괄약근이식술)
- gracilis m.(두덩정강근)을 이용해 항문관을 둘러싸는 flap을 형성하는 방법
- 괄약근 대부분이 손상되어서 완전한 재건이 필요한 환자에서 시행한다

c. Sacral nerve stimulation(천골신경자극)
- 괄약근의 물리적 손상은 없으나 neurologic injury나 poor innervation이 있는 환자에서 시행한다

d. Artificial bowel sphincter(인공 괄약근 삽입술)
- 변실금의 치료로 sacral n. stimulation이 많이 쓰이면서 인공괄약근삽입술은 제한적으로 쓰이게 됨
- 합병증 : 미란(erosion), 감염, 폐색

e. Injectable materials

- 실리콘, 콜라겐, Carbon microbeads 등의 bulking agent를 intersincteric space에 주입함으로써 내항문 괄약근의 부피를 확장시키는 방법

f. Colostomy : 최종치료법 다른 모든 치료에 반응이 없을 때

■ 직장 탈출증 (Prolapse Of Rectum)

1. 병인 및 임상양상

- **정의** : 항문을 통한 직장의 외번, 직장벽 전층(full thickness)이 탈출한 경우와 부분적으로 점막탈출(mucosal prolapse)만 보이는 경우가 있다
- 위험인자 : 성별(F〉M), 나이(〉40세), 다산부, 질식분만, 이전의 골반수술, 과도한 힘주기, 골반저의 해부학적 결손
- 증상 : 초기에는 모호함, 시간이 지나면서 변볼 때 불편함, 잔변감, 출혈 등이 나타날 수 있다

2. 술전 검사

① 병력 및 진찰

a. 50% 이상에서 constipation or incontinence 동반됨

b. 시진 : 항문 입구의 이완, 웅크린 자세에서의 직장 탈출 확인

→ Concentric rings의 형태로 직장전층의 탈출을 확인

c. 촉진(DRE; 직장수지검사) : 괄약근 약화, 항문 직장각 소실로 항문이 똑바로 서 있음을 느낄 수 있다.

② 각종 검사

a. Sigmoidoscopy : 독립성 궤양, 용종, 점막 병변 등을 감별

b. Manometry : 괄약근 손상을 확인

c. EMG : PNTML 측정 → 술 후 incontinence의 위험 예측

d. Defecography : 해부학적 구조, 기능적 이상 소견 확인, 정도를 알 수 있음.

3. 수술

: 회음부 접근법과 복부 접근법이 있다(어떤 수술법이 더 좋은지에 대한 data는 불충분함)

① 회음부 접근 (Perineal Approach) → **Delorme, Altemeier 수술**

- less morbid, but 높은 재발률
- 대상 : 고위험환자, 기대수명이 짧은 경우

a. Delorme procedure

- prolapse가 3-4cm 정도로 짧은 환자에서 시행
- mucosal sleeve resection with muscularis plication
- 재발률 10-15%

(그림) Delorme repair
Mucosal proctectomy 후
Mucosal plication을 시행한다.

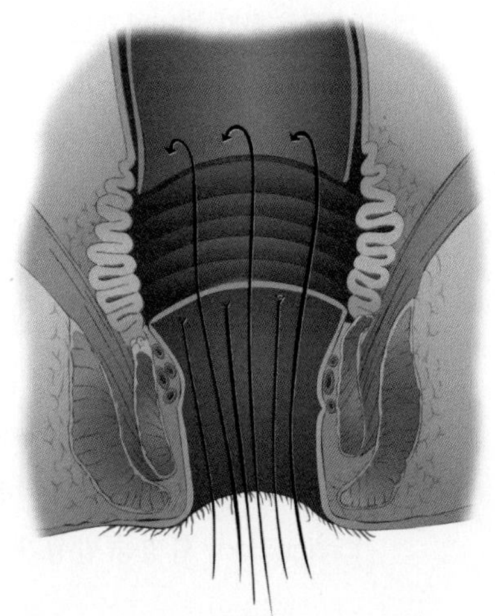

b. Altemeier procedure(perineal rectosigmoidectomy)
- 치상선(dentate line) 바로 위에서부터 직장 전층(full thickness)을 절제한 후 전층을 문합
- Long-term result는 Delorme procedure와 비슷하다

(그림) Altemeier perineal rectosigmoidectomy

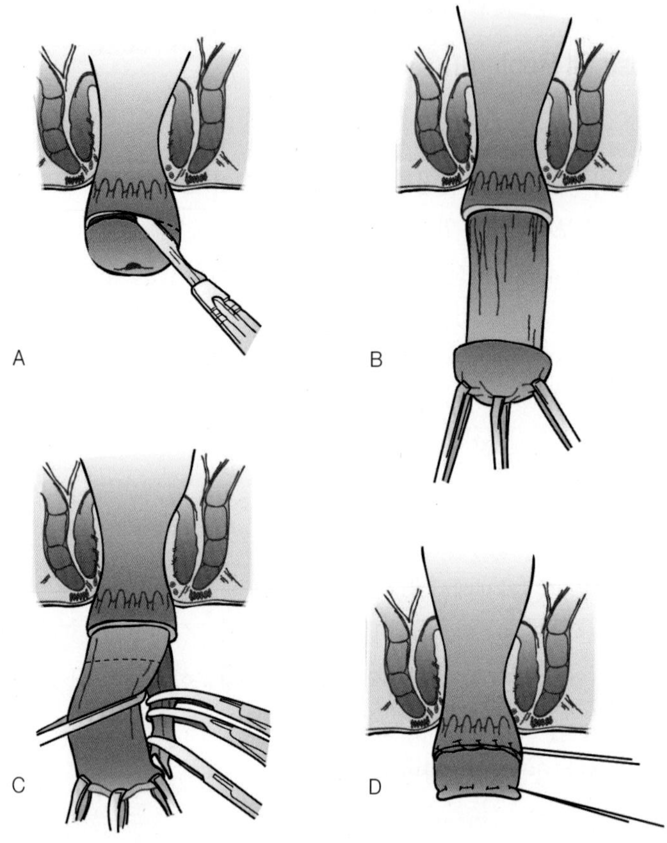

② 복부 접근 (Abdominal Approach)

- **대상 → 젊은 환자, 변비나 대변실금** 있는 환자에서 주로 이용
- Rectal mobilization&직장고정술(rectopexy)
  - 변비가 있는 환자에서는 장절제를 시행(문합은 직장의 위쪽에서 시행해야 문합부누출의 위험을 줄일 수 있다)
  - 직장고정술 시에 mesh를 쓸 수 있음

  a. 장 절제(ant. resection) + 직장고정술(rectopexy) 시행하는 경우
  - 0-9%의 낮은 재발률, 50% 이상의 환자에서 변비증상 개선

  b. 장 절제 없이 mesh를 이용해 직장고정술 시행하는 경우
  - low morbidity, 5%이하의 낮은 재발률
  - foreign body 합병증 발생가능, 변비증상이 악화될 수 있다

(그림) Rectal prolapse에 대한 transabdominal rectopexy
A. 앞에서 본 그림, B. 옆에서 본 그림

A 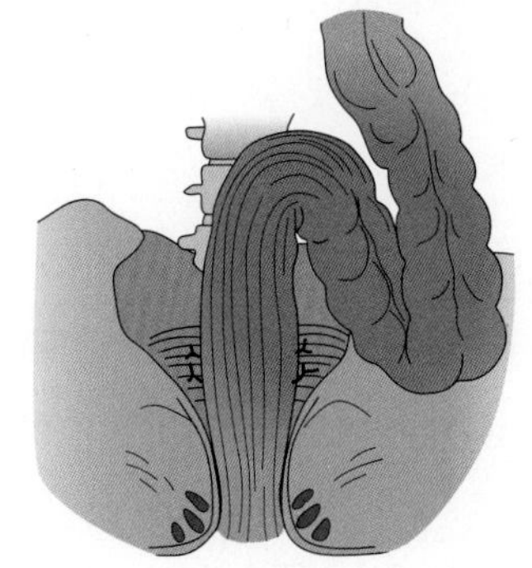 B 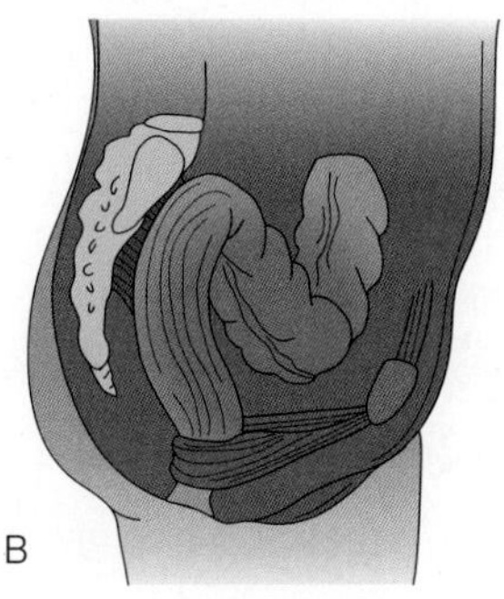

■ Rectocele

- 직장 앞벽이 질 (vagina)로 bulging or prolapse됨 (Posterior vaginal defect)
  → a. vaginal bulging
  b. 대변이 완전히 배출되지 않음
  → 그래서 손으로 evacuation함.
- 다른 pelvic floor disorder 및 slow-transit constipation과 연관된 경우가 많다.

1. 진단

- Defecography
  - rectocele을 특이하게 진단할 수 있는 유일한 검사
  - 항문관의 ant. border와 직장 앞벽 중에서 가장 많이 bulging된 부분 사이의 거리가 2cm이상일 때 진단

2. 치료

① 내과적 치료: 장기능을 극대화함

- 적절한 식이, 식이섬유, good bowel habit & Biofeedback, pessary
  (제한적인 효과있다)

② 수술

- 적응증
  - a. 2 cm 이상의 rectocele
  - b. 손가락으로 대변배출을 해야 하는 상황
- 방법 : Transvaginal, transperineal 그리고 transanal approach가 가능하며, 적절한 방법으로 수술한 경우 73-79%의 환자에서 증상개선을 보임

Transperitoneal approach	Transanal repair
• mesh를 사용할 수 있고, levatoroplasty 포함한다.	• anal mucosal flap을 사용하며 mesh를 이용하지 않고 plication 시행한다.

흔한 양성 항문 질환들

■ 치핵 (Hemorrhids)

1. 임상양상 및 진단 ★【15】【12】

① **정의** : 항문관내 cushion의 하강 등으로 증상을 유발하는 것.

② **종류**

- **외치핵** (Ext. Hemorrhoid) : 치상선 **하부**에 위치, anoderm(항문상피)으로 덮여있다. 외치핵의 thrombosis는 심한 통증을 유발
- **내치핵** (Int. Hemorrhoid) : 치상선 **상부**에 위치, 배변시 무통성 직장출혈 유발

③ **증상** : 빈혈을 유발할 정도의 만성출혈은 드물다.

④ **진단**

- 시진 & DRE & Anoscopy (→ 확진) ★
- 대장내시경검사를 해야하는 경우
  - a. 병력이 불명확
  - b. 40세 이상
  - c. 대장암의 위험인자가 있을 때 (가족력...)

(그림) Internal Hemorrhod의 Grade & Management ★

정도	임상양상	관리
1도	• 출혈; 돌출되지 않는다.	식이요법
2도	• 돌출되지만 **저절로 들어간다.** 출혈 및 삼출(seepage)	Rubber band ligation
3도	• 돌출되어 **손가락으로 다시 넣어야 한다.** 출혈 및 삼출	외과적 치핵절제술★
4도	• 돌출되는 것이 **손가락으로 넣어지지 않는다.** Strangulated	

추가노트

☞ 2도치핵인 경우 응고요법(coagulation)을 시행할 수도 있다.

2. 비수술적 요법 ★【17】

① **변 완하제(laxative)** 및 식이요법, 좌욕과 **배변 습관 교정** ★

└ 위생청결, 과도한 straining 피하기, 식사습관 교정 (고섬유질, 수분섭취)

- 수주간의 섬유질 식이로 출혈증상은 호전되나 prolapse는 의미있는 감소를 보이지는 않는다
- 내치핵과 외치핵의 prolapse가 있으면 추가적으로 보조술식이 필요

② 그 밖의 보조 술식

: mucosal fixation (증상 있는 외치핵, 없는 2, 3도 내치핵), sclerotherapy, infrared coagulation, heater probe, bipolar electrocoagulation, Rubber Band Ligation

(그림) Rubber band ligation

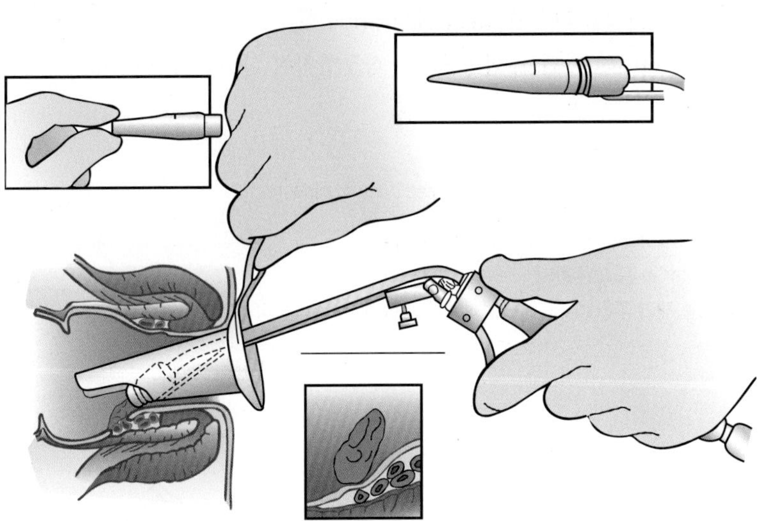

Rubber band ligation

- 원뿔모양의 기구 끝에 band를 끼운 뒤 ligation로 hemorrhoid를 발견하면 band를 밀어서 끼운다. ligated hemorrhoid는 일주일 후 떨어져 나간다.
- **외래**에서 sedation 없이 시행, 한 번에 한 부위만
- **2도치핵**에서 주로 시행, 출혈하는 3도 치핵치료 가능
- 출혈경향이 있는 환자 및 면역 결핍 환자에서는 시행하지 않는다.
- Endocarditis prophylaxis 시행 (risky 환자에서)
- bleeding & sepsis도 생길 수 있음.

3. 수술적 치료 (Hemorrhoidectomy) ★

① 적응증

a. 보조 술식의 반복적인 시도에도 불구하고 **치료 실패**
b. 탈출이 심해 **manual reduction**이 필요할 때 (grade III, IV)
c. **합병증** 동반 (strangulation, ulceration, fissure, fistula)
d. **증상이 있는 외치핵(thrombosed ext. hemorroid)**이나 **large anal tag**을 가지고 있을 때

② 종류

a. **Closed(Ferguson) hemorrhoidectomy**

- hemorroidal column 전체를 타원형으로 절개(incision)함
- 조직을 과도하게 잘라내면 안되고, 합병증으로 항문협착이 나타날 수 있으므로 충분한 anoderm(항문 상피)을 남겨야한다

(그림) Closed hemorrhoidectomy

A. hemorrhoid를 밖에서 안쪽으로 절제한다.
B. sphincter m.은 보존한다.
C. pedicle 제거 후 running absorbable suture로 defect을 막는다.

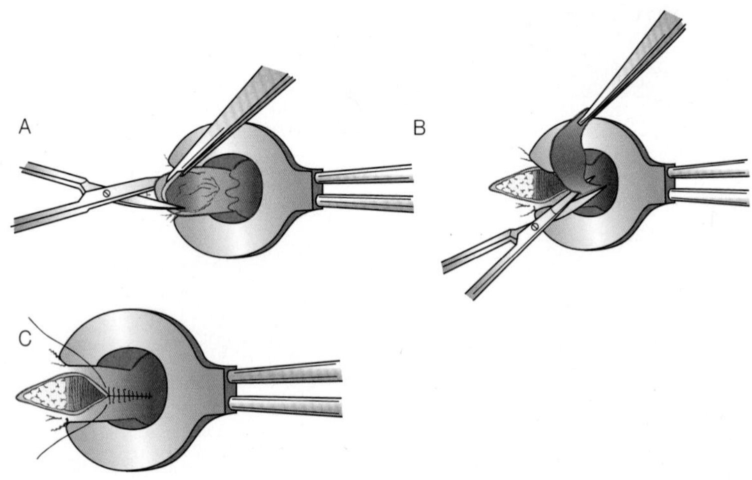

b. Open(Milligan-Morgan) hemorrhoidectomy

- 창상을 open한 채로 남겨둠
- 대부분 1-2주 내로 빠르게 회복한다

c. Excision : thrombosed ext. hemorrhoid시 시행한다.

(그림) thrombosed ext. hemorrhoid에 대한 excision

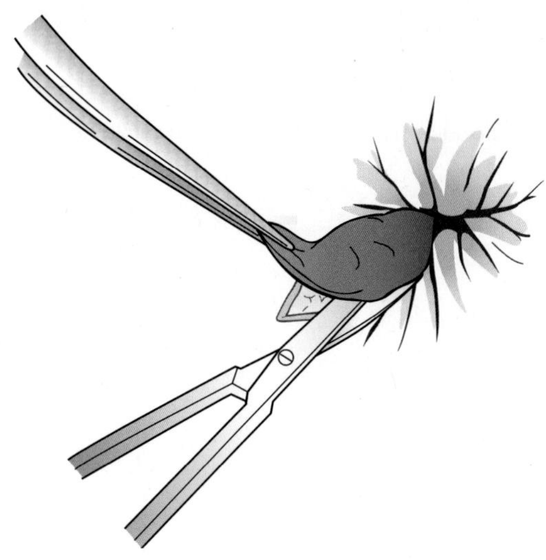

※ **합병증** : Fecal impaction, 감염, 배뇨장애, 출혈, 치열, 농양, 치루, 협착, 재발

■ 치열(Anal Fissures)

1. 임상양상 및 진단 ★【15】

① 주로 치상선 원위부의 midline에 생기는 선형궤양으로, 항문관의 뒤쪽 정중 지점 (post.midline)에 잘 생김, (ant. midline 〉 lateral) ★

② 전형적으로, "Sentinel pile or tags (바깥) + Anal papilla (안쪽)"

③ **증상 및 원인**

(악순환)

- 통증 & 출혈★ ←
  - → 배변시 궤양이 stretching되어 통증이 지속되고, 출혈도 가능
  - → 배변 공포 ★→ 단단한 변이 만들어짐.
- 원인 : 많은 양의 단단한 변 배출, 부적절한 식이, 전의 항문수술, **출산**, 지사제 남용
  - → **항문 괄약근의 압력이 증가**하고 **점막에 허혈성 변화** 발생

④ **진단** : 시진, DRE, 항문경, 대장내시경

- 항문경은 심한 통증을 유발할 수 있으므로 fissure가 눈에 보인다면 시행하지 않아도 된다

2. 비수술적 치료 ★

- 증상발현 6주 이내인 급성항문치열 환자에서 효과적이다

① 식이조절 : 식이섬유와 같은 bulking agent

② Topical pharmacotherapy

- Topical nitrates(0.2-0.4% nitroglycerin)
- Topical CCB(0.2% nifedipine or 2% diltiazem)

③ Botulinum toxin의 내괄약근내 주입

- 일시적인 내괄약근의 chemodenervation
- 내괄약근의 relaxation으로 blood flow가 증가하면서 fissure healing

3. 외과적 치료

① **적응증**

- 비수술적 치료에도 불구, 재발성, 지속성 질환시
- **합병증** 발생시

② **방법들** ★

a. lateral internal sphincterotomy ★

- 가장 흔히 사용됨
- Incontinence가 부작용으로 나타날 수 있다(14%)

(그림) Open partial lateral internal sphincterotomy

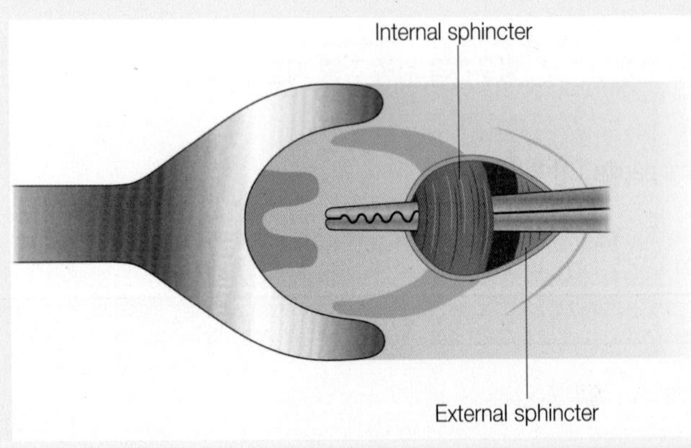

: 항문관에 큰 수술용 항문경을 위치시킨 후, intersphincteric groove를 따라서 incision을 넣는다. 점막층을 들어올리면 아래에 위치한 내항문괄약근이 보이는데, 이를 외항문괄약근 위로 elevation시킨다.

b. Fissurectomy with endoanal advancement flap

: 항문괄약근의 압력이 낮은 경우의 alternative surgical approach

즉. 전에 시행한 sphincterotomy실패시 및 심한 항문협착시

■ 항문직장 농양(Anorectal Abscess)

- 항문직장 화농성 질환은 **농양** 과 **치루 (Fistula)**가 있다.
  └급성기 └만성기

  가장 흔한 원인은 cnonspecific cryptoglandular infection이다..
- Intersphincteric plane의 항문관에서 시작 ★
  → 위아래. 수평방향 및 항문관을 둘려싸면서 퍼짐

(그림) perianal space에서 anorectal infection의 경로

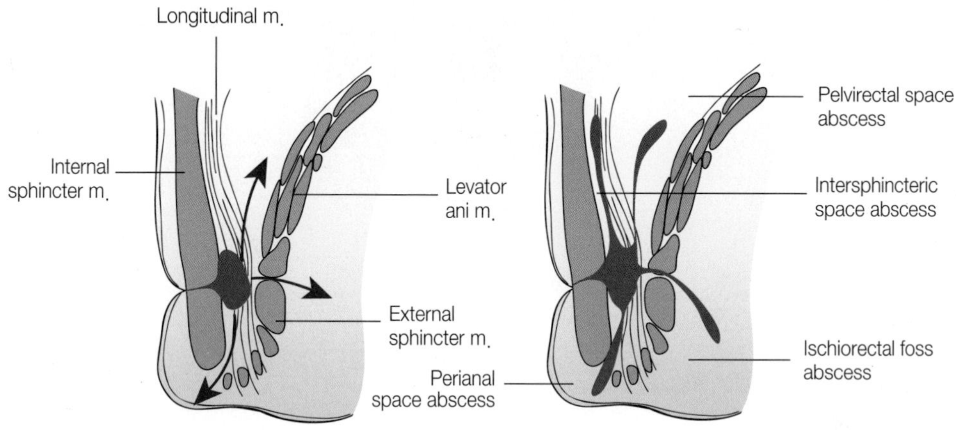

1. 유형 및 유형에 따른 치료 ★【13】

(그림) 먼저 앞으로 볼 각종 직장항문농양 At A Glance!

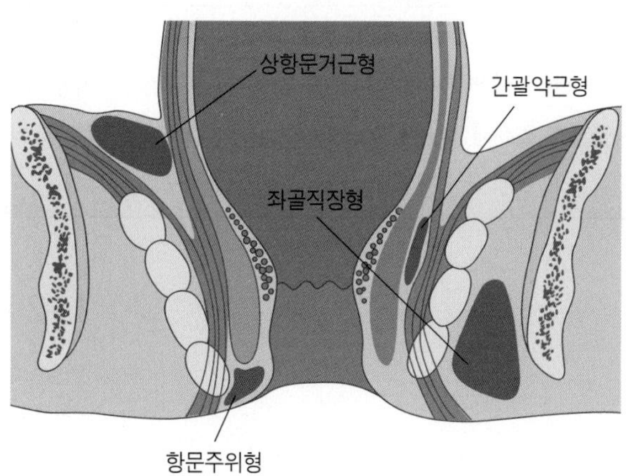

① **간괄약근형** (Intersphincteric Abscess) : • 내괄약근을 절개하여 항문관 내로 배농.

② **항문주위형** (Perianal Abscess) : • 단순피부절개 (incision은 가능한 항문피부선에 가깝게)

 추가노트

☞ 치료원칙 : 광범위한 항생제 투여, 절개하여 배농★

(그림) Perianal abscess의 I & D (incision & drainage)
십자절개를 시행 후 dog ear는 절제한다. packing은 필요없고 다음날부터 좌욕시킨다.

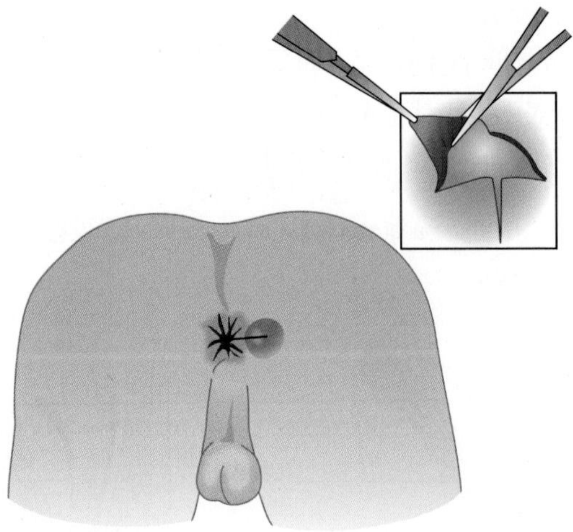

③ **상항문거근형** (Supralevator Abscess)

- **원인 & 치료**

a. 대부분 Crohn's disease, Colonic diverticulitis, Appendicitis 등
복강내 염증성 질환의 파급에 의해 발생 → 원인질환 치료해야!

b. Intersphicteric or Ischiorectal abscess가 위로 파급된 경우
i) Interspincteric abscess후 발생시 → 하부직장과 upper anal canal로 배농
ii) ischiorectal abscess후 발생시 → **회음부**로 배농 (infected space 위의 피하조직과 피부에 incision을 넣음)
iii) 복강내 염증성 질환의 파급에 의한 경우에는 transabdominal drainage

(그림) 상항문거근형의 배농방법

a. **좌골직장농양**에 이차적인 경우 **회음부**로 배농해야 한다.

b. **괄약근간농양**에 이차적인 경우 **직장내**로 배농해야 한다.

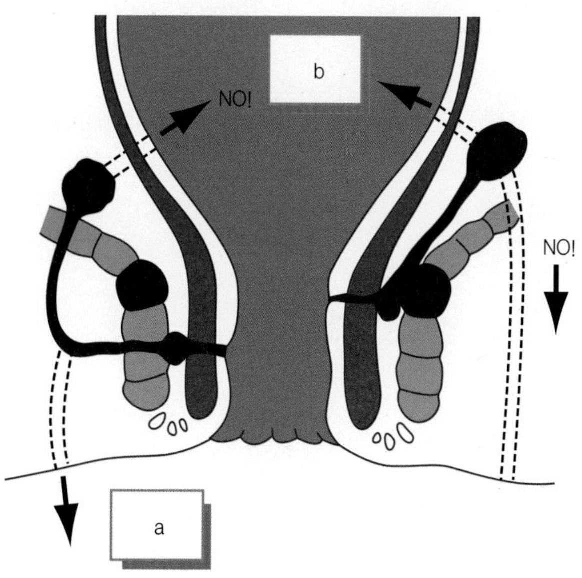

④ **좌골직장형** (Ischiorectal Abscess)

- 항문관에서 내괄약근을 가로질러서 파급된 경우와, 외괄약근에서부터 궁둥항문오목(Ischiorectal fossa)으로 파급된 경우에 나타난다
- **치료** : 절개는 가능한 한 항문연 가까이 넣어 후일 치루가 되어 수술하더라도 절개창이 크지 않도록 배려해야 한다. 농양 위쪽으로 십자절개선 (cruciform incision)을 가해서 배농시킨다.

⑤ **마제형 농양** (Horseshoe Abscess)

- circumferential spread 결과 발생한다. 즉, intersphincteric space, supralevator space 그리고 ischiorectal fossa 중 하나의 infection이 다른 공간으로 퍼져나간 것을 말한다.
- **치료**

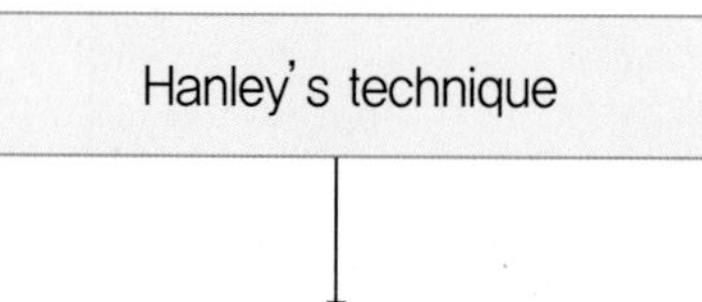

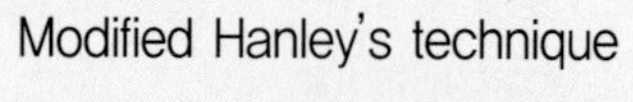

- 후방 중앙선에 있는 내공을 통해 농양의 동공내로 탐침을 넣고, 그 위로 미골의 끝부분까지 절개를 가했는데 이때 내괄약근과 피하외괄약근, 천외괄약근이 절개된다.
  농양이 앞쪽으로 뻗는 경우는 항문 양쪽에 때로 피부절개하여 같이 배농한다.

- 내괄약근만 자르고 배농시키는 방법으로 외괄약근을 보존하는 방법.

(그림) Horseshoe Abscess의 Hanley's technique

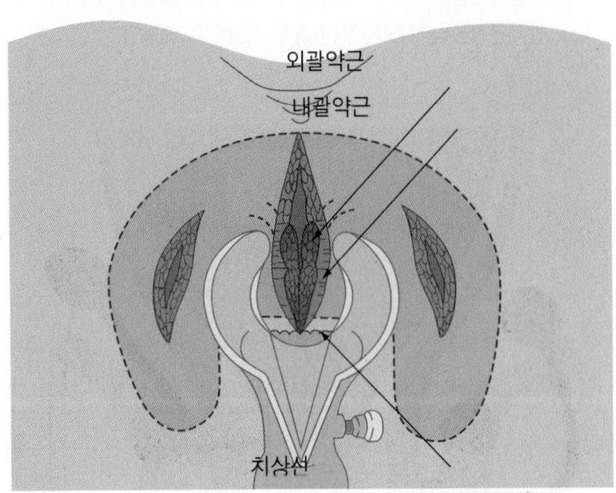

※ **국소치료 실패시,**

① **부적절한 배농** ② **fistula 존재** ③ **면역상태가 좋지 않은 경우** 들을 생각해야 한다.

■ 치루 (Fistula In Ano)

- 패혈증의 acute phase 환자의 40%에서 fistula를 보인다
- Intersphincteric fistula 가 가장 흔하다
- 대부분은 **치상선에 있는 항문관선**에서 기원한다.

→ **Intersphicteric space**의 abscess 형성

→ ischiorectal, transspincteric 등 다양한 부위로 번지며 fistula를 형성함.

1. 내공 (Internal opening)을 찾는 방법들 ★

① induration여부를 촉진한다.

② Anoscope로 내부를 관찰한다.

③ 내공을 찾기 위해 dentate line쪽을 부드럽게 probing한다

④ Goodsall's rule

외공이 항문횡단선에서 "후방"에 위치하면 후방중앙선에 내공이 있고, 전방"에 위치하면 누관은 직선으로 가까운 항문선와에 내공을 가진다

⑤ 외공에 methylene blue나 peroxide를 주입한다.

(그림) Goodshall' s rule ★【13】

외공이 항문횡단선에서 후방에 위치하면 **후방중앙선**에 내공이 있고, 전방에 위치하면 누관은 **직선**으로 가장 가까운 **항문선와**에 내공을 가진다. 단, **전방**에 있지만 AV에서 거리가 3cm이상 떨어진 경우는 **후방중앙선**에 위치한다.

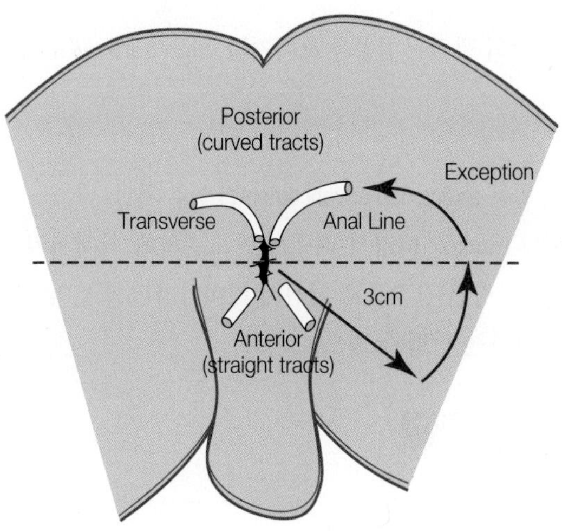

2. 유형

(그림) fistula의 4가지 유형

Ext. sphincter m.이 이들을 구분하는 중요한 landmark이다.

type 1 : Intersphincteric type 2 : transsphincteric
type 3 : suprasphincteric type 4 : extrasphincteric

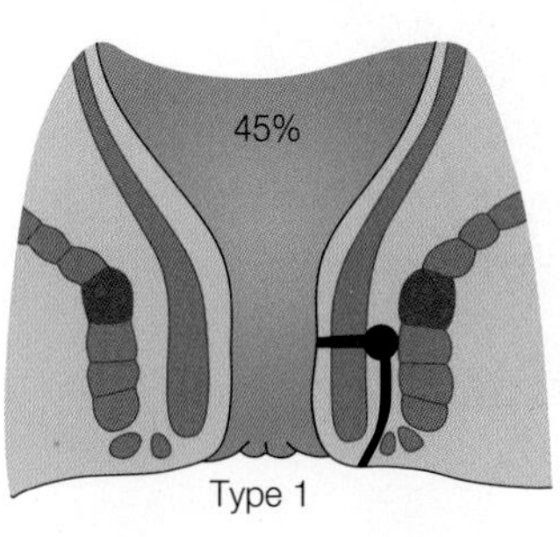

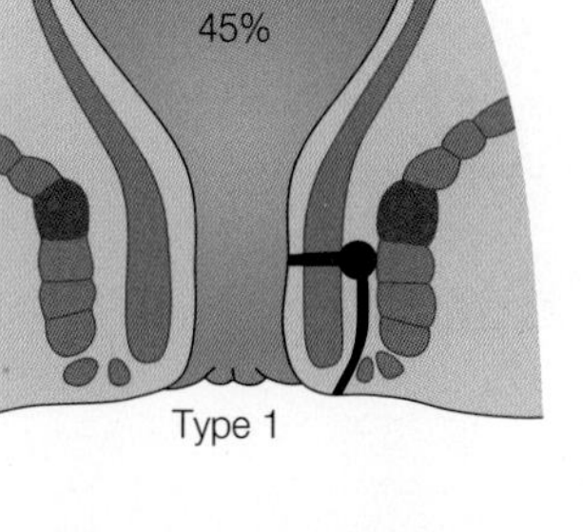

Type 1

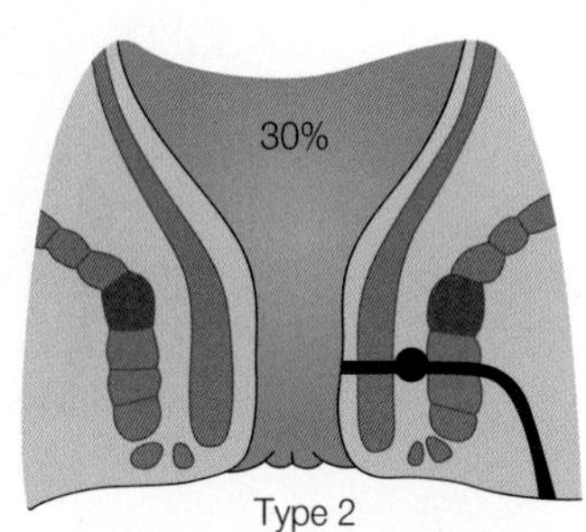

Type 2

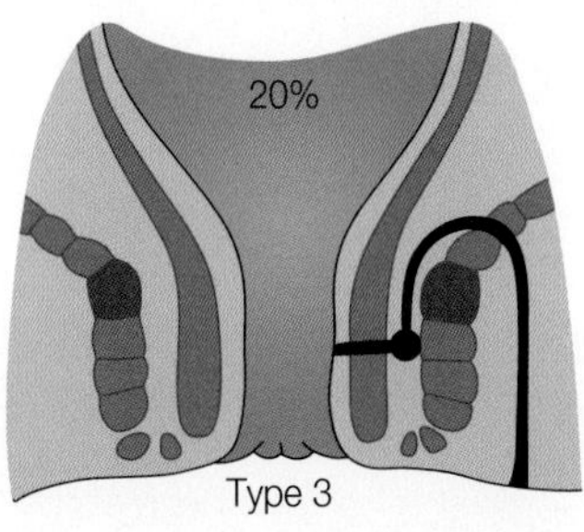

Type 3

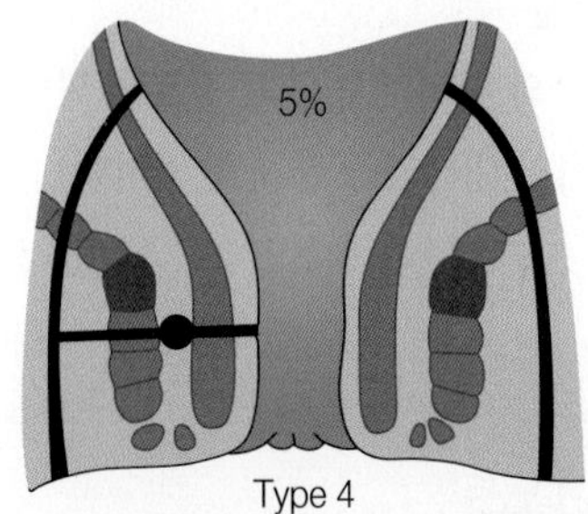

Type 4

3. 치료 : Surgical treatment가 first choice! ★ 【14】

① 일차 병소인 intersphincteric 병변을 찾고, 이차병소인 치루의 type을 확실히 아는 것이 치료의 첫걸음이다.

② Simple fistula(low trans-sphincteric fistulas or intersphicteric fistula)인 경우 → fistuloomy(track을 열린채로 놔둔다)

③ 치상선보다 아래에서 30%이상의 괄약근침범을 보이거나, high trans-sphincteric fistulas인 경우
→ seton법으로 치료. ★

④ 지속적인 **고위형 치루**
→ 점막 및 점막하 조직으로 만든 **sliding flap advancement법**으로 치료

※ Seton술식(배액선법) : 치루의 track을 따라서 배액선을 느슨하게 위치시켜 괄약근을 보존하면서 배농시킨 후, 일정한 간격으로 천천히 조여나가면서 괄약근의 기능을 보존하면서 fibrosis를 유발하는 방법ton법으로 치료

4. 유형에 따른 치료 (참고만 하세요)

- 궁금하신 분들만 보세요.

① **괄약근간형** (Intersphinteric Fistula, 70%)

(그림) intersphincteric fistula와 **치료**(점선: 절개선)

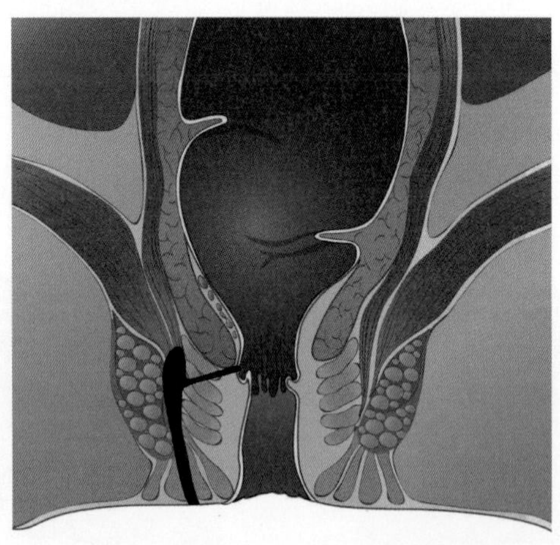

• **치료 : 누관절제술**

즉, 내공의 위치와 누공의 경로를 확인하여 전누관을 절개한다.
(부분적인 내괄약근 절개를 의미함)

추가노트

cf) 외과 전공의를 위한 내용입니다.

② **괄약근 관통형** (Transsphincteric Fistula, 25%)

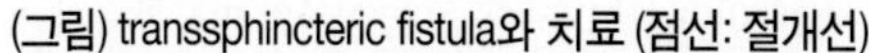
(그림) transsphincteric fistula와 치료 (점선: 절개선)

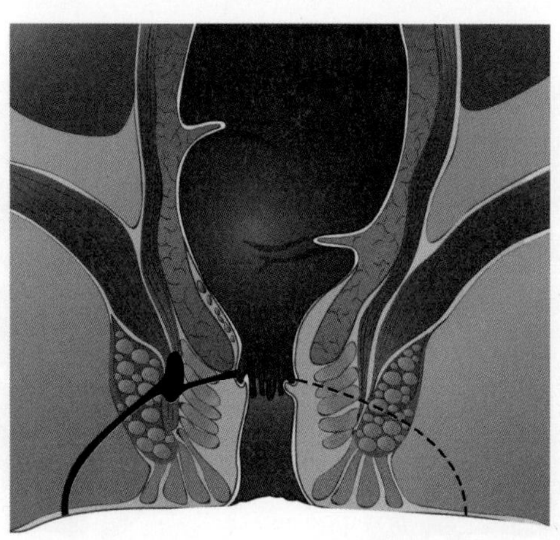

• **치료**

a. **절개노출법**

- 대부분은 외괄약근의 아랫부분을 통과하므로 이 부분의 외괄약근을 절개하여도 기능장애가 없다. 또한 누관이 외괄약근의 윗부분을 통과한 경우라도 치골직장근만 보존되면 절개되어도 주요 괄약근 기능은 유지된다.
- 하지만 노인이나 치루가 전방에 위치한 여자에서는 심한 기능장애를 초래할 수 있다.
  → 수술 전 괄약근의 기능상태 꼭 점검해야 함.

b. **배액선법** (seton)

주로 supralevator fistula치료에 이용되지만

노인이나 치루가 전방에 위치한 여자에서의 transsphincteric fistula에서 심한 기능장애를 초래할 수 있다.

→ 수술 전 괄약근의 기능상태 꼭 점검하여 좋지 않은 경우 시행

(그림) 괄약근상형의 치루에 대한 SETON법

A. 누관이 항문거근 상방을 지나 좌골직장와의 피부를 통해 개구한다.
B. 내괄약근과 외괄약근은 절개된 상태이며 상부의 누관은 변실금의 방지를 위해 세톤법을 이용하였다.

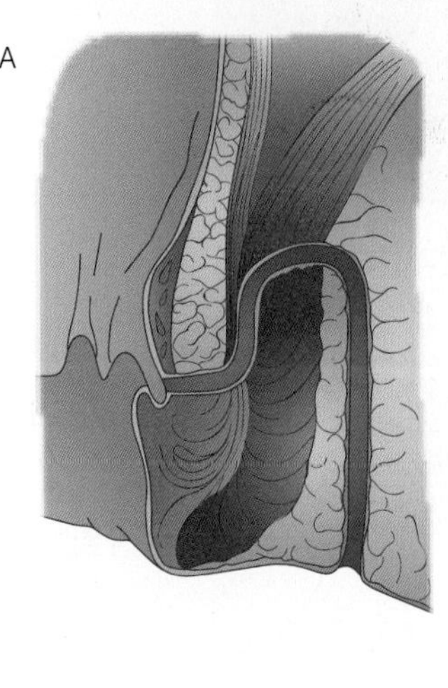

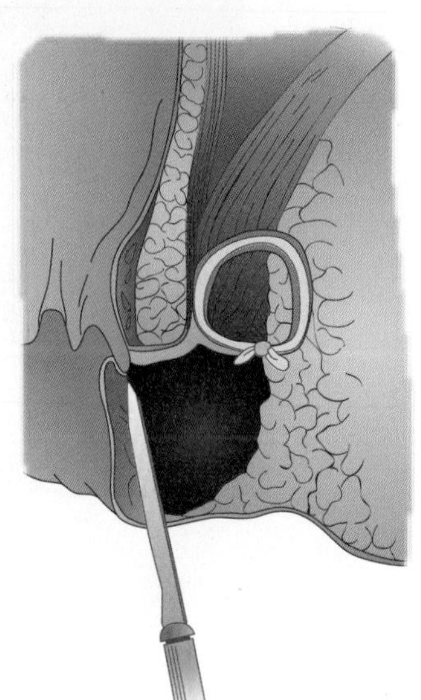

③ **괄약근상형** (Suprasphincteric Fistula, 4%)

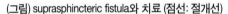

(그림) suprasphincteric fistula와 치료 (점선: 절개선)

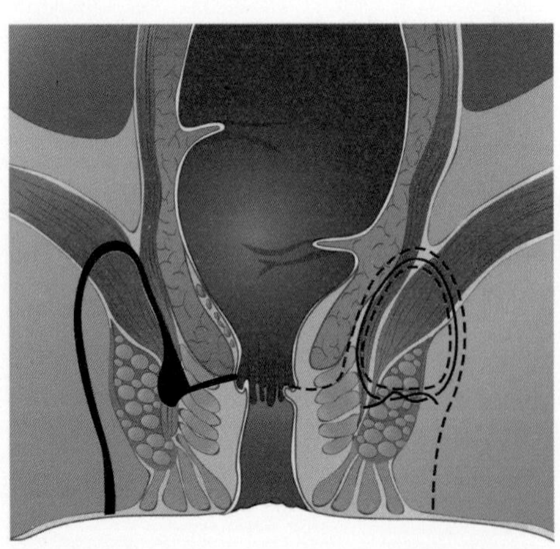

- 수술시 괄약근 손상으로 **대변 실금**이 잘 생김

• 치료 :

a. 배액선법 (seton) ★

- 치루관을 포함한 괄약근을 동여매는 방법
- 목적
  ① 동여 맨 괄약근 주위에 섬유성 유착을 일으켜서 다음 단계로 누관을 절개노출하여도 괄약근이 많이 벌어지지 않아 **괄약근 기능을 유지**할 수 있다.
  ② 누관에 포함된 **괄약근 양**을 정확히 알기 위한 **표식자** 역할
  ③ 배농을 위한 drain 역할

- 적응증
  괄약근이 많이 포함된 **고위형 치루**나
  특히 **여자**에서 치골직장근이 없는 **전방치루**의 치료에 유효하다.

- 종류
  ① 실크나 **나일론**같은 비흡수성 봉합사로 **느슨히** 묶어두고 **6-8주** 후 다음 단계로 배액선에 포함된 근육을 절개하는 방법 (m/c)
  ② Penrose **배액관**을 이용하여 tight하게 seton을 만들어 **1-2주**에 거의 잘리도록 하는 방법도 개발되었다.

b. Endorectal advancement flap : Higher fistula치료에 이용될 수 있다.

④ **괄약근외형** (Extrasphincteric Fistula, 1%)

(그림) extrasphincteric fistula와 치료

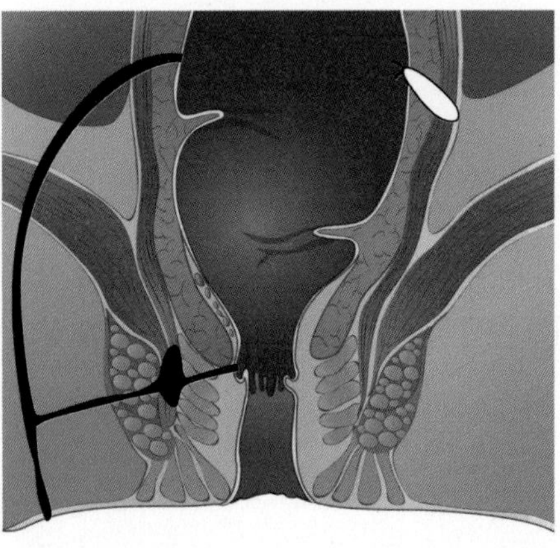

• Perineal skin에서 rectal wall (항문거근 위쪽)

• 구분

항문질환 Crohn's dis, Intrabdominal absces	골반내 질환
→ 적절한 배농, 병변부위의 장관절제, 괄약근 손상에 의한 변실금의 위험이 큰 경우 **누관변경술** 시행	→ 높은 직장내압으로 변이나 분비물이 계속 누공으로 들어가므로 직장내공을 적절히 폐쇄해야 한다. TPN으로 2주간 **금식**하고 장운동을 억제함으로써 결장조루술을 피할 수 있다.

※ complex, nonhealing fistula는, CD, 악성종양, radiation proctitis 혹은 희귀감염 등이 원인일 수 있다.

■ Rectovaginal Fistula

• Epithelial-lined rectal surface와 vagina간의 교통

1. 원인 및 임상양상

① 원인

• 선천적 원인

• 후천적 원인

- 3-4도 회음부 열상의 unsuccessful repair로 인한 분만손상(m/c)
- 이외에 지연분만에서 나타나는 pressure necrosis, IBD, 방사선, 신생물, 감염 등이 있다

② 임상양상

• passage of gas, feces, mucus, or blood through the vagina

• anal manometry와 endoanal US

2. 치료

① 원칙

• 기저질환, fistula 크기, 급성 염증 여부 및 증상의 심각성 등에 따라 치료를 결정한다.

• 50%는 **분만손상**에 의하며, 이는 자발적 치유가 가능하므로 3-6개월 정도 치유될 때까지 기다리는 것이 현명하다.

② 치료방법

a. 저위 & 중간위

- Transvaginal, transrectal, or transperineal approach 가능

→ Endorectal advancement flap, sphincteroplasty & transperineal procedures

healthy mucosa, submucosa & circular m.을 rectal opening 위로 advance시켜 치유를 돕는다.

(그림) Endorectal advancement flap for rectovaginal fistula

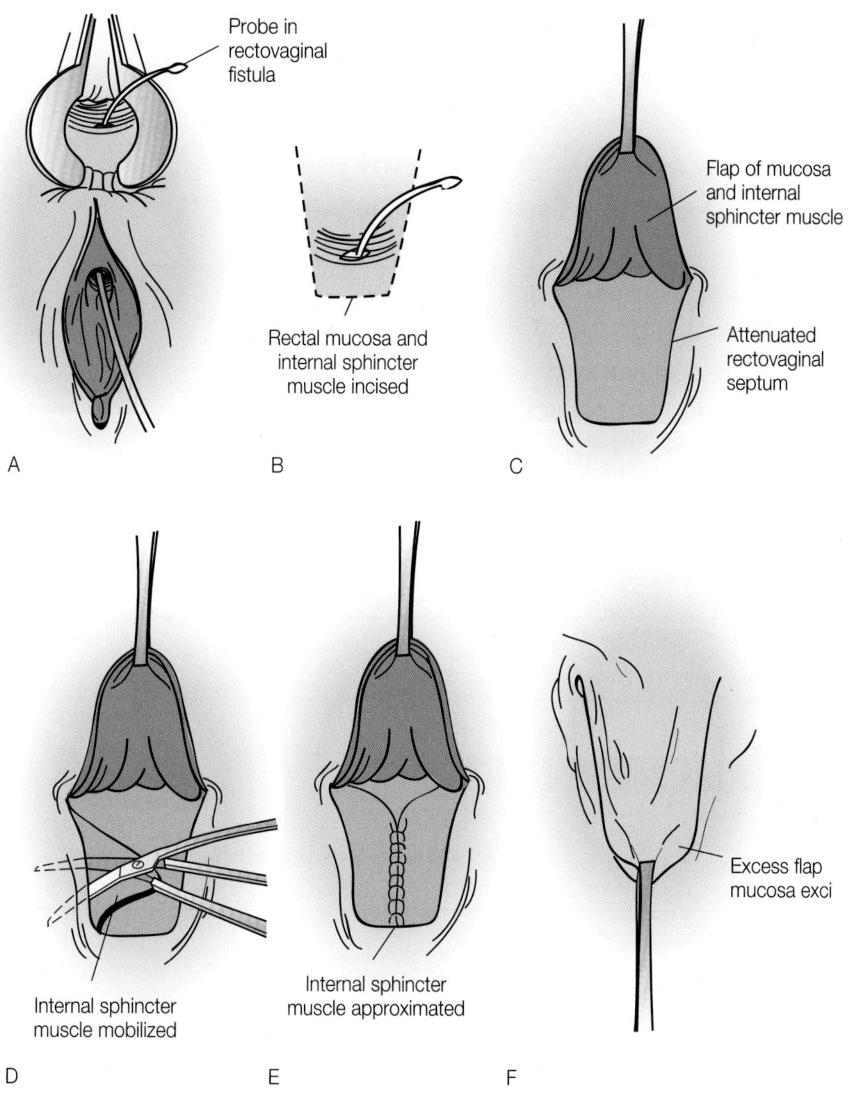

b. 고위형

→ Transabdominal approach

병변조직을 제거하고(upper rectum, sigmoid colon or small bowel) vaginal hole을 closure한다.
그 후 omentum이나 근육 같은 건강한 조직을, 장문합부위와 질(vagina) 사이에 interposition한다.

항문 종양

- AJCC(American Joint Commissin on Cancer)에서는 세 가지로 구분한다
  - Anal canal lesions : 바깥에서 완전히 보이지 않는 병변
  - Perianal(anal margin) lesions : 잘 보이도록 벌렸을 때, anal opening에서 5cm 내에 위치하는 병변
  - Skin lesions : anal opening의 바깥쪽 5cm 이내의 병변
- anatomic canal (dentate line 기준)

  surgical canal (**anal verge 기준**) → 임상에서 이용된다.

※ 이러한 구분의 중요성은 여기에 따라 치료방법이 바뀔 수 있기 때문임.

- 병력 : 출혈, 통증, 체중감소, 변실금
- DRE : 종양의 위치, 경도, 괄약근의 기능평가
- Anoscopy or rigid proctosigmoidoscopy
- chest, abdominal and pelvic CT : 전이여부평가
- Pelvic MRI : Staging에 중요

1. 일반적인 치료 원칙 ★

① Anal margin의 SCC → 수술적 절제
② Anal canal의 SCC → 방사선 치료 + 항암요법

2. 예후 인자 : 병기,크기, & 조직 소견

(표) Anal tumors의 종류와 Management

1. 항문연 종양 (Anal margin tumor)

① Anal Intraepithelial Neoplasia(AIN, 항문상피내종양)

- AJCC의 분류에 따르면

  → LSIL(Low-grade anal intraepithelial lesions)은 AIN I

  → HSIL(High-grade anal intraepithelial lesions)은 AIN II, III

- 치료
  - 광범위국소절제술(wide local excision) 후 필요시 flap을 이용해 재건
  - Topical immune therapy(imiquimod)도 효과있다
  - 재발 및 invasive disease로의 진행여부확인을 위해 regular f/u

② 파세트 병 (Paget' s disease)
- intraepithelial adenocarcinoma, 드물다
- 습진성, 종종 궤양을 동반하는 경계가 명확한 plaque로 시간이 지나 invasive cancer로 진행가능
- 확진 : 조직학적으로 periodic- acid-Schiff (+) Paget cells
- 치료 : 광범위국소절제술(wide local excition)후 필요시 flap을 이용해 재건
  - topical 5-FU, imiquimod, cryotherapy, argon beam laser therapy
  - 침윤성 선암으로 진행시 APR+근치절제술

③ 기저 세포암 및 편평세포암(Basal cell and squamous cell Ca)
- 국소절제
- 예후가 좋지 않거나 재발시 항암 혹은 방사선요법

④ 사마귀모양암종 (Verrucous carcinoma)
- Giant condyloma acuminatum 혹은 Buschke-Lowenstein tumor라고도 불림
- slow-growing, 샛길형성, 감염 혹은 악성화 등이 나타날 수 있다
- Invasive squamous cell carcinoma로 진행한 경우 예후불량
- 치료
  - 광범위 국소절제(Wide local excision)
  - 모든 병변을 제거하기 어려운 경우에는 APR(rare)

2. 항문관 종양 (Anal canal tumor)

① 편평세포암종(Squamous cell cancer)
- T1일 경우 국소절제
- 항암방사선 요법 ★
- 대변실금, 국소치료실패 및 항암방사선요법 후의 재발시 APR

② 선암 (Adenocarcinoma)
- 복회음절제술(APR) 및 필요시 항암방사선 요법

③ 흑색종 (Melanoma)
- 드물고, 예후는 poor
- 광범위국소절제술(wide local excision) or 복회음절제술(APR)
  - R0 resection이 생존률에 가장 중요한 예측인자

■ Perianal에서의 SCC

- perianal SCC보다 anal canal SCC가 5배 더 흔함(anal canal〉perianal)
- **치료**
  a. 광범위국소절제(wide local excision) : 크기가 작으면서(〈2cm, T1), well-differentiated 인 경우
  b. 항암방사선요법 : 크기가 크거나(〉2cm), 림프절전이가 있는 경우
  c. Cisplatin-항암요법 ± radiation therapy : 4기 전이암에서 효과있다

■ Anal Canal Neoplasm에서의 SCC ★

- Staging
  - 종양의 크기와 주변 장기 혹은 구조물로의 local invasion에 근거해 분류(AJCC)
  - T1(〈2cm), T2(2-5cm), T3(〉5cm), T4(크기와 상관없이 주변 구조물로의 invasion)
- **치료**
  a. 국소절제술 : epithelial or subepithelial tumor인 경우
  b. 항암방사선요법
    - standard!!(5-FU + mitomycin C + 45Gy이상의 pelvic radiation)
    - 15-30%에서 재발 or 치료실패
    - 6개월 이상 치료해도 호전을 보이지 않으면 복회음절제술 시행
  c. 복회음절제술(APR) : 이미 배변실금이 심해 stoma가 필요하거나, 항암+방사선치료에 금기 or 실패한 경우

(표) 항문종양의 TNM staging

Primary Tumor (T)

TX	Primary tumor cannot be assessed
T0	No evidence of primary tumor
Tis	Carcinoma in situ (Bowen disease, high-grade squamous intraepithelial lesion [HSIL], anal intraepithelial neoplasia Ⅱ-Ⅲ [AIN Ⅱ-Ⅲ]
T1	Tumor 2 cm or less in greatest dimension
T2	Tumor more than 2 cm but not more than 5 cm in greatest dimension
T3	Tumor more than 5 cm in greatest dimension
T4	Tumor of any size that invades adjacent organ(s) (e.g., vagina, urethra, bladder*

Reginal Lymph Nodes (N)

NX	Regional lymph nodes cannot be assessed
N0	No regional lymph node metastasis
N1	Metastasis in perirectal lymph node(s)
N2	Metastasis in unilateral internal iliac and/or inguinal lymph node(s)
N3	Metastasis in perirectal and inguinal lymph nodes and/or bilateral interanal iliac and/or inguinal lymph nodes

Distant Metastasis (M)

M0	No distant metastasis
M1	Distant metastasis

Stage Grouping

0	Tis	N0	M0
Ⅰ	T1	N0	M0
Ⅱ	T2	N0	M0
	T3	N0	M0
ⅢA	T1	N1	M0
	T2	N1	M0
	T3	N1	M0
	T4	N0	M0
ⅢB	T4	N1	M0
	Any T	N2	M0
	Any T	N3	M0
Ⅳ	Any T	Any N	M1

Power ★★★★☆

20 간
The Liver

I. ANATOMY & DEVELOPMENT

GENERAL DESCRIPTION

1. 신체에서 가장 큰 장기임. : 성인에서 "1,500g", 성인체중의 "2%", 신생아 체중의 5%차지
2. Liver의 상연은 midclavicular line에서 5th intercostal space까지 이르고, 하연은 costal margin에 이른다.
3. A peritoneal membrane (Glisson capsule)이 간실질, 혈관 및 담관을 덮고 있다.
4. **무장막 구역** (bare area) : 횡격막 아래로 간의 posterosuperior surface에 해당하며 IVC와 hepatic vein과 인접해 있고, peritoneum으로 싸이지 않은 부위이다.
5. **간의 인대** (Ligaments)

1) **간원인대(round ligament):** 배꼽정맥의 잔존구조물, 좌간의 간문부로 들어감
2) **겸상인대(falciform ligament):** 좌외구역과 좌내구역을 나누는 경계가 되며 간을 앞측 복벽에 고정시키는 역할을 함
3) **관상인대(coronary ligament):** 겸상인대가 상측으로 두 개의 층으로 나뉘어 우측 및 좌측 관상인대와 연결되며 관상인대는 좌우에서 좌측 및 우측 삼각인대를 만듦
4) **삼각인대(triangular ligament):** 간의 두면을 횡격막에 안전하게 고정시키는 역할
5) **위간인대(gastrohepatic ligament):** 담낭와의 좌측에 부착되며 위에 연결됨
6) **간십이지장인대(hepatoduodenal ligament):** 간문이라고 불리며 총담관, 간동맥, 간문막을 포함

추가노트

cf) 간이 성인 체중의 성인의 2%에 해당한다는 사실은 유용하다. 간의 정상적인 기능을 위해서는 **최소한 체중의 1%**의 간용적이 필요하다. 생체 간이식은 보통 간의 절반 정도를 이식하는 것으로 이식하는 간의 용적이 수혜자 체중의 **최소 1% 이상**이 되어야 정상적인 기능을 기대할 수 있다. 예컨대 체중이 70kg의 성인의 경우 간의 용적은 보통 1,400ml에 해당되고, 이식을 받는다면 이식간의 용적이 최소 700ml 이상 되어야 한다.

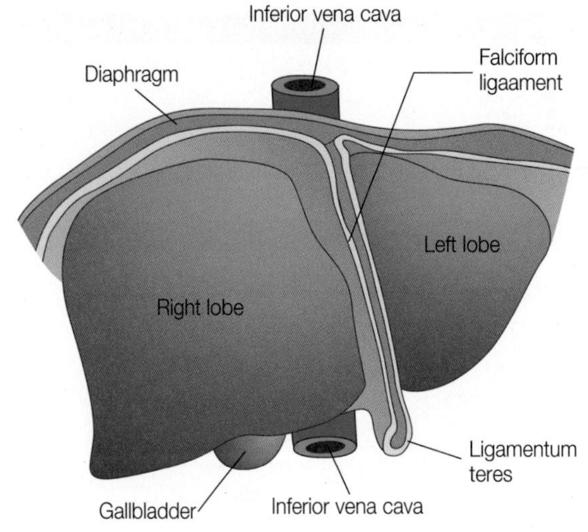

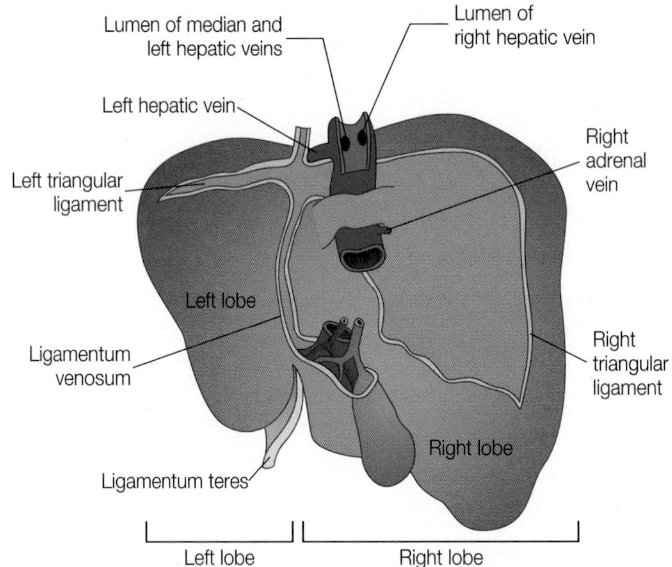

 간의 재생

1. 성인 간은 25ml/kg 재생

   간이식 후 이식편의 부피는 recipient 최소한의 간용적에 이를 때까지 70ml/day 증가함이 보고됨.

2. **간재생을 촉진하는 인자**

HGF (Heatocyte growth factor)	**EGF** (Epidermal GF), **TGF** (Transforming GF)
Insulin, Glucagon	**TNF-alpha, IL-1, IL-6**

추가노트

cf) 실험쥐의 경우. – 최대 hepatocyte DNA합성은 간절제 24~36**시간 내**에 이루어지고
– 대부분의 간재생은 3**일** 내
– 간재생의 완료는 7**일** 내에 이루어짐

LOBAR ANATOMY (AMERICAN SYSTEM)

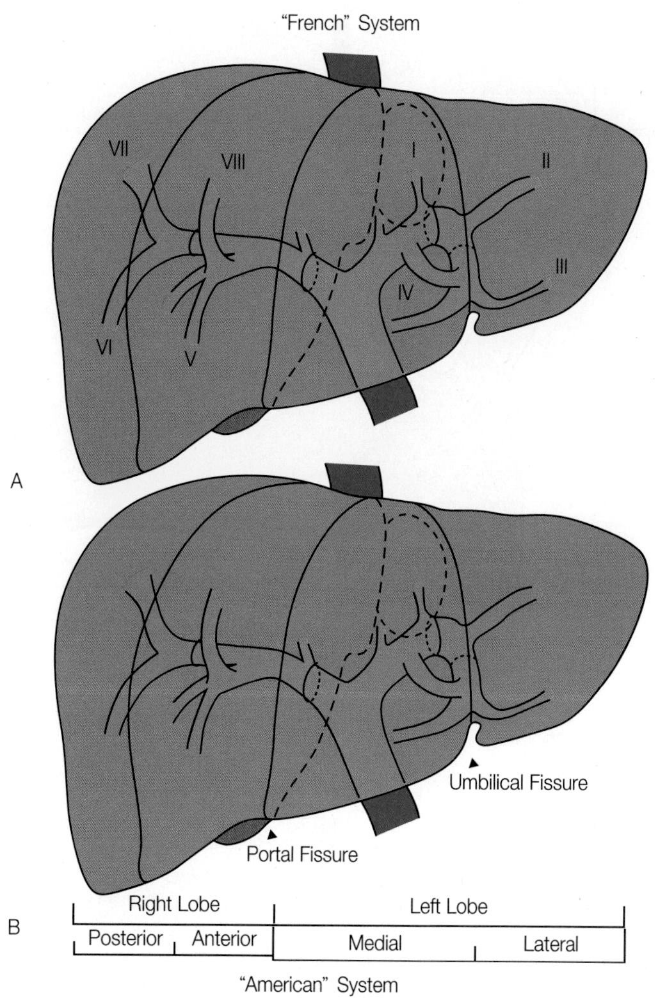

※ Cantlie line (portal fissure)

: **"GB fossa의 중심부"** "IVC(의 왼쪽면)"을 연결한 선, 간우엽, 좌엽을 나누며 **중간간정맥(middle hepatic vein)**이 지나가는 경로에 해당한다★

cf) Calot triangle

: cystic duct, CBD, 간의하연을 연결한 삼각형, cystic a.가 지난다.

간문맥 (PORTAL VEIN)

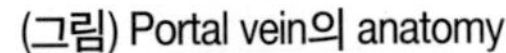

(그림) Portal vein의 anatomy

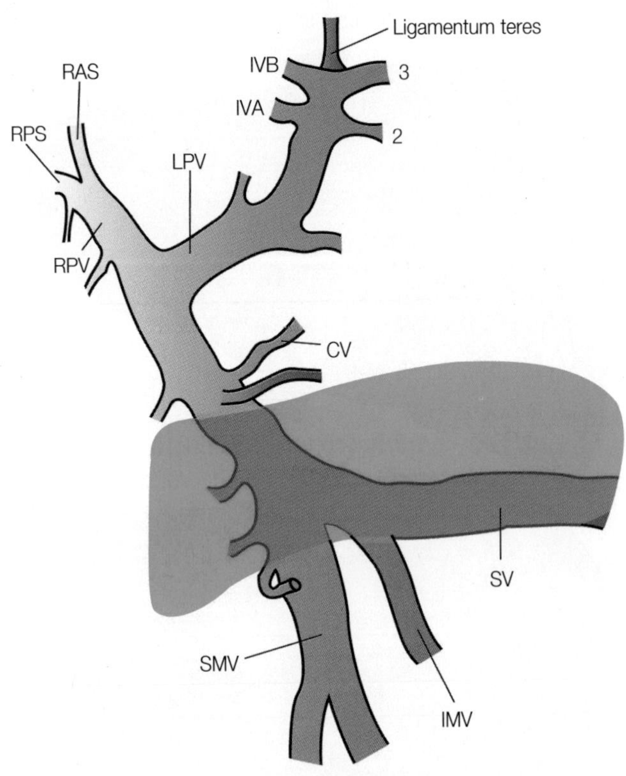

1. **간혈류량 70-75% (3/4)**를 담당 (간 산소공급의 50-70%를 담당)
2. **Pancreatic neck뒤쪽에서 SMV (sup. mesenteric vein) 과 splenic vein**이 만나서 형성된다.
3. 우엽으로 혈액이 더 많이 간다. (∴amebic abscess가 우엽에 더 잘 생긴다)
4. 정맥내 **판막이 없다.** ★

추가노트

cf) SMV = sup. mesenteric vein
IMV = Inf. mesenteric vein
SV = splenic vein
CV = coronary vein
파란색부분은 Pancreas에 해당함.

※ Collateral circulation (portosystemic circulation)

① **short gastric vein, left gastric vein**	→ **gastric & esophageal varix 유발**
② umbilical vein (ligamentum teres)	→ **caput medusae** 형성
③ inf. mesenteric vein tributaries (superior hemorrhoidal plexus)	→ **hemorrhoids** 형성
④ renal, adrenal vein	→ **후복막**으로 혈액공급

(그림) Portosystemic collateral pathways

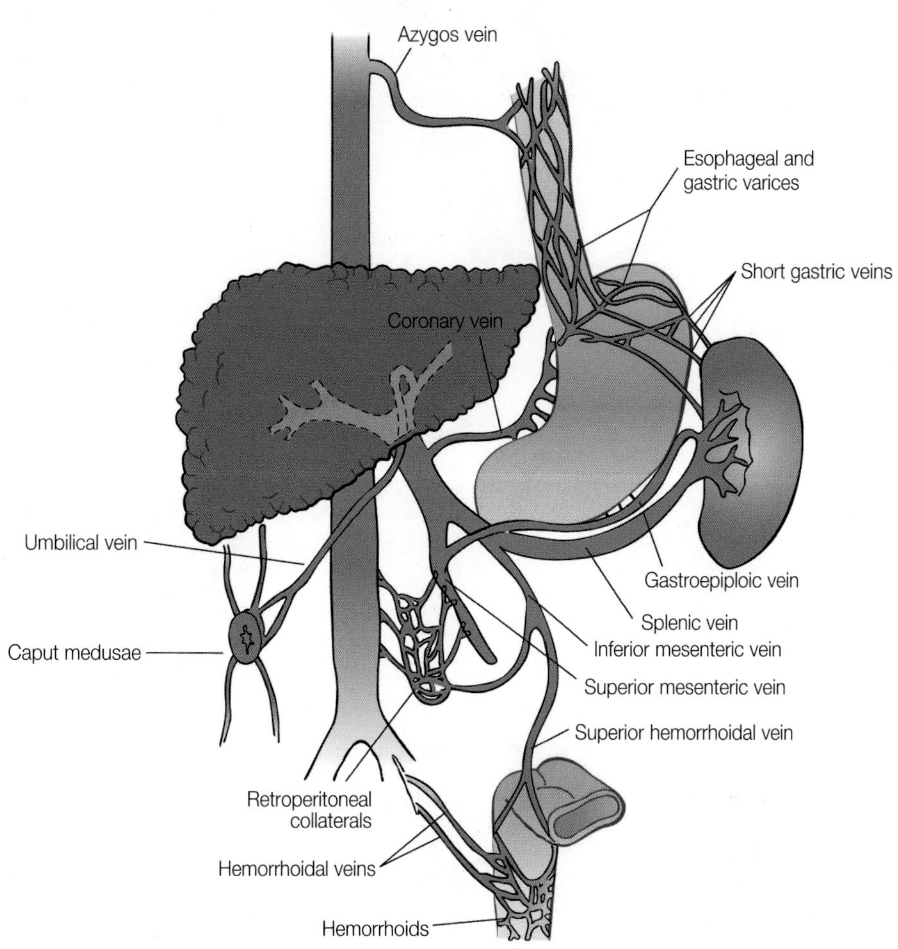

간동맥 (HEPATIC ARTERY)

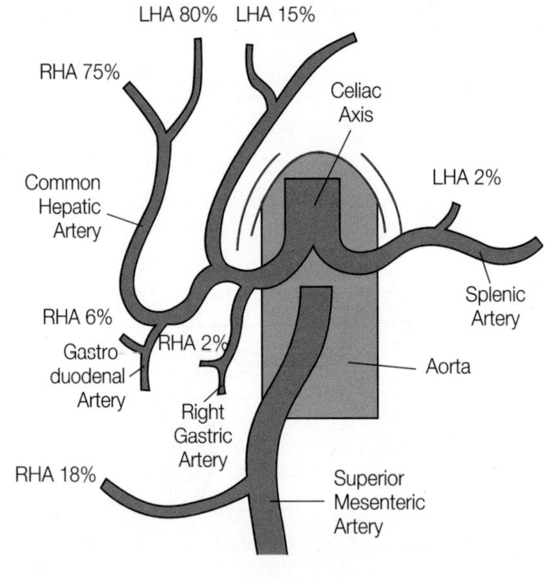

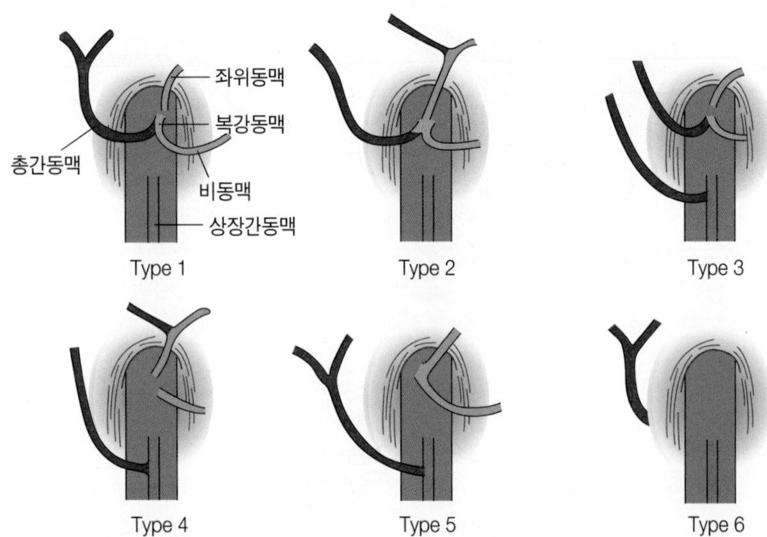

1. 간혈류의 25%, 30-50%의 산소 공급을 담당
2. 60% 가량에서 정상 (variation이 많다)
3. Hepatic a.절제시, GDA (Gastroduodenal artery)의 prox. (common) hepatic a.를 ligation 하더라도 풍부한 collateral circulation 때문에 간에 손상을 주지 않으며 GDA의 distal (proper hepatic a.)를 ligation하면 hepatic necrosis나 사망도 초래할 수도 있지만 어떤 경우는 심각한 결과를 초래하지 않을 수도 있다.

(그림) Hepatic a.와 SMA와의 연결 (by way of gastroduodenal a.)

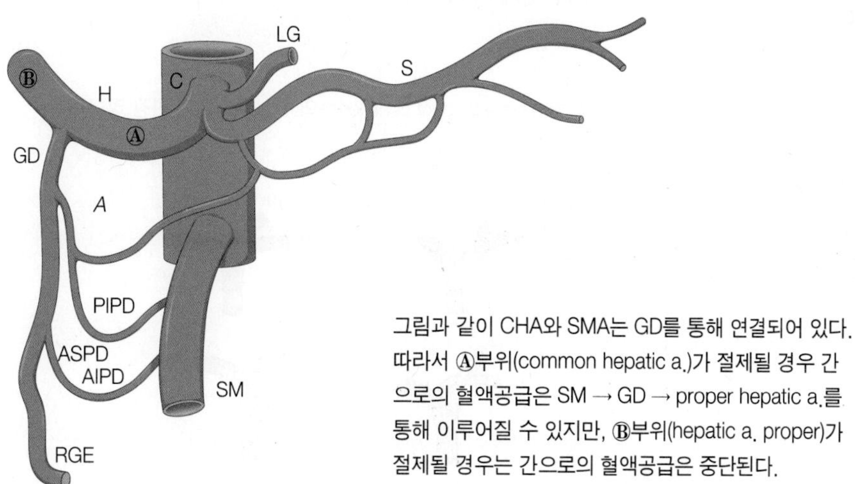

그림과 같이 CHA와 SMA는 GD를 통해 연결되어 있다. 따라서 Ⓐ부위(common hepatic a.)가 절제될 경우 간으로의 혈액공급은 SM → GD → proper hepatic a.를 통해 이루어질 수 있지만, Ⓑ부위(hepatic a. proper)가 절제될 경우는 간으로의 혈액공급은 중단된다.

간정맥 (HEPATIC VEIN)

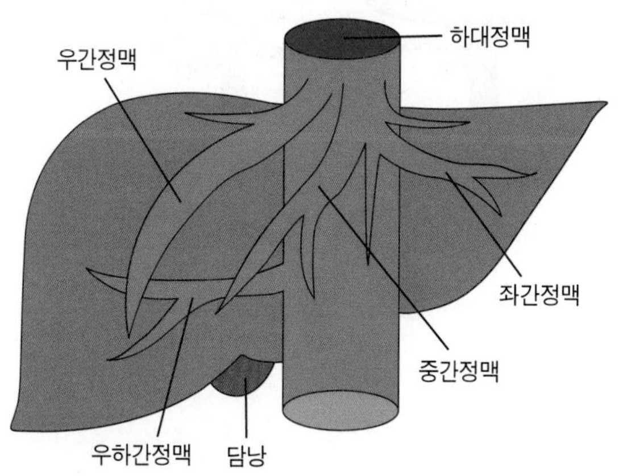

1. 3개 (Rt. Middle & Lt.) 의 hepatic vein으로 배출되고 또한 **작은 정맥들이 간의 후방에서 IVC로 direct하게 배출**되기도 한다. (위의 그림과 같이 Rt. inf. hepatic vein이 큰 크기로 존재할 수 있다)
2. **간정맥의 분지들**
   ① **Rt. hepatic vein** : 가장 크다. S5- 8를 drain
   ② **Middle hepatic vein** : Cantlie' s line에 위치 : 80%에서 Lt.hepatic vein과 join (S4 & S5,8)
   ③ **Lt. hepatic vein** : Lt. lat. segment (S2.3)를 drain한다.
3. Caudate lobe : **바로 IVC**로 drain된다.

담도계 (BILIARY SYSTEM)

(그림) Hepatic duct confluence의 Anatomy (A가 가장 많다)

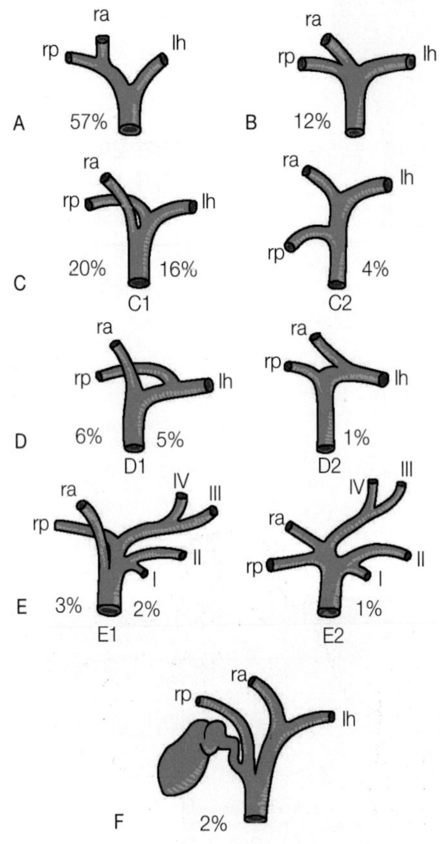

1. LHD (Lt. hepatic duct)의 간외부분이 RHD (Rt. hepatic duct)보다 2cm 길다.
   LHD가 RHD보다 CHD에 **acute angle**로 앞쪽으로 연결된다.
2. caudate lobe에서 drain되는 담도 : **80%가 오른쪽, 왼쪽 담도 양측으로 배액됨** (왼쪽으로만 배액되는 경우는 15%, 오른쪽으로만 배액되는 경우는 5%)
3. CBD의 직경: maximal **6-8mm** (cholecystectomy 후 10-12mm로 확장됨)
4. 작은 accessory duct (**duct of Luschka**)가 **간과 GB사이**에 있을 수 있다.
5. "**Hepatic a.**" 가 Portal vein보다 biliary system에 더 많은 **혈액공급**을 하고 있기때문에 간이식 후 간동맥 **손상시 biliary ischemia의 위험**이 있다.

(그림) CBD로의 혈액공급

담관의 동맥공급은 그림과 같이 3시, 9시방향의 간동맥분지로부터 이루어진다.

A: 9시방향의 혈관

B: 3시방향의 혈관

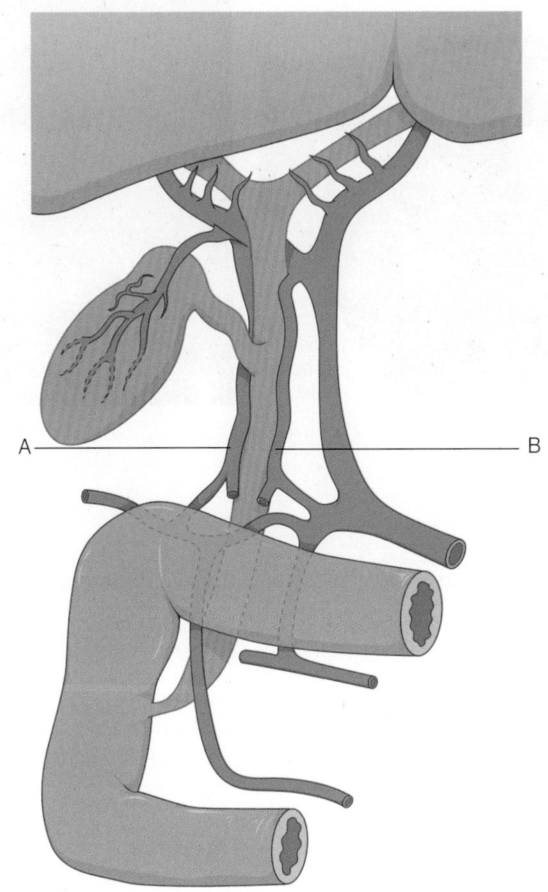

 담낭 (GALLBLADDER)

1. holds 30-50cc of bile
2. Calot' s triangle내에 cystic a.가 있으며, cystic a.는 보통 RHA의 분지이다.

MICROSCOPIC ANATOMY

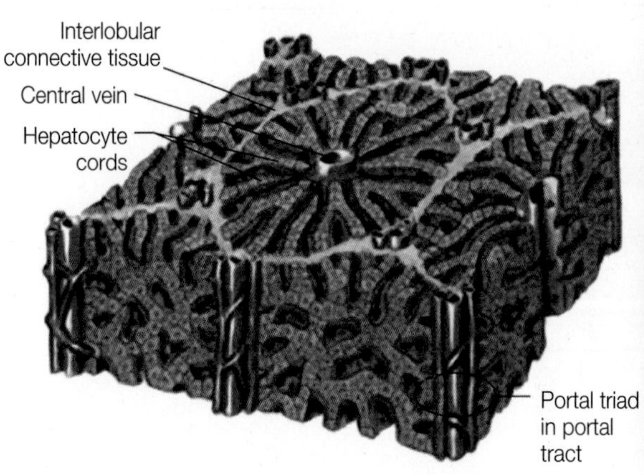

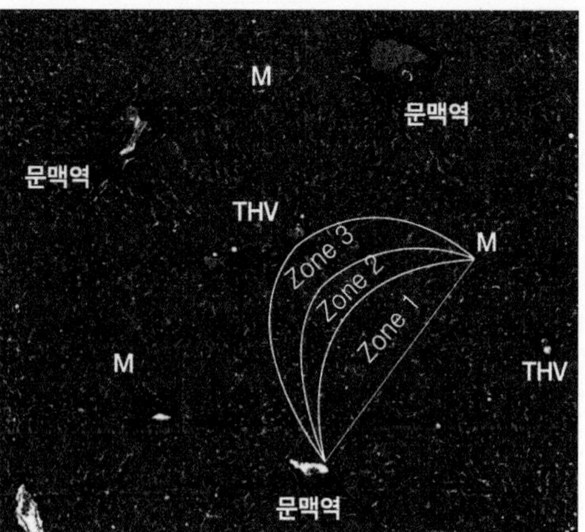

1. Zone1 (periportal zone)

① **portal venule의 바로 옆**

② Kreb cycle enzyme 풍부(nutrients와 oxygen이 풍부), Bile-salt dependent bile formation

2. Zone 2 (intermediate zone)

① **산소와 영양분**이 적어 허혈성 손상을 입기 쉽다.

3. Zone 3 (perivenular zone)

① 산소와 영양분이 적어 허혈성 손상을 입기 쉽다. (산소 공급 부족에 가장 민감하게 반응)

② acinus의 central vein과 가장 가깝다.

③ P-450 enzyme이 풍부, bile-salt independent bile formation

④ **drug intoxication으로 인한 손상이 가장 먼저 발생함**

cf) 혈류가 'Portal venule (zone 1) → Central vein (zone 3)' 로 흐르기 때문

추가노트

☞ 이와 같은 기전으로 **저혈압 때 zone 3에 괴사가 먼저 발생**하며, 이렇게 발생한 괴사를 centrilobular necrosis라고 한다.

II. 간기능

 HEPATIC ENERGY

1. 간은 **신체에너지**의 20-30%와 전체 사용되는 **산소**의 20-25%를 소비

2. muscle, brain, kidney에서 사용할 acetoacetate를 생산하는 유일한 장소

3. 에너지원으로 glucose는 거의 사용하지 않고 fatty acids (← diets, TG, phopholipid)를 주로 사용

4. gluconeogenesis : alanine (주로), lactate, pyruvate, glycerol, propionate로부터 glucose 생산

 HEPATIC BLOOD FLOW

1. 간으로의 혈류공급

75% : Portal v. (산소↓, 영양분↑)	25% : Hepatic a. (산소↑, 영양분↓)

2. 간으로의 혈류는 전체 CO(cardiac output)의 25%에 해당함.
   - **운동시 감소, 식사 후 증가**

3. 압력
   portal press 6-10mmHg, sinusoldal press 2-4mHg
   cf) Portal press 〉12 mmHg **시 문맥 고혈압에 해당한다.**

4. 간으로의 혈류공급에 **영향**을 주는 인자들
   자율신경계, bile salts, glucagon, histamine, bradykonin, prostaglandin, NO (Nitric oxide), gut hormones (gastrin, secretin, cholecystokinin)

※ portal flow가 **감소하면** hepatic a. flow가 **증가하나 반대로는 일어나지 않는다.**

BILE FORMATION

1. 만들어지는 장소

① Hepatocyte의 canalicular membrane (80%)

② Bile ductule or duct (20%)

→ 70kg의 성인은 대략 하루에 1500 mL 정도 생성됨

2. Bile 분비의 조절

① Bile **분비**에 중요한 호르몬은 Secretin이다.

② **소장내 음식물** → 소장벽에서 CCK (cholecystokinin) 분비 촉진 → GB를 수축시키며, Sphincter of Oddi를 이완시킴 → bile **분비**됨.

3. Bile의 주요구성성분

① Organic solutes

: bile acids, bile pigments, cholesterol, and phospholipids

② Inorganic solutes (mEq/L)

: Na^+ (132-165), K^+ (4.2-5.6), Cl^- (96-126), HCO_3^- (17-55)

Ca^{2+} (1.2-4.8), Mg^{2+} (1.4-3.0)

→ bile의 electrolytes 구성은 **혈장**과 유사

: biliary fistula 등으로 bile juice손실 시 Hartmann solution으로 보충한다.

추가노트

☞ 담즙분비에 관여하는 호르몬: secretin, CCK, gastrin

ENTEROHEPATIC CIRCULATION ★

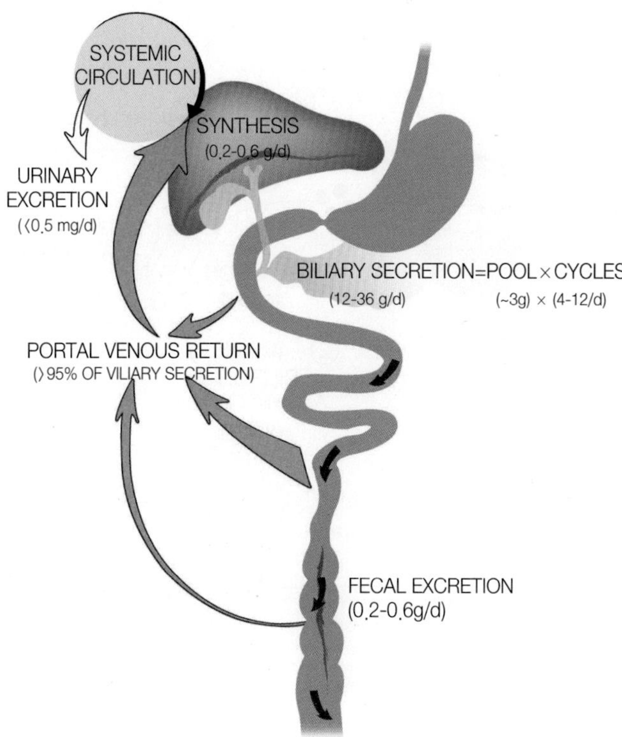

1. bile salt는 고에너지 산물이므로 재활용한다.

2. total bile acid pool

: 2-5g (3g). 하루에 **6-15회** 정도 recirculation 0.2-0.6g만 stool로 배설

3. 간의 역할 : Bile salt의 합성.추출 및 분비

∴ **간질환**시 이 cycle이 깨져서 **설사**, **지방변**, **비타민B12 결핍** 등이 발생할 수 있다.
기타 **국소장염**, **회장절제**, **Zollinger-Ellison syndrome**, **방사선 장염** 및 **Blind loop syndrome**도 bile salt loss를 일으키는 질환들이다.

4. Bile acid의 구분

① **primary** bile acid : 새롭게 합성된 bile acid

② **secondary** bile acid

: 장내세균에 의해서 dehydroxylation, oxidation, isomerization, deconjugation 등에 의해 생성, **more hydrophobic** 많아지면 → **biliary stasis, gallstone 발생함**.

빌리루빈 대사 (BILIRUBIN METABOLISM)

1. 대사과정

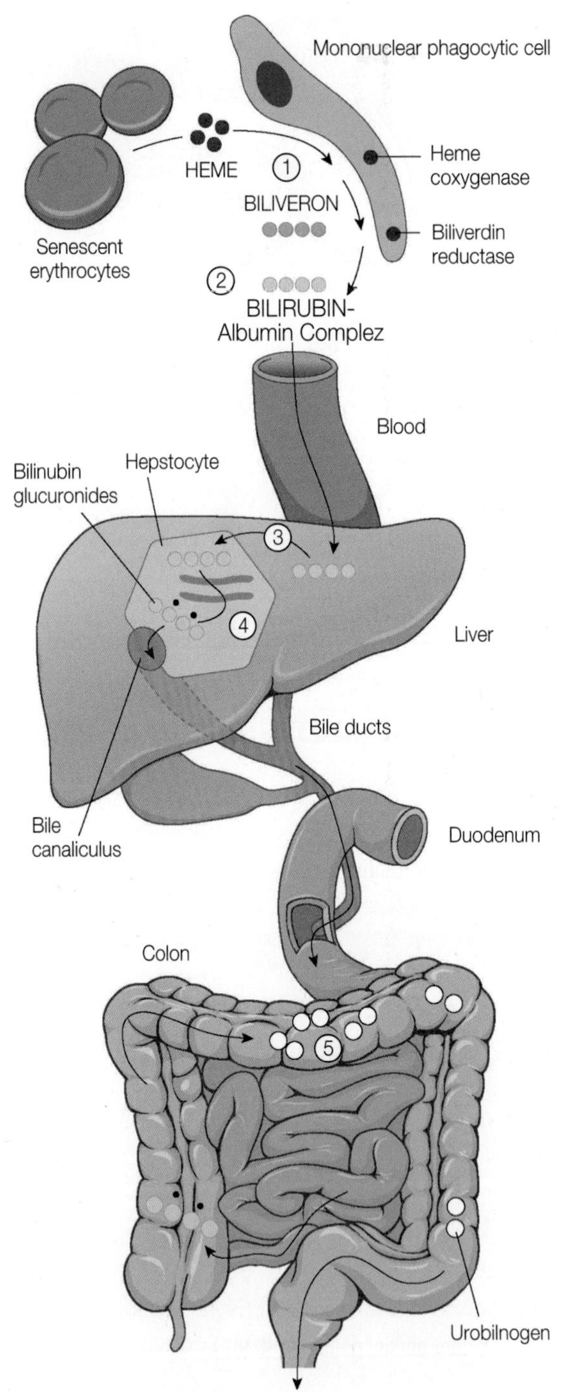

80%가 **노쇠한 RBC**에서 만들어짐 (unconjugated bilirubin 상태로)

⇩

albumin과 결합, 간으로 이동

⇩

plasma 로 부터 유리된 후, glucuronic acid와 **conjugation** 되어 **bile로 분비** ←

⇩ (Enterrohepatic circulation)

장으로 분비된 bilirubin은 장내 세균에 의해 **deconjugation**되어 **urobilinogen**이 되고,

더 산화된 후 **재흡수**

재흡수된 urobilinogen의 일부는 소변으로 배설

※ **소변**의 노란 색깔 및 **대변**의 갈색은 Urobilinogen 때문이다.

완전 담도 폐쇄시 Urobilinogn이 만들어지지 않아 **콜라색 소변**(dark-colored Urine) 및 **점토색의 대변**(Cray-colored stool) 소견을 보인다. ★

2. 관련질환들

"unconjugated" serum hyperbilirubinemia	"conjugated" serum hyperbilirubinemia
↓	↓
• bilirubin metabolism의 장애 ex.: neonatal hyperbilirubinemia, Crigler–Najjar type I, II, Gilbert s syndrome	• ex.: Dubin–Johnson syn., Rotor s syn. cholestasis

탄수화물 대사 (CARBOHYDRATE METABOLISM)

1. 식사시 장에서 흡수한 탄수화물을 이용하여 간에서 Glycogen합성, 저장한다.
2. **48시간 이상 금식시** liver glycogen이 소실되어 근육에서 나온 ALANINE을 이용하여 간에서 glucose를 생성한다.(gluconeogenesis)
3. 근육에서 Anaerobic metabolism을 통해 만들어진 Lactate는 간에서만 pyruvate로 분해되어 glucose로 전환(Cori cycle)된다. Brain은 이 cycle이 없기 때문에 muscle protein을 분해하여 계속적으로 glucose를 공급해주어야 한다.
4. 만성간질환에선, 간세포의 합성기능은 늦게까지 보존되어 **저혈당**은 드물지만, **전격성 간부전시** (fulminant hepatic failure)에는 나타날 수 있다.

지방 대사 (LIPID METABOLISM)

1. 간에서 사용되는 지방산의 sources : 1) 장에서 흡수, 2) 지방세포의 lipolysis, 3) 간에서 탄수화물을 지방산으로 합성
2. 간에서 이러한 지방산을 glycerol과 결합시켜 **TG (triglyceride)**를 합성, 간외로 배출되며, 이러한 TG의 간외로의 유출은 **VLDL의 합성**에 달려있다.(금식 시에는 TG를 beta-oxidation을 통해 ATP와 ketone body로 전환하여 에너지로 사용)

※ **비만, 스테로이드 사용, 임신, 당뇨, TPN시** 과다 생산된 TG를 이동시킬 **VLDL이 부족** → "지방간" 이 발생한다.

3. 간은 **cholesterol 대사의 중심기관**으로, Chylomicrons, VLDL, LDL, & HDL의 형태로 Cholesterol은 간으로 들어오고, 간은 이를 이용하여 bile acid를 만들거나, 직접적으로 bile의 형태로 분비함으로써 cholesterol을 제거한다.

단백질 대사 (PROTEIN METABOLISM)

1. 약 17종의 major human plasma protein 합성
2. 간은 "Albumin", α-globulin을 만드는 유일한 장기이다.
3. 급성기시 간은 interleukin에 반응하여 CRP, serum Amyloid & Fibrinogen을 생산 (Albumin생산은 감소된다)

 추가노트

☞ "알코올" 은 lipolysis의 **증가, 산화 감소, TG 합성증가** 및 만성 알코올섭취 환자에게서 나타나는 **상대적인 starvation** 등의 기전으로 지방간을 일으킨다.

 비타민 (VITAMIN)

1. **지용성 비타민 (A, D, E & K)**의 uptake, storage & mobilization
2. Vit. D 활성화의 초기단계가 간에서 일어난다. (25-hydroxylation)
3. **Vit. K** : Factor II, VII, IX, X의 γ-carboxylation에 중요한 역할.

 응고 (COAGULATION)

1. **Von-Willebrand factor (VIII) 제외하고 11개 factor 생성**
2. **"Factor VII"** 는 반감기가 짧아서 (5-7hr) 간부전을 아는데 유용
   └ 간부전시 **"★PT (Prothrombin time)"** 을 확인하여 합성능력을 알 수 있다. ★

※ **간기능의 측정**

① **"albumin"** : 만성간부전시 간의 합성 능력을 알 수 있는 유용한 인자
② **"Transferrin"** : albumin보다 반감기가 짧아서 간기능의 **급성변화**를 파악하는데 도움
③ 간경화를 동반한 간암 환자에서 간기능 평가 위해 수술 전 검사하는 것 (**"간의 잔존기능평가"**)

a. **Redox tolerance test** (arterial keton body ratio)
b. **Oral glucose tolerance test**
c. **ICG test** (ICG Rmax & R15)
d. **PT · LFT · Child criteria**

III. INFECTIOUS DISEASES

PYOGENIC ABSCESS

■ Pathogenesis

• 세균으로부터 간이 노출되는 경로

① Uncertain origin (m/c)
② Biliary tree (2nd m/c) ★
③ **간문맥** : GI tract을 drain하므로
④ **패혈증** 동안에 **간동맥**을 통해서
⑤ 근처 감염원으로부터의 **직접적**인 감염
⑥ **외상** 후

(그림) Pyogenic Hepatic abscess에서의 원인균 근원

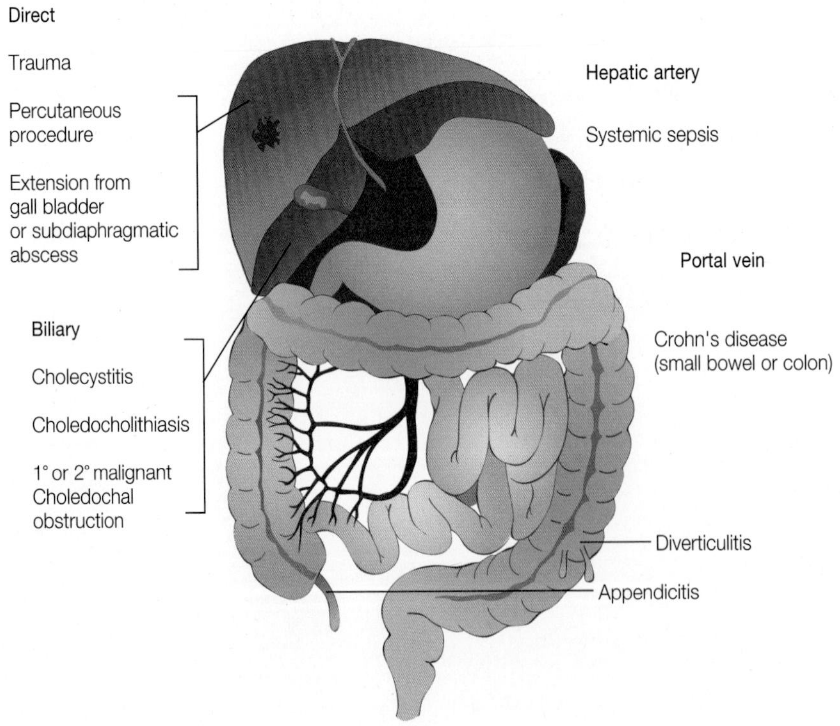

■ Pathology & Microbiology

1. Rt hemiliver에 호발 (3/4) ★, solitary = multiple

단독농양에서도 multiple organism이 더 많다.

2. 원인균주

① **빈도**

: E.coli, Klebsiella pneumoniae

〉Staphylococcus aureus, Enterococcus sp., viridans streptococci, and Bacteroides spp.

② **특징**

- 원인불명인(cryptogenic) 간농양(43%)이 가장 빈도가 높고 다음으로 담도계를 통한 감염(38%)이 높다.
- **단독농양**의 경우 **다균주 감염**(polymicrobial)인 경우가 많다.
- Klebsiella는 gas-forming abscess 형성함.
- Staphylococcus aureus는 특징적으로 single organism으로 작용함.
- 혈액배양에서는 약 50-60%에서 양성

■ 임상 양상

1. 증상 : fever/chill & Abdominal discomfort (m/c)

2. P/Ex : RUQ tenderness, fever, hepatomegaly, jaundice (10%)

3. 진단

① CXR (50%에서) : **우측 횡격막**이 올라가며, **우측 흉막삼출**(pleural effusion) 및 **무기폐**

② US : **처음 진단시 유용** (80-95% sensitivity)

③ CT : 가장 민감 (95-100%)

■ 감별 질환

• Amebic abscess, echinococcal cyst와의 감별이 중요하다.

(표) Amebic vs Pyogenic abscess ★★

임상양상	아메바성 농양	화농성 농양
나이	**20 40세**	**〉50세**
남:여	**≥ 10:1**	**1.5:1**
단독 대 다발성	**단독 80%**	**단독 50%**
부위	보통 우간	보통 우간
풍토지역으로의 여행력 (travel in endemic area)	있음	없음
당뇨	흔치 않음 (2%)	더 흔함(27%)
알코올 섭취	흔함	흔함
황달	흔치 않음	흔함
빌리루빈 증가	흔치 않음	흔함
Alkaline phosphate 증가	흔함	흔함
혈액배양 양성	없음	흔함
아메바혈청검사 양성	있음	없음

※ **Amebic abscess**의 경우 **젊은 남성**에서 많이 발생하지만, **pyogenic abscess**의 경우는 **50-60세의 고령**에서 **성별관계없이** 발생함. fever는 큰 차이없지만 **chill**은 특징적으로 pyogenic abscess에서 많다.

"Metronidazole" 의 임상적 투여하여

: 24–36hr 내 **반응**(fever, pain, leukocytosis 소실)이 없으면 **pyogenic abscess**로 진단할 수 있다. ★

■ 치료 ★ 【17】

1. 광범위 경정맥 항생제 투여

2. 경피적 배농술

단, 충수돌기염 같이 수술이 필요한 일차병소가 있거나 percutaneous technique 실패시 surgical drainage 고려

3. 간절제의 적응증 ★

① **간암** 혹은 **간내 결석**이 동반되어 있거나

② **간내 담관 협착**이 있는 경우

Amebic Abscess (by Entamoeba histolytica)

- E. histolytica trophozite가 portal vein을 통해 간에 도달한다. **젊은 남성**에서 많이 발생
  대변에서 trophozoites와 cyst 관찰 → 있더라도 active disease는 아니다
  Rt. liver에 single large cavity로 존재(90%) "anchovy paste" protozoa는 cyst의 rim에 **위치**하므로, aspiration시 없을 수도 있다.★

■ 치료

1. Metronidazole

- 치료 후 **3일내에** 호전이 되지 않으면 교정 안되면 진단이 잘못이거나 이차감염이 있음을 의미
  → Drainage 하거나 OP해야 함.

2. Therapeutic needle asperation

- 적응증

① 진단이 **불분명**
② Metronidazole 치료에 3-5일에도 **반응하지 않거나**
③ Rupture 위험이 있을때 (ex. size 〉 5cm이거나 Lt. liver에 있을 때)

Ⅳ. 간종양

 양성 간종양

※ Liver cell adenoma와 FNH의 **유사점**

① **젊은 여성**에 호발하며
② **피임제** 복용과 관련이 있으며
③ 병리소견상 둘 다 **간세포**로 구성되어있고 **Hypervascular** 병변이다.

■ 간샘종(Liver cell Adenoma)

① **단독병변**, **크기 다양**, **여성**에서 11배 높다 (특히 젊은 여성).

cf) 다발성 병변시 (12-30%) 피임약과 무관하고 발생 남녀 성비 동일

피임약 복용 후 끊은 adenoma 환자가 임신하면 파혈 및 출혈 위험이 올라간다.

② **2가지 위험** ★

a. 파열

Hypervascular lesion으로 <u>**출혈**</u> & **괴사**가 흔히 발생 (30-50%)

→ 이로인해 chronic RUQ pain, Abnormal LFT 가능

free intraperitoneal rupture & bleeding 가능

b. 악성전환 가능함

③ **진단**

- CT or MRI

→ 경계는 분명하며, hemorrhage 및 fat로 내부는 heterogenous하게 보인다.

- 확진 (Excisional Bx)

현미경적으론, glycogen과 fat을 과량함유한 benign hepatocytes로 구성됨

cf) Hypervascular tumors, 그래서 percutaneous biopsy는 금기!

④ **치료** : <u>간절제술</u>

■ FNH (Focal Nodular Hyperplasia)

① 보통 증상이 없거나 경미

developmental vascular malformation과 관련된다고 생각됨. 파열 및 출혈은 드물고, 악성화는 보고되지 않음.

② **진단**

- contrast medium-enhanced CT & MRI
- 확진은 조직검사 (즉, 수술 후) radiating septa를 지닌 central fibrous scar가 특징적!

③ **치료**

- 진단불확실, 증상유발 및 크기 증가시 최소경계로 절제함
- 그외는 close observation

■ 간혈관종 (Cavernous Hemangiomas) 【12】

① **양성간종양** 중 제일 **많다.** 영상 검사 상 우연히 발견하는 것이 많다.

남녀 1:3. 평균연령 45세. Rt.Lt lobe 동일하게 발생함.

보통 5cm 이하 (5cm 이상시 giant hemangioma) 악성화 위험 낮음.

② **증상**: 보통 asymptomatic

③ **진단**

- CT or MRI

cf) Biopsy : **금기! (∵심한 출혈)** ★

④ **치료**

- 파열이나 출혈의 위험은 극히 낮으므로 **경과 관찰★**이 원칙
- **간절제의 적응증**

a. **파열** 위험
b. **크기 증가**
c. **Kasabach-Merritt syndrome** 발생
d. 진단이 **불확실**하여 확진을 위한 절제가 필요한 경우

추가노트

cf) Hypervascular tumor

① adenoma	③ hemangioma
② FNH	④ HCC

cf) Kasabach-Merritt syndrome : hemangioma와 thrombocytopenia 및 consumptive coagulopathy와 연관시

※ **소아에서의 hemangioma**

① 흔하다 (12%).
② multifocal 다른 장기도 침범 가능
③ AV shunting으로인한 **이차적인 CHF 발생**
치료받지 않으면 70% 사망률
④ **치료**
• CHF에 대한 약물치료와
Hemangioma에 대한 **therapeutic embolization**
• 간절제는 증상이 있거나 rupture시 시행

간세포암 (HEPATOCELLULAR CARCINOMA)

• 세계에서 가장 많은 악성종양임
HCC는 성인에서 가장 흔한 원발성 간암임 (소아에선 Hepatoblastoma임)
• M : F = 2-8:1

cf) 우리나라 HCC
① HBV 감염이 동반된 경우 : 70%
② HCV 감염이 동반된 경우 : 20%
③ Cirrhosis 합병 : 80%
④ 절제율 : 20%

■ Etiology

1. **HBV★, HCV** 감염 & 다른 만성간질환

2. **alcoholic** cirrhosis★, **blool group B**

3. hepatic adenoma: 10년 경과시 10%에서 악성화

4. **대사성 간질환** : Wilson' s disease, tyrosinemia, glycogen storage disease, alphal-antitrypsin deficiency hemochromatosis

5. **기타** : **Tamoxifen, Aflatoxin** mycotoxins, plant alkaloids, **oral contraceptives, Anabolic steroids**, androgen, vinyl chloride, thorotrast parasites, porphyria, organochloride pesticides, membranous obstruction of the IVC

6. 흡연

※ 간흡충증은 담관암의 위험인자이지만 HCC 위험인자는 아님

■ 증상 및 징후

1. 가장 흔한 증상들 (후기의 증상들임)
   - **체중감소** (80%), **복통** (50%), 허약, malaise, anorexia, **황달** (24%), 복부종괴 (14%)
   - dyspnea, asthenia, ascites, peripheral edema

2. **처음 검사시 증상 있는 전이 병변은 약 5% → 이 중 폐전이가 제일 많다.**
   그 외 우리가 응급실에 볼 수 있는 rupture, hemorrhage, FUO 등의 소견을 지닐 수 있다.

파열 혹은 **출혈** : 6.9% – poor prognosis
(남성에서 **비외상성 혈복강**의 **가장 흔한 원인**임) ★

3. P/Ex
   ① 간종대 : m/c sign
   ② arterial bruit : 15-20%, **진단적 가치 있다.**

4. Paraneoplastic manifestation (<1%)
   : 고칼슘혈증, 저혈당 및 적혈구증가증

 추가노트

cf) primary biliary cirrhosis는 간세포암의 원인이 아님

■진단

1. 초음파 (Ultrasonography)

① **선별검사**로 적절하다.

② 92% of HCC ≤ 5 cm

③ **4-6 개월** 마다 초음파를 해야 3 cm보다 작은 종양을 찾아낼 수 있는데 이는 1 cm에서 3 cm로 자라는데 평균 4~6개월이 걸리기 때문

2. CT or MRI

1) 확진 검사에 사용된다.(동맥기 조영증강 소견【12】)

2) 복막전이, 림프절 전이, 혈관 및 담도 침범 등 질병의 범위를 확인하는 데도 유용하다.

• LCT (lipiodol): 특히 1 cm **미만**도 찾아낼 수 있다.(sensitivity 95-96%)

3. AFP

① HCC환자의 **3/4**에서 **20 ng/mL** 이상으로 증가한다. (aFP이 **400 ng/mL** 이상시 높은 양성률을 보임)

② false (+) : **chronic active viral hepatitis 같은 간의 염증성 질환시**

③ 간절제술을 시행받은 환자에서 **재발여부**에 대한 F/up에 유용하다.

한계) 민감도와 특이도가 낮아 진단의 보조적 수단으로만 이용된다.

4. Hepatic arteriography : 대부분 병변을 확진할 수 있다.

① **장점**

- 질환의 **범위**를 결정할 수 있다.
- **문맥** 및 **간동맥 침범**여부를 알 수 있다.
- Chemoembolization을 함께 시행할 수 있다.
- 수술 전 검사로서 **해부학적 다양성**을 미리 알 수 있다.

② **단점**

major hepatic resection이 예상될 경우, 남은 엽에 arterial thrombosis 유발

5. Laparoscopy

• 요즘 많이 시행한다. staging, 병변의 범위 확인에 사용된다.

추가노트

cf) **HBsAg (-)시 aFP상승이 더 큰 의미를 지닌다.**

HBsAg 양성군에서 95% 이상의 진단 예측도를 갖는 혈청 a-FP치가 3,200ng/ml이었으나, HBsAg 음성군에서는 200ng/ml이었다.

※ HCC는 폐, 뼈 그리고 복막전이가 흔하므로 수술 전 전이여부에 대해 확인해야 한다.

6. Percutaneous needle biopsy or Fine-needle asliration

비수술적 치료를 생각하는 진단이 모호한 경우에서 시행

■ 치료 【17】

(표) HCC의 치료방법들 ★

1. Surgical
    - Resection
    - Orthotopic liver transplantion
2. Ablative
    - Ethanol injection
    - Acetic acid injection
    - Thermal ablation (cryotherapy, radiofrequency ablation, microwave)
3. Transarterial
    - Embolization
    - Chemoembolization
    - Radiotherapy
4. Combination transarterial/ablative
5. External beam radiation
6. Systemic
    - Chemotherapy
    - Hormonal therapy
    - Immunotherapy

1. Complete Excision

① **간부분절제** 및 **완전절제**(완전절제시는 간이식술 시행)

② **유일한** curative Tx (TOC) 이지만 절제가 가능한 경우는 전체 환자의 10-20%에 불과하다.★

③ 간절제시 고려할 사항

a. **간기능** ★: Child' B 혹은 C의 간경화 및 **간문맥 고혈압** 환자는 간절제 후 회복하기 힘들다.
b. **FLR (future liver remnant)**가 충분해야 한다.

추가노트

※ FLR가 충분하지 못할 땐 수술전 간문맥 색전술을 시행하여 FLR를 확장시킬 수 있다.

④ 수술후 생존율에 미치는 인자 : **"종양의 병기"**, **"간경화의 정도"**

※ 이외의 negative prognostic factors

: **종양크기★**, **infiltrative** growth pattern, **혈관침범★★**
간내전이, 다발성 종양, LN 전이 margin<1cm, capsule이 없는 경우

⑤ 간이식과 간절제술 중 어느 것을 선택할 것인가? ★★

• **간이식환자의 선별** (Milan Criteria)

"5cm" 미만의 **단일병변**이거나
"3cm" 이하, **"3군데"** 이하의 간내전이를 지닌 **다발성 병변**의 경우

• 보통,

진행된 간경화 (Child B,C)이며 조기간암시 ➜ **간이식**이 더 적절 ★
Child A 간경화 ➜ 간절제가 더 적절

2. PEI (Percutaneous ethanol injection)

① Tm < 2cm시 single injection으로 가능하고, 더 큰 경우 multiple injection이 필요한 경우가 많다.
② 수술후 isolated tumor 재발시 적절한 치료가 될 수 있다.
③ 치료후 재발은 2년내에 50%를 넘는다. 시술 후의 long-term 생존은 24-40%

3. Cryotherapy

① laparotomic, laparoscopic or **percutaneous** approach
② 시술 후 US로 쉽게 monitoring할 수 있는 장점이 있지만, 주변의 주요혈관까지 freezing하므로 이용하기에 힘들다.
③ 2년 생존율 : 30-60%

4. RFA (Radiofrequency ablation)

① 종양내로 직접 probe를 삽입하여 고주파의 alternating current를 이용하여 60℃이상의 열을 발생시켜 **즉각적인 암세포 괴사 유발**
② 처음에는 작은 종양에서 사용했지만, 지금은 "7 cm"까지의 종양에도 사용할 수 있다(보통은 3 cm 이하시).

 추가노트

cf) Percutaneous acetic acid injection
: necrotizing ability가 좋아 septated tumor에 적절

5. Hepatic artery infusion ChemoTx

① 대부분 종양으로의 혈액공급이 **hepatic a.**통해 이루어짐에 착안했으며 5FU, cisplatin, doxorubicin 등을 주입할 수 있다.

② **반응률** : 25-60%

③ pump를 부착하기 위해 개복술을 해야하며, hepatic toxicity가 있다는 점이 단점이다.

6. TAE (Transarterial embolization)

① HCC의 ischemic necrosis를 유발한다.

② 반응률은 50%, but 생존율 향상없다.
"**통증조절**" 및 "**간암파열**" 시 효과적이다.

③ CTx를 추가하거나 (TACE), lipiodol을 추가하기도 한다 (L-TACE).

④ TACE

a. **Clx : main portal v. thrombosis** marked AV shunting to portal or hepatic vein **간기능이 좋지 않을 때**
b. **S/E** : fever, abdminal pain, N/V cholesystitis, pancreatitis, gastric erosion or ulcer (이쪽으로 잘못 들어갔을 때) infection (→abscess)
c. 절제불가능한 종양 → "절제가능"한 종양으로의 전환을 일으킬 수도 있다. **9 cm 이상의 종양에선 효과가 적다.** 단독 및 수술외의 요법과 병행시 생존율의 증가 없다.

7. EBRT (External beam radiation therapy)

• 정상 간실질이나 주변조직에 손상을 줄 수 있는 한계

8. Systemic Chemotherapy

• 반응률 20% 이하★

■ Fibrolamellar ("Scirrhous") HCC : HCC의 변형된 유형

① **noncirrhotic liver를 지닌 젊은 환자 (특히, 여성)**

standard HCC보다 **예후는 좋다**. 모든 HCC중 1-2% 차지. but, 35세 이전에서 발생하는 HCC의 40%에 해당함. 2/3에서 Lt. Lobe에 발생

② Gross features : **well demarcated, encapsulated, central fibrotic area** (focal nodular hyperplasia와 비슷)

③ 복통 (75%) (아까 HCC는 50%였죠?)

oral contraceptive와 관계가 있다. 전이의 위치나 분포는 HCC와 비슷하다. 좀 더 오래걸릴 뿐임.

well localized. 절제율 : 50-75%

장기 생존율 : 50-75%. 하지만 **재발율**은 높다 (80%).

(표) 표준 HCC와 Fibrolamellar HCC(FHCC)의 비교

특징	HCC	FHCC
남:여 비율	2:1-8:1	1:1
발생연령 (median age)	55	25
종양특징	Invasive	Well circumscribed
절제율	<25%	50%-75%
동반 간경화	90%	5%
aFP 양성	80%	5%
HBV 양성	65%	5%

OTHER PRIMARY MALIGNANT TUMORS

■ 간내담도암 (Intrahepatic Cholangiocarcinoma)

① 역학

- CholangioCa는 대부분 (40-60%) "biliary confluence"에서 발생하지만 (Klatskin tumor) 간내에서도 발생할 수 있다. (10%)
- M:F = 3:2. 60대 고령층에서 발생, cf) HCC는 50대

② **위험인자들**

PSC (Primary sclerosing cholangitis). Choledochal cyst disease, Hepatolithiasis, Recurrent pyogenic cholangitis

- "stone"은 50-80%에서 나타남. 반대로 간내 담석증 환자의 2-5%가 cancer임.

③ **증상 및 진단**

- 증상 : RUQ pain & weight loss (m/c), Jaundice (1/4)
- 진단
  a. aFP은 정상이지만, **CEA, CA19-9**는 상승될 수 있다.
  b. CT or MRI : 국소 간종괴 및 말초담관 확장
  (조영제 주입 후 peripheral or central enhancement 소견 보임)

④ **치료** : 외과적 절제 (resectability : 60%)

⑤ Poor prognostic factors : **간내 전이**, LN전이, **혈관침범** & Positive margin

■ 간모세포종 (Hepatoblastoma)

① 3세 이하. 남아에서 많다.

② **빈혈** 및 **혈소판증가증이** 흔함. aFP 증가(85-90%)

③ **치료**

- CTx 후 Surgical resection 시행
- 폐전이가 있어도 폐전이절제술 등을 시행하여 50%에서 cure 가능하다.

④ **예후** : **완전절제여부**가 예후에 가장 중요한 인자! (완전절제시 60-70%에서 장기생존 가능)

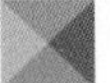

간으로 전이하는 종양들

• 간에서의 악성종양중 "가장 많다." ★ 혈행성전이가 가장 많다.

• 원발 부위

Bronchogenic carcinoma : m/c ★

(SCLC : 60–66%, AdenoCa : 40%, SCC : 22%)

〉Prostate 〉 Colon 〉 Breast 〉 Pancreas 〉 Stomach 〉 Kidney 〉Cervix

• breast cancer의 40%도 죽기 전에는 간전이가 됨. 전반적으로 solid tumor의 40%가 간전이가 됨.

■ 결장직장암의 간전이

• 처음 진단시 "30%"가 간전이가 있다.

• 간전이를 동반한 대장암의 "10-20%"가 절제 가능하다.

1. 진단

① CEA

상승하는 CEA치 + 영상검사상 새롭게 발견된 간종괴 소견 → 간전이 진단

※ 기타 상승하는 수치 : ALP(alkaline posphatase), GGT & LDH

② **고해상, thin-slice (5mm)의 CT검사 :**

특히 **문맥기** (portal venous phase)에서 간실질은 크게 조영되는데 이 때 **조영되지 않은 종괴**가 있을 때 간전이를 시사한다.

③ 간 이외의 다른 부위전이에 대한 검사

a. 대장내시경: 국소전이 여부를 확인

b. CXR : 폐전이 확인

c. PET : 일부 환자들(25%) 에게서 전이부위를 찾는데 효과적이다

d. 진단적 복강경검사 : 예후가 좋지 않은 환자들에게 선별적으로 시행한다.

☞ CEA는 양성질환에서도 경미하게 상승할 수 있다. : alcoholic cirrhosis, pancreatitis, IBD, rectal polyps, DM.

☞ 많은 연구에서 PET검사를 CT portography : most sensitive test!

hepatic a.를 cannulation 하여 portal venous phase에 조영제를 넣어 영상을 얻는다. → hepatic meta의 경우 dark perfusion defect 소견 보임.

2. 치료

① **절제할 수 있으면 절제하는 것이 좋다.** ⇒ 대장절제술 + 전이성 간암절제술
5YRS는 25-58%. **2/3환자**에게서 **재발**한다.

② 대장암수술도중 **우연히 간전이**를 발견한 경우 간절제 결정 기준

a. **장세척** 상태
b. **대장수술**의 크기
c. **간절제량**
d. 환자의 **전신상태** 및 외과의사의 **경험**

※ 대개 **우측대장 절제시**는 대량 간절제도 동시에 시행할 수 있으나 **좌측대장 절제**, 특히 복회음절제술 시에는 대량 간절제가 요구되는 경우 6개월 뒤 2차 수술로 미루는 것이 좋다.

3. Poor prognostic factors

① 간외 전이
② **대장결장암 수술시의 림프절 전이수**
③ 간암이 대장암과 동시에 발견된 경우 (synchronous presentation) 및 **대장암 수술 1년 내에 간전이가 발견된 경우**
④ **간전이 개수가 1개 이상인 경우**
⑤ 간좌우엽에 침범한 경우
⑥ **CEA≥200 ng/ml**
⑦ **가장 큰 간전이 ≥ 5 cm**
⑧ 수술 경계연이 종양 양성일 때

 추가노트

※ 왼쪽에서 진하게 표시한 것이 다변량 분석(at MSKCC)에서 의미 있게 나온 인자들이다.

■ 신경내분비 종양의 간전이

1. 종류

: gastrinoma, glucagonoma, somatostatinoma 등

cf) Insulinoma, carcinoid tumor는 간전이가 많지 않다.

2. 특징

이러한 종양은 천천히 자라며, 증상을 유발하는 functional hormones을 분비하므로 완치하지 않아도 장기간 생존이 가능하여 치료 목적은 생명연장이라기 보다는 삶의 질향상 (즉, palliative)이다.

3. 치료

1차 치료

• long-acting somatostatin analogue를 먼저 사용

2차 치료

• 비수술적 요법 고려
• Hepatic a. embolization or Thermoablative approach
  └ Cryoablation or Radiofrequency ablation

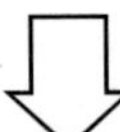

3차 치료

• 수술 적응증 (Cytoreductive Tx)
  a. 이러한 비수술적 방법이 **효과적이지 못할 때**
  b. 호르몬 과다분비로 인한 **증상이 심할 때**
  → 90% 가량 절제할 수 있다고 생각될 때 시행할 수 있으며 enucleation이나 wedge resection을 시행한다.

■ 그외 종양의 간전이 (Noncolorectal, Nonneuroendocrine tumors)

1. 종류 : breast, lung, melanoma, Wilm' s tumor 등

2. 치료

- metastatic colorectal Ca와 같은 원칙으로 치료한다.
- curative라기 보다는 cytoreductive Tx이다. (꼭 필요한 경우에만 수술)
- Poor prognostic factors :

 a. 간외병변, b. 다발성 및 c. 큰 종양시 혹은
 d. 짧은 disease-free interval을 지닌 경우

3. 각질환에 따른 치료의 고려사항

① "**상부위장관 종양**" 의 간전이
 → 예후가 좋지 않아 보통 간절제를 고려하지 않음.

② "**비뇨생식기종양**" 의 간전이 → 간절제가 **효과적**인 경우가 많다.

③ "**유방암, melanoma 및 sarcoma**" 의 경우
 → long disease-free interval 및 CTx도중 안전성을 보였다면 간절제를 고려할 수 있음.

cf) **간절제 치료효과가 좋은 전이성 종양 ★**

① 결장 직장암
② Wilm' s tumor
③ 신경내분비 종양 (Gastrinoma, Insulinoma)
④ 카르시노이드 종양

V. 간절제의 원칙

간절제

■ 간기능검사결과에 따른 간절제 정도의 결정

① 혈액소실 방지
- 수술 중의 CVP를 5mmHg 미만으로 낮춘다.
- **간의 분절절제술**(segmental resection)의 도입

② 간절제 정도
- 원칙적으론 간경화가 없는 정상 간에서는 **간절제 80%** 시행해도 수주내에 재생되어 기능에 문제가 없다.
- 간절제 후 남아있는 간용적이 적을 것으로 예상되는 경우 **수술전 간문맥 색전술제**을 **절제될 간구역 쪽**으로 시행하면 남아있을 간구역쪽으로의 간혈류가 증가하여 보상적인 간증식이 가능하다. 수술은 보통 **4주** 후에 시행한다.

③ 간의 상태 (ex. 간경화 정도)
- **Child's B혹은 C의 간경화** 및 **간문맥고혈압**이 있는 환자에서는 간절제술을 피하는 것이 좋다.

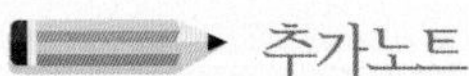
추가노트

☞ 간절제시 주된 출혈의 원인은 "**간정맥**"의 분지로부터의 직접적인 출혈이므로 **CVP를 낮추어** 출혈량을 줄일 수 있다. 간의 **해부학적 이해**로 예상되는 혈관위치를 피할 수 있으므로 출혈을 낮출 수 있다.

■ Type of Resection

(그림) Major anatomic hepatic resection의 명칭

A. Rt. hepatectomy or Rt. hepatic lobectomy
B. Lt. hepatectomy or Lt. hepatic lobectomy (S2-4)
C. Rt. lobectomy
   Extended Rt. hepatic lobectomy
   Rt. trisegmentectomy(S4-8)
D. Lt. lat. segmentectomy or Lt. lobectomy (S2-3)
E. Extened Lt. hepatectomy or Lt. trisegmentectomy (S2,3,4,5,8)

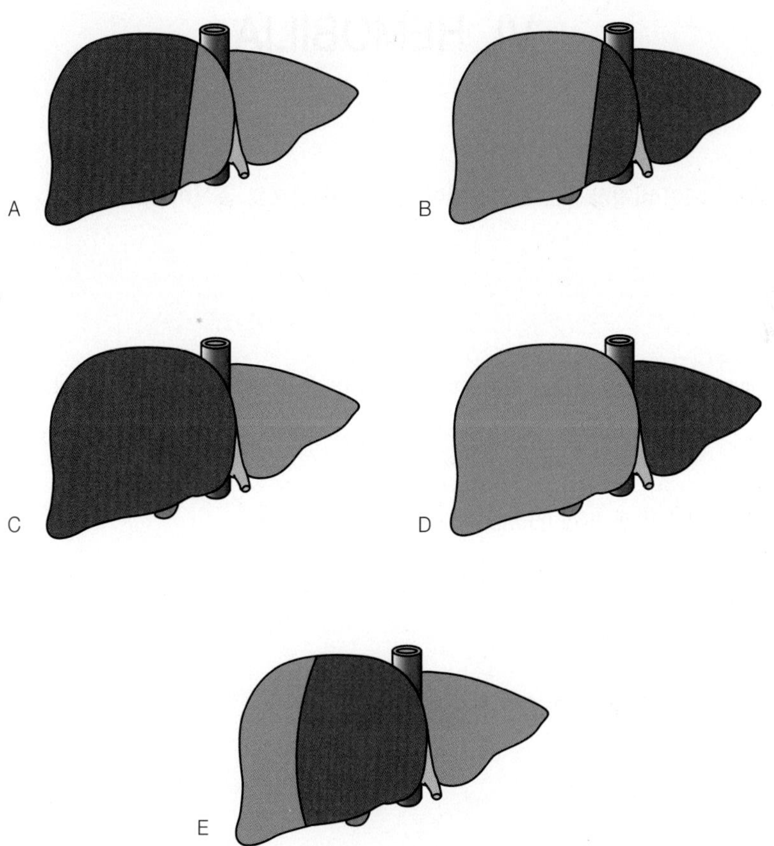

■ 간절제술 후 가능한 결과 ★

- 탈수
- 저혈당증, 저단백질 혈증
- ALP상승, alkaline transaminase상승
- 고빌리루빈 혈증
- 간부전

(표) Nomenclature for most common jajor anatomic hepatic resections

Segments	Couinaud, 1957	Goldsmith and woodburne, 1957	Brisbane, 2000
V–VIII	Right hepatectomy	Right hepatic lobectomy	Right hemi–hepatectomy
IV–VIII	Right lobectomy	Extended right hepatic lobectomy	Right trisectionectomy
II–IV	Left hepatectomy	Left hepatic lobectomy	Left hemi–hepatectomy
II, III	Left lobectomy	Left lateral segmentectomy	Left lateral sectionectomy
II, III, IV, V, VIII	Extended left hepatectomy	Extended left lobectomy	Left trisectionectomy

VI. HEMOBILIA

■ 정의

bile duct와 blood vessel이 비정상적으로 연결되어 biliary tree안으로 출혈이 생기는 것

■ ETIOLOGY

1. Vascular & Biliary system간의 연결은 laceration, pressure necrosis, tumor, infection에 의해 발생함
   → 즉, 원인인자 : iatrogenic trauma, accidental trauma, gallstones, tumors, inflammatory disorders, vascular disorders
2. trauma 후 3-4주 이내에 발생, liver trauma의 3%에서 발생

■ 임상양상

- Sx triad : ① 상복부 통증 ② 상부위장관 출혈 ③ 황달 ★
  cf) RUQ bruit + classic triad → viceral artery aneurysm 가능성 생각

■ 진단

1. **상부 위장관 내시경**
   : 다른 GI bleeding 원인을 감별하며 Ampulla of Vater를 확인할 수 있으므로 Hemobilila시 **첫검사**로 적합하다.
2. **"혈관촬영술"** ★
   심각한 hemobilila시 test of choice이며 90% 이상의 진단율을 지닌다.
3. **담관촬영(chloangiography)** : 담관내 blood clot을 발견할 수 있다.

■ 치료

※ **치료방향**

출혈을 멈추게 하고, biliary obstruction **호전**시키도록 한다.

minor hemobilia	보존적 치료 ★ → coagulopathy를 교정하고 적절한 biliary drainage 확보하는 방향으로 close observation한다.
major hemobilia	TAE (Transarterial Embolization) : 80-100%에서 호전시킴.

• 위의 치료에 반응하지 않는 경우: **수술** (필요한 경우는 매우 드물다)

Power ☆☆☆☆☆

21 문맥 고혈압

Portal Hypertension

ANATOMY & PHYSIOLOGY

- Hepatic blood flow : "1,500cc/min"
  Cardiac output의 25%
- Portal v.은 전체 **간으로의 혈류**의 2/3를 담당하지만,
  Hepatic a.는 간으로의 **산소공급**의 **절반** 이상을 담당한다.

(그림) Extrahepatic portal venous circulation

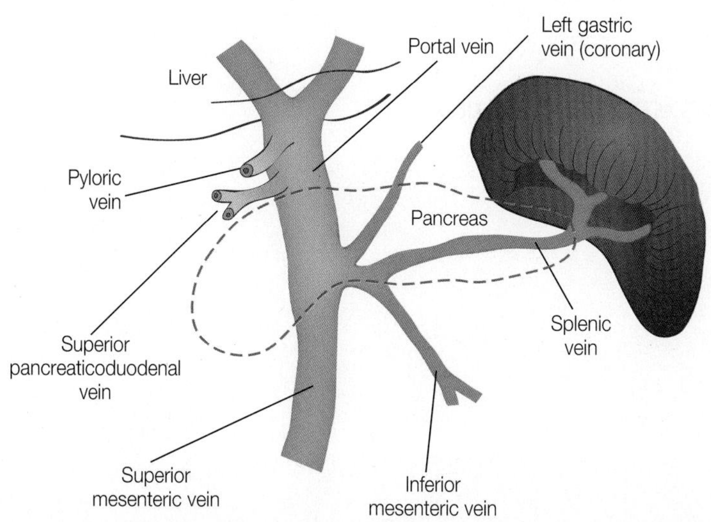

1. 혈액흐름의 조절

① **간문맥** 흐름

- Splanchnic arterial bed의 수축 및 이완을 통해 **"간접적"** 으로 조절됨.

② **간동맥** 흐름 :

- **Catecholamine** 및 **교감신경계**에 의해 **"직접적"** 으로 조절됨.

※ shock, 약물 혹은 수술로 인한 portosystemic shunt시 **portal perfusion이 감소**할 수 있는데 이 경우에도 hepatic arterial autoregulation으로 인해 **전체 간혈류는 거의 정상**으로 유지된다.

> **즉, Portal flow 감소 → Hepatic flow 증가함.**
> **하지만 그 반대의 경우는 일어나지 않음 ★**

2. 문맥압

① **정상** : ≤ 5-8 mmHg

② 〉5-8 mmHg : **Portosystemic Collateralization이 자극된다.**

a. **Esophageal varix** (← Azygos v. ← Coronary, Short gastric v.)
b. **Umbilical vein** (Caput medusae)
c. **Retroperitoneal collateral v.**
d. **Hemorrhoidal venous plexus**

→ Portal perfusion 감소
→ Hepatic a. flow 증가 (Buffer response)

③ 〉12 mmHg : **위 식도 정맥류 출혈 (1/3-1/2 환자에서)**

(그림) Portal venous system과 systemic venous system이 인접해 있는 부위에서 Portosystemic collateral pathway가 발생한다. (그림에서 화살표)

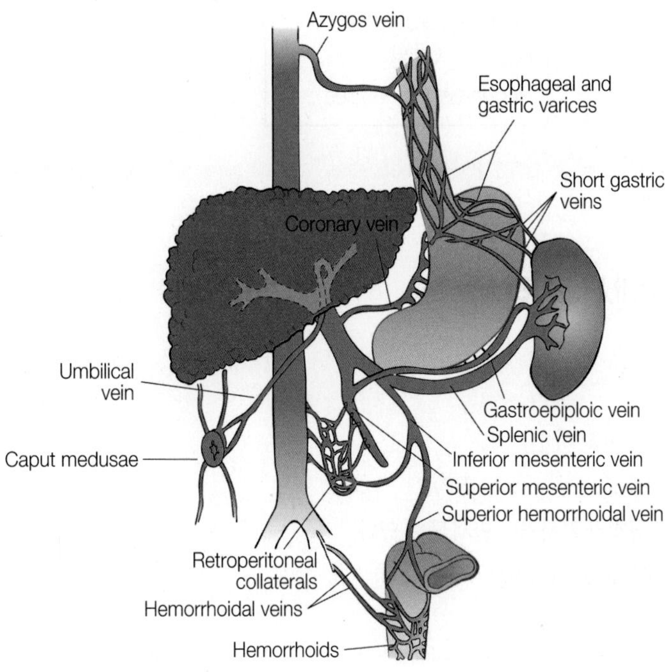

3. Portal HBP의 병태 생리

PREHEPATIC Portal HBP

① 간문맥 혈전증 (m/c) :

② 단독비장혈전증
- 원인 : 췌장염 및 췌장종양에 이차적으로 발생할 수 있다.
  → gastrosplenic venous hypertension
  (SMV, PV pressure는 정상)
  즉, Lt gastroepiploic vein이 major collateral vessel이 된다.
- (Esophageal varices보다) Gastric varix 발생
- 치료 : splenectomy로 쉽게 호전된다.

INTRAHEPATIC Portal HBP

① Presinusoidal : Schistosomiasis (m/c), Nonalcoholic cirrhosis (특히 초기).

② Sinusoidal

③ Postsiusoidal (rare)
: Budd-Chiari syndrome (Hepatic vein thrombosis)
Constrictive pericarditis, Heart failure

cf) Alcoholic cirrhosis

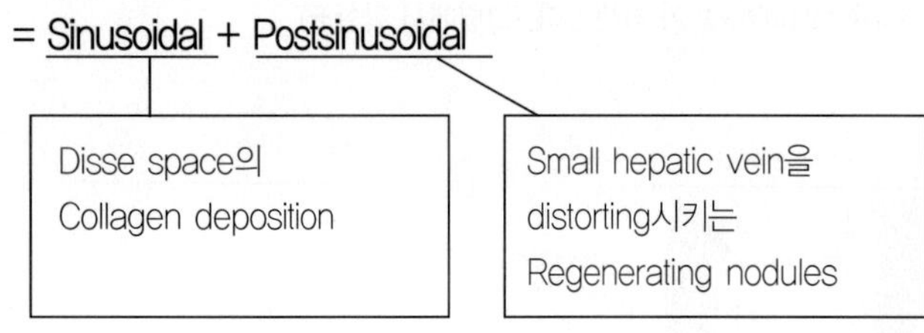

간경화 환자에서의 검사

■ History & P/Ex

- Palpable spleen : Portal HBP 확인
- 간기능저하 소견 (or Advanced portal HBP)

: 황달, 복수, 단단하고 불규칙한 간하연이 만져질 수 있다.
복부정맥 확장, 의식상태의 저하, Asterixis

(표) Child-Pugh Criteria for Hepatic Functional Reserve ★

지표	점수		
	1	2	3
간성뇌증 (grade)	None	1 or 2	3 or 4
복수	None	Mild	Moderate
빌리루빈 (mg/dL)	1–2	2.1–3	≥ 3.1
알부민 (g/dL)	≥ 3.5	2.8–3.4	≤ 2.7
Prothrombin time (increase, sec)	1–4	4.1–6	≥ 6.1

Grade A, 5 and 6; grade B, 7–9; grade C, 10–15.

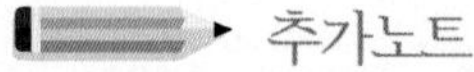
추가노트

☞ Portal venous flow만 증가하는 경우 (즉, 압력이 아닌 flow가 증가한 경우)
: Massive Splenomegaly (Idiopathic Portal HBP) Splanchnic AVF

■ 출혈의 진단

① **토혈** : NG tube 삽입해서 상부 위장관 출혈여부 확인

② **내시경**

- **혈역학적으로 안정화된 후** 시행 그리고 Large-bore lavage tube로 blood clot을 evacuation한 뒤 시행

③ Gastric varix는 대부분 Esophageal varix와 같이 나타나지만, **Isolated gastric varices 시**

→ **Splenic vein thrombosis**를 의심해야 함

VARICEAL HEMORRHAGE

- 간경화 환자 사망률의 1/3 차지함.
- 사망률은 25-35%이고, 이는 기저간 잔여기능과 관련된다.

■ 병인

- 간문맥압 12mmHg 이상이 되면 1/3-1/2의 환자에서 출혈이 발생한다.
- "**정맥류 파열**" 와 관련된 인자 (Laplace' s law) : **정맥류 크기, 문맥압 크기, 정맥류 위의 상피 두께**
  그러나 이러한 것들은 직접적인 측정이 불가능하므로 다음을 이용한다.

  a. Child-Pugh class
  b. **정맥류 크기**
  c. **red wale (부풀어오른 자국)의 존재 및 심각도**
  └ **상피의 두께로 평가함**

■ 급성출혈의 치료

- 응급조치는 가급적 **비수술적**이어야 함 → **85%** 이상 지혈 가능

1. 약물요법

① Vasopressin

- 강력한 splanchnic vasoconstrictor
- **절반**정도의 환자에서 지혈된다.
- Vasopressin의 부작용 때문에 **nitroglycerin**을 함께 주입해야 하며, vasopressin의 단독투여보다 효과적이다.

추가노트

※ Portal HBP를 지니는 환자의 상부 위장관 출혈에서,
① 90%가 Portal HBP이 원인이 되고
② 나머지 10%는 Mallory-Weiss tears, GU & DU 등이 원인이 된다.

② Somatostatin & Octreotide (Somatostatin longer acting analogue)

- 급성출혈을 조절하는데 있어서 **내시경치료와 동일**한 효과를 지닌다.
- Acute portal HBP의 내시경적 치료의 기대효과가 적은 경우 사용시 효과적

  : **chronic sclerotherapy가 실패했을 때 ★**, Gastric varix 시
- 현재 내시경적 치료에 보조적으로 사용함.

2. Balloon Tamponade (Sengstaken-Blakemore Tube)

- 85% 이상의 환자에서 즉각적인 지혈이 가능하다.
- 가장 큰 단점은 **재발이 잦다**는 것! (최대 50%)
- 가장 위험한 합병증은 식도 천공
- 내시경 치료나 약물요법의 효과가 좋아져서 사용이 감소하고 있지만

  내시경 치료를 못하는 경우나 실패한 경우 및

  약물요법에 반응하지 않는 경우에 시행한다.

3. 내시경적 치료 (Endoscopic Treatmnent)

① Variceal sclerosis or ligantion는 **급성출혈 및 재발성 출혈에 대한 예방에서 가장 흔히 이용**되는 방법이다.★

② 4-6일 후 반복 치료함. 2번 연속해서 출혈조절이 안될 때 실패로 봄.

→ 이때 urgent OP하지 않으면 사망률이 60%

③ Sclerotherapy는 85% 이상의 환자에서 출혈을 조절할 수 있다.

위 정맥류 출혈에서는 대개 효과가 없다.

4. TIPS (Transjugular Intrahepatic Portosystemic Shunt)

① **방법**

: Hepatic vein을 통해 major intrahepatic portal venous branch로 puncture한 뒤 balloon catheter로 parenchymal tract을 만들고 10mm expandable metal stent를 넣어 shunt를 만든다.

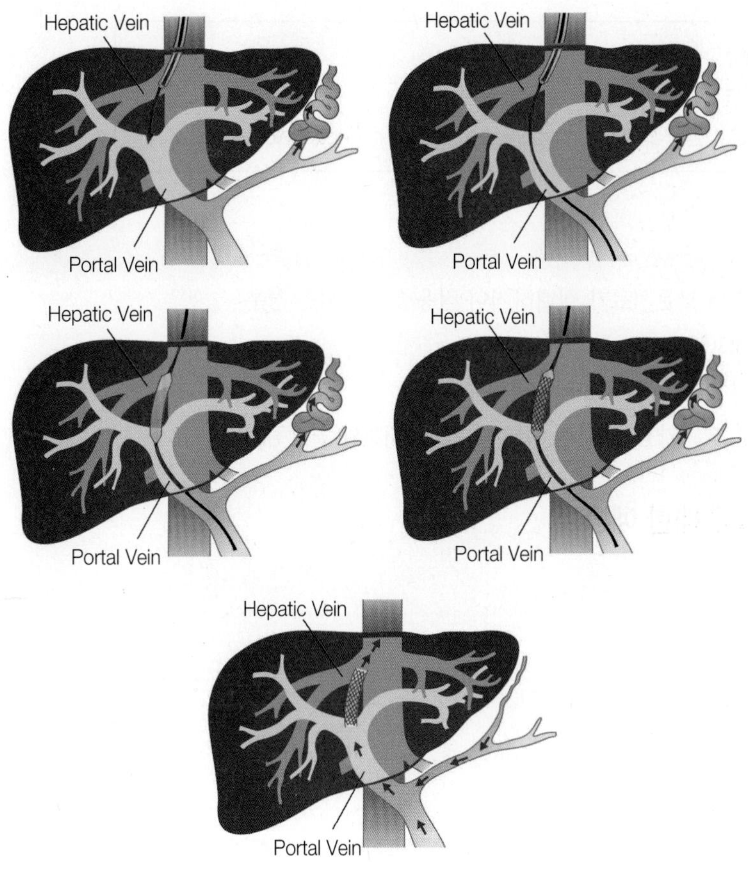

② 적응증

a. **내시경치료가 실패**한 환자들에게 있어서 LT시행까지의 **short-term bridge**
b. **Child Class C** : TIPS malfunction까지의 생존기간이 오래되지 않을 때
c. 내과적으로 **조절되지 않는 복수**가 있을 때

→ 즉, 초기치료로 사용하지 않고, **내시경적 치료나 약물치료에 실패한 경우**에 사용한다(성공률 : 95%이상).

③ TIPS의 단점

- Nonselective shunt 이다. (∴간성뇌증 30%)
- 50%에서 1년 내에 **협착 및 폐색**이 일어난다.

④ TIPS의 금기증

a. **우측 심장 부전**
b. **다낭성 간질환** (Polycystic liver disease)
c. 상대적 금기증 : **간문맥 혈전증, Hypervascular tumor, Encephalopathy**

5. 응급수술

① 적응증 : 수술외의 모든치료가 실패하거나 적응증이 안되는 경우

② Portocaval Shunt

- 응급상황에서 가장 흔히 사용되는 수술
- 수술사망률 〉25% (가장 큰 단점. 환자의 **간기능저하**와 연관됨)

■ 재발성 출혈에 대한 예방

- 재발율〉 70%

1. 약물 요법

① Propranolol

- HR를 25%감소시켜 재출혈 빈도 줄이고, 생존을 증가시킨다.

② β Blocker

- 재출혈과 사망률을 줄인다.
- Long-acting Nitrate (Isosorbide-5-Mononitrate)와 함께 사용시 ligation보다 효과적이다.

2. 내시경 치료

① 재발성 정맥류 출혈을 방지하는데 가장 흔히 사용되는 방법

② **목적** : Eradication of esophageal varices (2/3에서 **성공적**)

③ Eradication 후 **6개월-1년마다** 진단적 내시경시행해야 한다.

④ Variceal ligation이 sclerotherapy보다 효과적이다.

⑤ **재출혈**

- 1/2 **환자에서 발생**하며 첫 일년에 가장 흔하고, 그 후 매년 15%씩 감소한다.
- 내시경를 포기하고 **다른 치료**를 해야 하는 경우

a. 내시경으로 조절되지 **않을 때**
b. **major rebleeding**이 반복될 때
c. **위정맥류**로 인한 출혈

3. TIPS

4. Portosystemic Shunt

- Portal HTN환자에서 재출혈을 방지하는데 가장 효과적
- 단점 : Portosystemic Encephalopathy & 간부전의 가속화
- Selective 및 Partial portosystemic shunt의 목적
  : 간기능의 보존 - Portosystemic shunt 부작용을 줄이기 위해

가. Nonselective shunt : Portocaval Shunt

- 적응증

① **응급상황**에서 비수술적 출혈조절이 **실패**시
② 정맥류 **출혈**과 내과적으로 조절되지 않은 **복수**가 동반시
③ 내시경 및 TIPS로 조절되지 않는 출혈에서 간이식까지 **bridge**

- 종류

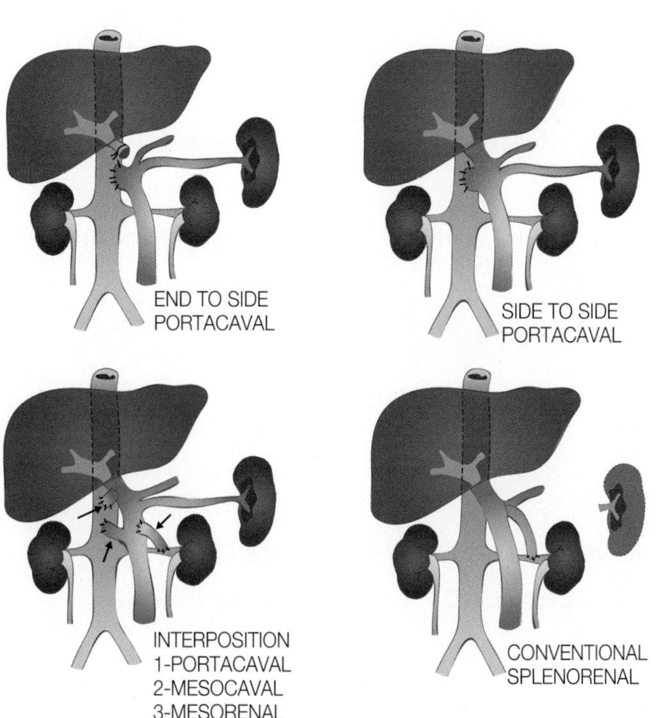

① End-to-Side Portocaval Shunt

- 내과적 치료와 비교시 생존율 차이 없다.
- **장점** : 비수술적 치료에 비해 출혈조절에 유리
- **단점**

  a. 가장 흔한 사인 : **간부전** 진행 (cf. 내과적치료에선 재출혈)

  b. Shunt OP 후 20-40%에서 간성혼수

② Side-to-Side Fashion

- Splanchnic venous circulation과 intrahepatic sinusoidal network를 모두 감압한다.
- **장점 : 복수를 줄이고, 재발성 정맥류출혈을 예방하는데 가장 효과적 ★**
- **단점** : 간부전을 가속화시키고, 간성혼수가 흔히 생긴다.

③ Large-Diameter Interposition Shunts

- **장점** : 비교적 만들기 쉽다. 후에 LT를 시행하기에 어렵지 않다.
  심한 간성혼수가 생기면, graft를 쉽게 막을 수 있다.
- **단점 : Thrombosis가 35%로 높은 빈도를 보임**
  (Internal jugular vein같이 autologous vein 이용시 위험을 줄일 수 있다)

④ Conventional Splenorenal Shunt

- **방법** : Proximal splenic vein 과 Renal vein 문합 + Splenectomy
- **장점** :

  a. Hypersplenism (→ 혈소판 및 백혈구 감소증)를 함께 치료할 수 있다.

  b. 수술 후 간성혼수는 Portocaval shunt보다 드물다.
  (Shunt thrombosis에 의한 hepatic portal perfusion의 회복에 의한 것으로 생각됨)

- **단점** :

  직경이 작은 proximal splenic vein을 사용하므로, distal splenorenal shunt보다 thrombosis가 더 흔하다.

나. Selective Shunt : Distal Splenorenal Shunt

① 방법

- Distal end of splenic v과 Lt. Renal vein을 문합, 즉 shunt를 만든다.
- 그리고 esophageal & gastric varices로 가는 collaterals을 차단한다.

- Portal venous circulation을
  - a. 감압된 Gastrosplenic venous circuit와
  - b. 높은압력의 Superior Mesenteric venous system (→ Liver로 perfusion)으로 나눔.

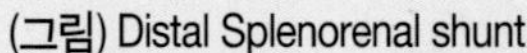

(그림) Distal Splenorenal shunt

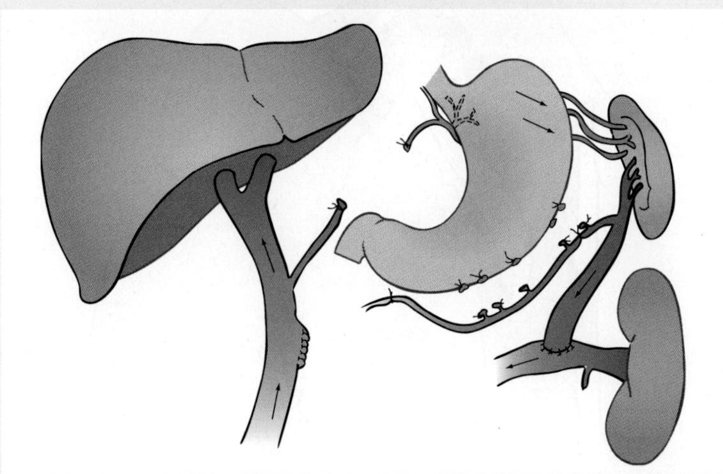

② **금기증**

> a. 내과적으로 조절되지 않는 **복수**
> b. 전에 **비장절제술**을 시행받은 경우
> c. **Splenic vein < 7mm** (relative CIx)

③ **Selective shunt**이므로 Nonselective shunt와 비교시 간성혼수를 감소시키며, Nonalcoholic cirrhosis 환자의 경우 생존율을 증가시킨다.

다. Partial Shunt

- 인공혈관 **(prosthetic graft)이 10mm 이하 직경시** 대부분 hepatic portal perfusion이 잘 유지됨.
- **15% 정도만이 thrombosis**가 발생하고, 발생시에도 radiological intervention으로 치료 가능하다.
- partial shunt(8mm)와 Nonselective shunt (16mm)를 비교한 연구에선 partial shunt후 **간성혼수가 적고, 생존율에는 차이가 없다.**

(그림) Partial shunt

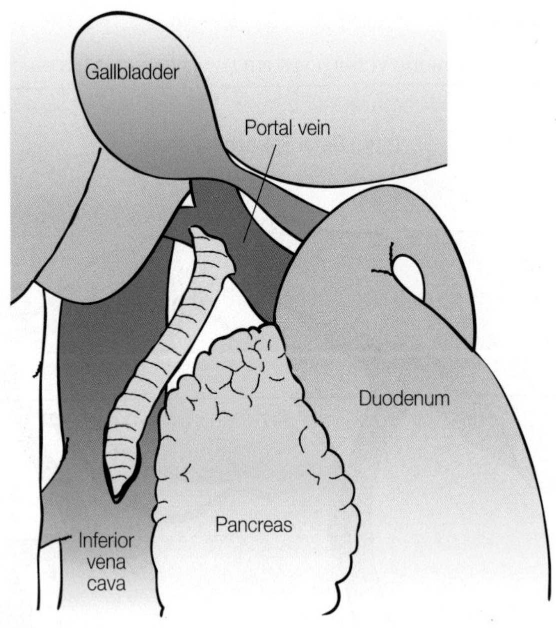

5. 비단락 수술법 (Nonshunt Operation)

- 이 술기의 목적은 varix를 제거하거나 collateral vessels을 광범위하게 차단하는 것이다.

SUGIURA

① 방법

Esophageal transection + Selective Vagotomy + Paraesophago Gastric Devascularization + Splenectomy + Pyloroplasty

(그림) Sugiura procedure

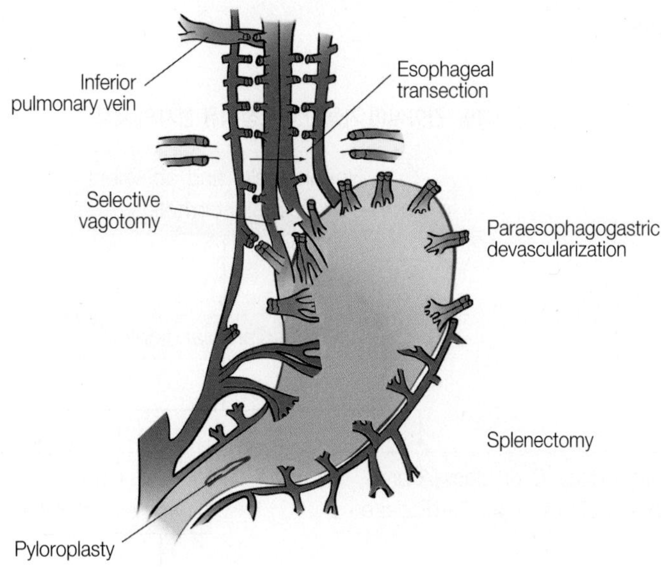

② Coronary & Paraesophageal vein을 보존하여 Portosystemic collateral pathway를 유지하여 varices가 다시 생기는 것을 억제한다.

③ **적응증**

a. 전반적인 splanchnic venous thrombosis로 shunt OP를 할 수 없는 unstable한 환자에서 (응급상황에서)

b. Distal Splenorenal shunt thrombosis가 있을 때

6. 간이식 (Hepatic Transplantation)

• Acute Alcoholism환자는 술후에도 계속 음주를 할 수 있으므로 간이식 적응증에서 제외시키자.

■전체 치료계획★★

① LT candidate인 경우

(그림) 간이식이 가능한 식도정맥류 환자의 치료

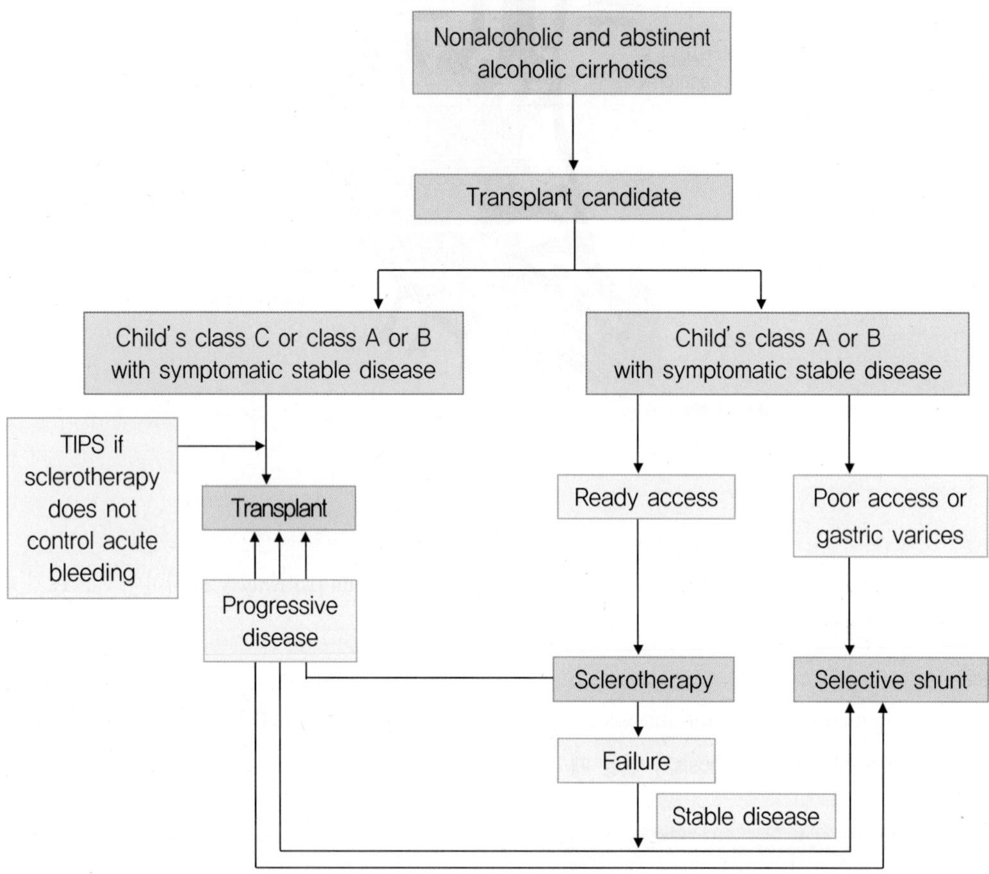

Point!!

먼저 sclerotherapy후 반응 없으면 **class C**의 경우, 증상이 심하면 **bridge TIPS**후 **LT**를 시행하며, **class A, B**인 경우 **selective shunt**후 악화되면 **LT**시행한다. 즉,

- 1단계 : **내시경적 경화 요법**
- 2단계 : **TIPS** or **selective shunt**
- 3단계 : **LT**

② LT candidate가 아닐 때,

(그림) 간이식이 가능하지 않은 식도정맥류 환자의 치료

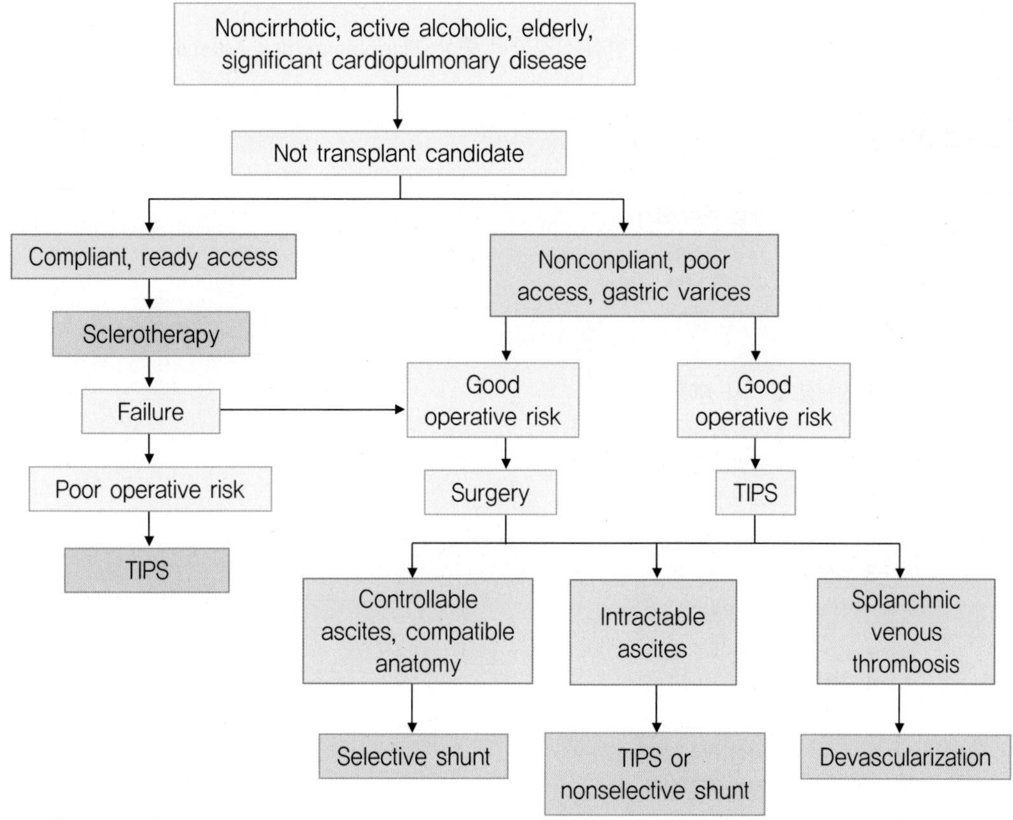

Point!!

먼저 sclerotherapy 후 반응없으면 수술위험이 크면, TIPS 시행하며, 수술위험이 낮으면, selective shunt를 시행한다. (단, ascites가 조절되지 않을 땐 nonselective shunt를, splanchnic venous thrombosis시 devascularization 시행한다) 즉,

- 1단계 : **내시경적 경화 요법**
- 2단계 : **TIPS or OP** (selective or nonselective shunt, devascularization)

■ 첫 정맥류 출혈에 대한 예방

- 정맥류 환자의 1/3에서만 출혈하므로, 예방적치료시 2/3에서는 불필요하게 치료를 받을 수 있다.
  - **내시경적인 예방법은 효과적이지 못하다.**
  - β Blocker☆는 첫정맥류 출혈의 빈도를 낮추고, 생존도 향상시킬 수 있다.

PORTOSYSTEMIC ENCEPHALOPATHY

1. 증상 및 징후

• 의식수준의 변화, 지적능력 감소, 성격 변화 신경학적 증상 (Flapping tremor, Asterixis)

2. 악화인자

1. 장내 질소 산물 부하 증가
   - 위장관 출혈
   - 과다한 단백식 섭취
   - 고질소혈증
   - 변비
2. 전해질 및 대사 장애
   - 저칼륨혈증
   - 알카리증
   - 저산소증
   - 저나트륨혈증
3. 약물
   - 안정제
   - 이뇨제
4. 기타
   - 수술, 전신마취
   - 급성 간질환 병발
   - 진행성 간질환

3. 원인

① 순환하는 <u>cerebral toxin</u>이 간에 의한 비독화작용이 이루어지지 않아

└ Ammonia, Nercaptans, GABA

② [Aromatic amino acid]/[Branched amino acid] 비율이 높음

4. 치료

① 악화요인 제거가 우선

② 약물치료

- 적응증

  a. 만성 & 간헐적 증상을 지니는 환자

  b. 악화요인 제거해도 지속적인 급성 신경정신증상을 지닐 때

추가노트

cf) Neomycin은 nephr-ototoxicity 및 ototoxicity를 유발할 수 있기 때문에 만성적인 상황에서는 쓰지 말아야 한다.

③ Regimens

a. Oral Neomycin + Lactulose : 급성 ECP시
b. Lactulose + Mild protein restriction (60–80g/day) : 만성, 간헐적인 ECP시
c. Branched–chain A.A. : 급성만성 & Chronic ECP시

복수 (ASCITES)

1. 병태생리

Portal HBP
→ Hepatic & Splanchnic hemodynamics의 변화
→ 간질로의 수액이동
→ Lymphatic drainage보다 간질액 생성이 많아짐.
→ 복수 축적
→ Intravascular volume 감소
→ **Aldosterone , ADH ↑** (보상작용)

※ 복수는 **진행화된 간경화**의 indicator로서, 이 증상발생 후 사망까지는 보통 **2년** 정도이다.

2. 치료

① 새롭게 발생한 복수의 경우 salt restriction으로 충분하다.
② 좀더 진행된 경우,
Salt restriction (20-30mEq/d) + **이뇨제**

- 먼저 **Spironolactone** (100–400mg/day) 사용
- 효과없으면 **Furosemide** (40mg/day) 추가
cf) ≥ 0.45kg /day 이상의 체중감소는 없도록 한다.

③ **난치성 복수 (5-10%)에 대한 치료**

a. **많은 양의 복수 천자 (paracentesis) + IV albumin 투여**
- 외래에서도 시행할 수 있는 장점

b. **TIPS**
- 잦은 large-volume paracentesis를 해야 하는 경우에 고려할 수 있으며 80% 이상의 반응율을 보인다.
- 단점 : 간성내증 및 TIPS dysfunction이 높다.

c. **Side-to-side portosystemic shunts**
- 관련된 morbidity & mortality로 인해 많이 사용하지 않으나 **식도 정맥류 출혈**이나 **TIPS의 비적응증**의 복수환자에서 사용할 수 있다.

3. SBP (Spontaneous Bacterial Peritonitis)

- 25% 사망율을 지니며

① **진단** : 복수에서 **250**/mm^{3}의 PMNL 혹은 culture (+)

주로 aerobic GNB에 의해 발생하며

② **치료** :
- 5-10일간의 Cefotaxime 혹은 Amoxicilline/Clavulanic acid로 치료
- 70%에서 재발하므로 oral Norfloxacin을 경정맥 항생제 투여 이후 복수가 호전될 때까지 예방투여한다.

4. Hepatorenal syndrome

① tense ascites및 간기능이 감소할 때 발생함. 신장기능이 급격히 감소할 땐 평균생존이 **2주** 정도로 예후가 좋지 않다.

② **치료** :

유일한 치료는 **간이식** 뿐이며, TIPS로 일시적인 증상호전이 나타난 예도 있지만, LT까지의 bridge로 일시적으로 사용할 수 있다.

Power ★★★★☆

22 담도
Biliary Tract

해부학

■ 간외 담도계

1. 일반적인 해부학

(그림) 담도계의 해부학

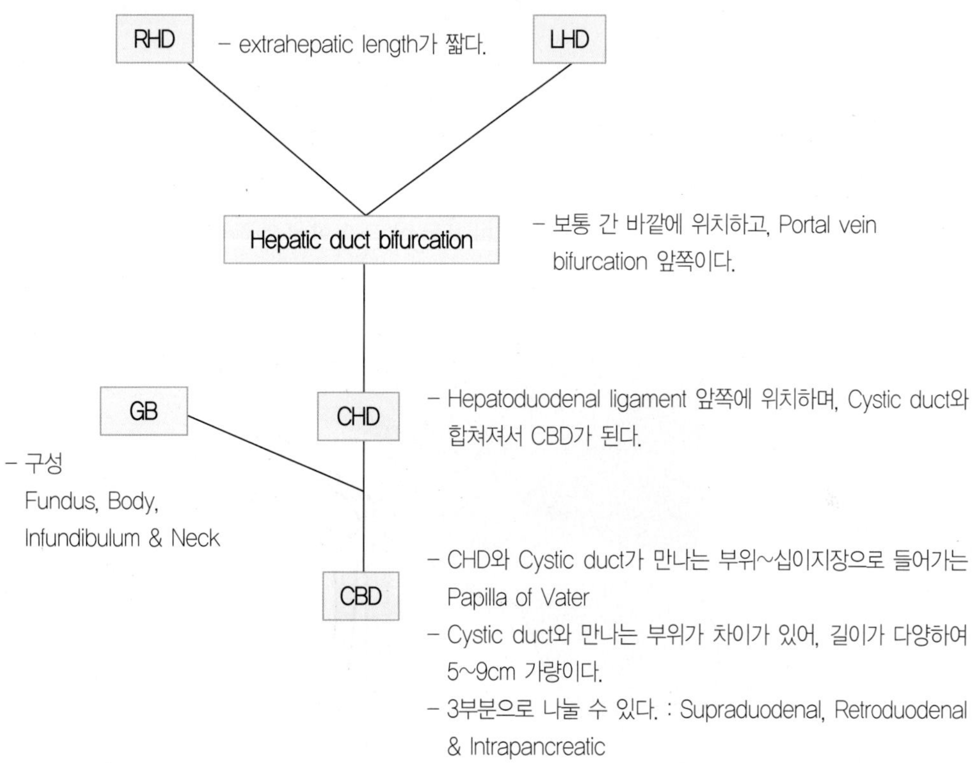

RHD
– extrahepatic length가 짧다.
LHD
Hepatic duct bifurcation
– 보통 간 바깥에 위치하고, Portal vein bifurcation 앞쪽이다.
GB
– 구성
Fundus, Body, Infundibulum & Neck
CHD
– Hepatoduodenal ligament 앞쪽에 위치하며, Cystic duct와 합쳐져서 CBD가 된다.
CBD
– CHD와 Cystic duct가 만나는 부위~십이지장으로 들어가는 Papilla of Vater
– Cystic duct와 만나는 부위가 차이가 있어, 길이가 다양하여 5~9cm 가량이다.
– 3부분으로 나눌 수 있다. : Supraduodenal, Retroduodenal & Intrapancreatic

추가노트

※ 용어정리
- chole– : 담낭을 의미함
- choledocho– : 담관 (bile duct)을 의미함
- hepatico–: 간관(hepatic duct)를 의미함
- lith : 돌(石)

ex) cholelithiasis : 담석증 (GB stone)
choledocholithiasis : 담관결석 (CBD stone)
hepaticolithiasis : 간관결석 (Hepatic duct stone)
choledochojejunostomy : 담관공장 문합술

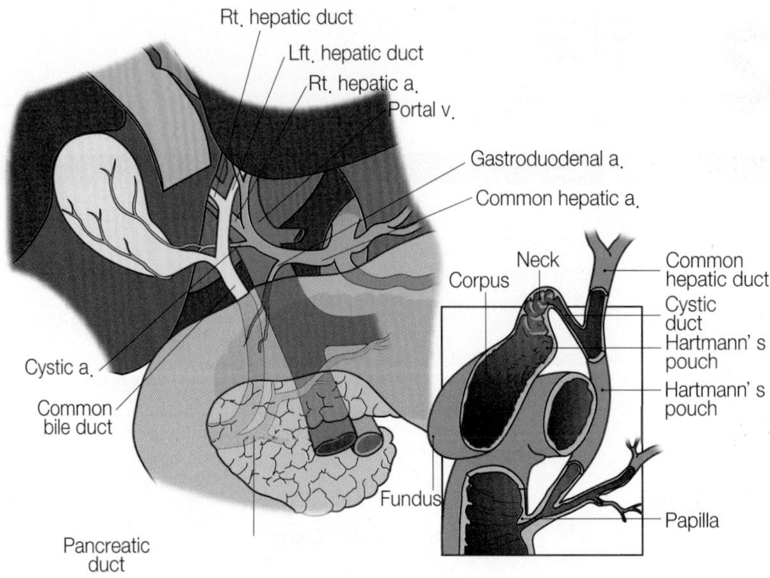

2. 담낭절제삼각

: **간의 하연**, Cystic Duct 및 CHD로 이루어져 있으며 보통 이 삼각 안에 Cystic a.가 지나간다.

cf) cystic a.는 보통 Rt. hepatic a.의 분지이다.

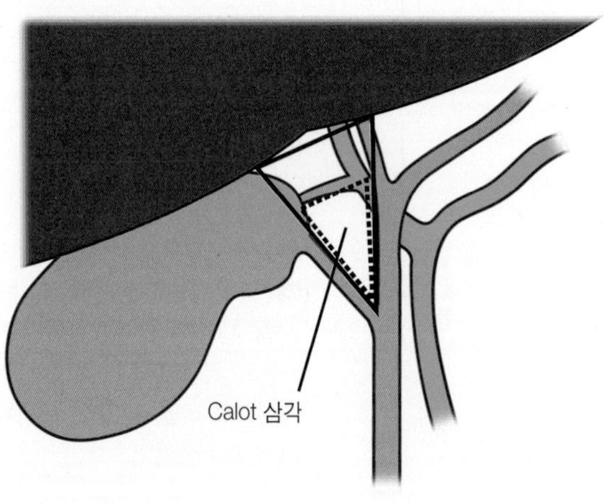

생리

■ 담도 생리

1. 담도

• 담즙흐름을 증가시키는 물질들 : Secretin, CCK (Cholecystokinin) 및 Gastrin

2. 담낭

• 금식시 담즙의 저장, 농축하였다가 식사시 담즙을 분비한다.

• 담낭의 기능

a. **농축기능**

- 하루에 담즙은 600cc 가량이 생성되는데 담낭에서 저장할 수 있는 용적은 40-50cc 가량이다. 하지만 담낭점막은 신체내에서 최고의 흡수능을 지니고 있어서 흡수한 수분 및 전해질을 5-10배 가량 농축하여 담즙조성에 큰 변화를 준다.

b. **점액분비**

- 담낭의 점막보호, 담즙이 담낭관을 잘 통과하게 함.

■ 담도 운동성

1. 담낭

• 담낭은 ampullary sphincter의 일정한 압력에 의해 담즙으로 채워지고 식사후 담낭수축 및 ampullary sphincter의 이완으로 비워지게 된다.

• **담낭 운동성의 장애**는 담낭내 담즙 채류시간을 연장시켜 **담석형성**에 중요한 역할을 한다.

2. Oddi 괄약근 (Sphincter of Oddi)

• 담도와 십이지장에 고압지역 (high-pressure zone)을 형성함.

└ 십이지장 내용물의 담즙으로의 역류 방지

→ 췌담관내 압력을 십이지장압력보다 높게 유지함.

• 영향인자.

a. 식사시 CCK가 분비되고 이에 따라 괄약근압이 이완됨.

b. Antral distention도 GB 수축 및 괄약근 이완을 유발함.

■ 담도와 세균

1. 담도와 세균과의 관계

- 정상적으로 stone이나 CBD obstruction이 없으면 담즙은 무균성임.
- **결석**이 있을수록, **급성**일수록, **CBD 결석**일수록, **나이**가 많을수록, **담도염**이 있을수록, 양성보다는 **악성**질환일수록 → 균주양성율이 높아진다.

2. 호발균

- **양성질환시 E.coli가 m/c**
  악성질환시 Klebsiella가 m/c
  그리고, 악성질환시 양성보다 Enterobacter, Pseudomonas가 더 빈번
- **담도염이 있으면 여러 균주**에 의해, 담도염이 없으면 단일 균주에 의해 감염이 더 잘 일어난다.

3. 감염경로 : 십이지장을 통해 발생

- 참고: ERCP나 PTC를 시행하는 환자들에게는 prophylactic antibiotics를 주는 것이 추천된다.
  주로 1,2세대 cephalosporin이나 fluoroquinolone을 준다.

■ 폐쇄성 황달 (Obstructive Jaundice)

1. 빌리루빈의 대사

- 빌리루빈이 2mg/dl 넘으면 조직에 침착됨.
- 빌리루빈 대사
  : 오래된 RBC로부터 유리된 Hb
  → **간**에서 (Unconjugated → conjugated) bilirubin으로 전환됨.
  → (담도를 통해 위장관으로 감)
  → **회장말단부** 및 **결장**에서 Urobilinogen 으로 전환됨.
  이중 10-20%가 Portal circulation으로 **재흡수**된다.
  → 담즙으로 재분비되거나 소변으로 분비됨.

2. 임상양상

- **악성종양**에 의한 폐쇄시 빌리루빈의 상승이 결석에 의한 상승보다 **더 높다.**(20mg/dl vs 10-12mg/dl)
- ALP(Alkaline Phosphatase)가 더 민감한 검사로, 담도의 부분 폐색시 **최초**로 상승한다.

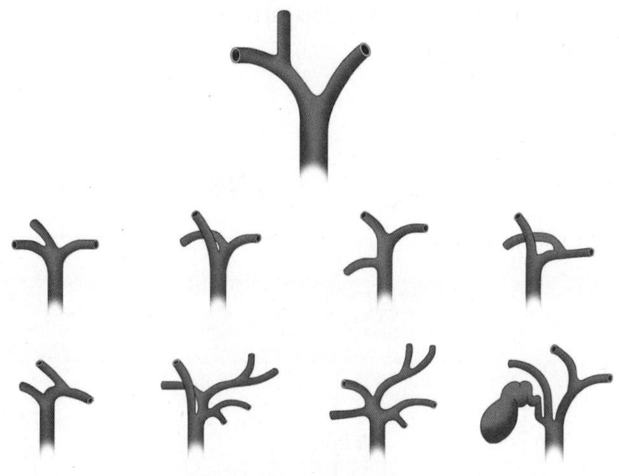

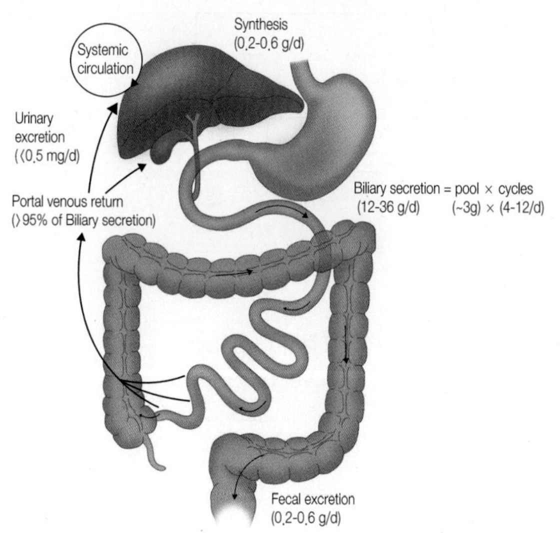

3. 검사방법의 선택

- **담도 확장의 기준**

  : **간외 담도** 〉 10mm **혹은 간내 담도** 〉 4mm **시** → **담도 폐쇄를 시사함.**
- 초음파는 황달이 있는 환자, 담도계 질환이 의심되는 환자의 study of choice이다. 다만, CT는 초음파보다 해부학적인 정보를 얻는데 더 유용하므로 biliary obstruction의 원인과 위치에 대한 추가적인 검사가 필요할 경우 매우 유용한 검사방법이다. **결석**을 발견하는데 **초음파** 검사가 CT보다 좋으며, **간외담도폐쇄**의 부위 및 원인을 아는 데에는 **CT**가 더 낫다.
- **담도검사**

① ERCP : **Periampullary tumor**나 **CBD stone**을 발견하는데 유용함.
② PTBD : **Proximal** biliary obstruction이나 ERCP를 못하는 환자에서 유용 (Bifurcation**상부**의 폐색시)

(그림) 황달이 있는 환자들에 있어서의 Diagnostic algorithm

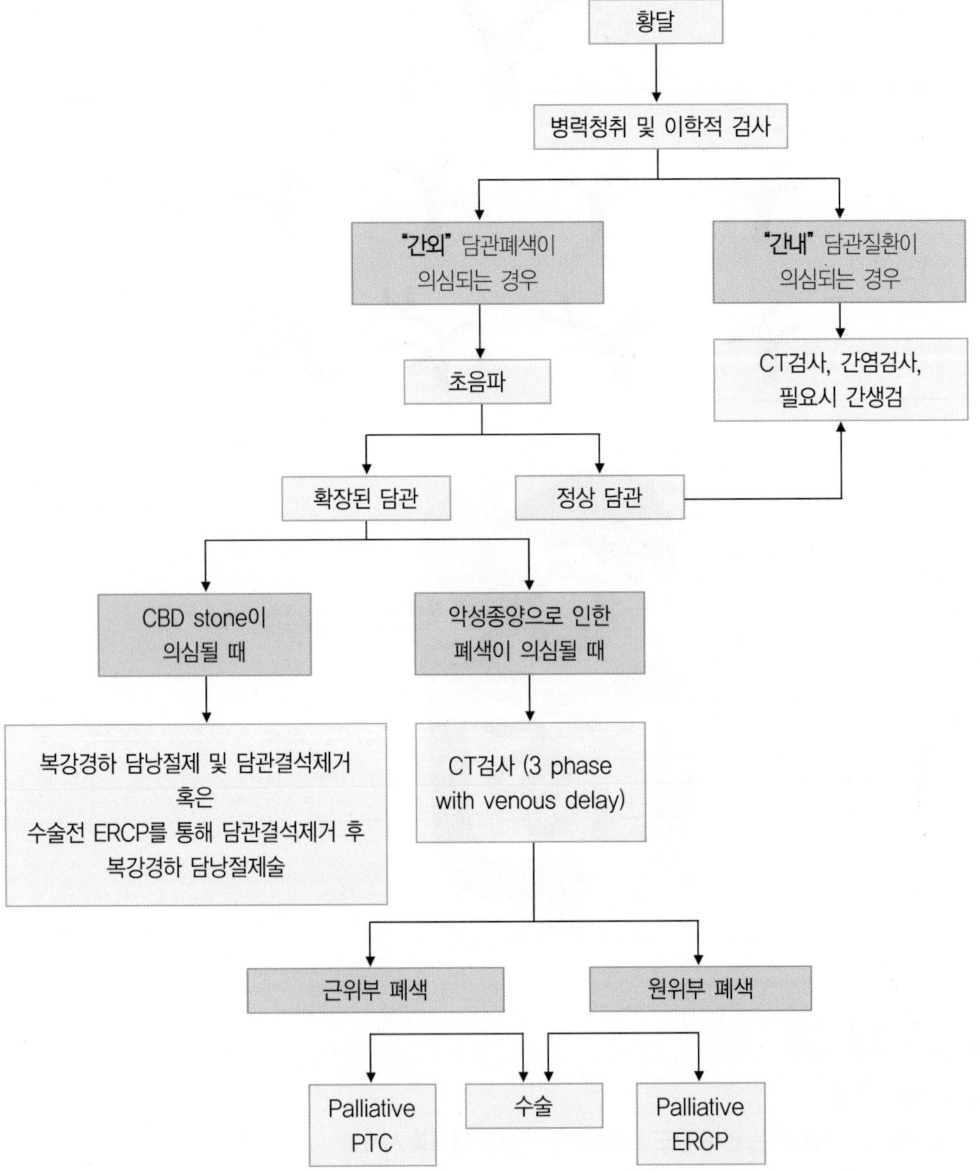

cf) PTC: percutaneous transhepatic cholangiography

Point!!

"**간외**" 담도폐색을 가장 잘 알 수 있는 검사는 **초음파**이며 "**간내**" 문제에 대한 평가는 CT검사가 좋다.
간외 담도폐색 원인이 **결석**이라면 수술로 해결되지만, **악성종양**이 의심된다면 **CT검사**를 시행하여 병변을 정확히 진단한 뒤 수술한다. 악성종양의 근치적 절제가 힘든 경우는 종양의 위치에 따라서 PTC 및 ERCP로 감압할 수 있다.

■ 수술전 담즙 배액 (Preoperative Biliary Drainage)

- 수술전 담즙 배액을 하는 것이 수술시의 morbidity, mortality를 감소시키지 못한다 (수술전 routine으로 시행하지는 말자).
- **심한 영양결핍**이나 **폐혈증** 환자에서는 유용하다.

결석성 담도 질환

■ 담석 형성

1. 담즙

- 장에서의 지방흡수를 돕는다.
- 구성: **빌리루빈, 답즙산, 인지질 & 콜레스테롤**
- 매일 생성량 : **600ml**

※ 콜레스테롤

- 콜레스테롤은 비수용성이므로 담즙산–인지질–콜레스테롤 복합체 및 콜레스테롤–인지질 수포를 형성하여 micelles에 포함된다.
- **콜레스테롤 용해도는 콜레스테롤, 담즙산, 인지질의 상대적인 농도에 따라 결정된다.** 따라서 과도한 콜레스테롤 생산이 이루어지면 용해가 이루어지지 않아 결절핵을 중심으로 용해되지 않은 콜레스테롤의 침착이 이루어질 수 있다.
- 그림에선 solid line위쪽이 담즙내 콜레스테롤이 **과포화**되어 콜레스테롤 결절이 형성되는 부위이다.

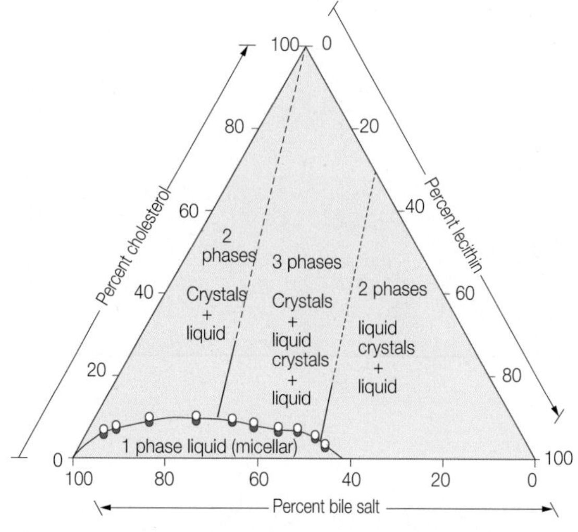

(그림) Cholesterol, Lecithin(Phospholipid) & Bile salt, Sodium taurocholate의 비율에 대한 그림
solid line 아랫쪽이 콜레스테롤이 micelles내에 용액으로 존재하고, solid line 윗쪽이 담즙이 콜레스테롤과 과포화되어 콜레스테롤 결절이 만들어지는 부분이다.

2. 콜레스테롤 담석 생성기전

① 담즙내에서의 **콜레스테롤 과포화** (cholesterol supersaturation)
② 칼슘결절등이 중심에 **핵을 형성**한다 (crystal nucleation).
③ 이 핵을 중심으로 담석의 **크기가 증가**한다 (stone growth).

3. 담도감염시 흔히 동정되는 균들

(표) 담관감염시 동정되는 흔한 세균들

- **Enterobacteriaceae (68% 빈도)** Escbericbia coli
- Klebsiella species
- Enterobacter species
- Enterococcus species (14% 빈도)
- **Anaerobes (10% 빈도)** Bacteroides species
- Clostridium species (7% 빈도)
- Streptococcus specied (드뭄)
- Pseudomonas species (드뭄)
- Candida species (드뭄)

4. 담석의 위험인자

(표) 담석의 위험인자 ★

- 비만
- 급격한 체중감소
- 임신
- 다산
- 여성
- 담석환자의 제1친척
- 약제 : ceftriaxone, 폐경환자에서의 estrogen, TPN
- 회장 질환 (ieal disease), 절제 및 우회술
- 고령

5. Pigment Gallstones

Black pigment stone	Brown pigment stone
• **용혈성** (Hemolytic) 상태 및 간경화와 관련됨. cf) 용혈상태시 빌리루빈 load가 증가하기 때문 • 감염된 담즙과 연관성은 없고, 주로 **담낭안**에만 국한됨.	• 콜레스테롤 & 칼슘 팔미테이트 (Calcium palmitate)를 더 함유 • **담도**에도 많이 발견됨. bacterial infection에 의해 발생. 아시아에서 많다.

6. 담석증의 경과

- 증상 없는 담석 환자 중 20-30%에서 향후20년 내에 증상을 나타내며, 약 1%에서 증상없이 심각한 합병증을 보인다.
- 대부분의 담석은 asymptomatic하다. 따라서 일반적인 경우 무증상의 담석은 수술을 하지 않는다.

7. 무증상의 담석의 수술적응증 ★ (간담췌외과학 2nd ed.)

① 결석의 크기 ≥ **3cm**	③ **담낭벽**의 비후
② **용종**이 동반된 경우	④ **췌담관합류 기형** (anomalous pancreatobiliary ductal union)

■ 담석증의 진단

1. 단순복부촬영

- 담석 중 10-15%만이 **방사선 비투과성**을 지닌다.
  └ 단순복부촬영에서도 보일 수 있다.

추가노트

☞ GB stone이 있는 경우 담낭절제술을 해야 하는 경우★

① 증상이 있는 경우
② 과거 GB stone에 의한 Cx. 있었던 경우 (acute cholecystitis, pancreatitis, fistula)
③ Cx. 이 발생한 위험이 높은 경우
- calcified or porcelain GB
- CBD stone, cholesterolosis, adenomyomatosis
- nonvisualization of GB (담낭의 기능 이상)
- 소아에서의 gallstone, sickle cell anemia

④ 3cm 이상의 gallstone
⑤ congenitally anomalous GB
cf.) multiple gallstone은 아님!

☞ **도재담낭 (porcelain GB)**도 수술이 추천되기도 하는데 이는 악성과 연관성이 우려할 정도는 아니지만 만성염증 때문이다.

☞ 당뇨가 있는 환자에서는 합병증으로 중증으로 나타나는 경우가 많아 예방적 담낭절제술을 권하기도 하지만 일부의 견해이다.

2. 초음파 검사 - Procedure of Choice!

- **소견**
  ① Acoustic shadow를 지니는 echogenic mass
  ② 담석의 중력에 따른 이동

3. 쓸개관 섬광조영술 (Cholescintigraphy)(Hepatic Iminodiacetic Acid Scan; HIDA scan)

- 담낭, 담도, 십이지장의 해부학적, 기능적 정보를 제공하는 비침습적 검사
- 담도를 통해 배출되는 Technitium-labeled analogue인 iminodiacetic acid를 복용
  → 1시간후 간, 담낭, CBD, 십이지장에 의한 uptake가 있어야 정상이다.
- **판독**

① 간에 의한 slow uptake → 간실질질환 (cholesterol supersaturation)
② 2시간이 지나도 GB가 조영되지 않음 → cystic duct obstruction (급성담낭염시)
③ CB, CBD가 조영되고, 소장의 filling이 지연되거나 없게 되면 → ampulla에서의 폐쇄
④ 결석이 없는 환자에서 CCK를 투여하여 담낭수축을 유발했을 때 통증이 유발됨
→ 쓸개관 운동이상증 (biliary dyskinesia)

4. 복부 CT

- 담석증보다는 **담낭암**을 진단하는데 더 유용 calcified gallstones은 **절반 정도**의 환자에서 나타남.

■ 만성 결석 담낭염 (Chronic Calculous Cholecystitis)

- 90% 이상의 경우 담석이 원인인자로 작용함.

1. 임상양상

① 반복적인 담도 산통 (Recurrent biliary colic)
- cystic duct의 폐색 → 담낭벽쪽으로의 압력 증가 → 지속적 통증
- 윗쪽, 우측 어깨쪽으로 방사통이 있다.
- 기름진 식이 후 나타날 수 있다. 식사와 연관된 경우(50%) 식사 1시간 이상 지난 후 발생한다.
- **일주일에 1번 이하로 발생하며, 통증의 기간은 보통 1-5시간,**
  즉 24시간 이상 지속되거나 1시간 이하인 경우는 드물다.
  cf) 24시간 이상 지속시는 급성염증을 의미한다.

② 오심/구토 (60-70%), Bloating/Belching (50%)

2. 진단 - 2가지 조건

① Biliary colic

② 담석의 **존재**

- **담석은 초음파검사에서 95-98%, 복부단순촬영에서 15%, CT에서 50% 발견될 수 있다.**

3. 치료 : 복강경하 담낭절제술 (elective)

(표) 담낭절제술의 적응증

1. Urgent (24-72시간내 수술) 1) **급성** 담낭염 2) **Emphysematous** cholecystitis 3) 담낭 **천공** 4) **ERCP로 CBD stone을 제거**한 환자
2. Elective 1) **쓸개관 운동이상증** (Biliary dyskinesia) 2) **만성** 담낭염 3) **담석 증상시**

(표) 개복을 통한 담낭절제술의 적응증

1. **폐, 심장기능**이 좋지 않을 때 2. **담낭암** 수술 및 담낭암이 의심될 때 3. **간경화** 및 문맥 고혈압 4. **임신 3rd trimester** 5. 동반된 **다른 수술**을 시행시

■ 급성 담석 담낭염 (Acute Calculous Cholecystitis)

- 90-95%의 급성담낭염과 담석증이 연관되어 있다.
- 50%의 환자가 담낭절제시 담즙에서 균이 검출된다.

추가노트

※ 복강경 수술의 **장점은 술후 통증이 적고, 입원 기간이 짧으며, disability가 덜하고 회복이 빠르다는 것이지만 단점은 개복수술보다 CBD 손상위험이 더 높다는** 것이다. ★

1. 임상양상

- 급성담낭염의 통증은 biliary colic의 통증보다 더 오래 지속된다.**(수시간-수일)**
- **Murphy sign: RUQ**를 촉진할 때의 inspiratory arrest발생
- 검사실 소견 : 경미한 백혈구증가 (1,200-1,400), 경미한 빌리루빈증가 (〈4mg/dl), ALP (alkaline phosphatase), transaminase (AST/ALT) & amylase 증가

2. 진단

① **초음파 검사 : 담낭벽 비후 〉 4mm, 담낭 주위 fluid collection, Sonographic Murphy sign**
② Radionuclide scanning : 담낭이 조영되지 않을 때

3. 치료

- 금식 & iv antibiotics
- 마약성 진통제는 biliary pressure를 증가시키는 반면, **NSAIDs 계통의 진통제**는 prostaglandin 생성 및 담낭내 점액 생산을 감소시켜 압력 및 통증을 감소시킨다.
- 복강경하 담낭절제술이 더 선호된다 (진단 후 24-48시간내). ★

■ 급성 무결석 담낭염 (Acute Acalculous Cholecystitis) ★★

① 급성담낭염의 5-10%. 사망률 40%
② 급성 결석담낭염보다 fulminant한 경과를 거치며 쉽게 **괴저, 화농 및 천공**으로 진행한다 (〉50%).
③ **위험인자** : 중증환자에서 **외상, 화상**, 장기간의 **TPN, 주요 수술 후** 발생할 수 있다
※ 즉, **담즙정체 및 담낭 허혈**의 위험요소를 지니는 경우이다.
④ **치료** : 응급 개복 담낭절제술

■ 담도결석증 (Choledocholithiasis)

1. 임상양상

- 담낭절제술을 시행받은 10%의 환자들은 담도결석도 지닌다.
- biliary colic, **황달, 대변** (clay stool color) **및 소변** (→ darkened urine) **색깔의 변화** 등이 있으며 fever/chill이 동반될 수 있다.

2. 진단

① **실험실 검사**
- 혈청 빌리루빈 〉 3mg/dl, AST/ALT 및 ALP 증가

② **초음파검사**

- CBD 직경〉1cm → 담도폐쇄 (3mm 이하시 가능성 떨어짐)
- calculi를 시사하는 echogenic shadow는 60-70%에서 나타남.

③ MRCP & ERCP (gold standard)

└ 진단 및 치료를 할 수 있는 장점이 있지만 invasive하며 췌장염 및 담도염등의 합병증을 유발할 수 있다(5%).

3. 치료

① 내시경적 치료- **내시경적 괄약근절개술 및 결석제거**
(Endoscopic sphincterotomy & stone extraction)

- 합병증 : 담도염, 췌장염, 장 천공 및 출혈 (5%)

② **복강경하 담도 탐색** (Laparoscopic CBD Exploration)

- 담낭관을 통해 수술 도중 담도촬영술을 시행한다.
  → 결석이 있음이 확인되면 담낭관을 열고 Fogarty catheter삽입하여 십이지장까지 넣은 뒤 balloon inflation후 부드럽게 잡아당김
  → 실패시 wire basket 및 **담도경**을 이용하여 결석 제거 시도
- 담낭관을 통해 결석이 제거되면 술 후 **T튜브**가 필요하지 않지만, 담도를 열어서(anterior choledochotomy) 결석이 제거되는 경우는 T튜브를 삽입해야 한다.

(표) 수술 중 담관조영검사의 적응증

1. 수술전 **간효소치** (AST, ALT, bilirubin)가 증가한 경우
2. 복강경 수술 중 **해부학적 구조**가 불명확할 때
3. 수술 도중 **담관손상**이 의심될 때
4. 수술 전 검사에서 **CBD가 확장**될 때
5. **Gallstone pancreattis** 환자에서 CBD stone을 ERCP로 제거하지 않은 경우
6. **황달**이 있을 때
7. **CBD가 크고, 담석이 작은** 경우
8. **수술전 ERCP**로 CBD stone제거가 **실패**한 경우

추가노트

☞ 내시경적 제거가 어려운 경우 ★★

a. 결석이 **다발성**이며 **간내 결석**도 동반되어있는 경우
b. 결석이 **크고** **impaction**되어있는 경우
c. **십이지장게실**이 동반되어있는 경우
d. 전에 **위절제술**을 시행받은 경우
e. **담도협착**이 심할 때

③ 개복하여 CBD를 열어서 결석을 제거하는 방법
- 결석을 제거하는 방법
  - 부드러운 고무도관 (rubber catheter)를 이용한 irrigation
  - Fogarty catheter 및 stone basket 이용
- 결석을 제거한뒤 **T튜브를 삽입**하며, 담도촬영술을 다시 시행하여 남아있는 결석이 없음을 확인한다.
- **담도배액술**이 필요한 경우
  └ 담도공장문합술, 담도십이지장문합술, 경십이지장 괄약근성형술
  (Roux-en-Y choledochojejunostomy, Choledochoduodenostomy, Transduodenal sphinteroplasty)
  → **괄약근협착**, **다발성** 총담관 결석, **일차성** 총담관결석, **간내결석**시

■ 담도 운동 장애 (Biliary Dyskinesia)

① **정의** : Biliary colic의 전형적인 증상을 지니지만 초음파에서 담석이 보이지 않는 경우

② **진단**

a. 다른 병을 감별하기 위해 복부 CT, 내시경, ERCP 등의 검사가 필요하다.

b. CCK-Tc-HIDA scan :
└ 담낭를 ^{99}Tc-labeled radionuclide로 채운뒤 CCK를 iv로 투여함.

20분후 ejection fraction이 **1/3 이하**시 진단

③ **치료 : 복강경하 담낭절제술**

→ 이 환자의 70%가 만성 담낭염을 동반하고 있다.

■ Gallstone pancreatits

① **원인**: 췌장관 및 팽대부가 결석에 의해 막혀서 발생함

② **진단** : 불분명한 원인을 모르는 췌장염시 초음파 검사로 담석 및 담관결석 여부를 확인해야 한다.

③ **치료**

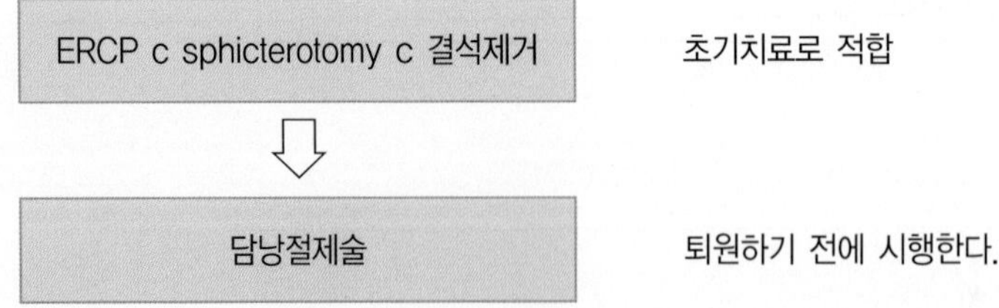
ERCP c sphicterotomy c 결석제거
초기치료로 적합
담낭절제술
퇴원하기 전에 시행한다.

※ 췌장염이 self-limited인 경우는 ERCP없이 바로 "**담낭절제술**"을 시행하며 이때 choledocholithiasis를 배제하기 위해 "**수술 중 담관조영술**"을 시행해야 한다.

■ 담낭절제술후의 통증 (Postcholecystectomy Pain)

- 담낭절제술 시행받은 환자의 20%
- 담낭절제 얼마 후 **황달** 및 **오한**이 동반된 간헐적인 상복부통통시
  → **담도결석**이 남아 있거나 **담도손상**이 있는지 의심해야 한다.

■ 오디 괄약근 기능장애 (Sphincter of Oddi dysfunction)

① **임상양상** : 보통 biliary colic이 있으면서 간기능은 정상이며 **췌장염**의 병력이 있는 경우
② **원인들** : 담석이동으로 인한 섬유화, 외상, 췌장염 및 선천성 기형
③ **진단**
  a. 초음파상 CBD의 확장(≥12mm), CCK주입시의 CBD 직경증가
  b. ERCP후 조영제가 잘 **배액되지 않을 때**도 상기 질환을 시사한다.
④ **치료** : [내시경 혹은 수술적] **괄약근 절개술**(sphincterotomy)

(그림) 복강경하 담낭절제술 후 발생한 RUQ pain시의 workup

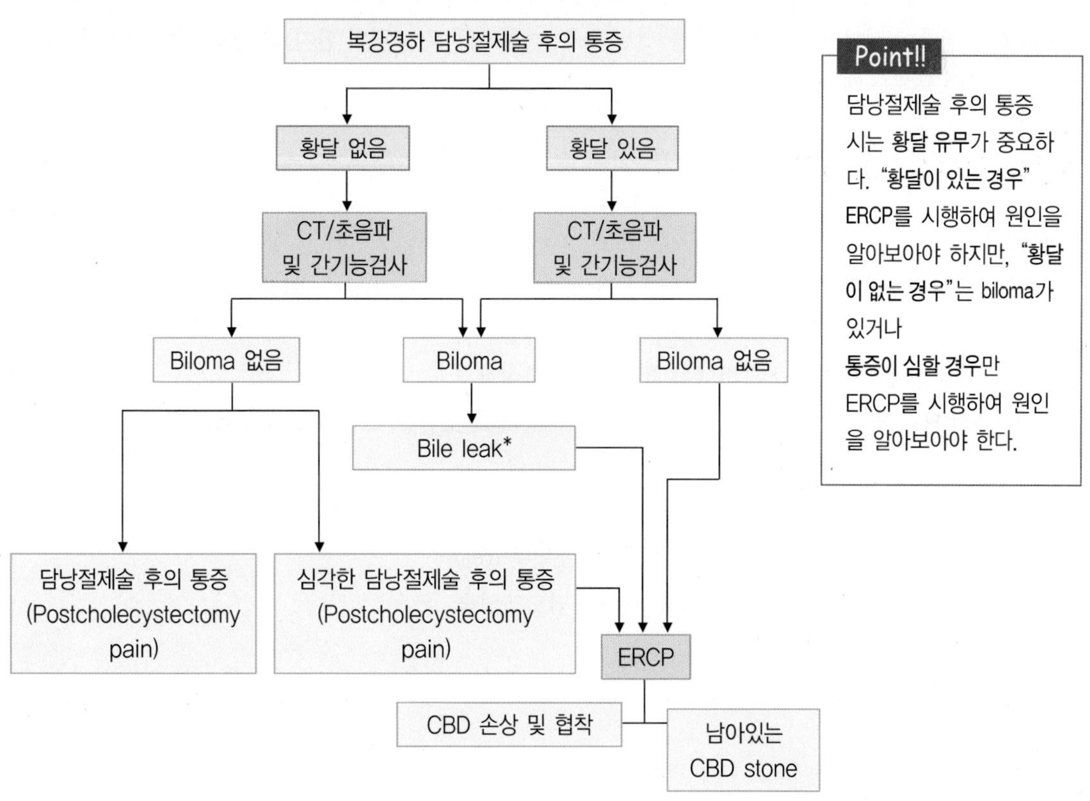

Point!!

담낭절제술 후의 통증시는 **황달 유무**가 중요하다. **"황달이 있는 경우"** ERCP를 시행하여 원인을 알아보아야 하지만, **"황달이 없는 경우"**는 biloma가 있거나 **통증이 심할 경우만** ERCP를 시행하여 원인을 알아보아야 한다.

추가노트

☞ 팽대부 압력 >40mmHg시 치료 후 성적이 좋다.
cf) 남겨진 긴 담낭관과 담낭절제 후 통증과는 관련없다.

■ 담석 장폐쇄 (Gallstone Ileus)

1. 정의

- 자발적인 담도 - 장 누공 (대부분 **담낭과 십이지장 사이**)을 통해 큰 담석이 위장관으로 이동하여 기계적 폐색을 일으키는 경우
- 주로 **고령의 환자**에서 발생 (70세 이상 노인이 장폐색의 25%)

2. 증상 & 진단

- 오심/구토, 복통 (담석관련증상이 과거에 있었던 경우는 50% 정도밖에 되지 않는다.)
- **복부CT상 Pneumobilia 및 담낭에서 떨어진 부위에 담석이 보일 때 → 진단적 가치**
- **단순 복부사진상 small bowel obstruction을 시사하는 air-fluid level이 보이기도 한다.**

3. 치료

- 장을 열고 결석을 제거한다. 이때 장폐색의 재발이 10% 보고되었으므로, 또다른 결석이 있는지 확인한다.
- 담도 - 장 누공을 분리한뒤 담낭절제술 시행 (담낭암이 15% 보고됨)
- RUQ에 염증이 심하거나 오랜 수술을 견딜 수 없는 환자(주로 고령의 환자)의 경우는 나중에 재수술하여 담낭쪽 문제를 해결한다.

■ 간내 결석 (Intrahepatic Stone)

1. 특징

- **위험인자 : 양성담도협착**, PSC (Primary sclerosing cholangitis), **Choledochal cyst** & **담도 암**
  cf) 이러한 위험인자없는 hepatolithiasis는 10% 이하임
- 병인 : 담즙정체, 감염 및 담도 점액이 결석형성에 관여함.
- 대부분의 간내결석은 bacterial cast & calcium bilirubinate 포함함. **(brown pigment stone)**

2. 임상 양상

- 담도염 (67%), 상복부 동통 (63%), 황달 (39%), 소양증 (6%)
- 진단 : (내시경적, 경피경간적 혹은 MR 이용한) 담도조영술

3. 치료

- **목표**

기저 담도질환 교정 + stone 제거

- **수술방법**

a. 담낭절제술, 병변을 포함한 간내담도 제거 담도경검사로 간내결석을 확인하여 결석 제거

b. 간절제여부를 결정한다.

※ **간절제가 필요한 경우**

① 오랜기간 담도가 폐쇄되었거나 담석으로 인해 **간의 부분적 위축**이나 **경화**가 있는 경우 ② 간내결석이 한쪽 엽에 **국한**되어 있거나, **담도협착**이 있는 경우 ③ **담도암**의 가능성이 있을 때 ④ **재발성** 담도염시

c. Roux-en-Y Hepaticojejunostomy로 손상된 담도를 재건한다.

4. 경과

- 수술 후 절반 정도의 환자에서 간내결석재발 및 담도협착으로 인한 향후 치료를 요하며 그 후 대부분 호전되었음이 보고되었다.

비결석성 양성 담도 질환

■ 담낭의 용종성 병변 (Polypoid Lesions of the Gallbladder)

- 담낭초음파를 받는 환자의 3-7%에서 나타남.

① **종류** : 콜레스테롤성 용종(m/c), Adenomyomatosis, 선종 및 선암

※ **악성을 시사하는 소견**

a. 나이≥60세 b. **담석**을 동반할 때 c. **크기 증가** d. **10mm** 이상시

※ Adenoma(선종)은 Adenocarcinoma(선암)과 감별이 어려운데, 이를 구분하는데 transmural invasion이 가장 중요하다 (악성가능성 시사)

② 치료

- 보통 **경과관찰**(초음파F/U)으로 충분하지만 **증상이 있거나** 위의 경우와 같이 **악성위험인자들이 있을 때** 수술한다.

■ 양성 담도 협착 및 담도손상 (Benign Stricture/Bile Duct Injury)

- 양성담도협착은 만성 췌장염, PBC, 담도염 등에서 생길 수 있지만
가장 흔한 경우가 **복강경하 담낭절제술 후**의 iatrogenic injury이다. ★

> **[관련인자]**
> 외과의의 수술 실력, 담낭염의 severity, 담도해부의 변형
>
> **[감소시키기 위한 노력]**
> Routine operative cholangiography 시행이 도움이 될 수도 있고 Calot triangle과 담낭 – 담낭관연결부위의 정확한 exposure가 중요하다.

① 임상양상

- 25%는 수술 도중 담도손상이 발견되며, 나머지의 경우는 보통 수술 일주일내로 통증, 발열 및 고빌리루빈혈증 (2.5mg/dl)이 나타났을 때 발견될 수 있다.

② 진단

a. **담즙누출** (bile leakage)이 의심되는 경우
• CT 혹은 초음파검사 시행하여 abnormal fluid collection이 있으면 경피적 배액을 시행한다. • 비침습적 방법으로 Tc-IDA scan을 통해 담즙누출을 확진할 수 있다. • 담도해부에 대한 정보를 얻기 위해, 배액관을 있는경우 배액관을 통한 조영검사 및 배액관이 없는 경우는 ERC (endoscopic retrograde cholangiography)를 시행할 수 있다.
b. **담도손상**이 의심되며 **황달**이 있는 환자의 경우
• CT 혹은 **초음파검사**로 간내담도 및 간외담도의 확장여부를 확인한다. • 간내담도확장시 PTC (percutaneous transhepatic cholangiography)를 통한 Transhepatic stent를 **삽입**하여 감압한다.

③ **치료**

- 결정인자 : **진단시기, 손상유형, 손상정도 및 손상받은 level**

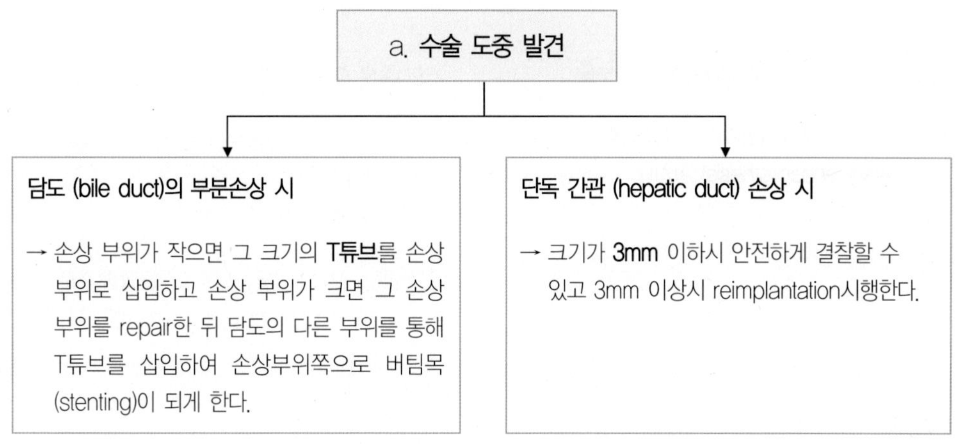

(그림) 복강경하 담낭절제술 도중에 담도 손상이 의심될 경우

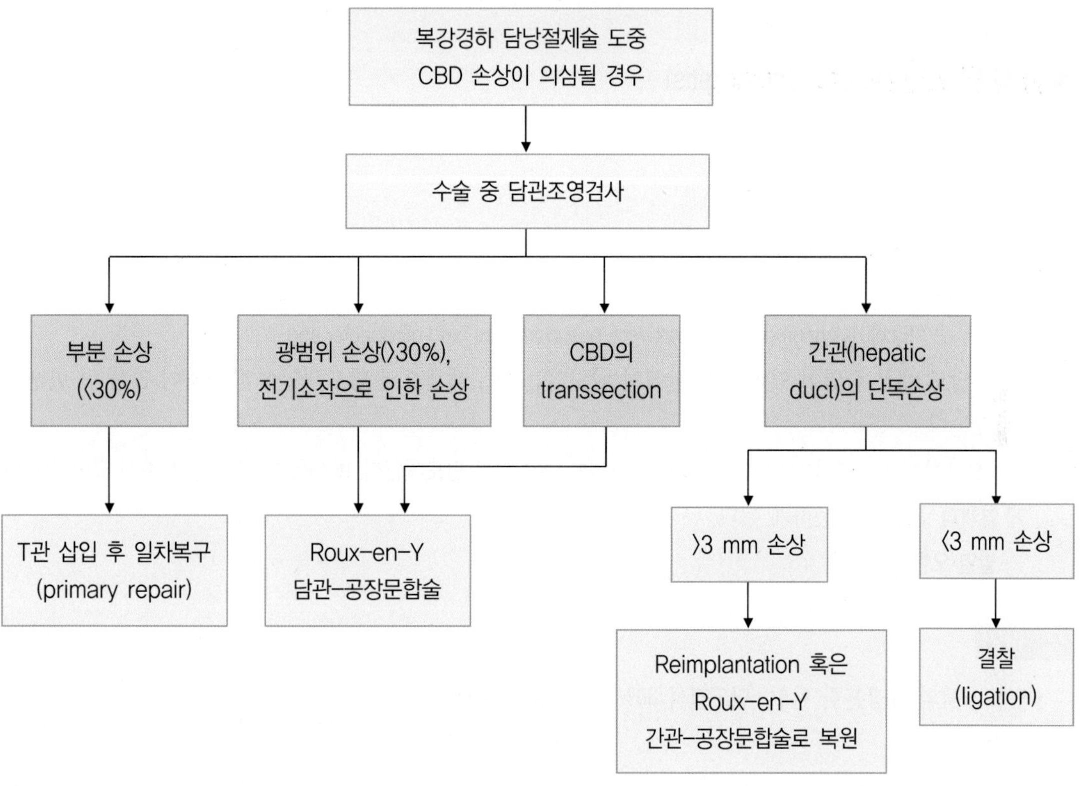

추가노트

☞ 수술 중 담관조영검사 (Intraoperative cholangiography)를 시행하여 손상 정도를 평가한다.
여기서 "3"이라는 숫자가 중요한데, CBD둘레의 **30% 이상** 손상시, 그리고 손상된 간관의 직경이 3 mm 이상 시에는 장관을 담도와 연결하여 배액시켜야 한다.

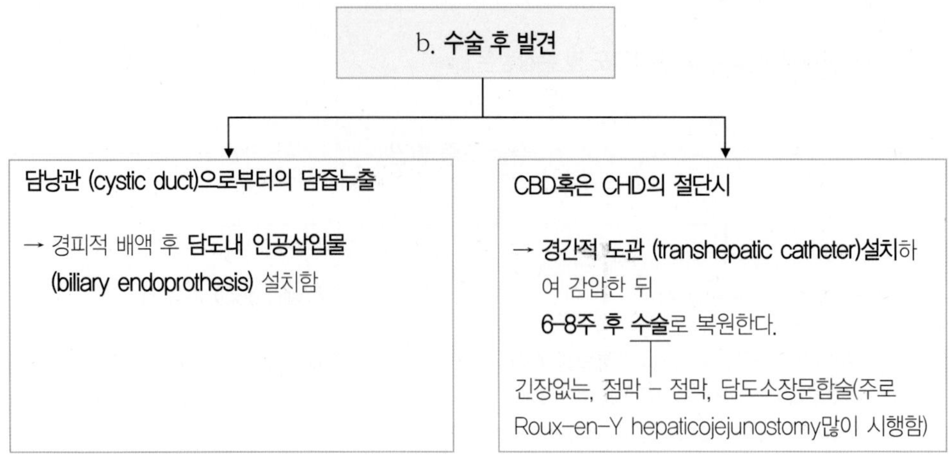

④ **예후인자**

- 재협착이 2/3환자에서 술후 2년내에 발생한다.
- 담도의 근위부손상이 원위부손상보다 수술이 힘들다.

■ 급성 담도염 (Acute Cholangitis)

1.병태 생리

① 두가지 인자가 모두 있어야 한다.

a. **담즙내의 상당한 세균수**

b. **담도 폐쇄**

② m/c 균주 : E.coli, K.pneumoniae, enterococci, pseudomonas, and citrobacter spp.

③ 높는 담도 세균 감염이 있어도, 임상적인 담도염는 담도폐색으로 담도내압이 상승하지 않는 한 발생하지 않는다.

즉, 정상적인 담도압는 7-14mmH_2O이며, 담도폐색으로 **담도내압이 18-29cmH2O 이상 상승시 균이 급격하게 혈액과** 림프로 이동하게 된다.

→ **발열/오한**

2. 원인

- 담도폐색의 가장흔한 원인 : **담도결석** (80%) 〉 **악성종양**(2nd)

3. 임상양상

① Charcot' s triad ★

발열	황달	RUQ pain

② Raynold' s pentad : Charcot triad에 아래의 두 증상이 동반될 때

정신둔감 (Mental status change)	저혈압

4. 진단

① **검사실 소견**

: 백혈구증가증, 빌리루빈, AST/ALT & ALP 상승

② **영상검사**

- CT, 초음파, MRI
- (내시경적, 경피경간적) **담도조영술** : 진단과 동시에 치료도 할 수 있어서 매우 유용하다.

5. 치료

① **보존적 치료** : 항생제, 경정맥수액 공급

② 대체로 **항생제 치료**만으로도 잘 반응하나 12-24**시간안**에 반응하지 않는 15% 정도의 환자에게선 "**응급 담도감압**" 이 필요

- **근위부** (perihilar) 폐색시는 **경피경간적 배액술(PTC)**,
- **원위부** (distal CBD) 폐색시는 **내시경적 배액술(ERCP)**이 필요

③ 내시경적, 경피경간적 접근이 불가능할 때 **수술**하여 CBD를 연 뒤 T튜브를 삽입한다.

※ 만약 CBD stone이 발견될 경우,
내시경적 유두절개술 (endoscopic spincterotomy) & 돌 제거술 (stone removal) 을 우선 한 후
+ 담낭절제술 (cholecystectomy) 를 시행한다.

추가노트

cf) 내시경적 배액을 시행한 군이 수술을 시행한 군보다 사망률이 현저히 낮았다(10% vs 32%).

(그림) Ascending cholangitis 환자의 진단 및 치료

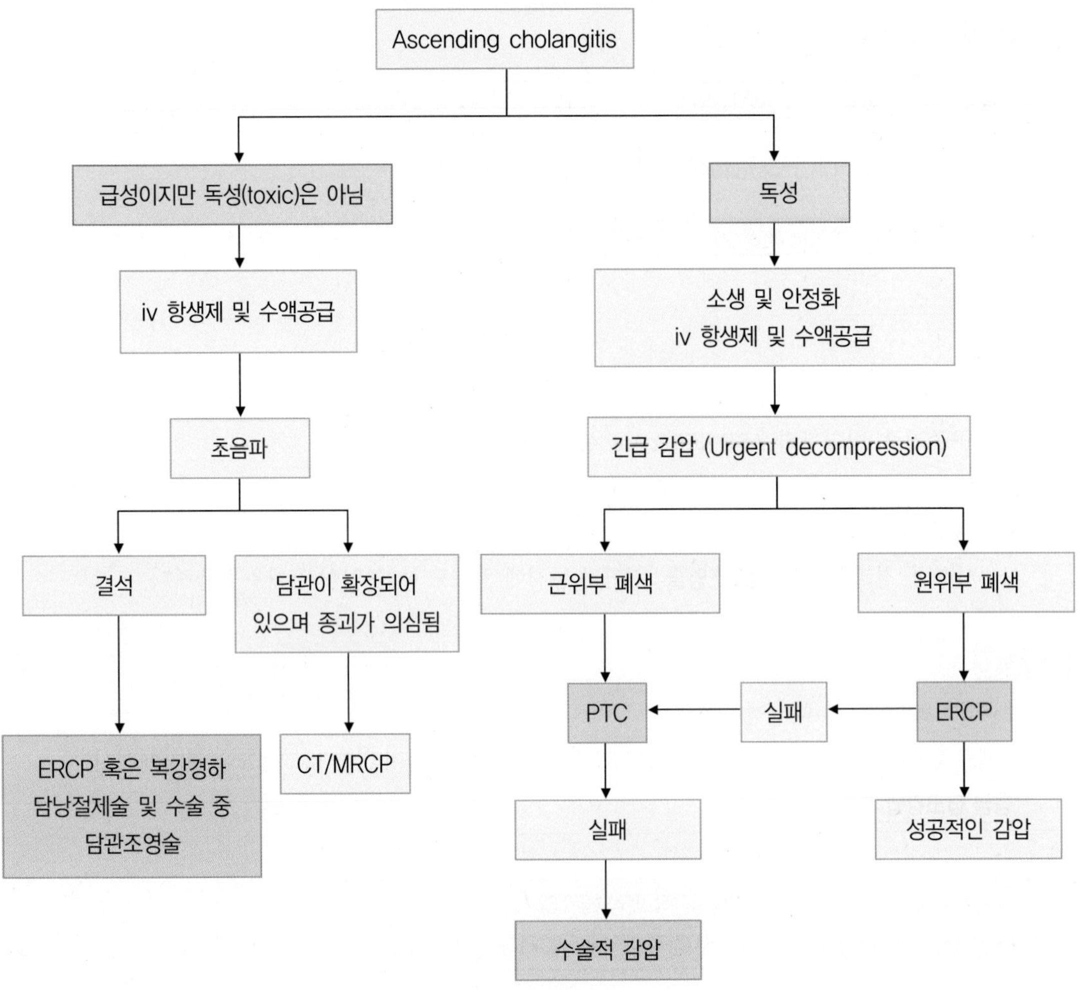

Point!!

담관염이 의심될 때 심한 발열 및 저혈압 등 독성 증상이 있으면 긴급(urgent) **상황으로 신속한 감압**을 요한다. 담관의 "**원위부**" (ex.간쪽) 폐색은 **PTC로 감압**하는 것이 적절하고, 담관의 "**근위부**" (ex. distal CBD) 폐색은 ERCP로 감압한다. 독성이 아니면 초음파 검사를 시행하여 담관염의 원인을 찾는다.

■ 담도 낭종 (Biliary Cysts)

- 간내 혹은 간내담도 확장소견을 보이는 선천성 질환임.
- F〉M (3-8배)

1. 원인

: **비정상적췌담관합류 (APBDJ;** Anomalous Pancreatobiliary Duct Junction) : 90% 이상
췌관이 ampulla와 만날 때 정상과 비교시 1cm 가량 앞서 만난다. 즉, 췌관과 담도가 만나는 긴 common channel이 형성된다. 이를 통해 pancreatic secretion이 bile duct로 역류하고, 염증과 손상을 통해 cystic degeneration이 생긴다. cf) APBDJ와 관련된 질환들
: Choledochal cyst, 간담도계 악성질환, Pancreatic divisum, 췌석증

2. 분류 (Alonso-Lej classification)

① **I 형 (mc)** : 간외담도의 fusiform or cystic dilatations
② II 형 : 간외담도의 saccular diverticulum
③ III 형 : 십이지장벽내의 담도확장 (choledochocele)
④ IV형 (2nd mc) : 간내 & 간외담도의 cystic dilatation
⑤ V형 : Intrahepatic cysts (Caroli's disease)

(그림) Choledochal cysts의 유형들

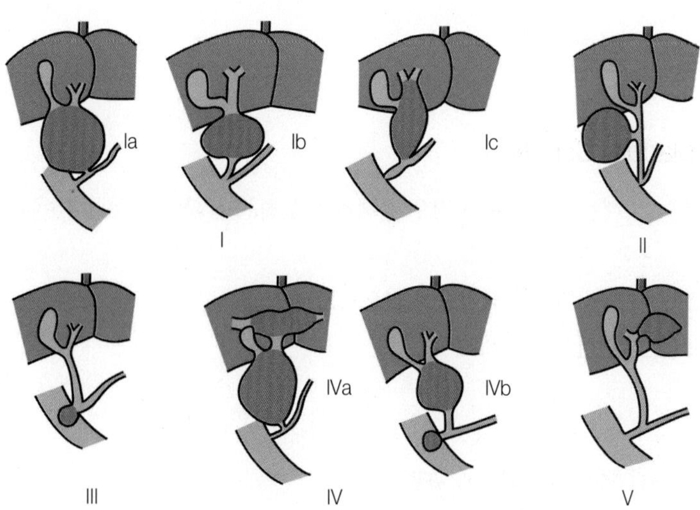

추가노트

☞ IVb 형: Dilatation of multiple secretions of the extrahepatic bile ducts

3. 임상양상 및 진단

- 전통적인 triad (상복부동통, 황달 & 복부종괴)를 지닌 환자는 10% 미만이다.
- 초음파, 담도촬영술이 진단에 도움을 준다.

4. 치료 ★

- 절제하지 않았을 때 **담도암** 위험은 성인에서 **30%**에 달하기 때문에 반드시choledochal cyst를 제거해야 함.

① I & II 형
- 담낭절제술, 간외담도절제 후 Roux-en-Y Hepaticojejunostomy로 재건

② IV형
- 간외담도를 제거한다.
- 간내낭종이 한엽에 국한되어 있으면 간엽절제를 시행하고 양엽에 있으면 간절제하지 않고 경간 도관 (transhepatic stent)를 설치한다.
  └ 후에 간내결석발생시 제거할 수 있는 통로

③ V형
- unilobar한 경우 hepatic lobectomy 시행함
- diffuse한 경우에는 간이식술 시행함

악성 담도 질환

■ 담낭암 (Gallbladder Cancer)

- 병의 악성도가 높기 때문에 대부분의 경우 절제하지 못하는 상황에서 첫 발견이 이루어진다.

① 빈도
- **여성**에서 더 호발 (2-3배: 여성이 담석증이 많으므로)
- **고령**에서 많다 (65세 이상에서 75% 발생).

② 원인
- **담석** : 담도암환자의 75-90%가 담석과 관련됨
- 기타 관련인자
  : APBDJ, 석회쓸개 (porcelain GB), choledochal cyst, PSC
  └ Anormalous pancreatobiliary duct junction

(표) 담낭암의 위험인자

① **담석**	⑤ **담낭 선종** (Adenomatous gallbladder polyps)
② 도재담낭(Porcelain GB)	⑥ PSC (Primary sclerosing cholangitis)
③ **APBDJ**	⑦ 비만
④ Choledochal cyst	⑧ Salmonella typhi 감염

③ **병기**

T
- a. T1 : **고유층**까지 침범 (T1a), **근육층**까지 침범 (T1b)
- b. T2 : **subserosa**까지 침범. 즉, serosa를 뚫지는 않은 경우
- c. T3 : **serosa를 뚫었거나** 간 등 다른 장기로의 **직접적인 침윤**이 있는 경우

N
- a. N0 : 국소림프절 침윤이 없음
- b. N1: 국소림프절 침윤 (cystic duct, common bile duct, hepatic a., portal v.)
- c. N2: 국소림프절 침윤 (periaortic, pericaval, SMA, celiac a.)

M
- a. M0 : 원발전이가 없는 경우
- b. M1 : 원발전이가 있는 경우

※ 담낭암은 주로 **선암** (90%)이며 주로 **림프계**를 통한 전이를 하며, 혈행성전이도 가능하다.

④ **임상양상 및 진단**

- RUQ pain (m/c), 체중감소, 황달, 복부종괴 (흔치 않다).
- 첫 검사로 초음파검사가 적합하고, 주변장기침범을 알기 위해 CT시행한다.
- 황달이 동반될 때 cholangiography 시행한다. → [소견] CHD의 long stricture
- 절제불가능한 경우들 : 간 및 복막전이, 간문맥을 둘러싸는 경우 및 광범위한 간전이시
  → 초음파 및 CT 유도하의 조직생검 시행

추가노트

[전체병기]

Stage 0	Tis	N0	M0	Stage IIIB	T1-3	N1	M0
Stage I	T1	N0	M0	Stage IVA	T4	N0-1	M0
Stage II	T2	N0	M0	Stage IVB	Any T	N2	M0
Stage IIIA	T3	N0	M0		Any T	Any N	M1

⑤ **치료**

A. **근치적 치료**

a. T1a (점막 및 점막하) 및 T1b (근육층 침범) **병변시** ★

- **담낭절제술**로 충분하다.

복강경하 담낭절제시 담즙누출이 26-36%가 발생하므로 이로 인해 종양이 퍼질 우려가 있다.
따라서 담낭암의 가능성이 있는 담낭수술시 복강경보다는 **"개복수술"**을 하는 것이 좋다.

b. **근육층** 이상 (II기 & III기) **침범된 병변시**

- 국소림프절 침윤이 높아지므로
"광범위 담낭절제술(Extended cholecystectomy)"을 시행해야 한다.
담낭으로부터 **2cm경계**의 간을 동반절제하며 **주변림프절곽청술**을 시행한다. 이때 적절한 림프절제거를 위해 CBD를 절제하기도 한다.
- 생각보다 병변이 진행된 경우(50-55%)가 많기 때문에 술전 먼저 **진단적 복강경**을 시행하는 것이 도움이 된다.

※ 수술 불가능한 경우: distant metastasis, major vascular invasion, extensive LN metastasis, extensive bile duct invasion

B. **완화 치료** (Palliative Treatment)

- 대부분의 치료에 해당되며 비수술적으론 황달에 대해선 내시경적 혹은 경피경간적 **담도관 설치**
- 경피적 복강신경절 (Celiac Ganglion) **신경차단** 등을 통한 통증조절 등이 있다.

⑥ **예후**

- T1a는 예후가 매우 좋고, T1b의 경우에서도 complete resection, margin negative인 경우 예후가 매우 좋다.
- **T2병변**시 **림프절전이** 위험이 33-55%까지 증가한다.
- T2의 경우는 림프절 전이 여부와 radical resection의 여부가 예후에 중요하게 작용한다. "
- T3 병변은 5년 생존률이 20% 미만이며 예후가 매우 안좋다.
- 4기병변시의 평균 생존은 1-3개월 가량이다.

■ 담관암 (Cholangiocarcinoma)

- m/c at the hepatic duct bifurcation (60-80%) 나이가 많을수록 빈도가 증가함

① 위험인자

a. PSC, Choledocal Cyst, 간석증 (Hepatolithiasis)
 즉, 담도결석, 담즙정체 및 감염과 관련

b. **전에 담도-장 문합술시행받은 환자**에서 위험 증가
 - 반복된 담도염 재발과 관련됨.

② 병기

a. 위치에 따라 구분 (아래 그림 참고)
 i) Intrahepatic ii) Perihilar iii) Distal

(그림) 담도암의 분류

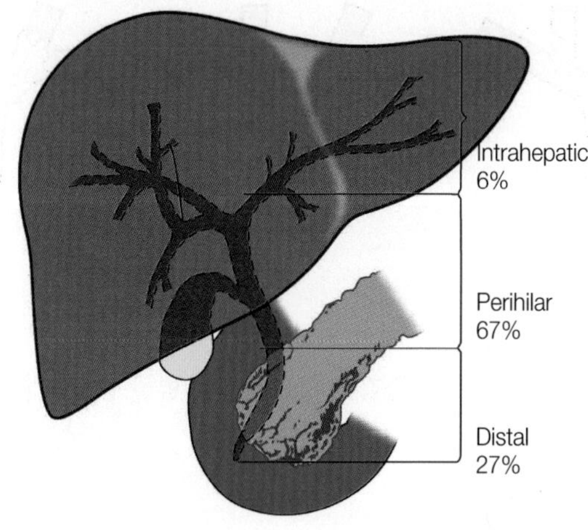

b. Hepatic duct bifurcation을 침범한 종양의 분류 (Bismuth classification)

i) I 형 : CBD에 국한된 경우
ii) II 형 : bifurcation을 침범한 경우
iii) III형 (III a & III b) : 오른쪽 (IIIa) 혹은 왼쪽 (IIIb) 이차 간내담도를 침범한 경우
iv) IV형 : 양측의 이차간내담도를 침범한 경우

(그림) Bismuth분류법

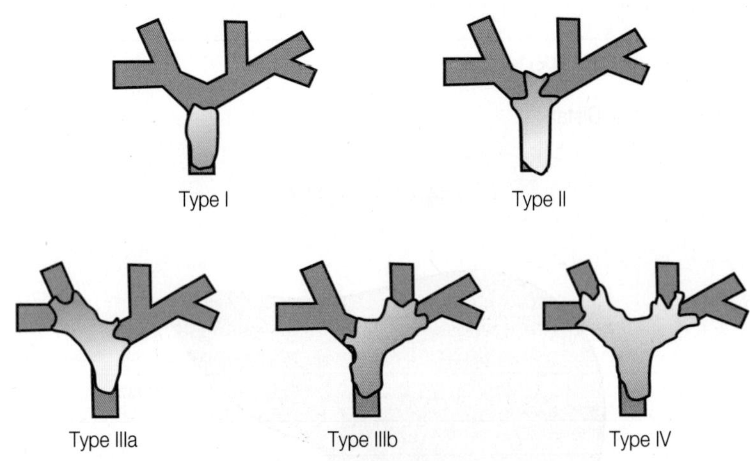

③ **임상양상** ★

- **황달** (〉90%) intrahepatic cholangio Ca.에선 드묾
- 소양증, 발열, 복부불편감, 식욕부진, 체중감소 황달외에 특별한 증상이 없는 경우가 많다.

④ **진단**

a. 검사실소견 : bilirubin , ALP, CA19-9 증가

b. 영상검사

- 초기검사로 초음파 혹은 CT
- 담도침범여부를 확실히 알기 위해 담도조영검사가 필요하다.

(내시경적, **경피경간적** 그리고 최근엔 **MRI를 이용**한 담도조영검사)

└ **경피경간적**: perihilar tumor에 적합

└ **MRI를 이용**: 비침습적

⑤ **근치적 치료**

a. 간내 담관암시 **간부분절제술** 시행

b. 간문부 담관암시

i) I 형 & II형

→ 5-10mm 경계로 침범된 담관 및 담낭절제 후 **담도재건**

Rouy-en-Y hepaticojejunostomy

ii) III형

→ 각각 **간우엽 (IIIa)및 좌엽 (IIIb)절제 후** **담도재건**

RouX-en-Y hepaticojejunostomy

※ 이 때 negative cut margin을 확보하기 위해 **Caudate lobectomy**도 함께 시행한다.

C. 원위부 담관암 (Distal CBD (a))시

★**췌십이지장 절제술 (PPPD 및 위플씨 술식)** 시행함.

⑥ **예후인자**

- **"병기"**, **"절제연에서의 종양여부"** 및 **"림프절 전이여부"**가 중요한 예후인자이다.
- routine **간부분 절제술**을 시행함으로써 종양없는 절제연을 얻는 확률이 크게 향상되었지만 (75%) 술후 합병증은 증가되었다.
- 수술적 절제 후의 5년 생존율 : intrahepatic 30-40%, perihilar 10-20% (단, 절제연에서 종양 음성시 24-46%), distal CBD 28-45%(**가장 높다**).
- 절제불가능한 경우의 평균 생존율 : 5-8개월

추가노트

☞ 담관암은 **림프절 전이**를 하므로 수술시 **광범위 림프절절제술**이 필수적이다.

☞ 수술불가한 담관암의 완화요법

① 절제 가능하다고 생각되어 수술을 시행한 경우의 **절반**에서 실제적으로 절제가 불가능하다. **선택적 복강경**을 수술전에 시행하여 불필요한 개복술의 빈도를 낮출 수 있다. 광범위하게 진행된 병변인 경우 수술시 향후에 있을 염증을 막기 위해 **담낭절제술**을 시행한다. 어느 정도의 생존이 예상되는 경우는 완화요법으로 황달을 막기 위해 **담도공장문합**술을 시행할 수 있다.

② **비수술적 완화요법**으로,

- perihilar 병변시 → 경피경간적 도관 삽입
- distal CBD 병변시 → 내시경적 도관 삽입을 할 수 있다. 도관은 metal stent가 plastic stent보다 더 적합하다.

③ 내과적 치료

- **수술불가능 환자**에게서 **방사선치료**는 생존율을 향상시킨다.
- **항암요법**은 수술받은 환자나 절제불가능 환자 모두에서 효과적이지 못하다.
- **광선역학요법(photodynamic therapy)**는 절제불가능한 환자에게서 중요한 pallation이 될 수 있다.

Power ★★★☆☆

23 외분비 췌장

Exocrine pancreas

 해부

① **후복막장기**에 해당한다.

② **구성** : 4부분으로 구성된다.

→ **두부** (uncinate process포함), **경부**, **체부** & **미부**

(경부 — SMV & PV 앞쪽)

③ **혈액공급**

a. **동맥**

• **head** : Ant & Post pancreaticoduodenal a.
• **body** & tail i) **체부 원위부 및 미부** - splenic & Lt. gastroepiploic a.의 분지 - Dorsal & Transverse pancreatic aa. ii) **체부의 뒤윗쪽 및 뒤아랫쪽** - 각각 sup. & inf. pancreatic aa.의 공급

b. **정맥**

• 궁극적으로 **splenic v, SMV 및 portal vein**에서 끝나게 된다.

(그림) 췌장의 동맥(A) 및 정맥(B)

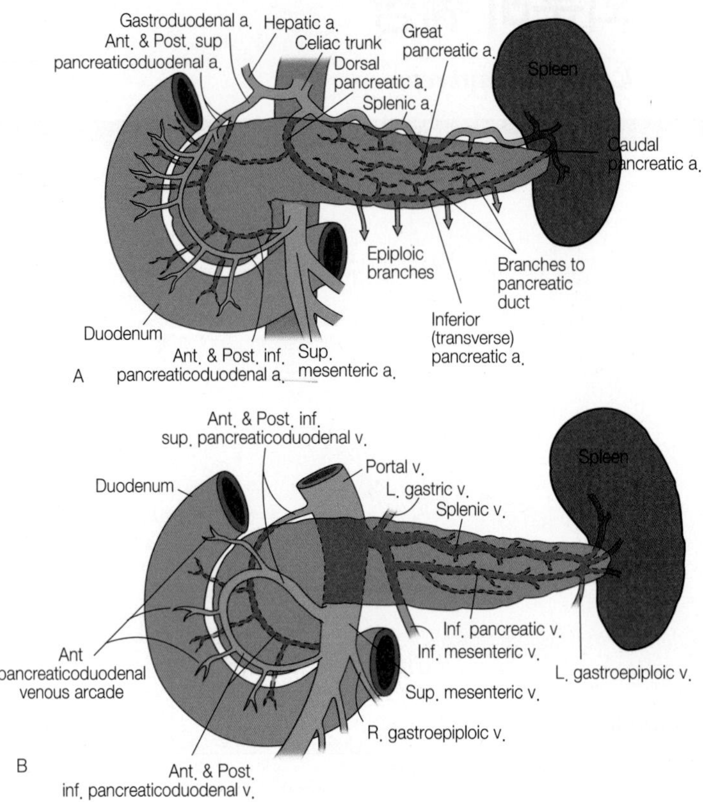

 발생

• 재태기 4주 이후에 primitive duodenal endoderm에서 dorsal/ventralpancreatic bud가 자라게 된다.

Ventral Pancreas	• 췌장 두부의 inferior 부분, uncinate process 형성	• Ventral pancreatic duct로 개구 → 후에 **주췌관 (Wirsung)**이 된다.
Dorsal pancreas	• 췌장 두부의 superior 부분, 경부, 체부 및 미부를 형성	• Dorsal pancreatic duct로 개구 → 후에 **부췌관 (Santorini)**이 된다.

• 재태 37일째에 융합이 이루어진다.
이때 융합이 이루어지지 않은 발생학적 장애가 **분리췌장** (Pancreas divisum)이다.
즉, **분리췌장에선**, dorsal pancreas은 **부췌관으로**, ventral pancreas는 **주췌관으로 개구한다.**

(그림) 췌장의 기관발생

• 작은 Ventral pancreas는 처음엔 Hepatic diverticulum에서 outpouching되어 발생한다. 큰 Dorsal pancreas는 십이지장의 Endodermal epithelium에서 직접적으로 발생한다. 재태 37주에 ventral pancreas가 시계방향으로 회전하여 dorsal pancreas와 융합되며 이때 main pancreatic duct(Wirsung) 및 accessory pancreatic duct(Santorini)가 구분된다.

• Ventral pancreas가 dorsal direction으로 시계방향회전한 뒤, Dorsal pancreas와 가깝게 위치하게 된다. Dorsal pancreas는 Minor pancreatic duct를 통해 십이지장과 연결되고, Ventral pancreas는 Major pancreatic duct를 통해 십이지장과 연결된다.

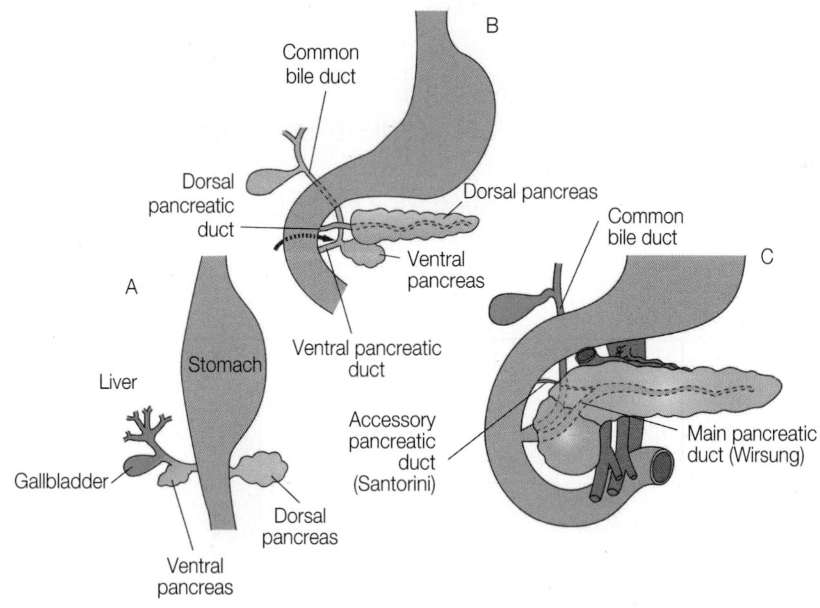

외분비계 생리학

• 최종분비물질은 하루 2.5L 가량의 깨끗하고 무색이며 HCO_3^-를 과량함유하고 단백질을 6-20g 함유한 액을 분비한다. 이 췌장액은 **십이지장의 알칼리화** 및 소화과정에서 중요한 역할을 한다.

■ 단백질 및 전해질 분비

단백질 (소화효소) 분비	전해질 분비
• acinar cell에서 분비 • 자극물질 : **CCK (Cholecystokinin: 가장 강력)** Acetylcholine, Secretin, VIP	• ductal cell에서 분비 • 자극물질 : **Secretin (가장 강력)**

• 외분비췌액의 전해질 구성은 췌액분비 속도에 따라서 변한다. 하지만 Na^+와 K^+은 일정하게 유지된다. **secretin의 자극**으로 **췌액 분비속도가 증가**하면 **HCO_3^-분비는 증가**하고 **Cl^-분비는 감소**하게 된다.

(그림) 췌장액의 전해질 농도와 분비속도와의 관계
(혈장의 전해질 조성과 비교하세요)

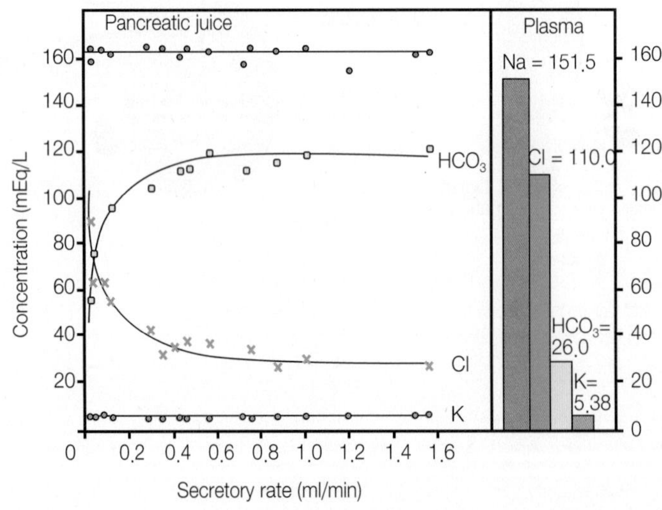

■ 분비의 조절

① 뇌상 (Cephalic Phase)	• 20–25% • 보기, 냄새, 맛 등의 자극이 부교감신경계 (by Acetylcholine) 통해 췌장액 분비를 자극한다.
② 위상 (Gastric Phase)	• 10% • 기전 a. 음식물이 위에 차면서 gastric distention을 통한 vasovagal reflex가 trigger된다. → acinar cell secretion 촉진
③ 장상 (Intestinal Phase)	• 65–70% (가장중요) • 기전 a. **십이지장의 산성화 및 십이지장내의 담즙**의 존재 → secretin 분비 유발 → HCO_3^-과량 함유 췌액 분비 b. **십이지장 및 소장에 지방,단백질 및 부분분해 산물 존재** → CCK 분비 → 췌장 acinar cell에서의 효소분비 촉진

췌장염 (Acute pancreatitis)

■ 원인

(표) 췌장염의 원인

1. 급성 췌장염	2. 만성 췌장염
• **알코올 남용** • **담관 결석** • **약물** • **ERCP** • 고칼슘혈증 • 고지혈증 • 특발성인 경우 (idiopathic) • 감염 (기생충 감염 포함) • 허혈성 • 수술 후 • 독사에 물린 경우 (scorpion) • 외상성	• **자가면역성** • **췌관 폐쇄** • **알코올 남용** • 유전성(hereditary) • 고칼슘혈증 • 고지혈증 • 특발성(idiopathic)

• **급성 췌장염의 경우 70-80%가 담도결석 질환 및 음주와 관련된다.** 원인을 알 수 없는 경우가 10-15%에 해당함 (Idiopathic).

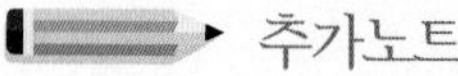

추가노트

☞ 특발성(idiopathic): 원인 불명의 병이 남에게서 전염되지 않고 저절로 생기는 성질.

■ 급성 췌장염 원인

1. Biliary or Gallstone pancreatitis

- 서양에서의 **가장 흔한 췌장염의 원인임.**
- M 〈 F, 50-70세에 호발
- 담도의 결석으로 췌관내 폐색 및 췌관내 고압이 원인으로 추정됨.

2. 알코올 섭취로 인한 손상

- **두번째로 가장 흔한 원인임.**
- 알코올성 췌장염에 기여하는 인자료는 heavy alcohol abuse, 흡연 및 유전적 소인 등이 있음.

3. 해부학적 폐색

- 췌장액이 십이지장으로 비정상적으로 유입될 때(abnormal flow of pancreatic juice into the duodenum) 췌장손상이 발생할 수 있다.
- 췌장암, 기생충(Ascaris Lumbricoides) 및 췌장의 선천성 기형 등에서 나타난다.

4. ERCP유발성 췌장암

- ERCP 시행환자의 5% 가량에서 발생할 수 있으며, ERCP의 가장 흔한 합병증임.
- 90~95% 환자에서 경과가 양호함.

5. 약제유발성 췌장염

- 관련약제들: sulfonamides, metronidazole, erythromycin, tetracycline, thiazides, furosemide

6. 대사성 원인들

- **고중성지방혈증(hypertriglyceridemia) 및 고칼슘혈증(hypercalcemia)**이 췌장손상을 유발할 수 있음.

■ 급성 발병의 양상

※ 처음 발병시의 증상으로 급성 및 만성을 구분할 수는 **없다.**

1. 증상

① **복통, 오심, 구토**

- 복통은 칼로 찌르는 듯 예리하고, 등으로 방사되며, 일정하게 지속되는데 앞으로 굽히면 통증이 호전되는 경우도 있다. 만성췌장염 환자의 경우는 이러한 복통 12-24시간 전의 **음주병력**이 있을 수 있다.
- 구토는 위팽창이 호전된 뒤에도 계속될 수 있다.

2. 이학적 소견

① **고체온증** (hyperthermia)

탈수와 관련된 소견 : 빈맥, 빠른 호흡, 저혈압

② 흉막성 (pleuriti) 및 복통으로 인한 호흡곤란 및 무기폐 (폐 아랫쪽) 흉수는 왼쪽에서 더 많이 발생함.

③ 심하면 ARDS, 의식저하, 황달, 장마비 가능

④ **후복막출혈 소견 (심한 췌장염시)**

a. Grey Turner sign : 옆구리 (flank)에 얼룩 출혈 (ecchymoses)

b. Cullen sign : 배꼽주변 부위 (periumbilical region)에 얼룩 출혈

■ 진단

1. 일반 혈액검사

① **혈량저하증 (Hypovolemia)**을 시사하는 소견

→ Hb/Hct, BUN/Cr 상승

잦은 구토로 인한 저염산 저칼륨 대사성 알칼리증

② 혈당 상승

- 인슐린 분비에 비해 글루카곤 및 카테콜라민 분비가 상승한 결과

③ 고빌리루빈혈증

- 담도결석이 원인일 수도 있고, 췌장이 염증성으로 발생한 부종으로 인해 담도를 압박하는 것도 원인일 수 있으며, 심한질환시 나타나는 Nonobstructive Cholestasis의 발현일 수도 있다.

④ 기타 Hypertriglyceridemia 및 **고칼슘혈증**이 발생할 수 있다.

> - 보통은 **저알부민혈증**의 결과로 나타난다. (특별한 치료는 필요치 않다)
> - 뼈의 칼슘이 부갑상선호르몬에 반응하지 않아서 나타날 수 있으며 이 경우 예후가 좋지 않다. **실제로 칼슘이 부족**하므로 적절할 칼슘보충이 필요하다.

2. Amylase 측정

① 병의 중등도와 일치하지 **않는다.** 발병 2-6시간 내에 상승하여 3-6일 동안 점차적으로 정상으로 돌아온다.

※ **지속적인 (1주 이상) hyperamylasemia시**

→ **진행하는 염증** 및 **합병증**의미

(pancreatic pseudocyst, ascites, abscess…)

초기 amylase 상승 정도가 췌장염의 중증도를 반영하지 못한다.

② **소변**의 amylase 및 혈청 lipase는 혈청보다 상승상태가 **오래 지속**되기 때문에 발병 후 늦게 병원에 온 환자의 진단에 이용될 수 있다.

3. 방사선 소견

① **단순 촬영**

a. 흉부사진 : **무기폐, 좌측 횡격막 상승, 흉수 가능**

b. 복부사진 : 장마비, 후복막에 gas bubbles

cf) 췌장의 석회화소견은 만성 췌장염임.

② CT

- **진단 및 치료방향을 결정하는데 도움이 된다.**

진단이 불분명할 땐 도움이 되지만 췌장염이 확실한 경우의 초기 CT검사는 합리화되지는 못한다(치료에 영향을 못 미침).

- 초기에는 췌장 부종을 시사하는 소견

→ 진행시 괴사, fluid collection 및 가성낭종 소견도 보인다.

 추가노트

☞ Hyperamylasema가 나타나는 질환들

a. 급성 담낭염	b. 장천공 질환	c. 장 폐색증	d. 장경색증

→ 이러한 질환들도 급성복통을 유발하기 때문에 췌장염 진단이 어려울 수 있다.

중요한 점은, 췌장염에서의 amylase 상승폭이 더 크고, 췌장염에서는 amylase-to-Cr clearance ratio가 상승되어있다는 점이다.

$$\frac{\text{Urine amylase}}{\text{serum amylase}} \times \frac{\text{serum Cr}}{\text{urine Cr}} \times 100$$

but, 상승되었다고 췌장염이라고는 할 수 없다(nonspecific).

■ 예후

• 대부분은 mild self-limited 경과를 거치지만 10%에선 심한 경과를 보인다.

> **60세** 이상의 고령, **첫발병**시, **수술 후** 발생한 췌장염,
> **methe-malbuminema, 저칼슘혈증, Grey-Turner씨 증후** 및
> **Collen씨 증후**가 나타날 때 예후가 좋지 않다.

• Ranson' s criteria (mortality)

a. 2개 이하 : mild attack, 사망률 〈 1%

b. 3-4개 : 15%의 사망률 , 절반의 환자에서 ICU 관리 필요

c. 5-6개 : 50%의 사망률, ICU 관리 필요

d. 7-8개 : 90%의 사망률

(표) Ranson씨 예후인자

입원시	첫 48시간에
1. Gallstone Pancreatitis	
① Age 〉 70 yr	① Hct fall 〉 10%
② WBC 〉 18,000/mm^3	② BUN elevation 〉 2 mg/dL
③ Glucose 〉 220 mg/dL	③ Ca2+ 〈 8 mg/dL
④ LDH 〉 400 IU/L	④ Base deficit 〉 5 mEq/L
⑤ AST 〉 250 IU/L	⑤ Fluid sequestration 〉 4 L
2. Non-Gallstone Pancreatitis	
① Age 〉 55 yr	① Hct fall 〉 10%
② WBC 〉 16,000/mm^3	② BUN elevation 〉 5 mg/dL
③ Glucose 〉 200 mg/dL	③ Ca2+ 〈 8 mg/dL
④ LDH 〉 350 IU/L	④ Pao2 〈 60 mmHg
⑤ AST 〉 250 U/100 mL	⑤ Base deficit 〉 4 mEq/L
	⑥ Fluid sequestration 〉 6 L

■ 비수술적 치료

1. 통증 관리

- 진통제로 보통 Narcotics(ex. morphine)을 이용한다.
- Sphincter of Oddi의 spasm을 야기하지만, 실제로 급성 췌장염의 경과에 부정적인 영향을 미친다는 근거는 없다.

2. 수액 및 전해질 치료

- 수액손실이 많은 상태이므로 충분한 수액을 공급해야 한다.
- 반복된 구토로 저염산 알칼리증이 올 수 있으나 수액손실이 심할 경우 조직의 저산소증을 유발하여 오히려 대사성산증이 가능함.
- 수액을 보충할 수 있는 indicator로 "Hematocrit" 이 유용하다.

3. NG tube삽관

- 장마비 및 반복된 구토로 환자의 불편을 초래할 경우 시행

4. 예방적 항생제 투여

- 최근의 연구 결과에 의하면 예방적 항생제의 투여는 surgical intervention의 비율을 감소시키지 못하는 것으로 나타났다.

5. 영양공급

- **경장영양**(enteral nutrition) 및 **정맥영양**(parenteral nutrition)을 시행할 수 있다.
- 경장영양이 정맥영양보다 **감염합병증이 적고 췌장수술의 가능성을 낮추어** 주므로 더 추천된다.

6. 초기내시경시행을 통한 담도결석제거

- 경미한 췌장염의 경우는 시행하지 않는 것이 낫고 **심한 췌장염**의 경우는 논란이 많지만 **초기 (48시간내) 내시경을 통한 담도결석제거**가 호응을 얻고 있다.

7. Gallstone pancreatitis환자의 담낭제거술의 역할 및 시기

- "**초기증상이 호전된 뒤**" 가능하면 퇴원전 **복강경 담낭절제술**이 추천된다.

■ 후기 합병증의 치료

Acute fluid Collection	① 급성 췌장염 환자의 초기에 30-57%에서 나타난다. ② 절반가량은 저절로 소실되고, **소실되지 않는 병변은 pseudocyst 혹은 necrosis가 된다.** ③ **치료** : **감염이 되었을때만** 경피적 배농 및 항생제 치료
Pancreatic & Peripancreatic necrosis	① nonviable 췌장 및 췌장주위 조직으로 감염이 있을 수도 없을 수도 있다. ② 일부는 섬유조직으로 대치되지만, pseudocyst로 진행할 수 있다. ③ **치료** a. 감염이 없을 때 치료는 논란이 많다. b. **감염이 있다면** 개복하여 **debridement** 및 **drainage**를 2-3일마다 반복적으로 시행하고, 즉시 IV 항생제 투여한다.(최근에는 내시경적 배액술 or 경피적배액술이 우선적으로 권장되는 추세이다.)
췌장가성낭종 (Pancreatic pseudocyst) ★★	① 섬유조직 및 육아종 등 비상피조직으로 둘러싸여져 있으며 소화효소를 과량 함유한 췌액의 collection ② 감염된 췌장가성낭종을 pancreatic abscess라고 한다. ③ 췌장내 및 바깥쪽 모두 발생할 수 있고 췌장염 발병 후 **4-8주 후**에 나타난다. ④ **치료** a. **적응증** : **증상**을 유발하거나 **크기 증가** 및 **합병증** 발생시 └ 보통 **6cm** 이상시 b. 수술하기 위험한 경우는 경피적배액을 하기도 하지만 가능한 경우 내부 배액 **(internal drainage)**을 해야 한다. ↓ • **내시경을 통해 위 혹은 십이지장으로 배액** • **ERCP를 통한 transpapillary drainage** • **수술적 방법** : **Roux-en-Y Cysto-jejunoStomy** Side-to-side Cysto-gastroStomy Side-to-side Cysto-duodenoStomy 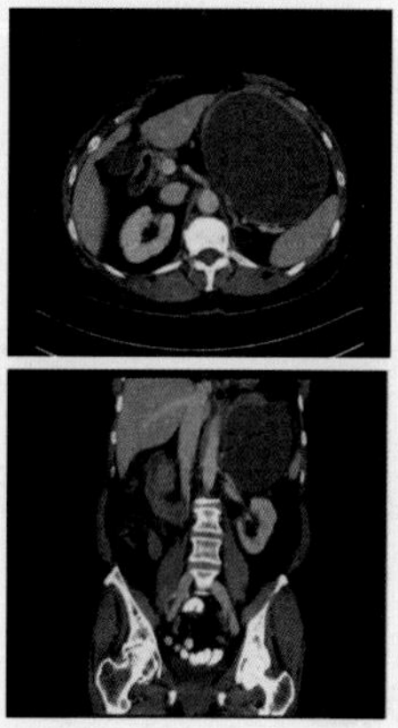
Pancreatic ascites	① pseudocyst 및 췌관이 복강내로 파열될 때 pancreatic ascites라고 한다. **복수에서 높은 amylase 수치를 보일 때** 진단할 수 있다. ② **치료** a. 치료는 금식 및 somatostatin으로 췌액분비를 낮추고 반복적으로 복수천자를 시행한다. b. 내시경으로 pancreatic sphincterotomy 시행 c. 췌장미부의 췌관 손상시엔 췌장원위부절제술을 췌장, 두부의 췌관 손상시엔 internal Roux-en-Y drainage 시행

만성 췌장염 (Chronic pancreatitis)

■ Etiology

• 70-80% **과음**과 연관됨

• **당뇨** 및 소화장애 (**지방변**)이 있으면 심각한 췌장의 기능장애가 있음을 시사함

■ 진단

1. 단순복부촬영

: "**췌장의 석회화**" - 진단적 가치가 있다.

(물론 췌장의 석회화가 없다고 만성췌장염이 아니라고 할 수는 없다)

2. 췌관의 상태에를 알아보는 검사가 필요하다.

: ERCP, CT 및 MRCP (cf. CP=cholangiopancreatography)

→ 췌관의 불규칙성, 협착 및 늘어난 부위가 있다.

(chain of lakes, spring of pearls)

3. 췌장기능검사

① 췌장의 기능은 비교적 잘 보존되기 때문에 **90% 이상의 손상**이 발생했을 때 **지방변**이 나타난다.

② 방법들

대변에서의 지방 정도 평가

췌장자극 후 십이지장에서의 bicarbonate 및 효소측정

– 모두 정확도가 높지는 않다.

■ 치료

※ 치료의 방향은 "**췌장소화불량**" 에 대한 치료 및 "**통증**" 의 치료로 구분된다.

췌장소화불량은 빈도가 높지 않으므로 궁극적으론 **통증치료**가 주가 된다.

cf) 췌장소화불량의 치료

→ **위산억제**, 저지방식이 및 경구로 lipase 투여

└ 경구 lipase가 위산에 의해 비활성화되므로 위산억제제를 투여해야 함.

(그림) 만성췌장염의 통증의 치료

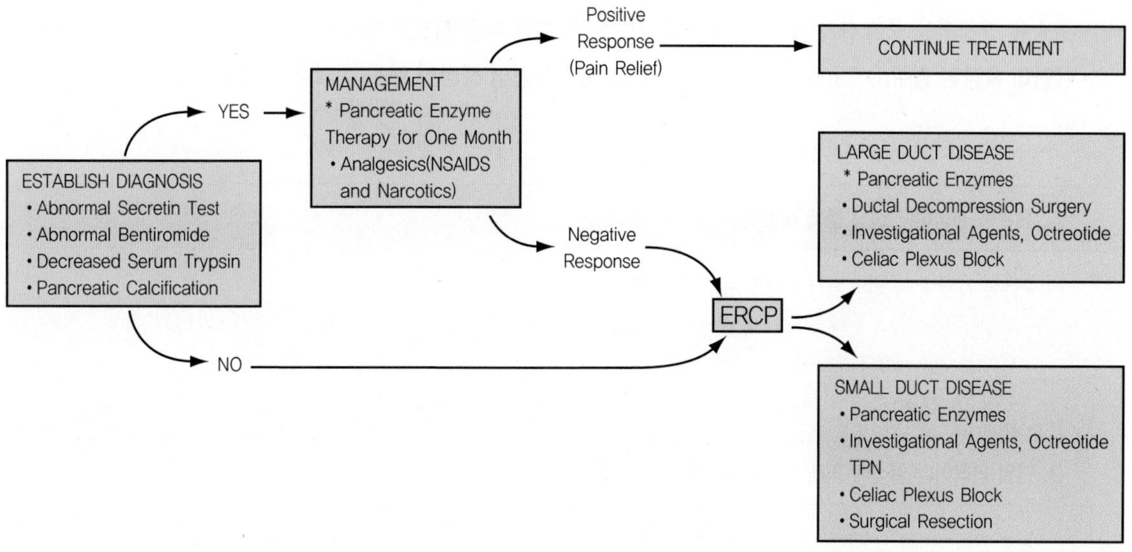

1. 내과적 치료

• 금주 (금주후에도 췌장염이 발생할 수 있다)

• 특수한 상황들

a. 고지방혈증과 관련된 췌장염 → 약제나 식이로 lipid 정상화

b. 자가면역성 췌장염 → 스테로이드 투여

• 일부 통증이 심한 환자에서 췌장효소 경구투여 및 somatostatin 투여가 효과적이라는 보고가 있다.

2. 내시경적 치료

• 내시경적 **췌장괄약근절개술**로 Oddi 괄약근의 압력을 낮추는 것이 도움이 될 수 있다. 이외에도 췌석제거 및 췌관협착부위가 있다면 도관 (stent)을 설치할 수도 있다.

3. 수술적 치료

- 수술을 결정하는 중요한 인자는 1) **통증의 정도 및** 2) **췌관 확장 정도**이다.
- **췌관이 확장된 경우(〉 7 mm) 감압술이 필요하고 췌관직경이 정상인 경우 절제술**이 필요하다.

A. 췌관이 결석이나 협착 등에 속발하여 확장된 경우
• 보통 췌관의 다양한 확장과 협착 소견을 보인다 (Chain of Lakes). • 수술법 ① side-to-side Roux-en-Y Pancreaticojejunostomy (modified Puestow procedure) ② Frey procedure : 췌장두부를 절제하고 longitudinal pancreaticojejunostomy 시행함.
B. 단일 협착이나 결석에 의해 췌관이 확장된 경우
• 그 단일병변을 포함하는 췌장조직을 **제거**한다. (Pancreaticoduodenectomy or distal pancreatectomy)
C. 췌관확장없이 췌장관에 비만성으로 (diffuse) 염증소견이 있을 때
• **췌장전절제술**을 시행함. • 이 경우 심한 당뇨가 올 수 있으므로 전절제 후 islet autotransplantation을 고려한다.

추가노트

☞ 담도협착, 십이지장협착 및 췌장가성낭종 등으로 만성췌장염이 발생한 경우는 각각의 상황에 맞게 절제 및 우회술을 시행할 수 있다.

(그림) Pancreatoduodenectomy

A. Classical Whipple' s op (distal gastrectomy 포함)

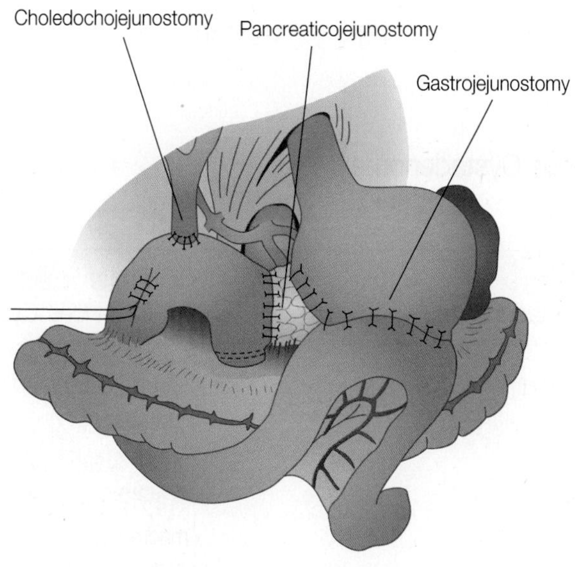

B. PPPD (Pylorus-preserving pancreatoduodenectomy)

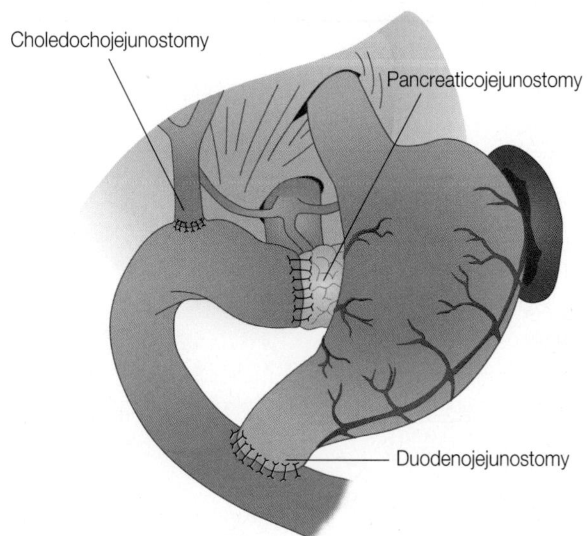

양성 외분비 종양

※ 췌장 낭성병변의 10% 미만 차지 (cf. 가성낭종: 75% 차지)

■ Serous & Mucinous Cystadenoma

장액성 낭샘종 (Serous Cystadenoma)	점액성 낭샘종 (Mucinous Cysadenoma)
• 낭종의 20-40% 차지 • 낭종내에 **글리코겐**을 과량함유한 세포들로 차 있다. • **악성위험 없음 ★** • microcystic • **치료** : 증상이 있거나 진단이 의심스러울 때 절제술 시행	• 낭종의 20-40% 차지 • **점액질물질**로 차 있다. 낭종내 물질의 CEA 및 viscosity 증가 • **악성위험을 지님 ★** • macrocystic • **치료 : 절제술 시행**

※ 췌장 낭성병변의 치료정리

① 먼저 **췌장 가성낭종** (75%)와 낭성종양 (10%)를 구분해야 한다.

a. 최근의 **췌장염**의 병력
b. 낭종내의 **효소**가 풍부한 수액
c. 낭종과 췌관이 **연결**

② 낭종내액을 fine needle Bx하여 성상을 비교하여 장액성 및 점액성 여부를 감별하자

(하지만 정확하게 알기는 어려움).

증상이 없는 장액성 낭샘종은 특별한 치료가 필요없다.

③ **장액성 낭샘종이라는 확신이 없다면, 수술하여 조직결과를 확인**해야 한다.

■ 췌장내 유두상 점액 종양 ★
(IPMN: Intraductal Papillary Mucinous Neoplasm)

1. M =F, **췌장두부**에 많이 생긴다.

2. **유형**

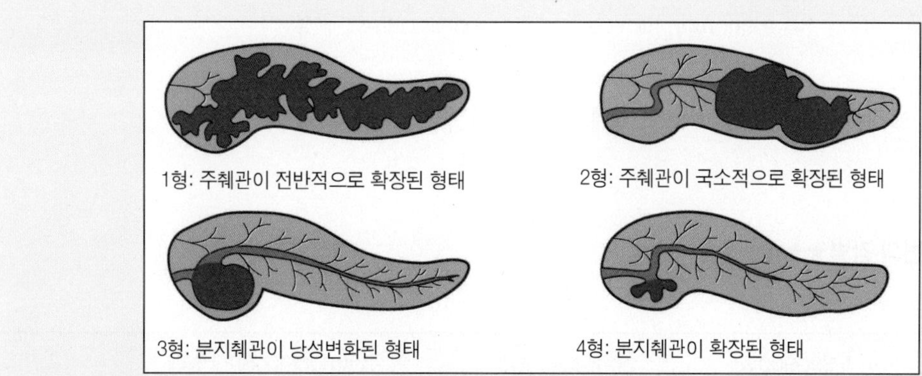
1형: 주췌관이 전반적으로 확장된 형태
2형: 주췌관이 국소적으로 확장된 형태
3형: 분지췌관이 낭성변화된 형태
4형: 분지췌관이 확장된 형태

※ 4형의 경우는 양성을 강력히 시사하므로 보다 보존적인 PPPD나 Med. segment pancreatectomy 시행해야 한다.

3. **진단 및 치료**

① **내시경시 점액이 papillary orifice에서 나오는 것이 확인**될 때 진단완료

cf) 종양에서 분비하는 점액이 췌관을 일시적으로 막을 경우 **췌장염**이 발생할 수 있다.

② **Adenoma-carcinoma sequence를 따른다.**

→ 경계부가 PanIN-1변화가 올 때,

즉, 최소한 침윤성종양이 오기전 절제하면 완치가 가능하지만 침윤성종양으로 진행하고 난 뒤의 수술은 예후가 좋지 않다.

③ **치료**

- 각 type에 맞게 **부분(혹은 전) 췌장절제**한다.
- 림프절 전이는 드뭄 → 림프절 절제는 하지 않는다.
- 병의 진행이 느리기 때문에 **증상이 없고 작으며(〈 3 cm), 결절이 없는 branch duct IPMNs의 경우는 악성위험도가 낮으므로 closer observation**을 할 수 있다.

(환자가 보통 고령이므로 종양이 발생할 기간이 환자의 남은 여명보다 길 수 있기 때문이다.)

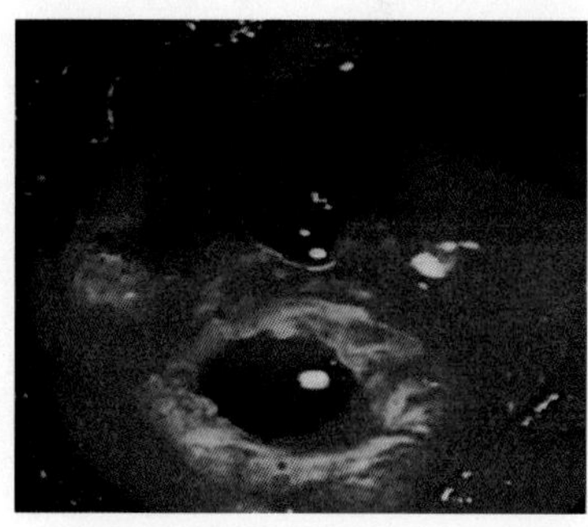

■ Solid-Pseudopapillary tumor of Pancreas

① 드물며, **젊은 여성**에서 호발하고 대부분 양성경과를 지닌다. 췌장의 어디서나 생길 수 있음.

② **소견**

크고 둥글며, 잘 경계지어진 종괴임.

조직학적으로 대부분 solid하다.

└ monomorphic eosinophilic or clear cells로 구성

③ **치료**

- 국소절제시 완치가 가능하지만, 불완전 절제시 재발할 수 있다. 림프절 전이는 드묾

※ **췌장 낭성병변의 감별★★★**

	Pseudocyst	장액성(serous) 낭샘종	점액성(mucinous) 낭샘종	IPMN
성별	• M=F	• M<<F	• M<<<F	• M=F
연령	• 40-60세	• 60-70세	• 50-60세	• 60-70세
위치	• 골고루 분포됨	• 골고루 분포됨	• Head〈〈body/tail	• Head〉diffuse〉 body/tail
모양	• 둥글고, 벽이 두꺼우며 큰 편임 • gland atrophy± 석회화	• 다발성의 작은 internal septation과 central calcification으로 분리되어 보인다.	• 두꺼운 벽을 지닌 septated macrocyst • egg-shell calcification이 보일 수 있음	• 경계가 불분명하며, 구획되어 보인다. (lobulated) • main 혹은 branch duct의 확장을 동반한 polycystic mass
췌관과의 연결	• 있음	• 없음	• 매우 드묾	• 있음
낭종액 세포	• 염증세포	• scant glycogenrich cells with positive PAS (Periodic Acid Schiff) stain	• Sheets and clusters of columnar, mucin-containing cells	• Tall, columnar mucin-containing cells
낭종액 Mucin stain	• 음성	• 음성	• 양성	• 양성
낭종액 Amylase	• 매우 높음	• 낮음	• 낮음	• 높음
낭종액 CEA	• 낮음	• 낮음	• 높음	• 높음

췌장암

■ 유전

1. 유전자 변화

종양유전자의 활성화	• 초기에 K-ras와 HER2/neu가 과다발현된다.
종양억제유전자의 변이	• p53변이 (75%) • p16, SMAD-4, DPC & DCC의 기능소실 • 드물게 retinoblastoma gene및 APC gene의 deletion 소견도 보임.
성장인자 및 수용체의 과다발현	• Epidermal growth factor family의 과다발현 └ EGF 수용체, HER2, HER3 & HER4 수용체 • HGF (Hepatocyte GF), TGF- β(Transforming GF)

※ 결장직장암 발생과정 같이 점차적으로 진행하는 과정이다.

① PanIN-1 : **K-ras변이, HER2/neu과다발현**
② PanIN-2 : **p16변이**
③ PanIN-3 : **DPC4, BRCA2, p53**

(그림) 췌장암이 진행하는 model

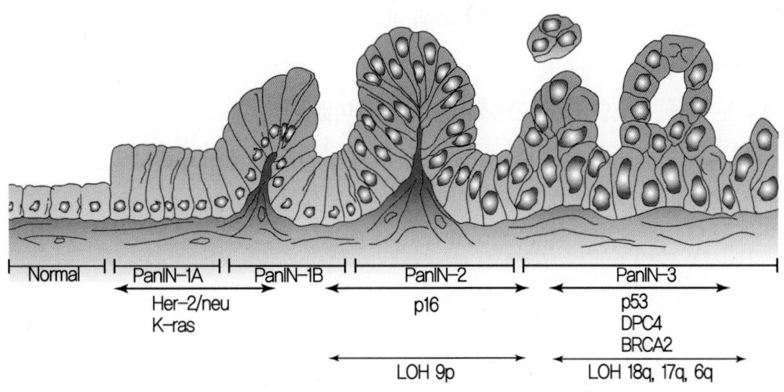

2. **가족성 췌장암 증후군 (Hereditary Pancreatic Cancer Syndrome)**

- 아래의 질환을 가진 경우에 췌장암이 많이 발견되었다.

① **HNPCC** (Hereditary nonpolyposis colon cancer)
② **Familial breast cancer** (BRCA2변이와 관련)
③ **Peutz-Jeghers 증후군**
④ **Ataxia-Telangiectasis**
⑤ **FAMMM** (Familial atypical multiple mole melanoma)

■ 증상

1. 증상

① 췌장**두부** 및 uncinate process 병변시
→ 췌장염, 무통성 황달, 오심, 구토, 갑작스런 체중 감소

② 췌장 **체부** 및 **미부**의 병변
→ 갑작스런 체중감소 및 막연한 상복부 동통 갑작스런 당뇨의 발생이 첫 증상일 수도 있다.

2. 진찰 소견

① **원발전이**를 시사하는 소견
: Sister Mary Joseph node, Blummer's shelf, Virchow's node

② **Courvoisier씨 징후**
: 무통성황달이 있는 환자에서 담낭이 만져질 때 팽대부주위종양을 의심해야 한다.

■ 진단

1. 혈액검사

① 혈청 빌리루빈 및 alkaline phosphatase를 통해 폐쇄성 황달이 있는지 확인

② 종양인자 CA 19-9, CEA
- 병이 **진행**했을 경우 증가할 수 있다 (**초기**진단은 **의미없음**).
- CA19-9는 담도염 및 다른 황달시도 증가할 수 있다 (**특이도가 높지 않음**).
- **매우 높게 증가**한 경우 절제불가능한 종양 및 **전이**가능성이 있다.

2. 영상검사

① **복부 초음파검사**

- 종괴의 여부 및 종괴의 성상판정 (solid or cystic)

② **조영증강 CT**

- 췌장암은 보통 hypodense하게 보이며, **2cm 이상**이어야 발견 용이

③ PET

- CT 및 MRI에서 발견 못하는 작은 병변을 발견할 수 있다.
- 양성/악성의 여부를 감별할 수 있으며 전이의 여부도 볼 수 있다.

④ ERCP

a. 적응증 : 폐색성 황달이 있지만 CT나 MRI에서 종괴가 없을 때

b. 장점 : 폐색성황달의 원인을 알 수 있다.

c. 담도와 췌관의 협착 (double-bubble sign)시 췌장두부암이 의심되지만, 만성췌장염 및 자가면역성 췌장염에서도 이러한 소견이 나타날 수 있다.

■ 병기

T
① Tis : PanIN-3에 해당함. 가장 진행된 전구병변
② T1 : 췌장내 병변, 크기 ≤ 2cm
③ T2 : 췌장내 병변, 크기 ≥ 2cm
④ T3 : 췌장밖 병변이며 celiac axis, SMA를 침범하지 않은 경우
→ SMV및 portal v.침범시 절제 후 장기생존율은 좋지 않다.
⑤ T4 : 췌장밖 병변이며 celiac axis, SMA를 침범한 경우

N
① N0 : 림프절 침범 없음
② N1 : 림프절 침범한 경우

M
① M0 : 원발전이 없음
② M1 : 원발전이 있음

추가노트

☞ 학생들은 병기를 참고만 하세요

(표) AJCC(2010)의 췌장암의 TNM 병기

Stage	T Stage	N Stage	M Stage
Stage 0	Tis	N0	M0
Stage LA	T1	N0	M0
Stage IB	T2	N0	M0
Stage ILA	T3	N0	M0
Stage IIB	T1	N1	M0
	T2	N1	M0
	T3	N1	M0
Stage III	T4	Any N	M0
Stage IV	Any T	Any N	M1

※ 1-2기는 절제가능하며, **3-4기는 절제불가능한 종양**으로 간주된다.

좋지 않은 예후를 지니는 인자로는, aneuploidy, **큰종괴 (T2), 췌장 및 후복막에서의 불완전한 절제** 등이다.

■ 치료

1. 근치적 치료

<table>
<tr><td>췌장두부암</td><td>① 술식 : 이자샘창자절제술
a. 전통적인 Whipple's OP
b. PPPD (Pylorus-preserving pancreatoduodenectomy)
② 합병증
a. 위배출지연 (delayed gastric emptying) : 18% mc
b. 췌장루 (pancreatic fistula) : 12%
c. 창상감염: 7%
d. 복강내 농양: 6%
③ 예후 : 5YRS 10-15%
가장중요한 예후인자는 "종양없는 절제연 확보"여부이며, 종양크기, aneuploidy 및 림프절 상태 등도 예후인자이다.</td></tr>
<tr><td>췌장체부 및 미부암</td><td>① 술식 : 췌장원위부절제술 및 동반비장절제술
② 합병증
a. 횡격막하농양 (subphrenic abscess; 5-10%)
b. 췌장루 (20%)
③ 예후 : 5YRS 8-14%</td></tr>
</table>

(그림) 전통적인 Whipple씨 술식(A) 및 PPPD 후 (B)의 사진

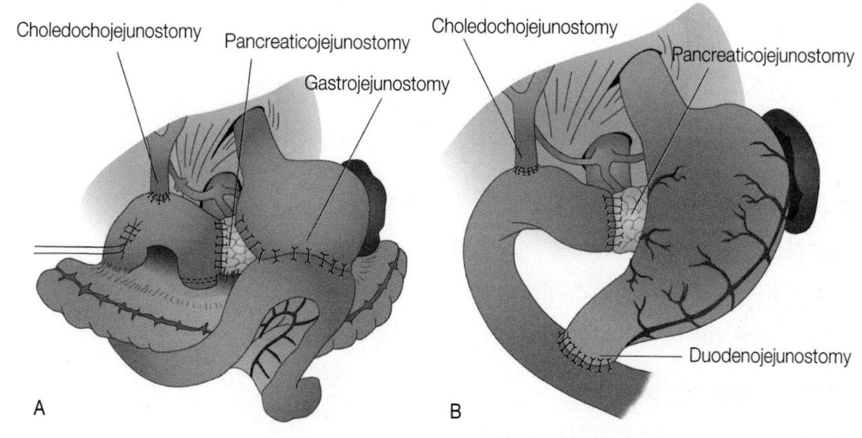

추가노트

※ 위배출지연은 십이지장에서 위장관운동성을 촉진하는 motilin을 분비하는데, 수술 후 분비가 없어서 발생하는 것으로 추정하고 Motilin과 구조가 유사한 erythmomycin을 치료제로 이용하기도 한다.

※ 췌장기능은 비교적 잘 보존되기 때문에 **대부분 당뇨가 발생하지 않는다.**
지방변의 경우는 장기추적시 비교적 흔히 발생하며 치료로 경구용 췌장효소 복용이 필요하다.

2. 완화 (palliative) 요법

- 황달, 위장관폐색 및 통증등의 증상을 내시경적 도관(stent) 삽입 및 신경차단 등으로 해결할 수 있다.
- 수술적으론
  a. 황달에 대해선 → 담낭공장 문합술 및 담도공장문합술
  b. 위장관폐색에 대해선 → 위공장 문합술

3. 항암방사선 요법

- 재발성 혹은 절제불가능한 병변에 대해서 시행할 수 있고, 제한된 생존율의 향상을 가져온다.
- 혹자는 신보강(neoadjvant) 항암방사선요법으로 술전절제 불가능한 환자의 15%가 수술가능하게 전환되었음을 보고했다.
- 항암제 : 5FU 기초제제, 현재는 Gemcitabine노 개발됨

cf) 팽대부주위암의 수술 후의 5년 생존율

Vater팽대부암, 십이지장암 〉 원위 담관암 〉 췌장암

← 가장 좋다 좋지 않다 →

췌장 외상 (Pancreatic trauma)

- 심한 복부외상의 3-12% 이하. 2/3은 관통상, 1/3에선 둔상 후 발생한다.
  최근엔 운전자의 교통사고시, 췌장이 핸들과 척추사이에서 충격을 받고 발생하는 경우가 많다.
- 평균 **3.5개의 주변조직의 손상**이 같이 있음(단독 췌장손상은 드물다).
  주요혈관 손상을 같이 동반하기 때문에 위험

■ 진단

① **혈청 Amylase**
- 심한 복부손상 환자의 90%에서 상승하므로 특이도가 떨어진다.
  하지만 지속적으로 상승시 췌장손상을 시사한다.

② **조영제 증강 CT** - 가장 유용한 비침습적 방법

③ **ERCP** - 췌관 손상여부 확인함 (하지만 실제 상황에서 이용하기 힘듦)

> • **췌장손상에서 가장 중요한 요소는,**
> i) **췌관손상**여부 ii) **동반된 주요혈관 및 장기 손상**여부이다.

- **수술 시 췌관손상여부를 확인해야 한다.** 손상이 의심 땐 십이지장을 연 뒤 ductography를 시행해야 한다.
- 따라서 환자가 **안정적**이고 **췌관손상이 의심**될 땐 **수술 전 ERCP**를 통해 췌관손상여부를 미리 알아 수술계획을 세워야 한다.

■ 치료

1도	• 췌관손상없는 **경미**한 타박 및 열상	• 경과관찰만으로도 충분!
2도	• 췌관손상없는 **심한** 타박 및 열상	• debridement, 지혈 및 sump 배액관 삽입
3도	• **췌관 손상** 및 **췌장원위부**의 가로절단(transsection)	① 손상부위가 췌장경우의 **왼쪽**일 때 : 손상된 원위부의 췌장을 비장과 동반해서 **절제**한다. cf) 단, 소아의 경우 가급적 비장은 살린다. ② 손상 부위가 췌장경부의 **오른쪽**인 경우 : 손상 부위를 debridement한 뒤 **Roux-en-Y jejunal limb**으로 연결한다.
4도	• **췌장근위부**의 가로절단 혹은 **팽대부** 손상	• 첫 수술 시 지혈, 장손상복구 등의 응급조치 후 나중에 확실한 수술을 할 수 있다.
5도	• **췌장두부**의 광범위한 손상	• 췌장두부에서의 출혈이 멎지 않을 땐 Pancreatoduodenectomy 시행 • 손상된 십이지장으로부터 위, 췌장 및 담즙을 diversion 시킴. ① **십이지장 게실술 (Duodenal diverticularization)** – 십이지장 손상을 복구하고 위전정부절제, 위공장문합 시행 팽대부손상시 choledochstomy 시행 및 십이지장 감압을 위해 tube duodenstomy 시행 ② **Pyloric exclusion c gastrojejunostomy** – 위유문부를 천천히 녹는 봉합사로 묶은 뒤 (closure) 위공장문합술 시행 손상이 복구되는 2-3주 동안만 십이지장으로 음식물이 넘어가지 않고 그 후로는 봉합사가 녹으면서 정상생리대로 음식물이 십이지장으로 통과함. ③ **3개의 튜브를 이용한 감압술** – 손상복구 후, 위감압을 위한 gastrostomy tube 십이지장 감압을 위한 retrograde jejunostomy 그리고 경구영양을 위한 antegrade jejunostomy tube 삽입함.

추가노트

cf) 수술 시 확실한 췌관손상을 시사하는 소견 : 지방성괴사, 췌관부위에서 맑은 액이 유출될 때

(그림) Duodenal diverticularization(A), Pyloric exclusion(B)

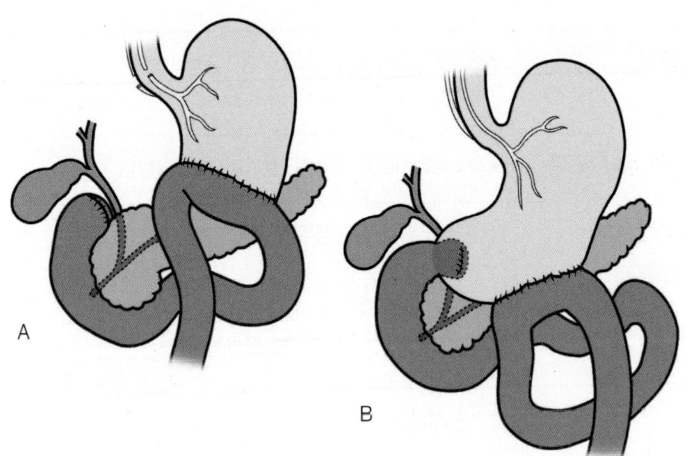

★★☆☆☆

Power 24 비장

Spleen

 해부

① 성인에서의 크기 3~4cm × 7cm × 12cm, 무게 : 150g

② 인대

- Avascular lig. : splenophrenic & splenocolic ligaments
- Vascular lig. : splenorenal & gastrosplenic ligaments

③ 혈액공급

- splenic artery
- 많은 pancreatic branches, short gastric arteries, left gastroepiploic artery, terminal splenic branches

 기능

1. 조혈 기능

- 초기태생과정에서 조혈기능이 있다가, 태생 5개월 골수가 이 기능을 대치하게 된다.
  하지만 myelodysplasia 시 다시 이 기능을 회복할 수 있다.

2. Mechanical Filtration : 가장 중요

① **노쇠한 RBC를 제거**하며, **감염조절**에 기여

② 순환하는 **병균을 제거**한다.

③ **비장 절제 후의 말초혈액 소견**

a. **Target cells** : 미성숙 세포
b. **Howell-Jolly bodies** : 핵의 잔유물
c. **Heinz bodies** : 파괴된 헤모글로빈
d. **Pappenheimer bodies** : 철과립
e. **Stippling & Spur cells**

3. 면역기능

- 비장이 없는 환자 : 정상보다 낮은 IgM level을 지니고, 말초혈액에서의 Mononuclear cells의 면역글로불린 반응이 억제되어 있다.
- 비장은 옵소닌(opsonin)인 Properdin과 Tuftsin을 생성한다.

비장절제술 적응증

■ ITP (Immune Thrombocytopenic Purpura) ★★

- PLT membrane Ag에 의해 혈소판이 파괴되는 질환
- Low PLT, Normal BM & Thrombocytopenia의 다른 원인이 없을 때, 가능성을 생각해야 한다.

1. 연령대별 차이 ★

소아	성인
① **M=F.** 갑작스럽고 심한 혈소판 감소증 ② **80%**에서 저절로 **소실**된다. ③ **만성** 혈소판 감소증으로 진행되는 경우는 **10세 이상의 여아**로서 보통 **Purpura의 오랜 병력**을 지닌다.	① **젊은 여성**에서 많다. (10세 이후 환자의 72%의 여성이고, 이환된 여성의 70%가 40세 이전)

추가노트

☞ 옵소닌: 혈장이나 체액 속에 존재하며 입자, 특히 세포나 미생물과 결합하여 강한 탐식성을 가진 큰포식세포 또는 과립 백혈구에 의한 포식작용을 쉽게 하여 주는 인자

2. 증상 및 감별질환

- Purpura, Epistaxsis, Gingival bleeding의 병력을 지닌다. (Hematoma, GI bleeding, ICH는 드물다)
- **감별질환**

(표) ITP의 감별질환들

1. 혈소판 수치가 실제로 낮지 않은데 **낮게 측정**되는 경우 • EDTA 등으로 인한 혈소판의 응집 • 거대 혈소판
2. 혈소판 감소증의 **흔한 원인** • **임신** (gestational thrombocytopenia, pre-eclampsia) • **약제성** (heparin, quinidine, quinine, and sulfonamides) • **바이러스 감염** (HIV, rubella, infectious monomucleosis) • **만성 간질환**에서의 비장기능 항진증
3. ITP로 **오인**되어 왔던 혈소판 감소증의 다른 원인 • Myelodysplasia • Congenital thrombocytopenic purpura and hemolytic-uremic syndrome • Chronic DIC (disseminated intravascular coagulation)
4. **다른 질환**과 관련된 혈소판 감소증 • 자가면역성 질환(ex. SLE) • 림프세포증식 질환(chronic lymphocytic leukemia, non-Hodgkin's lymphoma)

3. 치료

1. 치료 시작기준

① PLT 〈 **2만~3만** or
② PLT〈 **5만** +심각한 **점막출혈** or **출혈위험 인자** └ **고혈압, 소화성궤양 과거력**

→ 처음엔 내과적 치료 : **Glucocorticoid** (Prednisolone, 1mg/kg)

: 1주 (~3주)내 2/3 환자에서 PLT 〉5만, 25% 이상에서 정상화

2. 입원기준

- PLT < 2만 + 심각한 점막출혈 혹은 생명을 위협하는 출혈시
- 심한 출혈이 없으면 PLT 수혈을 하지 않는다.

3. "IV Immunoglobulin" (1g/kg /day for 2 days) 의 적응증

① 급성출혈에 대한 관리
② 수술 및 분만을 준비하는 경우
③ PLT<2만이며, 비장 절제술 예정인 경우

→ 보통 3일내로 PLT 수치를 증가시킨다.

4. 비장절제술의 적응증 ★

① 반응하지 않는 심한 증상을 동반한 혈소판 감소증
② 관해 (remission)를 위해 toxic dose steroid 요구시
③ 초기 Glucocorticoid Tx 후 재발기
④ ITP 진단 6주 후에도 PLT< 1만
⑤ ITP 진단 3개월이 지났는데도 PLT< 3만
⑥ 스테로이드 & IVIG 치료에 실패한 임신2기 환자에서, - PLT< 1만 or - PLT< 3만 + 출혈문제시

- 2/3 환자(72%)가 비장절제술 후 혈소판수치가 정상화된다. 보통 10일내로 상승함.
- 비장절제술 후에도 PLT이 상승하지 않는 이유
  a. 수술받은 환자의 1/3에선 반응하지 않는다 (치료자체의 한계점).
  b. Accessory spleen이 10%에서 나타난다.★
     └ 시사하는 소견

  i . asplenic RBC 소견이 없을 때
  (ex PBS시행하여 Howell-Jolly body가 없는 경우)
  ii . Radionuclide imaging상 의심스러울 경우

추가노트

☞ 비장절제술 후에 혈소판수치가 계속 낮을 때 (chronic ITP시) 치료
① 경과 관찰 : PLT>3만이며 출혈증상이 없을 때
② 장기간의 스테로이드 치료
③ Azathiopurine or Cyclosporine

(그림) Accessory Spleen의 Unusual locations

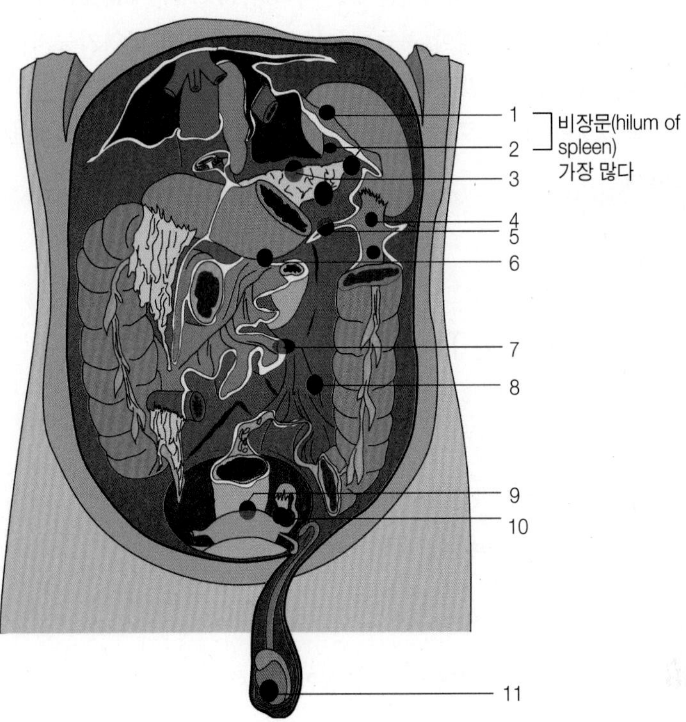

■ Hereditary Spherocytosis

- **상염색체 우성 유전**
- RBC표면의 spectrin 결핍
  → RBC가 작고, 원형조가 되며 단단해짐. Osmotic fragility 증가

1. 진단

1. Triads : **빈혈, 황달 & 비장종대** ★
2. 검사 소견

① PB smear에서 **구상적혈구** 소견 ② 그물적혈구(reticulocyte) 수 증가 ③ **osmotic fragility 증가** ④ **negative Coombs test**

2. 치료 – 비장절제술 : Choice!

- 비장절제술이 RBC 모양을 정상화시키는 것이 아니라, RBC trapping & premature destruction을 줄인다.
- 비장절제술은 5세 이후 시행해야 하는데 이는 5세 이하시 면역기능저하로 OPSI(overwhelming postsplenectomy infection)가 발생할 수 있기 때문이다.★
- pigmented stone 발생이 많으므로 수술 전 반드시 **초음파 검사**를 시행하여 **발견시 첫 수술에서 담낭절제술도 함께 시행한다.** ★

비장 외상 (Splenic Trauma)

■ 진단

- left costal margin으로 타박이 있으면서, 타진시 압통이 있을 때
- Kehr sign : LUQ pain이 Lt. shoulder로 방사될 때
- 1/4에선 Lt. Lower rib Fx. 동반
- DPL & CT
- SONO : multiple injury가 있는 혈역학적으로 **불안정한** 환자에서 가장 중요한 적응이 된다.

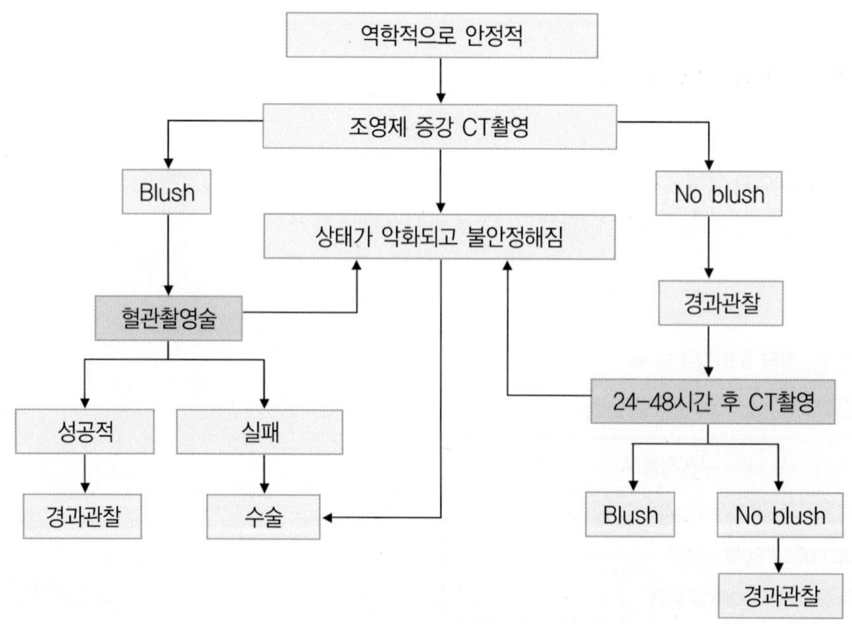

■ 수술과 관련된 고려사항

1. 비장절제술

① 적응증

a. 혈역학적으로 **불안정**할 때
b. 개복을 요하는 **다른 손상**이 있는 경우
c. 비장이 심하게 손상되어 있으며 **지혈되지 않을 때**
d. **hilar injury**와 연관된 출혈시

② 수술 전후의 주의사항

- pancreatic injury가 없으면 splenic fossa의 drainage는 필요없다.
- 혈소판 증가증은 postsplenectomy환자의 절반에서 나타나고 보통 첫 주에서 나타난다.
  만약 혈소판 ≥ **75만**/mm³ 시에는 antiPLT therapy 한다.
  └ low-dose heparin
  low molecular-weight heparin
- Splenectomy의 가장 흔한 합병증은 **좌측무기폐** (Lt. atelectasis)이다.

2. 비수술적 치료

- **소아**에서 70~90%, 성인에서 40~50%의 성공률
- 대부분의 1, 2도 손상은 비수술적 치료를 한다(60~70%).
- 1도, 2도 손상시 : 2~3주의 치유기간, high grade : 6~8주의 치유기간 필요

OPSI (Overwhelming PostSplenectomy Infection) ★

1. 특징

① **악성종양**이나 **혈액 질환** 으로 인한 비장 절제술 후에 많다 ★

② **환자가 어릴수록 치명적이다** (특히 ≤ 4세 이하), 사망률 50~70%

→ ∴ **4세 이후에 비장절제술을 시행한다** ★

③ 대개 비장절제술 후 **2년** 후 온다.

2. 원인균

- **S. pneumoniae**★ **(m/c)**, Haemophilus influenza,
- Neisseria meningitidis, Streptococcus, salmonella

3. 증상

- **전구증상** : 발열/오한, sore throat, malaise, myalgia, 설사, 구토
- **급격히 진행** : 저혈압, DIC, 호흡부전, 혼수 및 사망

4. 예방 – Immunization (Vaccination)

└ H. influenzae type b, meningococcal sero group C , polyvalent pneumococcal vaccine (PPV23)

① **내과적 질환** 수술 시 적어도 **수술 10일-2주전** Vaccintion 시행
외상으로 비장절제술을 시행했으면 **퇴원 2주전** 시행

② **소아**에서는 비장절제술 후 **수 년간 예방적 penicillin** 쓴다.

추가노트

cf) OPSI의 휴유증
- 절단을 요하는 사지의 괴사
- 뇌막염으로 인한 청력 손실
- Mastoid osteomyelitis
- Bacterial endocarditis
- 심장 판막 손상

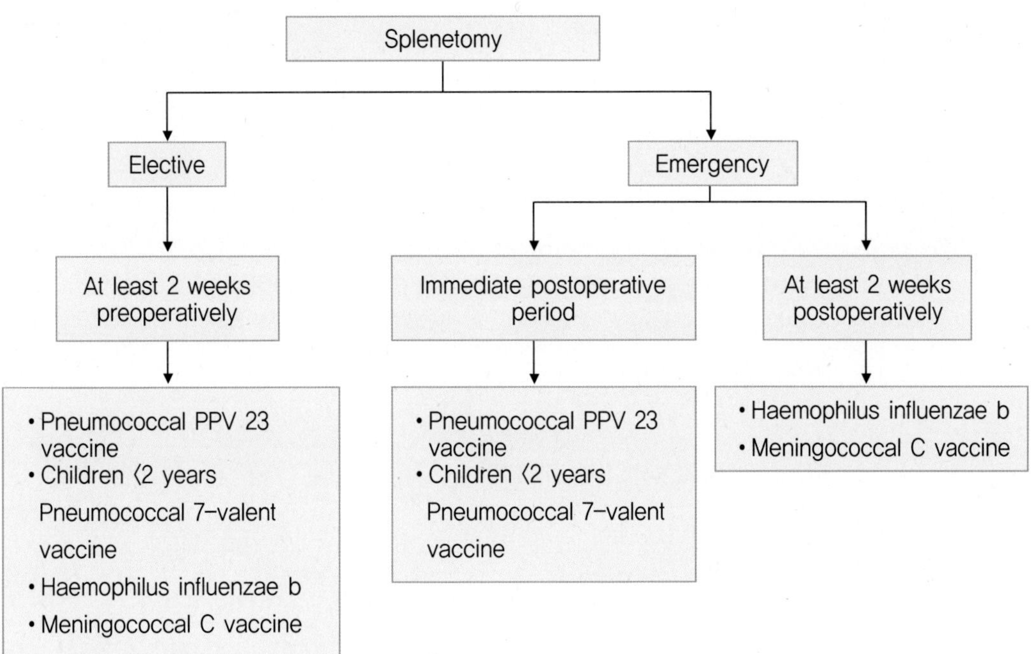
Splenetomy
Elective
Emergency
At least 2 weeks preoperatively
Immediate postoperative period
At least 2 weeks postoperatively
• Pneumococcal PPV 23 vaccine
• Children <2 years
Pneumococcal 7-valent vaccine
• Haemophilus influenzae b
• Meningococcal C vaccine
• Pneumococcal PPV 23 vaccine
• Children <2 years
Pneumococcal 7-valent vaccine
• Haemophilus influenzae b
• Meningococcal C vaccine

Power ★☆☆☆☆

25 동맥류 질환

Aneurysmal Vascular Disease

 동맥류 질환

① 원인 : **동맥경화증 (m/c),감염, 외상** ★

② 결체조직이 약해지는 조건에서 잘 발생한다.

ex. 선천성질환 (Marfan's syndrome, Ehler-Danlos dz.), MMP 증가

③ 형태: fusiform (m/c), saccular

(표) AAA rupture의 위험인자

위험인자	낮은 위험	평균 위험	높은 위험
직경	〈 5 cm	5-6 cm	〉 6 cm
팽창속도	〈 0.3 cm/yr	0.3-0.6 cm/yr	〉 0.6 cm/yr
흡연, COPD	없음, 경미	중등도	심함, 스테로이드 사용
가족력	없음	한 명의 친척	여러 명의 친척
고혈압	없음	조절됨	조절이 잘 안됨
모양			
성별		남성	**여성**

④ 위험인자 80-85세 m/c, M〉F, **흡연**이 가장 중요한 위험인자이다.

가족력이 있는 동맥류는 젊은 여성에서 많다.

추가노트

cf) COPD환자에서 AAA rupture 발생빈도가 높은데 이는 이들 질환이 α1-antitrypsin 감소와 관련된 점을 통해 유추할 수 있다.

☞ AAA의 남녀비는 60-70세에서 4:1~5:1로 남성에서 높지만 80세 이상에서는 남녀비가 1:1로 동일하다.

NATURAL HISTORY

① **파열**과 관련된 가장 중요한 인자

- 단층으로 보았을 때 최대 직경 (최대직경 강조)

  → 5 cm 이상일 경우 aneurysm의 팽창속도가 훨씬 빠르다.

② 다른 위험인자 : **고혈압, 만성폐쇄성폐질환, 여성**

③ 정상적인 aneurysm 증가속도 : 0.4cm/yr

AAA (Abdominal Aortic Aneurysm)

■진단

1. 임상양상

① **대부분이 무증상★**, 12%가 파열되어 ER로 옴

② 박동성의 복부종괴, 불확실한 복부 및 등의 통증, 하지로의 embolization(〈5%), rupture(12%), 후복막염증 및 섬유화(5%)

③ P/Ex → Expansile pulsation

2. 영상검사

① **단순 복부 촬영** or Lumbar spine → **Eggshell calcification★**

② **복부 초음파** → transverse aneurismal diameter를 측정한다.

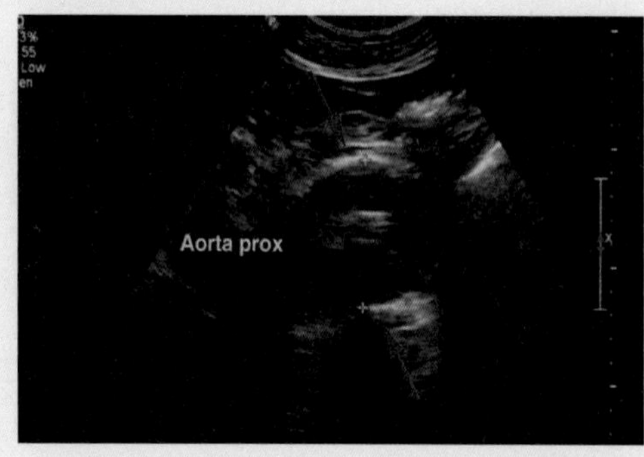

추가노트

☞ 〈5 cm : 0.32cm/yr

〉5 cm : 0.4–0.5cm/yr

③ CT : **가장 정확**한 영상검사

- 혈관 석회화, thrombus, arterial occlusive disease를 볼 수 있다.

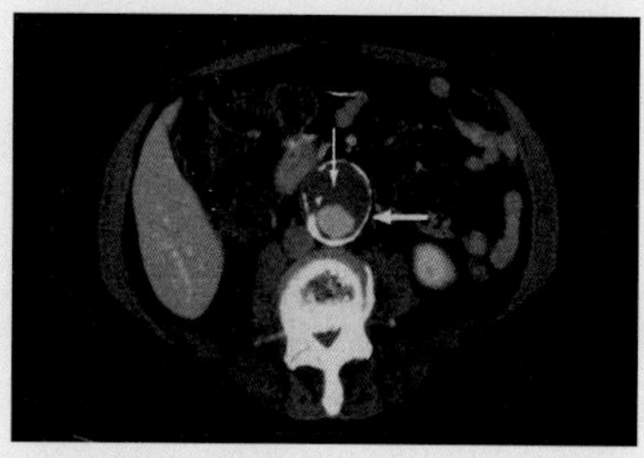

※ 3차원 CT 혈관조영검사 ★

- 최근 **기존의 혈관조영검사를 대치**하고 있으며 수술적 계획을 세우는데 이용된다.

④ MRI

- 조영물질인 gadolinium이 신기능부전 환자에서 nephrogenic systemic fibrosis를 유발할 수 있다.

※ **3차원 MRI 혈관조영검사**

- 3차원 CT 혈관조영검사와 같은 용도로 사용되지만 정확도는 떨어진다.

⑤ **혈관조영검사**

- 보통 aneurysm환자들은 **mural thrombus**를 동반하므로 대동맥 직경이 실제보다 **더 좁게** 나타나는 단점이 있다 (즉 aneurysm**의 직경**을 측정하는 데에는 **부적합**하다).
- 신동맥 등 다른 혈관들을 정확하게 나타내주므로 **수술전 동반된 혈관질환**을 찾는데 정확한 정보를 제공한다.
- 관련된 위험 : **신독성**, distal embilization, puncture**부위**의 출혈 및 pseudoaneurysm

■ 수술 전 고려 사항

1. 심장에 대한 검사

수술전후의 환자 이환율 및 사망률의 가장 흔한 원인은 **관상동맥질환**이다.

→ 심장기능부전이 의심되는 경우 술전 "**심장 부하검사**"를 시행해야 하며, 심할 경우 술전 **관상동맥 조영술**을 시행한다.

2. 내과적 치료

① 위험인자관리
- 금연, 혈압조절 (ACEi, BB), 죽상동맥경화증 조절 (statin therapy)

② 이미 발생한 동맥류를 줄이는 내과적 치료는 없다.

3. 수술적응증 ★★【17】

① 증상이 있는 경우

② 최대 직경 ≥5.5 cm

③ 증가 속도 ≥1 cm / year 또는 ≥5 mm / 6 months

④ 일반적인 fusiform이 아닌 saccular한 형태

*참고: 여성은 남성에 비해 평균적으로 aortic diameter가 더 작으므로 (여성: 5 cm, 남성: 6 cm) 더 일찍 수술을 고려해야 한다.

 추가노트

☞ 심장부하검사
1) 운동부하검사
2) dipyridamole-thallium scanning
3) dobutamine stress echocardiography

☞ 젊은 환자의 경우 위험인자가 낮더라도 elective operation을 시행하는 것이 좋다.

cf) Endovascular aneurysm rapair 후 endoleakage는 9-44%

4. Endovascular surgery

1. Open Surgical Repair

- PTFE (polytetrafluoroethylene) aortoiliac bypass를 이용

• 수술 시 주의사항

① Aneurysmectomy를 시행한다.
② Clamping전에 heparinization한다.
③ **IMA에서 backbleeding이 없으면 IMA를 reimplant한다.** ★ (Colon ischemia 예방 위해)
④ Declamping은 hypogastric a.부터 시행한다.

(그림) IMA의 처리

IMA에서 역출혈(backbleeding) 여부를 측정한다.

• 강한 역출혈(stump pressure ≥ 40mmHg)이 있는 경우 → IMA를 대동맥 가까이에서 결찰한다.★
• 약한 역출혈시 → S자결장으로의 collateral circulation이 불충분하다는 징후이므로 aortic limb으로 reimplantation을 시행해야 한다. ★

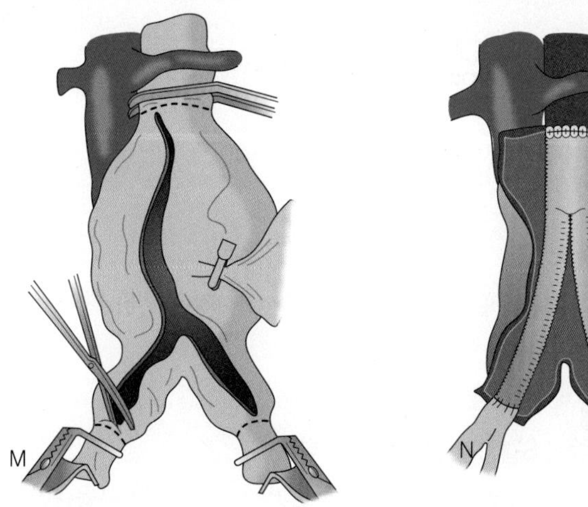

2. EVAR (Endovascular Aneurysm Repair)

• Open surgical repair에 비해 입원 기간, 30-day morbidity 및 mortality 감소 효과.
• 장기 생존률 및 삶의 질 향상에서는 open surgical repair와 차이가 없었다.
• 점차 많이 사용되는 추세.

술후 합병증

- 수술후의 전반적인 사망률 : 10-30%
- 초기 합병증 빈도 : Coronary artery disease 〉 Mild renal failure 〉 Pneumonia

① **관상동맥질환 (CAD)**
- 가장 흔한 사망 요인 (7% 정도 발생)
- POD 2일 내로 발생.

② **경미한 신부전 (Mild Renal Failure)**
- 2nd m/c 합병증 (6%)
- 미리 존재하는 신장질환이 있을 때 많이 발생하며 hypoperfusion, 조영제사용, atheroembolism 등이 원인이 된다.

③ **폐렴** (5%)

④ **술 후 출혈**

⑤ **Lower limb ischemia**
- graft에서 발생한 이차적인 emboli 혹은 thrombosis로 인해 발생
- 재수술하여 Thrombectomy를 시행한다.

⑥ **Paralytic ileus** : 보통 3-4일간 지속됨

⑦ **좌측 결장 및 직장의 허혈** (0.6-2%) ★★
- 원인 : hypogastric a.로의 혈류가 불충분할 때 혹은 SMA 및 hypogastric a.의 혈액이 원활하지 않은 상태에서 IMA를 결찰했을 때 발생함
- 증상 : **Bloody diarrhea**, 복부팽만, 발열, WBC증가
- 조치 : 충분한 수액을 공급하며 즉시 **S결장경 검사**를 시행한다.
  → 병변이 장점막에만 국한된 경우 보존적 치료로 호전될 수 있지만 **근육층이상 침범** 시 수술을 통한 **장절제** (및 장루수술)가 요구된다.

⑧ **Paraplegia**

⑨ **Sexual dysfunction**
- Lt. CIA쪽에 있는 신경손상과 관련됨.

⑩ **후기 합병증**

a. Pseudoaneurysm (at graft와 동맥을 봉합한 부위로 발생)
b. Graft or Graft limb thrombosis
c. Graft-Enteric fistula : 대량 GI bleeding 유발

FEMORAL & POPLITEAL A. ANEURYSM

- Popliteal aneurysm는 가장 흔한 말초 동맥류(70%) 이다.
- M:F (20-30:1), 평균연령 : 65세

Bilateral(〉50%), AAA와 동반 (Femoral **75%**, Popliteal 33%)

1. 증상 【15】

- 보통은 무증상
- **Femoral vs Popliteal aneurysm**

	Femoral aneurysm	Popliteal aneurysm
AAA와 동반	75%	33%
Distal embolization	10%	25%
Thrombosis	1-16%	40%

2. 진단

- Duplex ultrasonography (초기 검사), **Arteriography**

3. 치료

① **수술적응증**

a. **급성 폐쇄**
b. **Distal emboli**
c. Transverse diameter 〉 **2cm** (Popliteal), **2.5cm** (Common Femoral)

② **수술** : **Exclusion of Aneurysm & Restoration of blood supply**

Femoral a.의 경우는 prosthetic graft,
Popliteal a.의 경우 autologous graft가 좋다.

cf) 즉, 동맥류를 절제하지 않는다.

VISCERAL A. ANEURYSM

- **빈도** : Splenic (60%),★ Hepatic (20%), SMA (5.5%)

1. SPLENIC A. ANEURYSM

① 기전: Medial fibrodysplasia, portal HBP, **임신**. 외상, 췌장염, 감염

② **가임기 여성**은 **파열 위험**으로 인해 **elective OP를 반드시 해야 함.**

2. HEPATIC A. ANEURYSM

① M:F = 2:1

② **기전** : 전의 복부손외상, 경정맥약물남용, 염증 및 동맥벽의 약화

③ **치료**

a. **크기와 상관없이 aggressive approach한다.** ☆

(∵ rupture **위험이 높고**, 사망율 ≥ 35%)

b. Simple excision & interposition vein graft repair or Aortohepatic bypass

PSEUDOANEURYSMS

- **원인 및 치료**

① 동맥이 **외상**이나 iatrogenic injury에 의해 관통되었을 때 손상

> - After arterial puncture for vascular intervention
> - CFA (common femoral a.)가 가장 흔한 부위, Duplex SONO로 진단
> - **치료**
>
>   a. **직경이 2cm 이하**시 손으로 압박시 혈전 발생 (즉, 수술이 필요없다)
>
>   b. 실패시 수술적 교정

② 혈관문합 부위의 Dehiscence로 인해 발생

- **치료**

Large, Expanding & Painful pseudoaneurysm은 rupture 위험이 있어 교정해야 하며, smaller, stable한 것은 경과관찰만 한다.

Power ★★☆☆☆

26 말초동맥 질환

Peripheral Arterial Occlusive Disease

BASIC CONSIDERATION

■ Peripheral Arterial Occlusive Disease

- 심장과 뇌를 supply하는 동맥 외의 동맥이 폐쇄되는 질환
- 해당 동맥이 supply하는 end-organ의 허혈성 손상을 유발할 수 있다.
- 진단: Ankle-brachial index (ABI) 〈0.9
- 위험인자: 흡연, 고혈압, 이상지질혈증, hypercoagulable state, 신기능 감소, DM, 인종 (동양인, 흑인에서 많다)

■ Atherosclerosis

1. 위험인자

- 위험인자

> ① **고콜레스테롤혈증** : total & LDL cholesterol , HDL
> ② **고혈압**
> ③ **흡연** : 혈관내피세포에 직접적인 손상
> ④ **당뇨**

그 외, **나이**, **남성**, **"폐경기의 여성"** 등

(∵potential "atheroprotective" effects of estrogen)

2. 다른 동맥질환들

① **폐쇄혈관혈전염 (Thromboangiitis Obliterans) = 버거씨병 (Buerger's Disease) ★★ 【15】**

- **흡연과 연관 ★**
- 막히는 부위가 주로 tibial a.의 muscular portion에 있게 된다. (medium-sized a ★)
- **증상**: resting pain, gangrene, ulceration

  Recurrent supf. thrombophlebitis (Phlebitis migrans) : 특징적 ★

  따라서 동맥과 정맥 모두 침범하며, 하지 외에 상지도 침범할 수 있다.
- **진단**

  a. Atherosclerosis의 위험인자가 없는 젊은 흡연자에서 특징적인 증상이 있을 때 의심

  b. **혈관촬영술** : distal → proximal로 **진행**하는 하지동맥의 전반적인 폐색 및 구불구불한 collateral 발달
- **치료**

> a. **금연** : 담배 끊으면 remission 가능
> b. **교감신경 절제술** (sympathectomy)
> c. **혈관우회술** (bypass)
> d. steroid, PGE1, vasodilator, anticoagulant
> e. amputation
> f. oral prostacyclin

② Takayasu' s Arteritis ("Pulseless Disease")

- **젊은 동양인 여성에서 많이 나타난다.**

> 전신적인 염증 소견 (ESR 증가)
> + Arteritis (Aorta 및 그 주된 분지)
> └ Brachiocephalic vessel을 비만성으로 침범했을 때
> Cerebral hypoperfusion & 상지의 Claudication 나타날 수 있다.

• **수술 시기**

: Ischemic manifestation시 급성 염증이 조절된 뒤(normal ESR) 시행.

④ Raynaud' s Phenomenon

• 추위 노출 및 감정적 변화에 따른 반복적이고, 주기적인 digital vasospasm

• Pallor → Cyanosis → Pain & Paresthesia → Rubor
(rewarming 시)

• 2차성 Raynaud' s phenomenon의 원인 : rheumatologic, hematologic, traumatic, drug, toxin

• **치료**

a. 대증적: 보온 유지, triggering stimulus 에 노출 최소화

b. Ca channel blocker, sympatholytics

* Beta-blocker에 의해서는 악화될 수 있다.

c. 심한 digital ischemia & ulceration 에서는 sympathectomy를 시행할 수 있다.

*이미 피부 경화증이 발생한 경우에는 효과가 없다.

⑤ Popliteal Entrapment Syndrome

• 젊은 남성에 많다.

• 동맥이 gastrocnemius muscle 안쪽으로 주행

→ 이 근육이 Popliteal a.를 누르면서 Calf Claudication

- 대부분 vessel thrombosis & pedal pulse 소실

• passive dorsiflexion & plantar flexion시 pulse (-)

• femoral arteriography

→ medial deviation, occlusion, poststenotic dilatation

• **치료 : gastrocnemius muscle의 medial head 절제한다!**

■ 말초동맥 폐색성 질환의 진단

1. Noninvasive Hemodynamic Assessment

① ABI (ankle brachial index) ★ 【16】

- (오른쪽, 왼쪽 발목 각각의 수축기 압력)/(오른쪽과 왼쪽 팔 중 더 높은 쪽의 수축기 압력)

  *분자인 ankle은 양쪽 각각의 SBP, 분모인 brachial 은 양쪽 중 더 높은 쪽의 SBP를 공통으로 사용한다.
- ABI ≤ 0.9★ cardiovascular dz. mortality가 정상인의 3~6배로 상승

Calculation of AnldeBrachial Index

PARAMETER	RIGHT	LEFT
Brachial blood pressure	150 mm Hg	100 mm Hg
Dorsalis pedis	50 mm Hg	25 mm Hg
Posterior tibia	25 mm Hg	50 mm Hg
ABI	0.30	0.30

※ 광범위한 혈관 내 석회화 (DM, CRF)시 false positive(+)

② Segmental pressure technique

- **하지동맥질환**에 대한 측정
- **방법** : Pneumatic cuff를 Upper thigh, Lower thigh, Calf & Ankle 등 여러 level에 감은 후 압력을 측정한다.
- **평가** :

  - 주변의 압력의 차이〉30mmHg → 그 사이가 막혔다는 표시

③ Digital pressure (손가락 혹은 발가락 압력)

- Probe를 distal digit에 놓아 digital pressure를 재는 것으로 distal vessel에 국한된 혈관질환(Raynaud's disease, DM foot etc.)을 알아보는데 유용하다.

④ **운동부하 검사**(Exercise [treadmil] test) - 운동 시 나타나는 혈관 폐쇄를 확인함

⑤ **팔다리 체적변동 기록기** (Limb plethysmography)

추가노트

☞ ABI

- 정상: 1.0–1.2 claudication시: 0.5–0.7
- Critical ischemia: 〈 0.4

☞ • Toe pressure 〉 30 mmHg → good healing

• Toe pressure ≤ 10 mmHg → poor outcome

2. Doppler & Duplex Ultrasonography ★

- **병변**: Waveform의 형태 변화 및 압력 감소로 병변 부위를 알 수 있다.

(그림) 정상적인doppler의 Triphasic Shape★의 형태가 소실되면 Abnormal!
(아래 그림에선 A가 정상이고 B, C로 갈수록 질환이 심해짐)

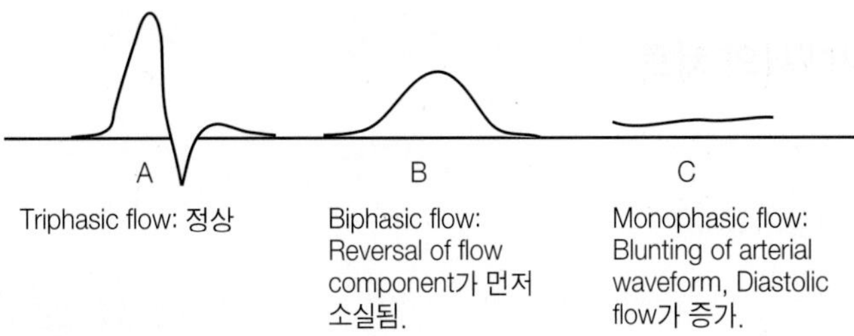

Triphasic flow: 정상

Biphasic flow: Reversal of flow component가 먼저 소실됨.

Monophasic flow: Blunting of arterial waveform, Diastolic flow가 증가.

3. Transcutaneous Oximetry

- Foot의 normal tcPO2 (Transcutaneous O2 tension) : 50-60mmHg

〉40mmHg → 다리병변이 **치유**되고 있음

〈10mmHg → **치유 안되는 경우**

4. 혈관조영술(Arteriography)

- 인터벤션 시행 및 수술 전 병변 부위를 확실히 진단하기 위한 gold standard
- 단순히 진단하는 것 보다 therapeutic하게 시행되는 검사이다.
- **관련된 합병증 :**

① Catheter placement와 관련

a. "Atheroembolization" ★

- Distal embolization : plaque제거시, plaque가 떨어져나와 distal 혈관쪽으로 이동

→ Renal, Mesenteric & lower extremities 로 퍼짐

→ **장경색, 신부전** & Blue toe syndrome

└ Amputation 필요할 수 있다.

b. Puncture site 문제 : bleeding, pseudoaneurysm, arteriovenous fistula

② **조영제와 관련**

a. **과민 반응** : History가 있는 경우 steroid & antihistamine premedication

b. **신독성**

- 위험인자 → Cr 〉 1.5, DM, 탈수, 60세 이상, 최근의 수술, 과량의 조영제

5. CTA (Computed Tomography Angiography)

- 혈관 전체의 형태 및 thrombus와 calcification까지 한번에 볼 수 있다.

cf. Arteriography는 혈관의 lumen만 볼 수 있다.

6. MRA (Magnetic Resonance Angiography)

- Conventional angiography에 비해 stenosis lesion의 전체 형태 및 distal target vessel을 높은 민감도와 특이도로 살펴볼 수 있다.
- 조영제: Gadolinium → Nephrogenic systemic fibrosis를 유발 할 수 있어 신기능 저하자에서는 금기

■ 동맥 폐쇄성 질환에서의 치료

1. 내과적 치료

- Risk factors : 흡연, 이상지질혈증, 고혈압, 당뇨
- 지방식이를 낮추고, 금연
- Antiplatelet therapy
  a. **Aspirin** : low dose Aspirin (325 mg/day) in cardiovascular pt
  b. New antiplatelet agents: Ticlopidine, Clopidogrel

2. Surgical Bypass Grafting

- **Vascular autograft로 이용되는 혈관들 :**

a. **GSV** (Greater saphaneous vein) ★
b. **LSV** (Lesser saphenous vein)
c. **Internal mammary artery**
d. **Cephalic vein**

- **방법들**

1. **혈관우회술** (Surgical Bypass Grafting)
   - Graft를 선택할 때 고려할 점은 Anatomic location, Size 및 Bypass의 hemodynamic environment 이다.
   - 일반적으로 인조혈관(Prosthetic graft)보다 **자기혈관 (Autologous graft)**이 더 우수하다.
   - Femoral-popliteal bypass 시 Above knee에선, **인조혈관 (heparin-coated PTFE)**이 자기혈관을 대치할 수도 있지만, Below knee (Tibial bypass)에선 인조혈관이 **자가혈관 (주로 GSV)**보다 더 못하다.★
   - **합병증 : Graft occlusion & Infection**

2. **동맥내막절제술** (Surgical Endarterectomy)
   - longitudinal arteriotomy를 시행하여 내부의 atheroma를 제거한다.
   - **적응증 : 큰 직경의 유속이 빠른 혈관**이 좁아진 경우 (ex. carotid bifurcation, visceral artery의 origin, CFA)

3. **비수술적 혈관 시술** (Percutaneous Angioplasty, Stenting & Other Endovascular Techniques)

① Balloon Angioplasty

- Coronary, renal, iliac, **하지의 혈관** (femoropopliteal, tibioperoneal segments)에서 이용

② PTA (Percutaneous Transluminal Angioplasty)

- 큰 직경의 유속이 빠른 혈관에서 focal stenosis시
  └ aortic, arch vessel, renal, mesenteric lesion
- 5yr patency: 70-80%
- restenosis (d/t elastic recoil & intimal hyperplasia)
  PTCA에서는 1년내에 40% 환자에서 restenosis 발생하여 repeat PTCA 시행

③ Intravascular Stents : Balloon angioplasty 후 patency 유지 위해 stent를 삽입

④ Catheter Directed Atherectomy

: 특수고안된 catheter devices를 이용

→ shaving, cutting, high-speed rotational ablation 등으로 plaque 제거

3. Thrombolytic Therapy

- 종류 : Urokinase, tPA (tissue plasminogen activator)
- **2주 이상**된 병변은 thrombolytic Tx에 반응하지 않는다.

(표) Thrombolytic Tx의 금기증 ★

1. 절대 금기증	2. 상대 금기증
① 최근의 주요 **출혈**	① 위장관출혈 및 급성 소화성궤양 질환의 병력
② 최근의 **stroke**	② 응고장애
③ 최근의 주요 **수술** 혹은 **외상**	③ 조절되지 않은 고혈압
④ Irreversible ischemia of **end organ**	④ 임신
⑤ 두개강내 질환(Intracranial pathology)	⑤ 출혈성 망막증 (hemorrhagic retinopathy)
⑥ 최근의 안과치료	

* 최근 = 두 달 이내

 추가노트

☞ Thrombolytic Tx에서 고려해야 할 점은,
a. Ischemia의 심각도
b. 시간간격 (즉, irreversible change가 오지 않았을 때 시행)

ACUTE THROMBOEMBOLIC DISEASE

■ 병태생리

- Ischemia시 뇌(4-8 min), 심장(17-20 min), **하지(5-6 hrs)** 순으로 견딜 수 있다.
- **피부 & 뼈** : 비교적 허혈에 잘 견딘다.
  신경계 : 하지에서 허혈에 **가장 민감**한 요소
  골격근 : 하지의 병태생리에 중요한 역할을 한다.

※ **손상 순서 : 신경 〉 근육 〉 피하지방 〉 피부 〉 뼈 ★**

※ Reperfusion Syndrome = "Myonephropathic syndrome"

① Oxygen derived free radical에 의해 발생함.
② 혈역학적 불안정, lactic acidosis, **hyperkalemia, ARF**
Myoglobinuria (dark urine) : reperfusion 후 2-4일 동안 지속
심박출력↓, cardiac irritability↑(hyperkalemia)
③ Lower extremity intracellular & interstitial edema : edema는 수분내 나타나 24시간 이상 지속
Edema 양은 ischemia 기간과 관련
Acute compartment syndrome를 초래할 수 있다. ★
└ Interstitial pressure〉capillary perfusion pressure [30 mmHg])

■ 원인

1. 색전증 (Embolism) ★

- **전에 막히지 않았던 혈관**에서 가장 **심각**한 ischemia가 발생한다.
- m/c source : **심장 기원** ★
  AF (artrial fibrillation,m/c), AMI (Acute MI) 후의 합병증

(표) Peripheral Embolism의 source

원인	Percentage
1. CARDIOGENIC	80%
• Atrial fibrilation	50%
• Myocardial Infarction	25%
• Other	5%
2. NONCARDIAC	10%
• Aneurysmal disease	6%
• Proximal Artery	3%
• Paradoxical emboli	1%

• Embolization이 가장 많이 생기는 부위

: 예컨대 Cardiogenic emboli가 떨어져 나가 정착하는 곳으로 보통 혈관 직경이 감소되어있는 Branch Point가 이에 해당한다.

Femoral Bifurcation (40%) ☆ 〉 Aortic Bifurcation 〉 Iliac Bifurcation

(표) Peripheral Embolization의 site ★

부위	Percentage
• Aortic bifurcation	10–15
• Iliac bifurcation	15
• Femoral bifurcation	40
• Popliteal	10
• Upper extremities	10
• Cerebral	10–15
• Mesenteric/visceral	5

2. 혈전증 (Thrombosis)

• **"이미 동맥경화가 있는 혈관"** 에서 발생한다.

→ Embolization은 emboli가 돌아다니다가 혈관을 막는 것이고, thrombus는 동맥경화 등으로 좁아진 혈관에서 plaque 가 떨어져 나가 혈류를 막는 것이다.

→ 따라서 어느 정도의 Collateral vessels이 **발달**되어 있고, 이로 인해 acute embolic disease보다 ischemia 가 **심하지 않다.**

• m/c affected extremity vessel :

SFA (Supf. Femoral a.) 〉 Popliteal a.

- 특별히 심한 형태는 sepsis 및 hypercoagulable state에서 나타난다
  ex. Antithrombin III 결핍, Lupus Anticoagulant 결핍, Protein C 결핍

- 전에 시행한 동맥 graft에서 Acute thrombosis가 생기는 경우

① **Early** graft occlusion (**< 2개월**)	: technical, judgemental error
② **Intermediate** occlusion (**2개월–2년**)	: 문합 부위 및 graft내의 intimal hyperplasia
③ **late** failure (**2년 이후**)	: atherosclerotic occlusive disease

■ 임상양상 ★ 【16】

- Arterial emboli의 증상입니다. Venous emboli는 임상양상이 다르게 나타납니다.
- **6Ps★ : Pain, Pallor, Pulselessness, Paresthesia, Paralysis, Poikilothermia**

① Pain : **갑자기 발생**한 심한 허혈성 통증시 → **Embolic** occlusion

② Pallor

③ Pulselessness

Acute thrombosis는 오랜 Atherosclerosis의 결과 발생하므로 보통 양하지의 대칭적인 pulse deficit를 보인다. 따라서 반대편 하지에 정상 pulse를 보이면 thrombosis가 아닌 acute emboli를 시사한다.

④ Paresthesia

- Peripheral n.가 ischemia에 대해 가장 민감하기 때문에, **neurologic dysfunction의 정도가 ischemia의 정도를 아는데 가장 민감하게 반영한다.**
- 초기 paresthesia는 numbness 및 약간의 감각저하 정도이지만, 진행하면 **심한 감각소실이 발생하는데 이는 빨리 재관류(revascularization)을 시행하지 않으면 안된다는 신호**해야 한다는 신호

⑤ Paralysis

- 처음엔 stiffness정도 → frank paralysis로 진행
- 허혈이 오래 지속되면 근육강직(muscle rigor)이 나타난다. 이 경우 reperfusion으로 기능이 회복되지 않고, 오히려 심한 전신손상만이 초래된다.
  → **Only amputation!!**

⑥ Poikilothermia

- 추위를 못 느낌

• Arterial emboli는 direct arterial cutdown하여 직접 emboli를 제거할 수 있기때문에 **수술 전 혈관조영검사가 필요없다.** 하지만 Emboli여부가 의심스럽거나 cutdown 소견이 불분명할 경우 수술 전 혈관조영검사가 도움이 될 수 있다.

→ Intraarterial Emboli의 Arteriography 소견

: emboli부위에 rounded meniscus를 형성하며 갑작스런 cut off 혹은 partial flow가 흐르면서 intraluminal defect 소견이 보일 수 있다.

※ Embolism vs Thrombosis ★★★

EMBOLISM	THROMBOSIS
• **어느 연령**에서나	• **고령**에서
• **심장질환**의 병력	• **동맥경화증** 위험인자
• **갑작**스런 발병	• Claudication**과거력**
• 반대편 Extremity :정상	• **양하지**에서 동일한 증상
• Angiography상 Collateral circulation (−)	• Angiography상 **Collateral circulation (+)**

■ 치료

1. Embolic Occlusion

• 항응고제 (iv Heparin): 5000-10,000 U bolus → 1000 U/hr

목적: thrombosis 및 additional embolic event를 막는다.

• Irreversible ischemic injury가 온 경우 → Primary Amputation

└ Rigor & Gangrenous change of the foot

• 3번 Fogarty catheter 등을 이용한 embolectomy 시행★

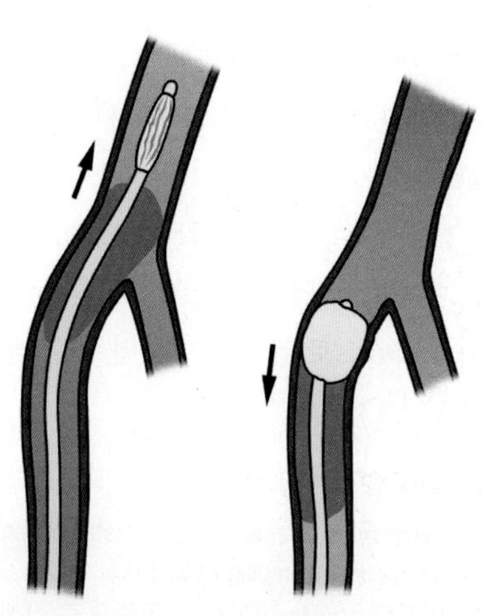

2. Thrombotic Occlusion

- 초기 arteriogram으로 부위를 확인하여 재관류수술방법을 결정
  best option : **외과적 우회술(Surgical bypass)**
- 처음 ischemic interval이 짧은 경우, aggressive thrombolytic Tx가 도움이 되며 이러한 initial thrombolysis는 다음에 있을 수술의 정도를 줄일 수 있다.

3. Compartment Syndrome

- Calf의 anterior compartment에서 가장 흔히 발생
- 첫 증상은 가장 신경이 예민한 엄지검지발가락 사이(great toe web space)의 numbness (Neurologic sx 시 강력히 고려)★
- 치료 : **Fasciotomy** (two incision, **four compartment fasciotomy**)

하지 동맥의 만성 폐쇄성 질환 [17]

- Aortoiliac Occlusive Disease (=Leriche's syndrome)
- Infrainguinal Occlusive Disease

■ 임상양상

- **허혈성 근육통증** : 운동시 산소공급이 불충분하게 되어 발생
- Cardiovascular mortality ↑, limb loss ↓
- 절반 이상에서 보존적 치료로 증상 호전
  └ 운동요법, 체중감소, 위험인자 관리
- 진행되면 resting pain 발생
  └ Resting pain은 omninous Sx으로 재관류를 조기에 시행하지 않으면 영구적인 조직 손상을 초래할 수 있다.
- **Kissing ulcer** : ∵ simple friction between adjacent ischemic toes
- Isolated SFA occlusion시 Calf m.의 Claudication으로 나타난다.
- ischemic ulcer : toe, heel에 dry ulcer
  └ 진행시 forefoot과 heel에 gangrenous change
- Claudication이 일상생활에 심하게 지장을 주면 arteriography 및 intervention을 고려한다.
- Ischemic sx이 resting pain과 tissue necrosis로 점점 진행하면 수술 적응증에 해당한다.

 추가노트

☞ Thrombotic occlusion의 수술시 수술 도중 발생할 수 있는 distal atheroembolism을 막기 위해 aortic clamp 혹은 manipulation 전에 outflow vessels을 **clamping** 해야 한다.

cf) 밤중에 calf에서의 근육경련 및 발등의 forefoot의 심한 통증으로 잠에서 깨게 되고 다리를 침대 아래로 내리면 일시적으로 통증이 감소하게 된다.

■ 검사

① 기본검사

② Angiography

③ 심장 위험도 측정

- vascular surgery 후에 MI가 주된 사망요인이기 때문에 selective stress test를 수술 전에 시행한다.

■ 치료

1. 대동맥장골동맥의 폐쇄성 질환 (Aortoiliac Occlusive Disease ; Leriche's syndrome) 【16】

- 임상 양상: Hip, thigh의 통증과 맥박 소실, 발기부전 등의 증상이 나타난다.★

① 피하 경관 혈관성형술 (Percutaneous Transluminal Angioplasty)

- CIA & EIA의 short segmental occlusion시 유용
- 5 year patency rate : CIA: 80%, EIA: 50-60%

② 대동맥-넙다리동맥 우회술 (Aortofemoral Bypass) ★★

- direct transperitoneal (m/c), lat. retroperitoneal approach

③ 겨드랑-넙다리동맥 우회술 (Axillofemoral bypass)

- Extra-anatomic bypass로 aortofemoral bypass를 할 수 없는 경우 선호된다.

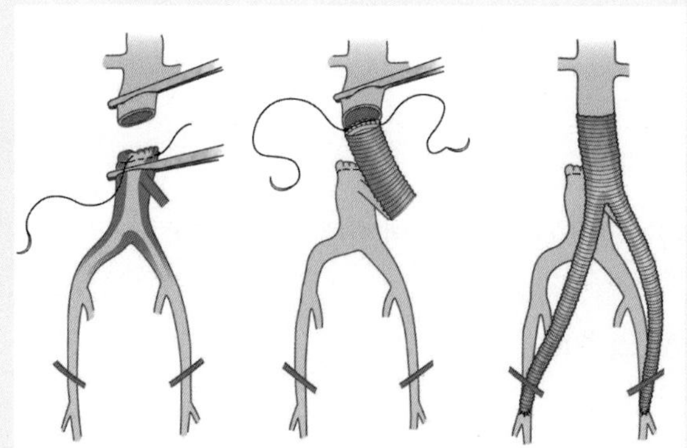

대동맥-넙다리동맥 우회술 (Aortofemoral bypass)

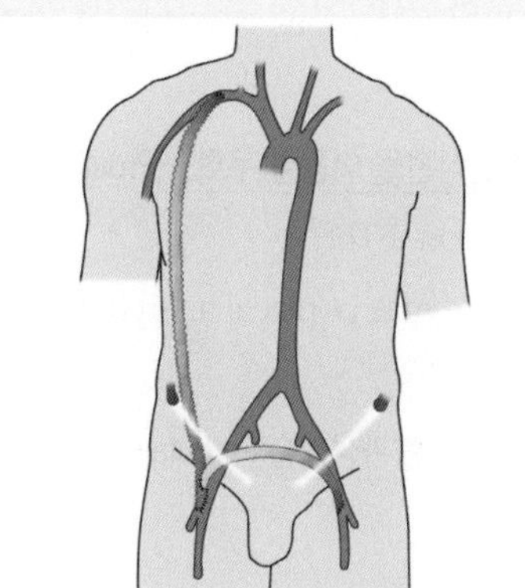

겨드랑-넙다리동맥 우회술 (Axillofemoral bypass)

④ 넙다리동맥간 우회술(Femorofemoral Bypass)

- Unilateral iliac occlusive disease시

⑤ 장골동맥-넙다리동맥 우회술(Iliofemoral Bypass)

- CIA는 patent하고 EIA만 막혔을 때

2. 샅고랑인대 아래 동맥의 폐쇄성 질환(Infrainguinal Occlusive Disease)

① 도치된 정맥이식편(Reversed Vein Graft)

- 장점 : valvulotomy 없이 anatomic flow (valve의 방향이 반대가 되므로 혈류를 방해하지 않는다)
  단점 : 유입 부위쪽의 graft size가 작다.

(그림) Reversed vein graft

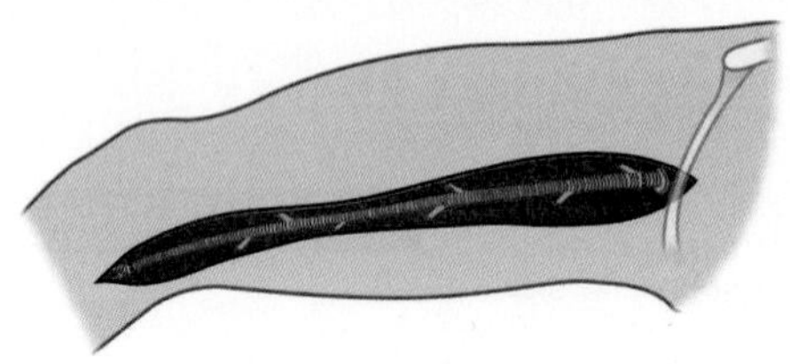

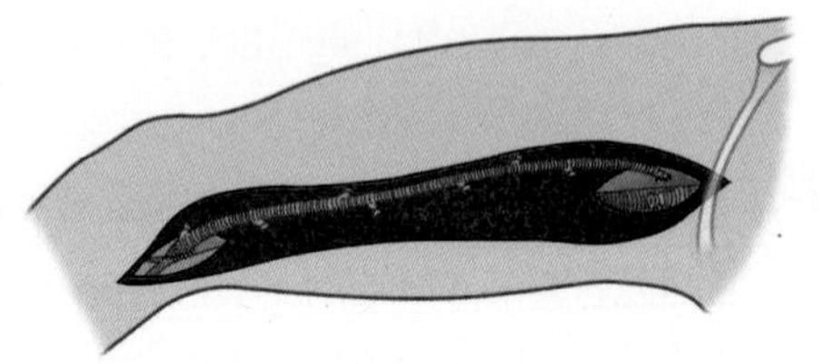

② In Situ Greater Saphenous Vein Bypass

- 장점: vasovasorum 및 epithelium의 보존 & size match anastomosis
  단점 : saphenous vein valve를 제거해야 한다.

③ 인조이식편을 이용한 우회술(Prosthetic Bypass)

- Dacron, PTFE
- above knee popliteal artery(6-8mm)로 문합하는 경우 below knee에 비해 효과적이다.

④ 경피경관 혈관성형술(Percutaneous Transluminal Angioplasty)

CHRONIC VISCERAL ISCHEMIA

■ Mesenteric Ischemia

(그림) Mesenteric arterial anatomy

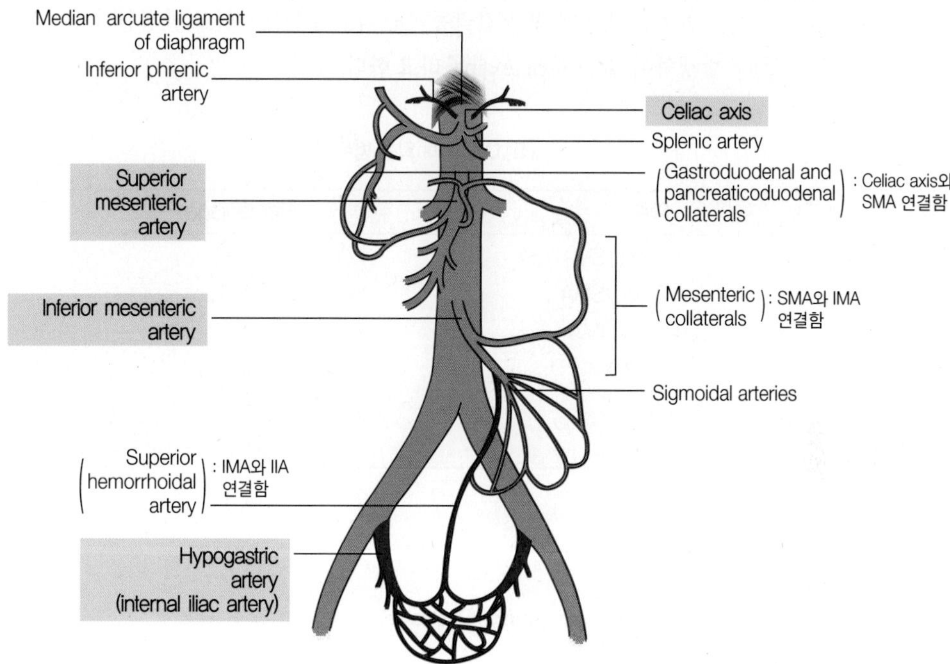

1. 병태생리

① <u>급성 장간막 동맥 폐색</u>(Acute Mesenteric A. Occlusion)

- Cardiogenic embolus로 인해 발생한다. ★
- usually involve SMA : SMA origin에서 먼쪽에 발생한다.
- Chronic atherosclerosis부위의 thrombotic occlusion도 원인이 될 수 있다.

② 급성 비폐쇄성 장간막 부전(Acute Nonocclusive Mesenteric Insufficiency)

- 패혈증 및 심혈관허탈 (Cardiovascular collapse)이 일어나는 심한 질환시
  → mesenteric vascular bed쪽의 혈관수축 발생
- Vasopressor 사용이 증상을 악화시킬 수 있다.★

③ 만성 장간막 부전(Chronic Mesenteric Insufficiency)

- 고령의 환자에서 전반적인 대동맥 및 장간막동맥 근위부의 동맥경화로 발생한다.
  → 보통 식사후 발생하여 "intestinal angina" 라고 한다.

(표) Occlusion되는 범위 ★

Site	Percentage
Celiac/SMA/IMA	41–75
Celiac/SMA	**29–82**
Celiac/IMA	2
SMA/IMA	5
Celiac	0–14
SMA	1.4–9

2. 임상양상 & 치료

1. 급성 장간막 동맥 폐색 (Acute Mesenteric Arterial Occlusion)

① 특징

- m/c 원인 : SMA로의 Emboli
- 기저심장질환이 있는 경우: 90%
  └ Arrhythmia★, recent MI, valvular disease

② 진단

- History & Clinical presentation
- arteriography: 막힌 부분을 알 수 있다.

추가노트

cf) Thrombic occlusion은 SMA기시부에서 발생함.

③ **치료**

- **수술** : 시험개복술 → 장괴사시 **장절제술** 시행 ★
  개복술시 ischemic intestine은 질환에 따른 차이를 보인다.

2. Nonocclusive Mesenteric Insufficiency

① **특징**

- 전반적인 **복통이 매우 심하고**, P/Ex소견 (Tenderness)보다 **과장**되어 있다.★

② **진단**

- 다른 진단을 감별하라.
- 동맥촬영술 시행

③ **치료**

- 동맥촬영술을 통해 SMA br로 Papaverine같은 vasodilator주입함
- **수술**은 임상양상 및 Bowel infarction을 시사하는 **복막염**이 있을 때 시행
- **증상** : Vague abdominal pain & Mild tenderness

3. 장간막정맥 폐색(Mesenteric Venous Occlusion)

① **특징**

- 증상 : Vague abdominal pain & Mild tenderness

② **진단 : CT★, Arteriography**

③ **치료**

- **표준 헤파린 항응고요법**
- **복막염** 발생시, bowel viability를 알아보기 위해 **시험개복술** 시행
  → 필요시 장절제술 시행함

※ 예후 : Collateral venous outflow가 발달되기 때문에 예후는 좋다.

추가노트

☞ 급성 장간막 동맥 폐색시 수술소견

① Thrombosis시 : **전체 소장**이 ischemic함.
② Embolism시 : **Proximal jejunum**은 보통 **정상**이다.
③ Arterioarterial embolism : ischemia가 patchy distribution
  – 일단 먼저 Revascularization을 시도한다!

☞ Arteriography 소견
① 큰혈관 폐색이 없으며
② 주된 장간막동맥분지에 염주 (beading)양상의 focal vasospasm 소견
③ distal vasculature의 "PRUNED TREE" 모양

4. 만성 장간막 부전(Chronic Mesenteric Insuffciency)

① 특징

- 식후 통증 (Postprandial Pain) : periumbilical location에 식 후 30분에 발생
  → 서서히 가라앉지만 다음 식사 후에 재발
- Food fear→ 체중 감소 초래. 소화불량은 드물다.

② 진단

- Careful history & 다른질환들을 감별할 때
  _(DDx : malignancy, chronic pancreatitis, GU)
- 확정진단 : Arteriography

③ 치료

- Revasculariztion by PTA or stent : 나이가 많거나 수술하기에 적합하지 않을 때
- 수술 : 바로 막힌 부위에 도달한다.
  via transaortic endarterectomy or bypass graft

추가노트

※ 장간막절제 폐색시 수술적 혈전제거술은 성공적이지 못하고, 혈전용해요법(fibrinolytic Tx)는 출혈 위험 때문에 금기이다.

Power ★☆☆☆☆

27 정맥질환

Venous Disease

ANATOMY & PHYSIOLOGY OF THE VENOUS SYSTEM

■ 해부

(그림) A. Greater saphenous vein의 분지들
B. 하지에서 가장 중요한 Perforating veins

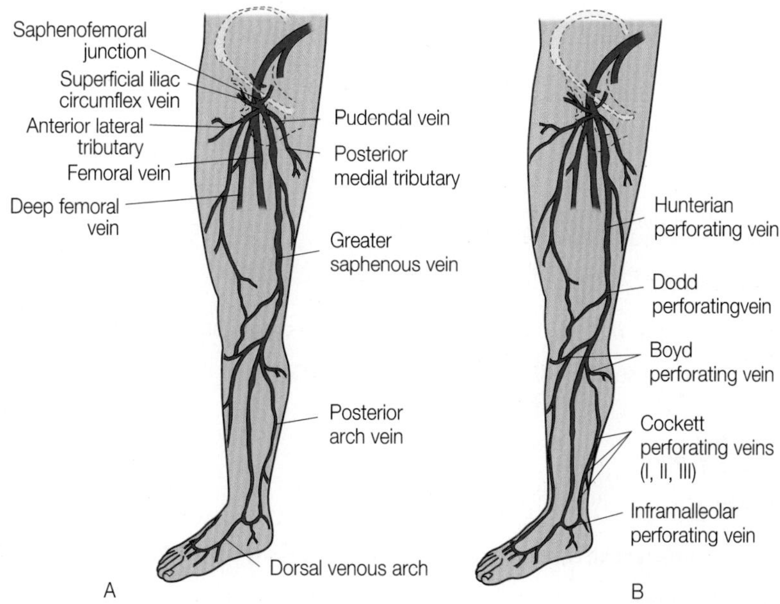

1. 정맥판막

- 아래쪽으로 갈수록 많다 (Greater saphenous vein: 8-10, Lesser saphenous vein: 7-13 valves).
- No valves : gastrocnemial & soleal sinusoids of calf

2. 하지의 정맥해부학

• 3 부분으로 구성됨
① 표재정맥 (Superficial vein [GSV, LSV])
② 심부정맥 (Deep vein)
③ 관통정맥 (Perforating vein)

(그림) 하지의 정맥 해부학
관통 정맥을 통한 압력이 증가하면 표재정맥이 확장된다.

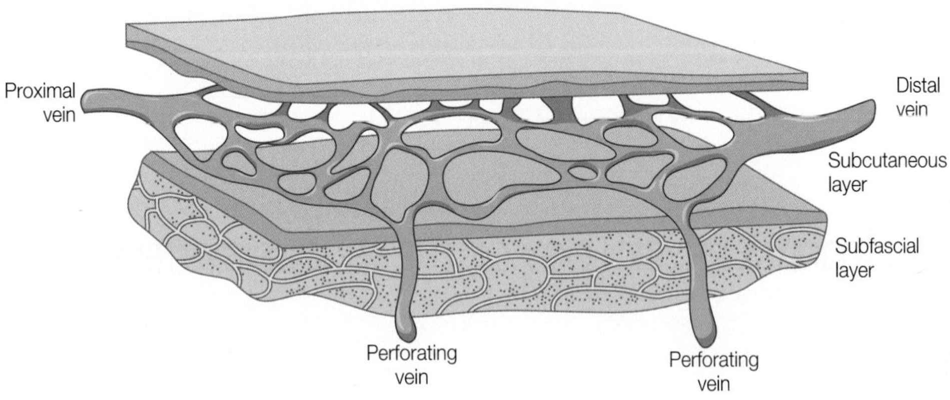

• Blood reservoir로서의 기능 : 2/3 blood volume을 차지, 일어섰을 때 500cc 혈액이 하지로 이동함.
• DVT : 좌측에 호발한다 (우측:좌측=1:4)
∵Lt. common iliac vein이 뒤쪽으로는 lumbosacral spine, 앞쪽으로는 Rt. common iliac vein에 의해 자주 눌리기 때문.

■ 생리

1. 정맥 내피세포 (Endothelium)의 기능

• Plasminogen을 plasmin으로 활성화
• Vasodilator (NO, prostacyclin) 분비 : aggregation 억제, PLT disaggregation 항진
• 기타 Prostacyclin, Heparan sulfate, PLT-activating inhibitor, vWF 합성

2. Venous Return ★

• **근수축에 의한 정맥혈 환류 :**
• Calf m.이 수축하며 gastrocnemial & soleal sinusoid 및 deep vein을 압박하여 혈액이 위로 올라오게 한다.
• Venous pressure 〉200 mmHg

3. 횡격막 기능 ★

• Inspiration : 복강내압 증가, 하지에서 venous return 감소
• Expiration : 복강내압 감소, 하지에서 심장으로 venous flow 증가

일차 정맥부전 (PRIMARY VENOUS INSUFFICIENCY)

■ 분류

• Classification of Chronic Lower Extremity Venous Disease (CEAP Classification)

1. CLINICAL CLASS
   - 0 : No visible signs or palpable signs of venous disease
   - 1 : Telangiectasias or reticular veins or malleolar flare
   - 2 : Varicose veins
   - 3 : Edema without skin changes
   - 4 : Pigmentation, venous eczema, lipodermatosclerosis
   - 5 : Skin changes with healed ulceration
   - 6 : Skin changes with active ulcer

2. ETIOLOGIC CLASS
   - Ec : Congenital
   - Ep : Primary
   - Es : Secondary

3. ANATOMIC CLASS
   - As : Superficial
   - Ad : Deep
   - Ap : Perforating

4. PATHOPHYSIOLOGIC CLASS
   - Pr : Reflux
   - Po : Obstruction
   - Pr, o : Reflux and obstruction

■진단 【16】

1. P/Ex

(그림) Trendelenberg test의 4가지 결과 ★

- Trendelenberg test: 역류가 일어나는 위치를 파악하기 위한 검사
- Deep femoral vein을 눌렀을 때와 떼었을 때 각각 역류가 일어나는 지 확인한다

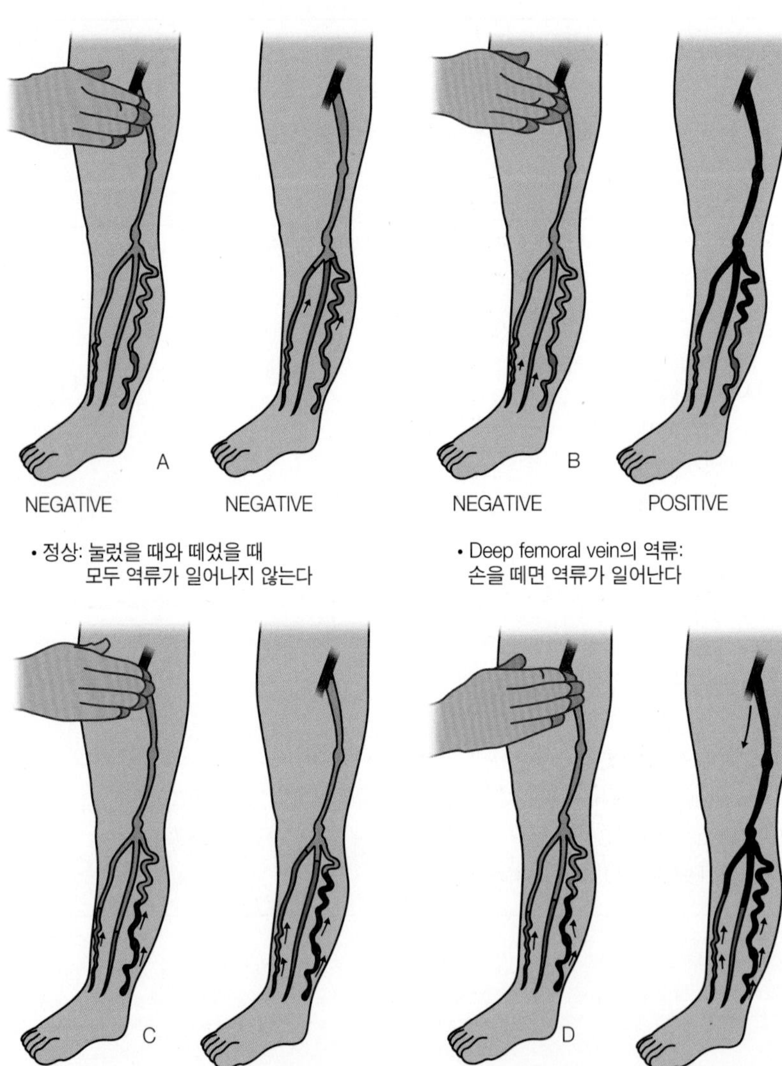

• Perforating vein의 역류: 손을 떼기 전에 역류가 일어난다

• Deep & Perforating vein의 역류: 손을 눌렀을 떼와 떼었을 때 모두 역류

2. 검사

1. 도플러초음파(Doppler instruments)

• 도플러 초음파 및 포켓용 도플러 (hand-held)로 valve reflux를 찾는다.

2. 공기전위 체적변동기록기(Air-displacement plethysmograph)

- 다리를 올릴 때와 서있을 때와의 용적차이를 측정한다.

3. 정맥조영술 (phlebography)

- 심한 CVI때 이용한다.

■ 치료 적응증

- 증상이 두드러질 경우 (통증, 쉽게 피로함, 무거운 느낌) 및 재발(recurrent superficial thrombophlebitis), 합병증(외부 출혈, 두드러진 외견) 발생 시 치료한다.

■ 치료

1. 비수술적 치료

① **하지 압박법 (External compression) ★**

- 활동 시 압박스타킹을 신어 미세순환 호전 (20-30 mmHg)

② **하지 거상**

- 낮에 잠깐씩 다리를 심장 level보다 위쪽으로 들어올리도록 함.

③ **국소창상 치료**

2. 정맥절제술: 경화요법(sclerotherapy)

① **적응증**: saphenous 혹은 tributary vein incompetence시 사용

② **방법**

- 경화제(ex. 0.2% sodium tetradecyl)를 병변부위 정맥내로 주입한 후 압박소독한다.
- 14-21일 후 정맥절개를 시행해서 entrapped blood를 제거하고 이차 압박소독을 시행한다.

3. 수술적 치료

① **정맥절제술 (Ambulatory phlebectomy)** : 외래에서 시행 가능

- Greater 및 lesser saphenous vein의 판막이 손상되지 않았으며 정맥류의 직경이 4mm 이상시 사용.

(그림) Ambulatory phlebectomy (Stab abulsions of varicosities)

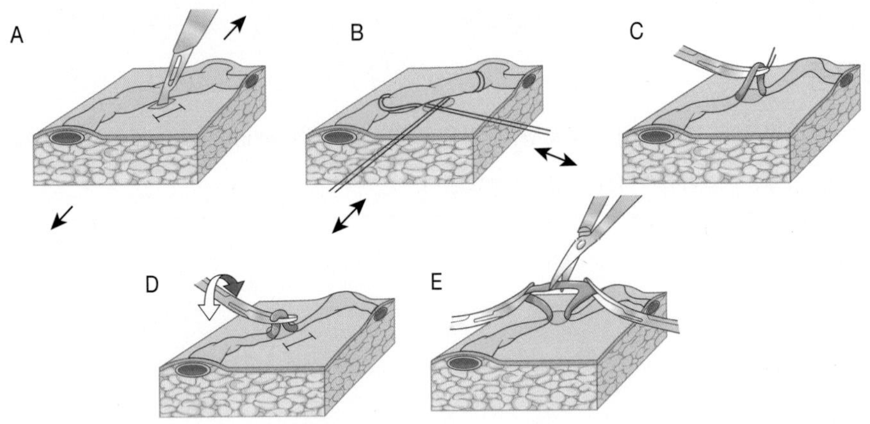

② Saphenous vein 의 Stripping

- Greater 혹은 lesser saphenous incompetence시 saphenous vein 전체를 제거한다(stripping).

(그림) Incompetent saphenfemoral vein으로 인한
superficial venous reflux시 시행하는 saphenous vein의 Inversion stripping

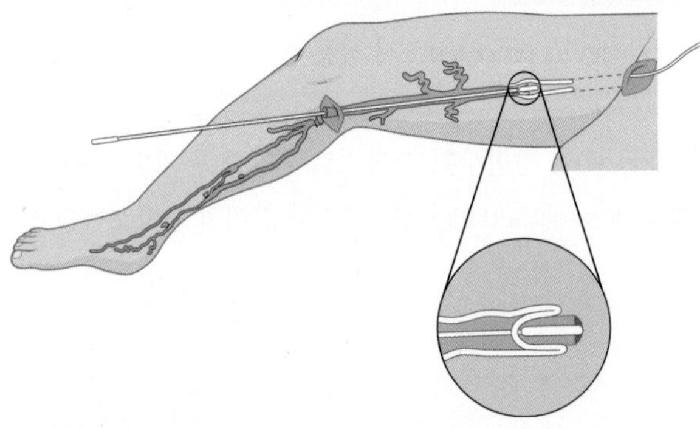

③ Varicose vein intervention의 적응증

- 미용 목적
- 보존적 치료에 반응하지 않은 증상
- 정맥류에서의 출혈
- 표재성 혈전정맥염(superficial thrombophlebitis)
- Lipodermatosclerosis
- Venous stasis ulcer

• VENOUS STASIS ULCER vs ISCHEMIC ULCER ★

	Venous stasis ulcer	Ischemic ulcer
위치	• Distal, **medial malleolus 보다 윗쪽★**	• Toes, **Lateral malleolus** Pressure point
Ulcer주변피부	• Pigmented, Fibrotic	• Shiny, Atrophic
통증	• 심하지 않음 다리를 **올리면** 감소	• **심함** **다리를 내리면** 감소
Gangrene	• (–)	• 있을 수 있음
Ulcer Bleeding	• Venous oozing	• 없거나 적음
기타	• Edema, Pigmentation Pigmentation, dependent cyanosis	• pulse 감소 Pallor on elevation Dependent rubor

③ 심한 CVI시의 수술

• Perforator vein을 차단해야 하며 최근에는 내시경으로 수술하는 SEPS (Subfascial endoscopic perforator vein surgery)가 많이 이용된다.

(그림) SEPS (Subfascial endoscopic perforator vein surgery)

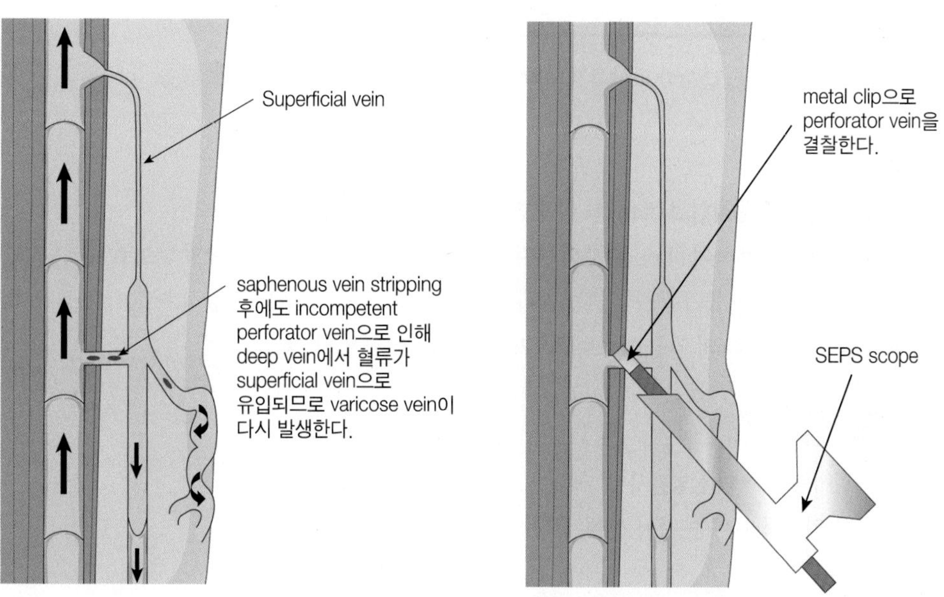
Superficial vein
saphenous vein stripping 후에도 incompetent perforator vein으로 인해 deep vein에서 혈류가 superficial vein으로 유입되므로 varicose vein이 다시 발생한다.
metal clip으로 perforator vein을 결찰한다.
SEPS scope

④ 직접적인 정맥 복구술

• 위의 방법들이 실패한 경우 이용할 수 있으며 정맥판막 복원, 치환 및 이식, 정맥의 bypass 등의 방법을 사용할 수 있다.

ACUTE DEEP VEIN THROMBOSIS

■ Etiology ★

• Virchow triad

혈류정체 (Stasis)	응고항진 (Hypercoagulability)	정맥벽 손상 ★ (Vein Wall Injury)
• Soleal sinuses가 정맥혈전증이 시작되는 m/c site	• Factor V Leiden 변이 • Prothrombin 유전자 변이 (단백C 및 S단백 결핍)★ • AT-Ⅲ (Antithrombin Ⅲ) 결핍★ • Homocysteine • Antiphospholipid 증후군	

■ 진단

1. 정맥조영술 (Phlebography = Venography)

• 확진하는데 있어서 **가장 정확**한 방법
• 주된 적응증 : Duplex scan에서 부정확할 때 시행

2. 교류 저항혈량측정법 (Impedence plethysmography)

• 하지의 정맥량변화에 따른 venous capacitance와 용적의 변화속도를 측정함

3. D-dimer 검사

① **혈관내 fibrin이 분해된 물질**인 d-dimer를 측정함
② DVT시 plasmin이 작용하여 fibrin을 분해시켜 d-dimer를 생성하므로 d-dimer양성으로 나타난다.
③ **수술 후**에도 d-dimer가 증가될 수 있다. 따라서 d-dimer가 양성인 것은 임상적으로 크게 도움이 안되며 **d-dimer가 음성**시 97-99%의 가능성으로 **DVT가 아니라고** 할 수 있다. ★

4. Duplex Ultrasound

① 비침습적 검사로 처음의 **선별검사** 및 확진으로 유용하다
② 술자에 따른 차이를 보이는 것이 한계이다.

5. MRV (Magnetic resonance venography)

• duplex ultrasound로 보기 힘든 iliac vein이나 IVC같은 **근위부** 혈전을 찾는데 유용하다.

■ 예방

1. 기계적 예방

- sequential compression devices : 정맥혈 정체(venous stasis)를 막는다. ★

2. 약물적 예방 - LMWH (low-molecular weight heparin)

- LMWH은 응고인자 Xa와 IIA의 활성을 억제한다.
- 출혈성 합병증도 적고, PTT 등을 monitoring하지 않아도 된다.
- DVT 고위험 환자에서 예방목적으로 사용시 매우 효과적이다.

■ 치료

1. DVT의 치료이유

- 치료하지 않은 환자의 1/3에서 혈전이 위쪽으로 진행하며, 30%에서 재발한다.

2. 항응고요법 ★ - Femoropopliteal system의 혈전의 치료

① 치료기간

- LMWH: 3일
- Warfarin: 3개월

② 치료원칙

- LMWH과 warfarin과 **함께 복용**하는 기간을 **3-5일** 정도 가져서 일시적인 응고항진을 막는다.
- PT INR을 2.5-3.0★으로 유지하는 것을 목표로 용량을 조절한다.
- warfarin 치료기간은 **최소 3개월**★로 하되 위험인자가 있는 경우 평생 복용할 수 있다.

3. 응고용해요법 (thrombolysis)

- Streptokinase, Urokinase 및 tPA 등을 이용한다.
- **급성 결합조직염**(phlegmasia)이 동반된 경우는 심각한 정맥폐색으로 인한 증상이 동반되므로 증상완화를 위해 응고용해요법 및 수술적 혈전제거를 고려할 수 있다.

4. Vena Caval Filter

• 폐색전증을 막기 위해 DVT로부터의 혈전이 폐로 이동하는 것을 막기위해 대정맥에 filter를 설치하는 것으로 아래와 같이 **항응고요법 합병증** 및 **실패**시 시행한다.

• **적응증**

① 적절한 항응고요법 후에도 계속 재발할 경우

② 항응고요법이 금기인 환자에서

③ 만성적인 폐색전증으로 인해 폐고혈압 발생시

④ 항응고요법의 합병증 발생시

⑤ 항응고요법을 시행함에도 iliofemoral thrombus가 계속 진행할 경우

Power ☆☆☆☆☆

28 림프계 질환

Lymphatic System

해부

• 하지의 lymphatic channel은 visceral channel과 합쳐져 cysterna chyli를 형성 (L2 level)

→ Cysterna chyli는 diaphragm 위로 올라와 thoracic duct가 됨 (T11-L2 level)

→ Thoracic duct는 intercostal & thoracic visceral lymphatic vessel이 Lt. subclavian vein을 통해 정맥계로 들어가도록 함.

• Lymphatic drainage 가 없는 조직: 표피층, CNS, 각막, 골격근, 연골, 말단부 인대

cf) 표피층과 달리 진피층은 lymphatics가 매우 풍부하다.

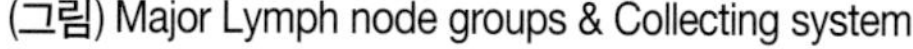

(그림) Major Lymph node groups & Collecting system

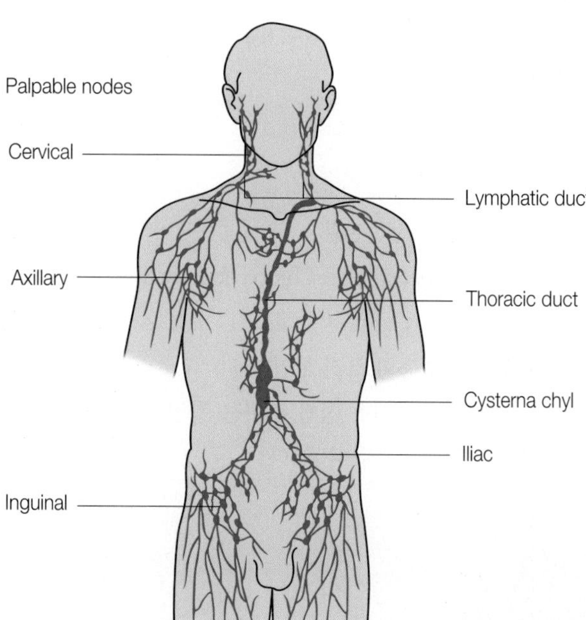

생리

- **림프부종 (lymphedema)** : Lymphatic transport가 없어서 많은 interstitial fluid가 축적된 것
- 정상적으로 매일 **2-4L**의 Interstitial fluid가 filtration된다.

LYMPHEDEMA의 분류

1. 일차성 림프부종

① Lymphedema congenita : Lower extremities에 호발, Rt〉Lt side, Bilateral 25%

cf) 가족력이 있는 경우 Milroy's disease 의심.

② Lymphedema praecox : m/c of primary lymph edema. 사춘기에 시작됨 M:F=1:3, only L/Ex

③ Lymphedema tarda : 20-30세에 나타남, Infection 및 Injury와 연관됨

2. 이차성 림프부종 (m/c) : acquired lymphatic obstruction

① 원인들

a. **종양**에 의한 국소림프절 침윤

b. 종양 수술 중 국소림프절 제거

c. **감염**이나 **방사선치료**로 인한 fibrosis

② 림프절에 침범하여 Lymphatic obstruction을 유발하는 m/c 종양은 남성에선 **전립선암**이며 여성에서는 **림프종**이다. 서양에서 Secondary lymphedema의 m/c 원인은 **유방암의 수술 후 방사선치료를 받는 경우**이다.

말초부종 환자의 평가

■ 임상검사

- **말단부종 (extremity edema)**을 유발하는 전신질환

  Rt. sided heart failure, Constrictive pericarditis, Chronic kidney disease, Liver cirrhosis, Hypoproteinemia
- Chronic deep venous insufficiency

  : eczema, statis dermatitis, 피부궤양 등의 소견 보인다.
- 초기 부종은 다리를 올리면 쉽게 사라진다. 침범 부위는 특징적으로 **<u>발등 및 발가락 윗부분</u>**★ 이기 때문에 venous obstruction으로 인한 부종과 구분할 수 있다.

※ 정맥 및 림프질환의 피부소견비교 ★

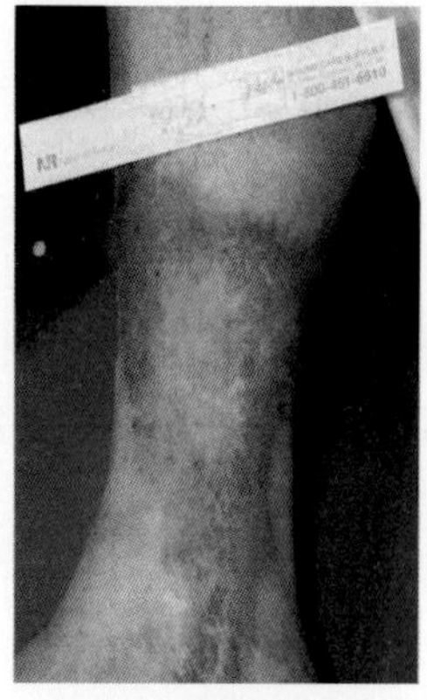

정맥질환

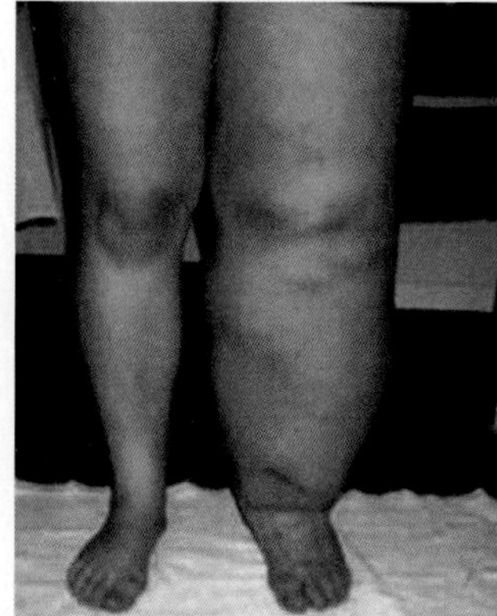

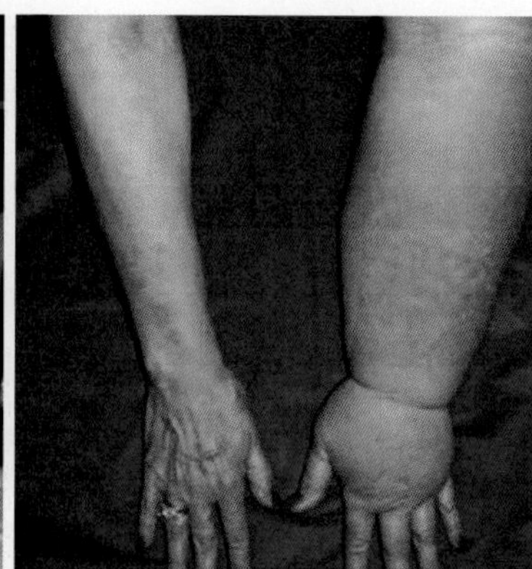

림프질환

정맥질환	림프질환
• Eczema, stasis dermatitis ★ • Skin ulcer가 있을 수 있다.	• Thickened, hypertrophic & hyperkeratotic★ • 절반정도에서 bacterial cellulitis 가능

■ 영상검사

1.림프관조영술(Lymphangiography) ★

- 정상소견 : Limb 안쪽으로 여러 channel들이 평행하게 주행하며 직경은 비교적 일정함
- Lymphedema시 hypoplasia, hyperplasia 등의 소견이 나타난다.

2. 림프관신티그라피(Lymphoscintigraphy)

- 림프종과 다른 원인의 상하지부종을 감별하는 데 유용하다.
- ^{99m}Tc-labeled sulfide를 피하주입한 뒤 전신 감마 카메라로 일정간격으로 촬영하여 이동을 확인하는 검사로, 비침습적이고 민감도와 특이도가 높다.

LYMPHEDEMA의 치료

1. 절제

- 부종이 있는 피하조직을 제거한다

2. Pedicle Transfer

- 림프조직(Bowel, Omentum & De-epithelialized skin 등)을 lymphedema가 있는 상하지로 pedicle transfer하여, 병변쪽의 dysfunctional lymphatics와 연결시킨다.

3. 막힌 림프조직에 대한 미세혈관적 우회술

- Lymphovenous fistula를 만들거나, lymphatic defect를 연결하는 vein graft 등의 방법이 제시됨.

림프계 종양 및 여러 질환들

■ Lymphangiomas

- Lymphatic vessel의 선천적 기형
- 절반 이상이 출생시 나타나며, 악성화는 드물다.
- 치료 : 주변의 중요구조물을 보존하며 제거한다. (RTx는 효과없다)

■ Chylous Syndromes

- Lymphatic valve 및 thoracic duct의 손상
  → 복막, 흉강 및 pericardial space에 chyle이 축적됨.

■ Lymphangiosarcoma

- Secondary lymphedema 후 악성화되는 것이 더 흔함.
- 자주 및 붉은색 반점이 피부에 나타날 수 있다.
- 급격하게 진행하며 치명적이다.

Power ☆☆☆☆☆

29 혈관 접근법

Access & Ports

 VASCULAR ACCESS

- Fistula를 통한 hemoaccess, jump graft, external angioaccess 등

■ 적응증

① 잦은 혈관계로의 access가 필요할 때
② High-flow system이 필요할 경우
③ 정맥내로 highly sclerotic solution을 투여해야 할 때
→ 즉, **신부전**, **항암요법**, TPN & **수혈** 등에 이용된다.

■ External Angioacess

1. 주요혈관을 통한 투석

- 짧은 기간 동안 사용시 이용되는 혈관

: Subclavian, External jugular, Internal jugular, Femoral vein

- **2주**만 사용해도 약 50%에서 **clotting, swelling 등 심각한 stenosis 유발**
  Internal jugular vein이 stenosis 발생 확률이 가장 낮다 (10%)
- 현재 많이 사용하는 것 : Dual-lumen, silicon rubber catheter (recirculation이 적다)
- 도관의 유속이 400cc/min 이상되어야 high flux dialysis 가능함.
- 기타 영양요법, 수혈 및 화학요법 시 이용할 수 있다.

2. 합병증

A. 도관삽입과 관련된 합병증

① **기흉** (1–4%), **동맥손상**, 흉선 (Thoracic duct)손상, Air embolism, Inability to pass the catheter, 출혈, 신경손상, 큰혈관손상 (<1%)

② **기계적 합병증**
- 부적절한 도관위치 및 이로인해 수액투여 및 채혈이 불가능할 때
  → X–ray로 확인 가능. 문제가 의심되면 즉시 제거

B. 후기합병증

① **혈전성 합병증 (4–10%)**
- **처음증상** : 도관을 통한 채혈이 되지 않는다.
- **치료** : 처음에 **Urokinase** 500U주입
  → 실패시 조영검사 시행하여 도관위치확인 및 조정
  → Urokinase 4만 U/hr for 12hr
- **예방** : 1mg/day Warfarin

② **감염** : 2nd m/c
- **시기** : 도관설치 **3–5일 후**부터 쭉
- **진단** : Catheter를 제거하여 검사하는 것이 제일 확실하지만 진단하기 어렵다.
- **감염균** : **Staphylococcus epidermidis (m/c) & S. aureus** 》 Candidia
- **치료** : 의심되면 도관을 제거한다.

■ Internal Angioaccess

1. NATURAL FISTULA

- 인공구조물을 사용한 경우 어떤 경우에도 자기혈관을 이용한 것보다 더 많은 thrombosis 발생함.
- **가장 흔히** 사용되는 표준 fistula : 손목에서의 **Radiocephalic fistula** (Brescia-Cimino Fistula)
- 시행 전 Allen test를 반드시 할 것
- 많이 쓰이는 문합법 : Side-to-side Anastomosis
  이때 Venosus hypertension이 생길 수 있는데, 이는 distal vein을 ligation함으로써 교정한다.

• Natural fistula의 유형들

① Wrist fistula	② Snuff box fistula
③ Fistula(Antecubital v.-Brachial a.)	④ Brachiobasilic fistula
⑤ Brachiocephalic fistula	⑥ Basilic v. interposition
⑦ Transposition of Ulnar vein to a volar forearm position	

cf) Fistula from Ulnar a. to Basilic v. (사용 안함)

(그림) AVF와 관련된 혈관들

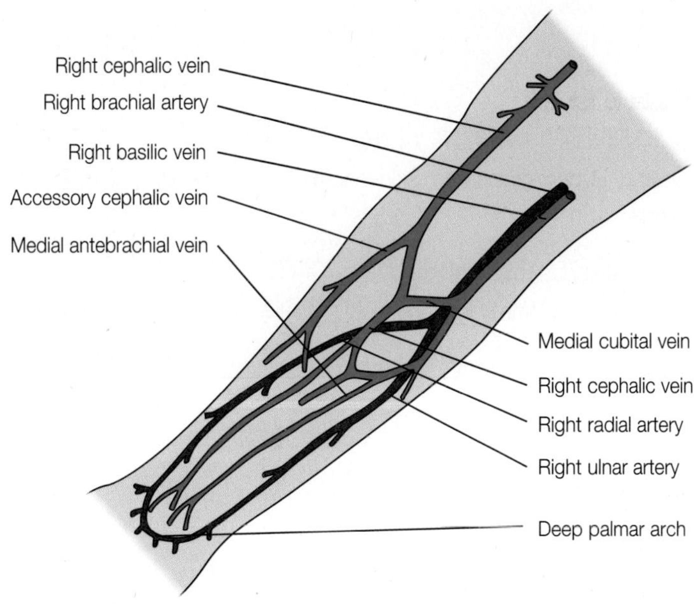

• Natural fistula를 만들기 위한 혈관 직경 → **동맥 : 2mm 이상, 정맥 : 2.5mm 이상**

• **합병증 【17】**

① **Maturation의 실패** : m/c
② **Proximal Venous Limb의 협착** : 48%. fistula형성 후의 **가장 흔한** 합병증
③ **Aneurysm (7%), & Thrombosis (9%)**
④ **심부전**
  • Fistula 유속〉 500ml/min시 발생
  • **치료**: Telon band로 outflow를 감소시키거나 fistula ligation한다.

⑤ **Arterial Steal Syndrome (1.6%)**
  • **원인** : 문합한 동맥에서 저항이 낮은 동맥으로 흐를 뿐만 아니라, 부가적인 혈액이 손과 전완으로부터 retrograde하게 흐름 → 손과 전완에 허혈 유발
  • Proximal AVF (ex Brachiocephalic fistula ; 30%)에서 흔함.
  • **치료** : Distal a. ligation

⑥ **Venous Hypertension distal to fistula**
  • **원인** : 고압의 동맥혈류가 저압의 정맥계로 유입되면서 발생
  • **증상** : Distal tissue swelling, Hyperpigmentation, Skin induration, Skin ulceration (DVT증상과 유사)
  • **치료** : Distal vein ligation

※ ⑤, ⑥ 모두 side-to-side anastomosis시 많이 발생함.
→ 치료는 side-to-side shunt의 distal limb을 ligation하는 것인데 이때 Proximal vein occlusion으로 shunt obstruction이 발생할 수 있음.

2. PROSTHETIC GRAFTS

(그림) 4군데의 가장 흔한 Jump graft의 부위

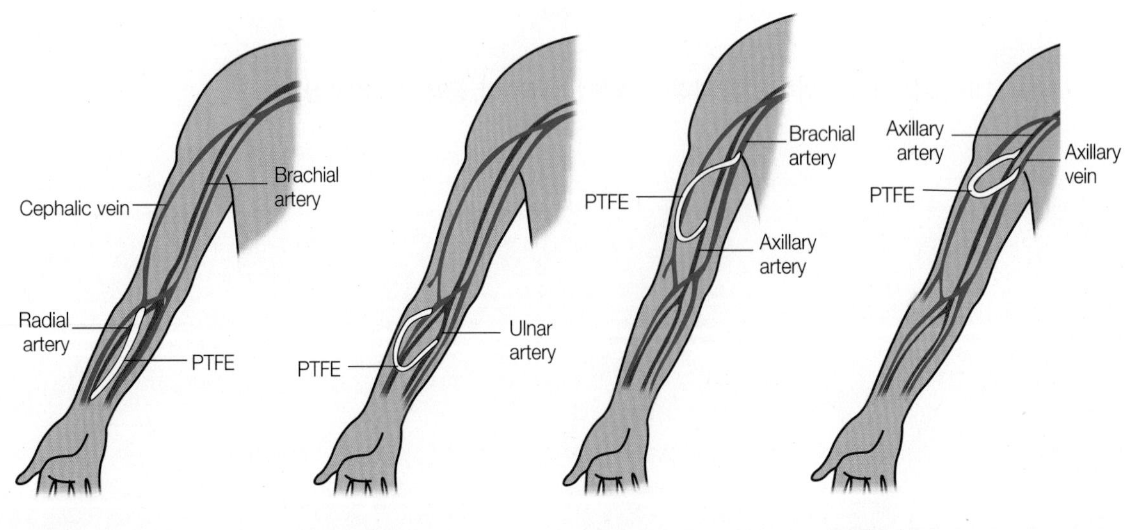

- PTFE를 이용하며, natural fistula실패 및 말초혈관이 부적절할 때 시행한다.
  - 6mm graft or Rapid-taper 4-to 7-mm graft
- 수술 후 비교적 빨리 사용 (1-2주 후) ★
- 합병증: 출혈, 혈전, 감염

■ 생리

1. AVF의 생리적 변화는
   - ① Proximal a, v.의 크기
   - ② Fistula 주변의 collateral vessels
   - ③ Fistula의 직경 에 달려있다.
2. 동정맥루 길이는 동맥직경 20% 이하 혹은 75% 이상에서는 유속에 영향을 미치지 못하지만, 동맥직경의 20-75% 사이에서는 동정맥루 길이 변화가 유속에 큰 영향을 미친다.
3. Large, functioning AVF에서 일어나는 변화

   ① Systolic, Diastolic BP 모두 **감소**
   ② 동정맥루의 근위 및 원위부 **정맥압** 증가
   ③ Pulse rate 증가
   ④ **심장크기**도 증가
   ⑤ Chronic AVF시 **혈액량** 증가

   ※ 모두 Fistula closure시 정상화된다.

복막투석 (Peritoneal Dialysis)

■ 적응증

1. 절대 적응증

① Vascular access가 **불가능**할 때
② 심혈관계의 **불안정성**
③ **출혈경향**
→ 즉, HD를 못하는 경우이다.

2. 금기증

1. 절대 금기증
   ① **이전 수술로 인해** Peritoneal space가 막혔을 때
   ② Peritoneal clearance가 적절하지 못할 때
   ③ Diaphragmatic integrity 결여시
2. 상대 금기증
   ① Dialysate infusion로 인한 호흡부전
   ② Large abdominal hernia
   ③ Malignant peritoneal disease

■ Technical Procedures

- Tenckhoff (or Curl-tip) Catheter를 배꼽 아랫쪽으로, ant. rectus sheath & muscle을 통과하는 longitudinal paramedian incision을 통해 삽입하며, 그 tip이 pelvic cavity내에 위치하도록 주의한다. 이때 방광 및 장 손상이 없도록 주의하자.
- Rate of Dialysis: 2L*4회/일

(그림) CAPD catheter의 위치

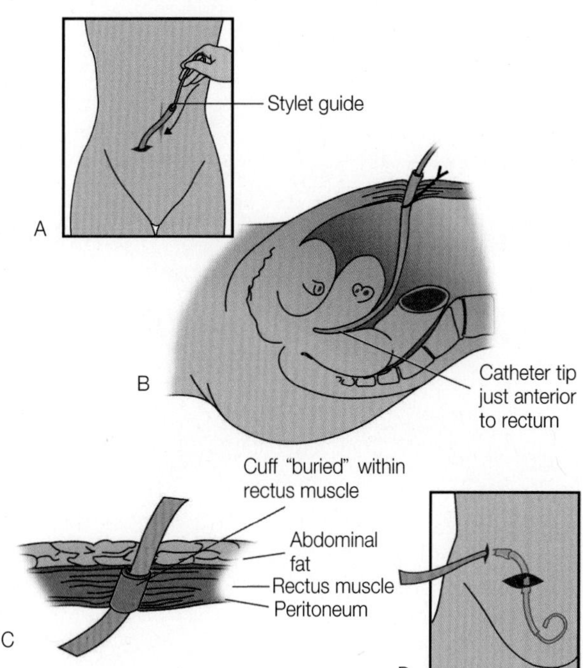

■ 합병증

1. 도관 삽입 시 발생 가능한 합병증

: Dialysate의 leakage, 복강내 출혈, 장 및 방광천공, ileus 등

2. 도관 삽입 후의 합병증 ★

① 감염 : 대부분 single pathogen (GPC가 60–70%차지)

② 기계적 합병증 : 도관이 기능을 못하는 경우

- omental wrapping
- 구멍이 막힐 때 및 도관이 kinking될 경우

③ 복막염

Power ★★★★☆

30 소아외과

Pediatric Surgery

 신생아 생리 (Newborn Physiology)

■ 심혈관계

1. 폐고혈압의 발생

- 탯줄 결찰, umbilical vessel 폐쇄 → 타원구멍(foramen ovale) 폐쇄 → 폐동맥압 감소, 폐순환 시작 → 동맥관(ductus arteriosus) 폐쇄 → 정상적인 폐순환, 전신순환 시작
- 저산소증, 산증, 패혈증 및 미숙아에서는 동맥관이 계속 열려있어 폐고혈압이 지속된다: Right-to-left shunt 발생

  → Indomethacin 또는 수술적 결찰로 동맥관 폐쇄 시도

(그림) Fetal circulation

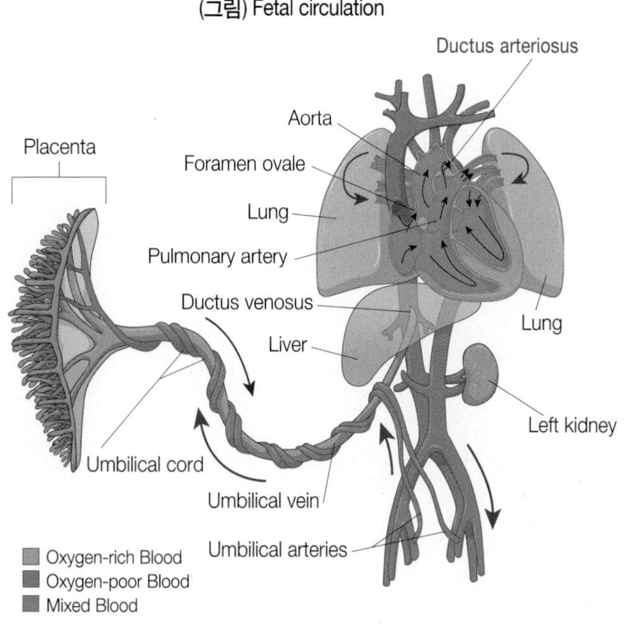

추가노트

cf) 태아 시기에는 폐순환은 이루어지지 않고 폐동맥은 대동맥과 동맥관을 통해 연결되어 폐를 우회하게 되고, 정상적으로는 분만시 동맥관이 막히면서 폐순환이 시작된다.

2. Cardiac Perfusion

- Capillary refill을 평가: 소아의 발바닥을 눌렀다가 떼면서 혈색이 돌아오는 시간 측정
  - 정상적으로는 1초 이하임.
  - 2~3초로 연장되면 심장성쇽이나 탈수, 출혈 등으로 인한 혈관내 용적감소를 생각해야 한다.

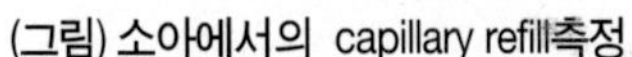
(그림) 소아에서의 capillary refill측정

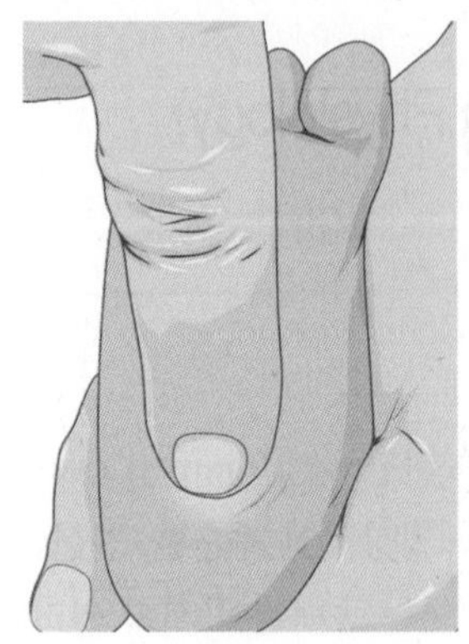

■ 호흡계

1. 신생아 호흡계의 특징

1) 출생 시 폐기능이 불완전함

- **미숙아의 폐 특징** : 폐포 수와 표면활성제가 적다 → 외부에서 표면활성제를 제공해야 한다.
- 8세까지 종말세기관지와 폐포가 형성된다.

2) 기도가 가늘다

- 막히기 쉬움

3) 호흡수가 빠르다

- 정상: 40-60회/분
- 호흡부전의 징후: 코가 너울거림 (nasal flaring), 그르렁거림 (grunting), 가슴뒤당김 (intercostal & subcostal retraction)

4) **코와 횡격막을 이용하여 호흡**

- 입으로는 호흡하지 않음
  → NG 튜브 삽입 시 코가 아닌 입으로 넣어야 한다.

■ 체온 조절

1. 신생아는 저체온증의 위험이 있다.

① 상대적으로 **BSA** (body surface area)★가 크다.
② **털**이나 **피하조직**의 **부족**
③ **Insensible loss**가 많음 (신생아 30–35 ml/kg/day, 어른 15 ml/kg/day)
④ **shivering**을 **못함** (Nonshivering Thermogenesis)
- cold stress에 반응하여 목, 겨드랑이, 종격동 및 신장주위 **brown fat**을 이동시켜 대사와 산소소비를 증가시킴

→ 계속된 저체온시 : perfusion↓, 대사성 산증 초래!!

2. 신생아의 체온 측정

- 신생아 체온은 직장체온이 가장 정확하며, 심부체온이 36.5~37℃가 되도록 한다.

■ 면역 기능

- 신생아는 **면역기능이 저하**되어 있다.
  → 면역글로불린 및 C3b보체가 감소되어 있음.
  → 패혈증의 위험이 크므로 발열이 심하거나(39℃ 이상) 황달, 호흡곤란, 복부팽만, 식욕부진, 구토, 기면상태 등의 증상이 나타나면 경험적 항생제를 우선적으로 투여해야 한다.

수액, 전해질 및 영양

• 소아대사에서 주의할 점
  ① 오차의 범위가 좁다. (예컨대 경정맥 glucose가 조금만 낮아도 저혈당, 조금만 높아도 고혈당이 나타남),
  ② 성인보다 단백질, 에너지 **요구량이 많다.**
  ③ 신생아의 영양에 대한 평가는 가장 적절한 **평가**는 **매일 체중측정**을 통해 이루어진다.

■ 수액 및 전해질 요구량

1. 불감성 수분상실 (Insensible water loss)

• 차이
  ① 미숙아 : 45-60 ml/kg/day
  ② 신생아 : 30-35 ml/kg/day
  ③ 성인 : 15 ml/kg/day
• 불감성 수분상실을 증가시키는 요인
  : radiant heat warmer사용, 고빌리루빈혈증으로 인한 광선치료, 호흡부전

2. 수액요구량

• **연령에 따른 수액요구량 ★★**

미숙아 〈 2kg	• **140–150 mL/kg/d**
신생아 및 영아 2–10kg	• **100mL/kg**
소아 10–20kg	• **1000** mL + **10kg** 이상의 체중당 **50** mL/kg/day
소아 〉 20kg	• **1500** mL + **20kg** 이상의 체중당 **20** mL/kg/day

• 체중에서 수분이 차지하는 비율은 매우 높다가 생후 1년반 이후 성인수준 (60%)로 감소한다.
• 체중은 지속적으로 증가해야하며 유일한 예외는 **생후 3-5일째** 발생하는 **생리적 수분소실** (체중의 10%까지)이다.

3. 수분보충에 대한 평가

소변량	osmolarity
최소 ≥ 1-2mL/kg/day	최대 700mOsm/kg이며 이렇게 증가되었을 때 수분보충이 요구됨.

4. 전해질 공급

- Na : 2-4 mEq/kg/day (정상 Na: 138~145 mEq/L)
  K : 1-2 mEq/kg/day (정상 K: 〈2개월=3.0~7.0mEq/L, 2~12개월=3.5~6.0mEq/L, 〉12개월=3.5~5.0mEq/L)

5. 수혈

- safe transfusion : 10-20 ml/kg (PRC or PC)

■ 영양 공급

1. 칼로리 요구량

① 체중의 증가로 영양상태가 평가되며 영아의 경우는 30g/day의 체중증가가 있어야 한다.
이러한 체중증가 정도는 나이가 증가함에 따라 감소한다.

② 일일 칼로리요구량은 **영아기에 100-120 kcal/kg/day**이고 나이가 증가함에 따라 감소하게 된다.

2. 단백질

① 전체 칼로리의 15%를 단백질로 공급해야 함.
단백질을 많이 공급하면 BUN수치가 상승하므로, **비단백질 칼로리/단백질성 칼로리비**는 150:1 이하가 되지 않도록 한다.

② **요구량**

- 영아기엔 2-3.5 g/kg/day로 공급 ~ 12세 땐 이 요구량의 절반, 그리고 18세 땐 성인의 양(1g/kg/day)로 공급
- 소아 TPN에선 0.5g/kg/day로 시작하여 매일 0.5g/lkg/day씩 목표량까지 증량한다.

3. 탄수화물

① 환아가 경구로 당분을 섭취할수 없을 땐 반드시 경정맥으로 당분보충을 해야 한다
(보충이 적절하지 않으면 급격히 저혈당 발생함).
└ 경련, 신경증상 유발

② **요구량**

- 신생아 최소 4-6mg/kg/min, 최대 10-12 mg/kg/min까지 보충함.
- 인슐린을 TPN제제에 혼합하지 않는다.

4. 지방

① 지방공급은 칼로리원 뿐만 아니라 **필수지방산 공급**을 위해서도 필요하다.

② 요구량 : 0.5g/kg/day로 시작 → 2.5~3g/kg/day까지 증량 가능

③ **Unconjugated hyperbilirubinemia 시** 지방이 알부민과 결합해 있는 bilirubin을 분리시켜 **핵황달을 악화**시킬 수 있으므로 지방공급에 주의해야 한다.

외상

- 1-15세사이의 m/c 사망 원인임.

1. 응급처치

- 외상소아의 관리는 성인과 유사하다. 즉, CAB의 원칙을 따른다.
- 기관삽관시 커프 (cuff)없는 기관내관을 사용해야 하며 그 직경은 **소아의 새끼손가락 직경** 정도이다. 혹은 '**4+(소아연령)/4**' 계산으로 추정할 수도 있다.
- 12세 이하에선 반지방패연골절개술 (cricothyroidotomy)은 시행하지 않는다.
- Line 확보가 힘들 땐 intraosseous access를 이용할 수도 있다.
- Crystalloid를 두 차례 volus (모두 40ml/kg)로 주입함에도 hypovolemic shock에서 호전되지 않으면 **수혈**을 시행한다.
- 소아의 전체혈액량은 대략 **80mg/kg**로 복부둔상 후 24시간내의 수혈량이 예상전체혈액량의 **절반 이상**일 경우는 급성 출혈이므로 **개복술**을 시행해야 한다.

2. 진단

- CT검사가 적절하다.

3. 치료

- **개복 적응증**

① 혈역학적인 **불안정**
② 외상 후 24시간내 **수혈량**이 환자의 혈액량의 절반 이상시 (**≥40ml/kg**)
③ **CT**검사에서 조영제의 **extravasation** 소견시

두경부 질환

■ 낭성 하이그로마 (Cystic hygroma) 【15】

1. 원인

(그림) 낭성 하이그로마

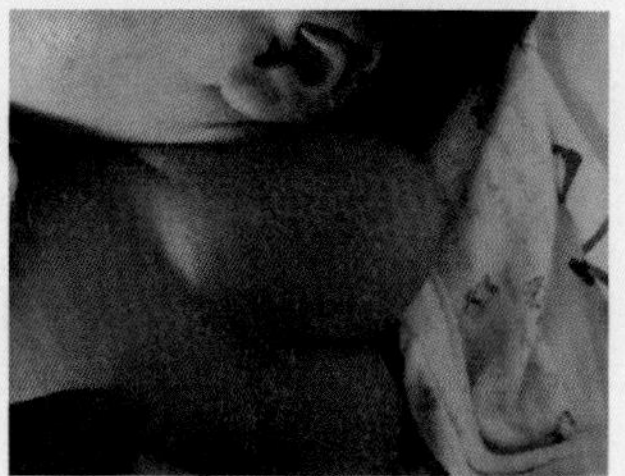

• 림프계의 어디에서나 생길 수 있는 기형으로 림프망 (network)이 발달하지 않아 정맥계로 림프배액이 이루어지지 않아서 발생한다

2. 진단

① **가장 흔히 발견되는 곳**

: **경부의 뒤쪽삼각** (posterior triangle) ★, 겨드랑이, 서혜부, 종격동

② 60%는 출생 시 진단된다.

③ 목, 가슴 부위의 초음파, X-ray 등으로 확인되며, 수술 전 MRI로 절제범위를 정한다.

3. 병리

• 보통 다방성 (multilocular)이고 내피세포 (endothelium)로 덮혀져 있으며 lymph로 가득 차 있다 (양성병변임).

• **감염**, **출혈** 등으로 갑자기 크기가 **커질 수 있다**(**응급수술**을 요함).

4. 치료

① **절제** (수술이 어려울 수도 있다)

② bleomycin이나 Streptococcus pyogenes OK-432유도체 같은 **경화인자** 주입 (소낭성병변에서 더 효과적)

■ 아가미 틈새 잔여물 (Branchial Cleft Remnants)

1. 원인

• 두경부는 발생시기에 여섯 개의 아가미굽이 (brachial arch)에서 발생하는데, 바깥쪽으로는 아가미틈새 (cleft)가 있고 안쪽으로는 아가미낭(pouch)이 위치한다. 이런 구조물들이 발생 이후 소실되지 않고 남거나, 다른 위치로 이동할 때 나타나는 질환이다.

• **나이**에 따른 차이

: 소아에선 **누공**이 흔한 반면, 성인은 **낭종**이 흔하다.

2. Branchial arch와 연관된 기형

① **첫번째 아가미 잔여물**

→ 귀 앞 혹은 뒤쪽 및 하악골의 upper neck에 위치함. 누공은 외이도 (ext. auditary canal)까지 연결된다.

② **두번째 아가미 잔여물: m/c**

→ SCM의 **앞모서리**에 위치함★
(아래턱각 [Angle of Jaw] ~ 경부의 아래쪽 1/3)
└ 주로 **낭성 종괴** 형성 └ 주로 **Sinus tract** 형성함.

③ **세번째 아가미 잔여물**

: 목아래패임 (suprasternal notch) 및 빗장뼈 부위 (clavicular region)에 나타나며 단단한 종괴 및 피하농양의 형태를 띤다.

(그림) Branchial cleft remnant

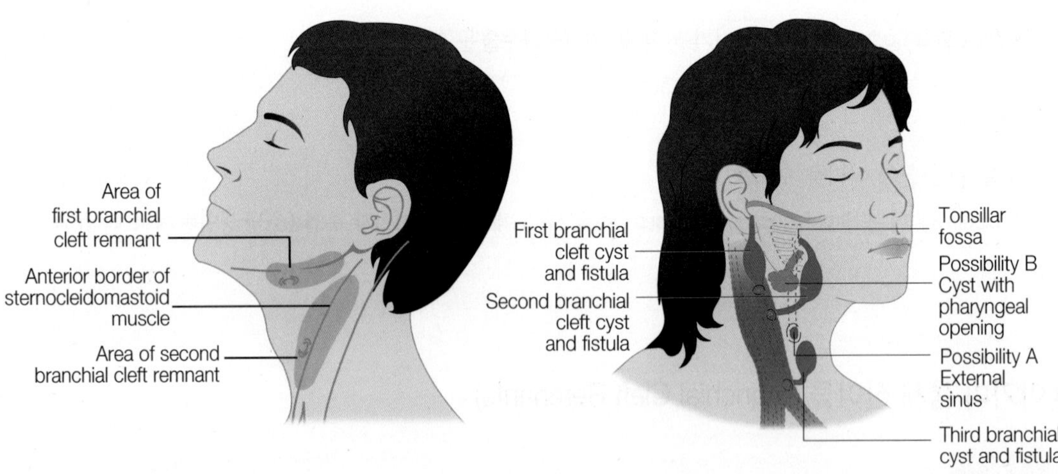

■ 갑상설관 낭(Thyroglossal duct cyst) ★

1. 발생부위

- 목의 중앙부에 생기는 가장 많은 병변 중에 하나로 입학전 아동기에 가장 많이 발견된다. ★
- Base of tongue (foramen cecum)부터 갑상선 pyramidal lobe 사이에 분포
- 대부분은 hyoid bone 바로 아래 나타난다.

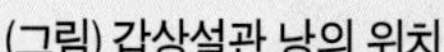
(그림) 갑상설관 낭의 위치

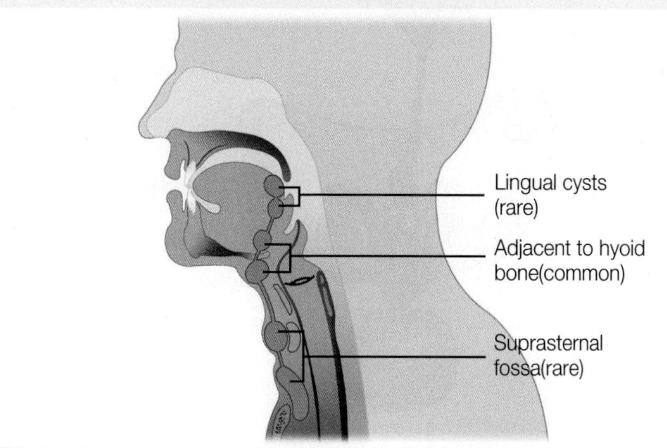

- 갑상선의 이동과 관련된 기형으로 완전히 갑상선의 이동이 이루어지지 않은 경우가 lingual thyroid이다.

2. 진단

- 초음파 및 핵의학 검사 (radionuclide imaging)

3. 수술

- 수술 적응증

① **크기** 증가, ② 낭종의 **감염**위험시, ③ **악성종양**으로의 변화(1~2%)

• 수술 : Sistrunk OP

목뿔뼈의 중앙부위를 포함한 종괴를 완전절제한 후, foramen cecum위치에서 관을 고위결찰(high ligation)한다.

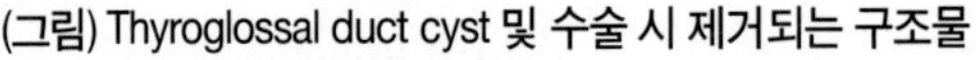
(그림) Thyroglossal duct cyst 및 수술 시 제거되는 구조물

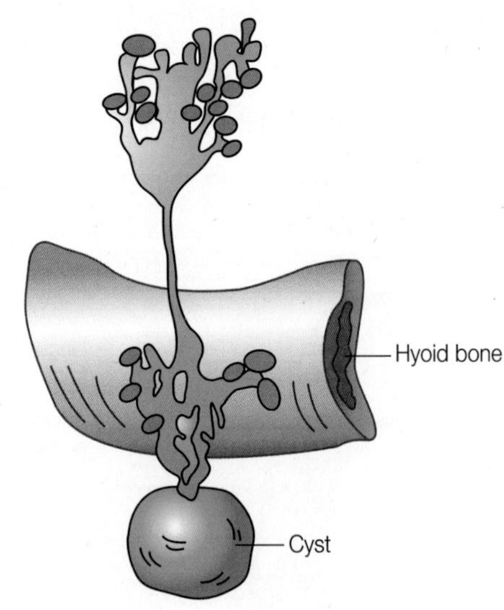

■ Lymphadenitis

① **Benign cervical lymphadenopathy** is the m/c neck mass in childhood

② 대부분은 URI, otitis media, pharyngitis에 병발하여 생김 (일차병소를 제거하면 회복됨)

③ Suppurative lymphadenitis → Cellulites → Fluctuation : I & D 해준다.

④ 만성적으로 오는 경우가 있다. (ex. Mycobacterial infection, Catscratch disease)

■ Cervical Anomalies

• 흔한 anomalies

① Branchial cleft cyst	② Thyroglossal duct cyst	③ Cystic hygroma
④ Dermoid cyst	⑤ Hemangioma	⑥ Torticollis

■ 사경 (Torticollis)

1. 유형

① **선천성** : 생 후 4-6주에 발견되며 출산외상과 관련된다.

② **후천성** : 늦게 발견되고 다른 여러질환 (급성 근육염, 뇌간암등)을 지닌다.

2. 임상양상

- 머리는 이환된 근육 쪽으로 기울어지므로 **목은 반대편으로 돌아간다.**
- 많은 경우 SCM내에 종괴가 촉진된다.

3. 치료

- 보존적 치료 : **4-5개월**간 이환된 근육을 passive stretching함.
- **1년간**의 보존적 치료 후 에도 호전없으면 수술 (이환된 근육절제)한다.

■ 경부림프절 병변 (Cervical Lymphadenopathy)

- 소아에서 흔하며 대부분 **감염성**이다.

1.임상양상

- 보통 앞쪽경부삼각에서 작고, 잘 움직이는 고무성의 종괴로 나타난다.
- 빗장뼈 윗부분 (supraclavicular region)의 **무통성**이며 **고정**되어 있으며, 크기가 **2cm 이상**일경우 **악성 종양의 가능성**이 있다.

2. 진단

- 생검을 시행하기 전 흉부방사선 사진으로 **종격동 림프절 여부**를 확인한다.
  종격동 림프절 종대가 있으면 **흉부 CT촬영**을 시행하여 기도압박이 있는지 확인한다.
  심한 기도압박이 있으면 부분마취로 수술하도록 한다.

3. 치료

① **양측성** 급성 경부림프염 : 보존적 치료 (호흡기바이러스성이 흔함)

② **단측** 급성 경부림프염 : 항생제치료 (종괴가 fluctuant하면 절개/배액함)

③ **결핵성** 림프염시는 절개 및 배액으로는 재발되기 때문에 **완전절제**를 시행해야 한다.

■ Esophageal Atresia & Tracheoesophageal Fistula (TEF) ★★

- M〉F (남아에서 약간 더 많다)

1. 임상양상 ★

- 심한 호흡부전 및 과다한 침분비
- 처음 식이를 시도할 때 질식, 기침 및 청색증
- LES기능장애가 동반될 수 있다.
- 흡인성 폐렴 유발

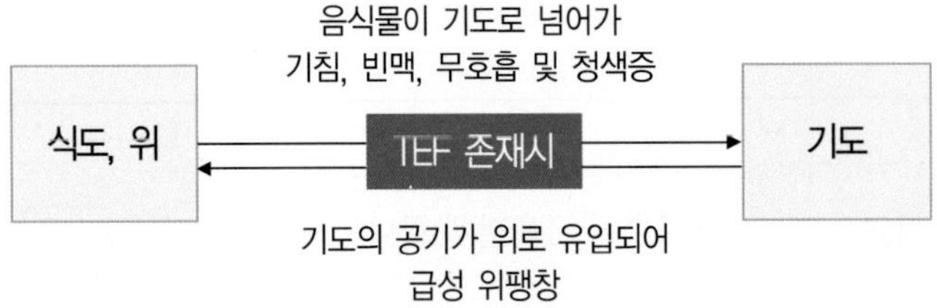

2. 분류 ★

(그림) Esophageal atresia c TEF의 분류 및 빈도

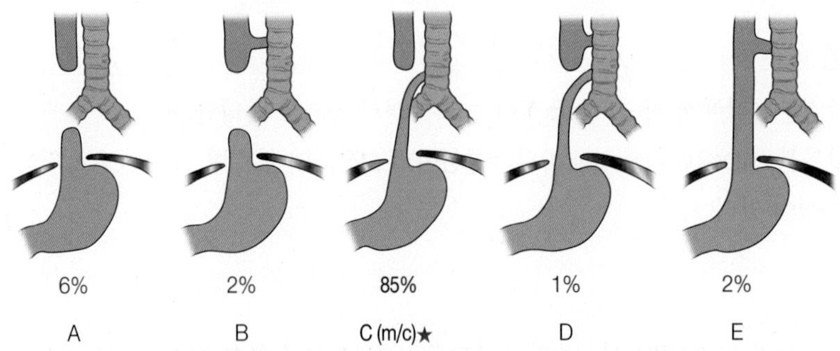

- type C가 most common!!

3. 동반질환

- 산모의 양수 과다증이 진단에 도움이 된다 (TEF와 동반하지 않을 때만!)
- 1/3에서 **저체중**과 관련되며, 2/3에서 **다른 기형**을 동반한다.

> ※ VACTERL
> (Vertebral, Anal, Cardiac, Tracheal, Esophageal, Renal, Limb)

- Down's syndrome & Trisomy18과 연관 ★

4. 진단 ★

- X-ray상에서 NG tube의 위치와, bowel gas를 확인
- NG 튜브가 위로 내려가지 않을 때 → EA 진단
  방사선 사진에서 위가스가 보이면 → TEF도 동반됨.

5. 치료

① **술전 조치**
- 식도에 sump suction을 넣어 계속적으로 흡입한다.
- 동반기형 조사 (P/Ex, SONO, **심장초음파**)
  심장기형여부 확인. 대동맥궁 위치 파악
  cf) 보통은 대동맥궁이 오른쪽에 있으므로 좌측 개흉술를 시행하지만 대동맥궁이 왼쪽에 있는 경우엔 우측 개흉술를 시행한다.

② **수술**
- 4번째 늑간공간으로 개흉한 뒤, 누공을 절개한 다음 **식도를 end-to-end로 문합**한다.

6. 예후

- **술후합병증** : 식도운동성장애, GERD (25-50%), 문합부누출 (10-20%), 기관연화증 (8-15%)
- 사망원인 : 심한 심장질환, 염색체 이상

※ **신생아의 위장관 폐색을 의심할 수 있는 4가지 징후 ★★★**

① 산모의 **양수과다증**
② **담즙성 구토**
③ **복부팽만**
④ 출생 24시간내에 **태변**이 배출되지 않을 때

추가노트

기타 여러상황에서의 TA&TEF의 수술법들

① **양식도 말단이 장력으로 인해 연결하기 힘들 때의 방법들**
a. 원위부말단은 metal clip으로 표시한 후 prevertebral fascia에 고정함.
→ 2-3개월 후 근위부 말단의 충분한 성장이 이루어지면 일차봉합함.
b. 양말단을 모두 흉벽 쪽으로 뺀후 수 일 뒤 일차문합한다.
c. 경부식도 조루술 (cervical esophagostomy)시행 후 나중에 위, 소장 및 결장 등을 이용하여 식도대치술을 시행한다.

② **pure EA 일차문합 힘들 때**
- 경부식도 조루술 (cervical esophagostomy)시행 및 식이를 위한 위조루술(gastrostomy)시행
  → 1년 후 나중에 식도대치술
- 위조루술 (gastrostomy)만 시행 → 3개월 뒤 일차문합 이 경우 식도는 침삼킴 등으로 자극되어 성장할 수 있으므로 식도조루술을 시행하지 않는다.

③ **TEF만 있는 경우**
- 보통 thoracic inlet에 위치한다. 따라서 먼저 guide wire를 넣어 위치를 파악한 뒤 목에 결개선을 내어 TEF 발견 후 절개한다.

■ 비후성 유문협착증 (Hypertrophic Pyloric Stenosis) ★

- 1/3,000~4,000
  보통 **2~8주**에 진단된다 (**영아기 초기**의 가장 흔한 위장관 질환 중 하나).
- M〉F (4~5배), **첫 출산한 남아**에서 많다.
- 위 배출 장애
  → **저염소성 대사성알칼리증** (Hypochloremic metabolic alkalosis), **탈수** 유발

1. 임상양상 【15】

① **비담즙성 구토**가 특징적!

② **위 연동운동** (gastric peristalsis)이 복부에서 관찰되기도 한다.

③ 뿜는 듯한 구토, 구토 후 먹으려고 함.

2. 진단

① 복부의 RUQ에서 **올리브모양의 종괴**가 만져진다.
  → **촉진될 경우 추가의 진단적 검사는 필요없다.**

② **복부초음파** ★
  - pylorus 근육 두께 ≥ **3-4mm**, pylorus길이 ≥ **15-18mm**가 진단적!

3. 치료 ★

① **수술전 상태 : 내과적 응급!**
  - 대사성 알칼리증 및 탈수가 교정되어야 한다.
    - **적절한 소변 배출, 혈청 bicarbonate가 정상인지 확인**한다.

② 수술- **유문근층절개술 (pyloromyotomy)** ★
  - 내부 점막층을 보존하며 유문근에 있는 근육층을 절개한다.

■ 십이지장 폐쇄 (Duodenal Atresia)

1. 임상양상

• 대부분 신생아 시기의 **답즙성 구토의 원인** (85%)

2. 동반기형

① 다운증후군
② 장회전장애
③ 고리이자 (annular pancreas)
④ 담도협착증 (biliary atresia)
⑤ 심장, 신장, 식도 및 항문 기형

※ **미숙아**에서 많이 발생하고, **산모의 양수과다증**을 동반하는 경우가 많다.

3. 진단

• 단순복부사진에서 **double-bubble sign** ★을 보인다.
• 이때 십이지장 이하 부위의 가스가 보이지 않으면 더 이상의 진단검사가 필요하지 않다. 하지만 십이지장 이하의 가스가 보이면 **상부위장관조영검사**를 시행하여 duodenal stenosis를 확진해야 한다. (midgut volvulus를 감별하기 위해)

4. 치료

• 우회술인 십이지장십이지장 문합술 (Duodenoduodenostomy) 시행한다.
- stable할 경우 생후 1-2일에 수술 시행
- 수술 시 고무도관을 십이지장 하부로 통과시켜 또다른 mucosal web이 있는지 확인한다.

5. 예후

• **생존** : 90% 이상
• **사망요인** : 동반된 심한 심장 및 폐질환 및 염색체 이상

■ 공장 회장 폐쇄증 (Jejunoileal Atresia) ★

1. 원인

- 태아기 시기에 장간막혈관 국소 부위의 손상으로 인해 발생

2. 특징

- 빈도 : 공장 〉 회장
- 단순협착부터 장관의 완전한 단절 및 사과껍질모양 혹은 크리스마스트리 모양의 변형까지 다양한 형태로 나타난다.

3. 임상양상

- 폐색 부위에 따라 임상양상이 다르게 나타난다.
  근위부 폐색 → 담즙성 구토
  원위부 폐색 → 복부 팽만

4. 진단

- 단순복부촬영에서 3-4개의 bowel loop가 보임.
- **바륨관장**을 시행하여 다발성 협착 (10-15%)을 감별해야 한다.
- 십이지장 폐쇄증과 달리 다른 동반기형이 없다. 단, cystic fibrosis가 10%에서 나타난다.

5. 치료

① **정상 장길이 일 경우**, 근위부의 확장된 무기능성의 장관을 Treitz lig.까지 반드시 절제한 후 장을 단단 문합한다.
② **남아있는 장이 짧게 될 것을 예상되면** 확장된 근위부장의 두께를 줄인다. (Tapering enteroplasty)
※ 수술 중 고무도관으로 생리식염수를 주사해서 부가적인 협착 부위가 있는지 확인한다.

6. 예후

- 전체 생존율 - 90%
- morbidity의 가장 흔한 원인은 short bowel syndrome과 연관된 경우로 수술 시 가급적 장을 많이 보존해야 한다.

추가노트

cf) 신생아에서 소장하부 폐색의 주요 원인
① 회장폐색 (ileal atresia)
② 태변성 장마비 : major two!!!
③ 소장까지 침범하는 total colonic aganglionosis

MALROTATION & MIDGUT VOLVULUS 【17】

(그림) 장의 정상적 발생

midgut은 재태 4주째 umbilical ring을 통해 복벽밖으로 나와 SMA를 축으로 반시계방향으로 270도회전한 뒤 10주까지 복강내로 돌아온다. 그결과 Treitz ligament는 LUQ에 위치하고 맹장은 RLQ에 위치하게 된다. 그림에서 C의 상태로 머무르는 것이 nonrotation이며, D의 상태가 malrotation에 해당한다.

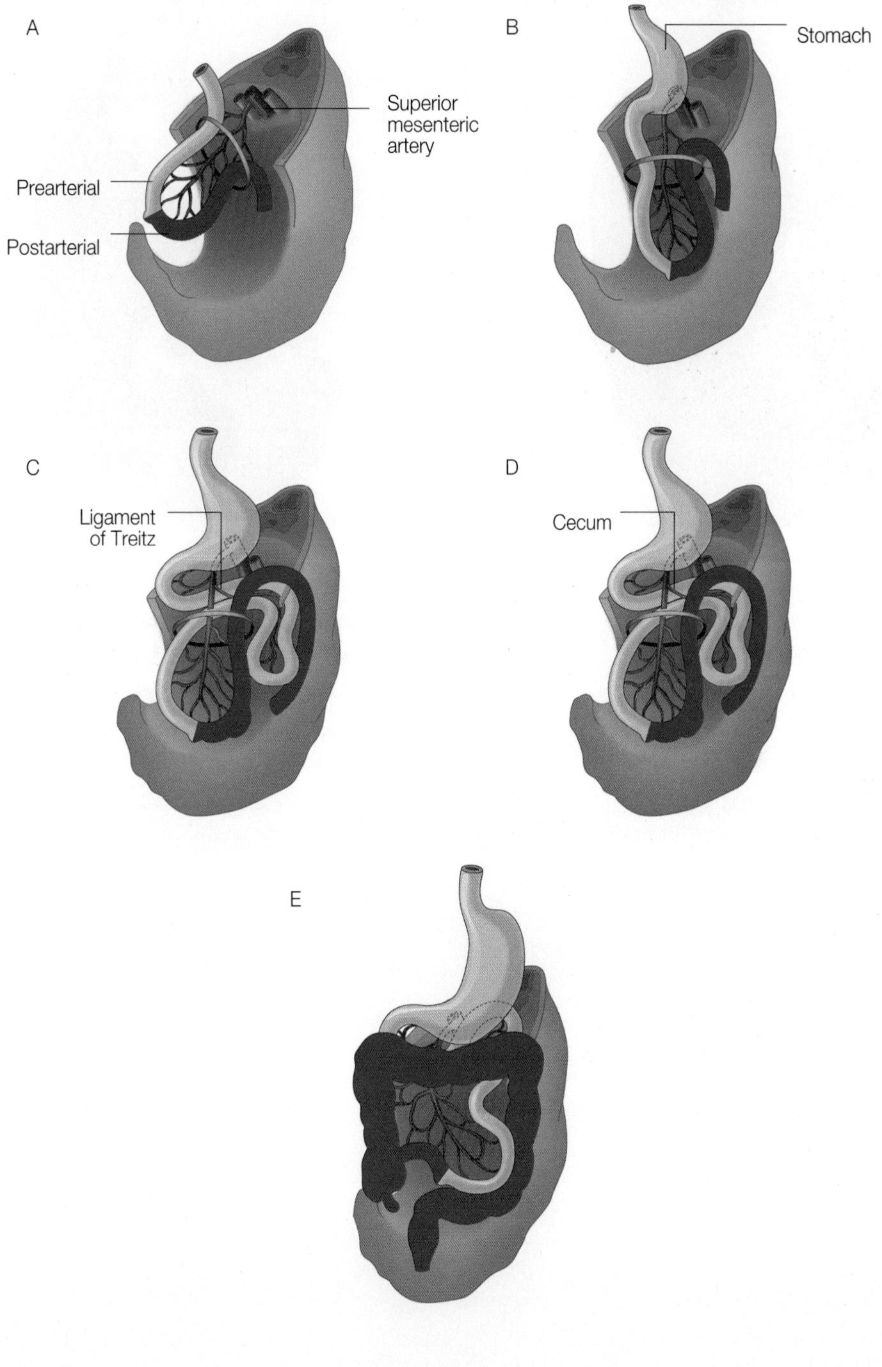

A

Superior mesenteric artery

Prearterial

Postarterial

B

Stomach

C

Ligament of Treitz

D

Cecum

E

1. 장회전장애의 종류

Nonrotation (m/c)	Malrotation (Incomplete rotation)
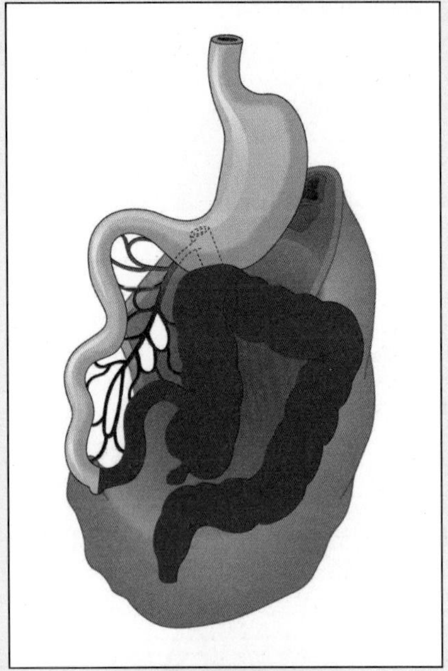	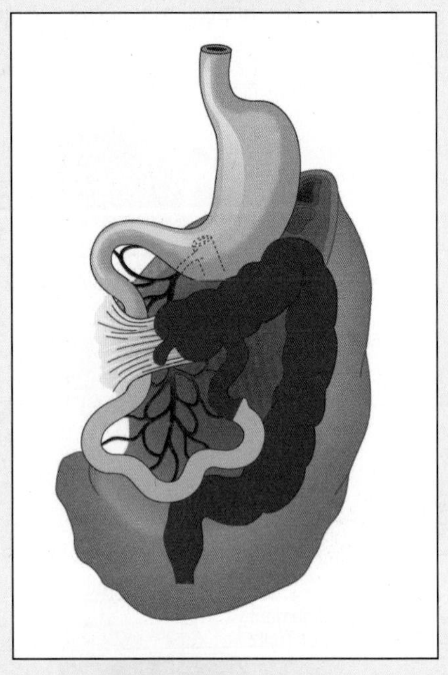
• duodenojejunal limb이나 cecocolic limb **모두가 회전하지 않은 상태로 고정**되는 것	• **duodenojejunal limb은 회전하지 않고 cecocolic limb은 정상적으로 회전하고 고정**된 결과 결장과 후복막을 연결하는 **band (Ladd's band)**에 의해 **십이지장이 막히게 된다.**
• 십이지장 C loop이 존재하지 않음 Treitz인대 → 오른쪽 맹장 → 왼쪽	• 이 경우 midgut 장간막의 기저부가 비교적 여유가 있어 midgut volvulus의 빈도는 높지 않다.
• 공장근위부와 상행결장이 한 pedicle을 중심으로 인접해 있고 이 pedicle에서 혈액 (SMA)이 midgut 전체로 혈액을 공급한다. ★ **이 pedicle의 장염전** (꼬임;volvulus 보통 **시계방향**으로 발생)이 **발생하는 것이 midgut volvulus이다.** (∴ SMA가 함께 꼬임)	• 십이지장 폐쇄로 인해 **담즙성구토**가 유발된다.

2. 임상양상

- **신생아에서 갑작스런 담즙성 구토**가 발생할 때 가능성을 생각한다. ★
  담즙성 구토를 유발하는 다른 여러 원인들이 있지만 "midgut volvulus" 은
  외과적 응급질환이므로 **먼저 이질환을 감별해야 한다.** ★
  └ 빨리 수술하지 않으면 장괴사 및 이로 인한 사망 가능
- midgut volvulus가 불완전하게 나타나면 만성복통, 간헐적 구토, 체중감소, 포만감,
  설사 및 **혈변** 등의 증상을 보일 수 있다.
  └ 염전에 의해 장간막 혈액흐름이 차단되어 발생

3. 진단

① **단순복부촬영**

② **상부위장관 조영술 – gold standard!!!**

- Treitz인대 위치를 통해 진단하는데 정상에선 배중앙의 왼쪽에 위치하지만 midgut volvulus의 경우 십이지장의 3번째 부위의 폐색이 나타나 **새부리(bird' s beak)모양**을 띈다.

4. 동반기형

- 선천성횡격막탈장, 복벽결손, 십이지장폐색증 및 Prune-belly syndrome

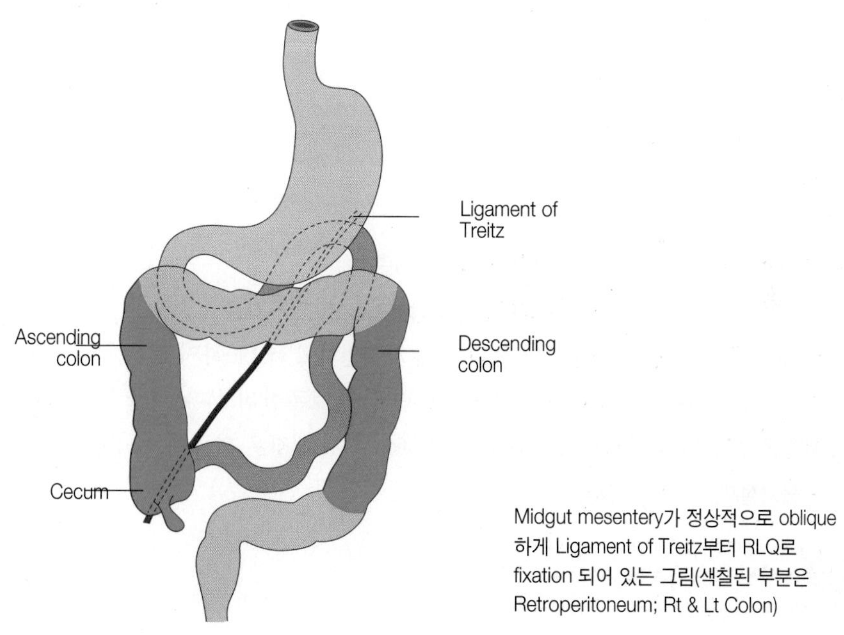

Midgut mesentery가 정상적으로 oblique 하게 Ligament of Treitz부터 RLQ로 fixation 되어 있는 그림(색칠된 부분은 Retroperitoneum; Rt & Lt Colon)

5. 치료: 응급수술!

- Ladd procedure c appendectomy
- 장 위치 변경으로, 이후 맹장염 발생 시 맹장을 찾기 어려우므로 예방적으로 appendectomy 시행

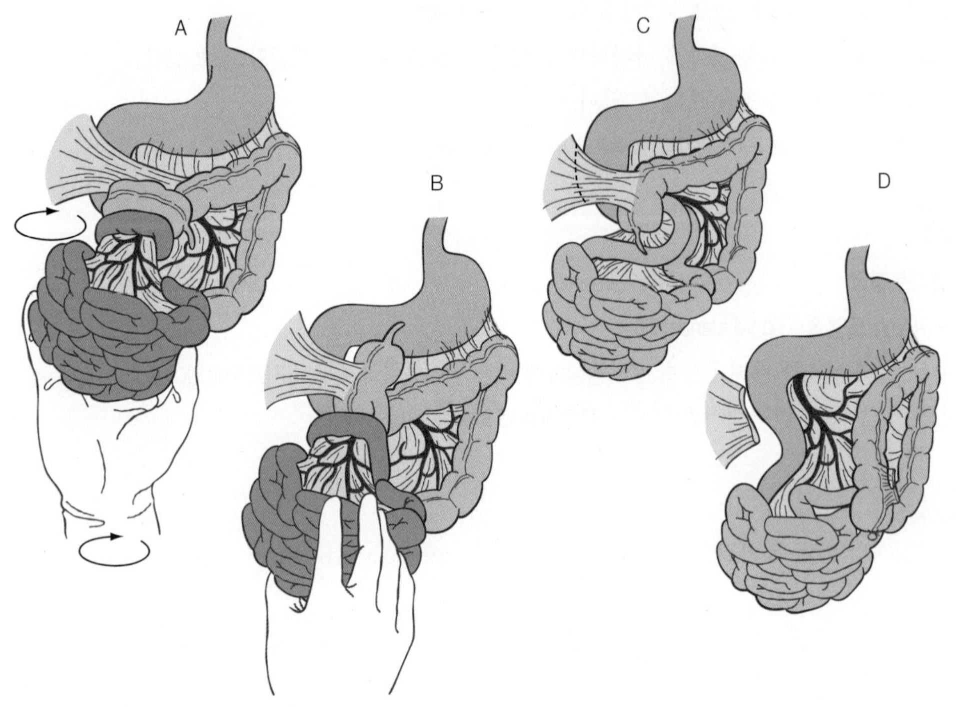

※ **방법**

① 장을 꺼내서 꺼내서 **"반시계방향"** 으로 풀어준다.

└ 대부분 시계방향으로 꼬여있기 때문

② 따뜻한 스폰지 등을 이용하여 **장이 살았는지 확인**하고 viable하지 않은 장은 절제후 장루 (stoma)를 만든다. viable한지 확신이 들지 않으면 일단 보존한뒤 24-36시간 후 2nd look OP를 한다.

③ **맹장을 고정하고 있는** band (Ladd band)를 ligation한 뒤 대장은 왼쪽에, 소장은 오른쪽에 정리하고, **충수돌기절제** 후 수술 끝냄.

6. 예후

: 사망률 높음 (18-20%)

괴사성 소장결장염 (Necrotizing Enterocolitis)

- 신생아시기의 m/c 위장관응급질환
  - 80%가 생후 첫달에 발생

"미숙아"가 유일하며 가장 중요한 위험인자이다.

1. 증상 및 진단

- 증상은 경구 영양 후 발생
- 경관식이시 gastric tube에서의 나오는 양 증가, 복부팽창, 구토(often bilious), lethargy, 혈변, 발열 및 저체온, 복부종괴, 복벽의 발적, 소변감소, 황달, apnea & bradycardia
- 단순복부사진

① **고정**되고 **확장**된 소장 loops
② Pneumatosis intestinalis
③ Free fluid (**ascites**) or/and air (**pneumoperitoneum**)
④ **Portal v.** 에 **공기**소견

2. 치료

① 내과적 치료 우선
- 금식, gastric tube삽입
- 수액 보충. 수혈 및 광범위항생제 투여

→ 내과적 치료를 7-10일후 호전된 경우가 50%

② 수술

A. 적응증 ★★

[절대 적응증]
- **장천공소견**이 있을 경우

[상대 적응증]
a. 임상적인 경과가 **악화**될 때
b. **cellulitis**
c. **산증**의 악화
d. **WBC** 및 **혈소판**수치 감소
e. 복부**종괴**가 촉진될 때
f. 반복된 복부사진에서 지속적으로 **고정된 장 loop**가 보일 때

B. 수술방법

① 모든 nonviable bowel분절을 절제하고 장루 (stoma)를 만든다.

- 소아의 short bowel syndrome의 가장 흔한 원인이다. 따라서 가급적 많은 장을 보존하기 위해 노력해야 한다.

② **복막내 배액관 삽입법**

- Bed side로 부분 마취로 수술이 가능함. 아직 효과는 입증되지 않았음.

3. 예후

① 전체 사망률 : 10-50%

② 수술 후 **short bowel syndrome**이 m/c발생하며 수술과 관계없이 **장협착**이 10%에서 나타난다. 장협착의 m/c site는 비장곡 (splenic flexure)이다.

③ 오랜 시간 경과 후 신경발달의 장애가 나타나기도 한다.

■ 태변 증후군 (Meconium Syndrome)

- 낭성섬유증 (Cystic fibrosis)와 연관되어 발생하는 위장관 질환군

> – 상염색체 **열성**유전. 즉, 양친이 모두 carrier이어야 발생함.
> – 빈도 : 1/2500
> – **외분비장애** (lung, pancreas, liver, intestine, sweat gl.)
> – 병인
> **췌장효소 부족**
> → 태변 구성의 장애
> → 태변이 딱딱한 응고물 형성 → 장폐색

1. Meconium Plug

① **특징**

a. **동반 질환**

: Hirschsprung' s disease, 산모 당뇨, 갑상선기능저하증 및 Cystic fibrosis

→ 즉, 이러한 질환들 (특히 **Hirschsprung' s disease)에 대한 감별검사**를 해야 한다.

└ submucosal suction biopsy 시행!!

b. 보통 환자는 조산아이며 **소장 원위부 폐색증상**을 지닌다.

└ 복부 팽만

② **진단 및 치료**

- **수용성 조영제를 이용하여 관장**을 하여 meconium plug이 배출되도록 한다.

2. 태변성 장마비 (Meconium ileus)

- 모든 환아가 cystic fibrosis를 지닌다.
- 태변이 회장원위부에 가득하여 결장은 매우 직경이 작다 (microcolon).

① **진단** : ileal atresia와 구별하는 것이 중요! (∵ 치료가 다르므로)

a. **단순복부사진**

- 확장되어 있는 가스로 차있는 소장loop가 보이고 air-fluid level은 보이지 않으며 RLQ부위에 태변과 가스가 혼재되어 **ground glass 혹은 soap bubble 모양**을 띈다.

b. **Gastrograffin 관장**을 시행한다. gastrograffin은 고장성 용액이므로 환아가 탈수가 될 수 있어 **충분한 수액을 공급**하며 시술해야 한다. 보통 진단겸 **75%의 환아에선 치료까지 이루어진다.**

c. ileal atresia와 감별이 어려울 땐 초음파검사가 도움이 된다.

② **치료** : Cx여부에 따라 치료가 다름!!

A. **합병증 없는 경우**

- **Gastrograffin enema – 75%에서 성공**
- 확장된 회장을 절제하고 장루 (stoma)를 만드는 수술
- 소장에 구멍을 내고 **(Enterostomy) 수술 도중 세척**
  (**생리식염수** 혹은 **4% N-acetylcysteine** 사용)

(그림) IntraOP Enterotomy c catheter irrigation

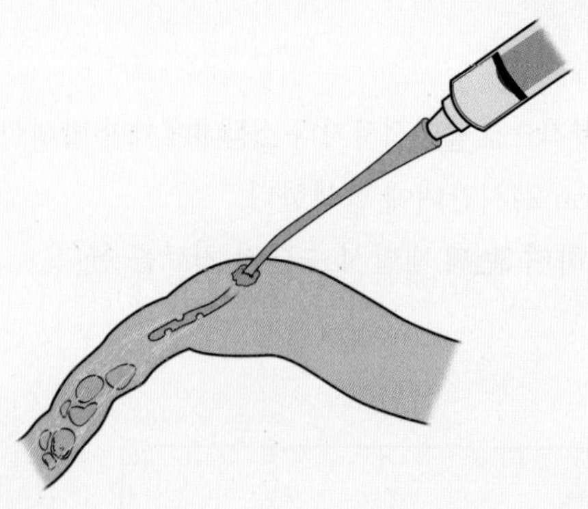

B. **합병증을 동반한 경우 (>50%)**

- 장협착, 염전, 천공, 괴저 복막염 등의 합병증이 가능함
- Gastrografin관장은 금기!!
- **장절제후 문합**을 하는데 일시적 장루를 만들 수 있다.

③ 예후 : 90% 이상에서 신생아시기에선 생존 가능하다.

장중첩증 (Intussusception)

1. 특징

- 소아기 초기의 가장 흔한 장 폐색의 원인 (생후 **6개월시 가장 많이 발생**) M〉F (비교적 건강한 아이)
- 발생 부위 : ileocolic type (95%)〉colocolic type (5%)
- 병변 부위에 림프조직의 부종이 있어 환자의 최근의 바이러스성 감염과의 연관성이 제기되기도 한다.
- **병적유발 부위**가 있는 경우가 12%로 연령이 높을수록 증가한다.
  └ m/c : Meckel' s diverticulum

2. 임상양상 【16】

- 갑작스런 복통 발생 (85%). 통증시 다리를 웅크림 → 시간이 지나면 lethargic해짐
- **구토** (60%) : 보통은 담즙성
- 폐색이 진행되어 장벽 허혈이 발생하면 젤리모양의 변(current jelly stool)
- 소세지 모양의 **복부 종괴**가 촉진될 수 있다.

3. 진단

- **초음파검사**가 초기검사로 적합★
  - 병변의 횡단면은 target 모양으로, 종단면은 pseudokidney 모양으로 보일 수 있다.

4. 치료 【17】

① **공기를 이용한 hydrostatic reduction**

- **금기 : 복막염**이 있거나, 혈역학적으로 **불안정**하거나 **소장내**에서만 발생한 장중첩증시
- **재발율은 11%**로 보통 reduction 24시간내에 발생한다.
  → 계속 반복해서 reduction하며 **3번째** 재발시 수술적 치료를 한다.

② **수술**

- **적응증** ★

> a. **복막염** ★
> b. **소장 완전 폐색**
> c. **소장**에서만 발생한 장중첩증
> d. hydrostatic reduction**실패** 및 **반복된 재발**시

- **방법**
  먼저 복강경으로 병변을 확인한 후 transverse incision 통해 개복하여 **도수정복 (manual reduction)후 충수돌기절제**한다. 도수정복되지 않거나 장이 viable하지 않으면 장절제도 시행한다.
- 수술 후 재발율은 낮다.

■ Hirschsprung's Disease ★★

- 95% 이상이 **만삭아★**에서 나타남. M〉F
- 가족력이 7~21%에서 있다.

① 정의

- Myenteric plexus 및 Submucosal plexus에 ganglion cells이 없음

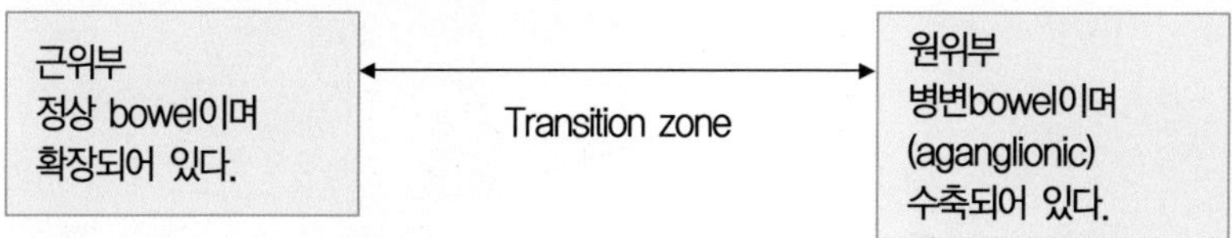
근위부
정상 bowel이며
확장되어 있다.
Transition zone
원위부
병변bowel이며
(aganglionic)
수축되어 있다.

- 병변은 **"직장 원위부" 부터 시작**하여, S자결장 (75%), 비장곡 혹은 횡행결장 (17%), 전체 결장 및 소장의 일부 (8%) 까지 침범한다.

② 임상양상

- 생후 첫 24시간엔 증상이 없다가 점차적인 복부팽만 및 담즙성 구토 생후 24시간내에 태변배출이 되지 않음
- 소아기 때 심각한 변비 및 복부팽만을 주소로 내원할 때 가능성을 의심해야 한다.
- **소장결장염**으로 인한 설사 가능 (치료하지 않았을 때의 m/c 사망원인)

③ 진단 ★★★

a. 바륨관장 ★ • 정상에선 직장이 S자결장보다 직경이 크지만 이 질환에선 **직장의 spasm으로 직장의 직경이 더 작아진다.** • 이행부 확인: 신생아에서는 3-6주까지 잘 안보일 수 있다. • 24시간 후에도 사진을 찍어 조영제 배출 여부를 확인한다.   : 배출이 되지 않았을 때 본 질환을 더 시사하며, 이행부를 더 잘 관찰할 수 있다.
b. **항문직장압검사** (Anorectal Manometry) ★ • 직장을 balloon으로 확장함에도 **항문내괄약근의 이완이 없을 때** ★
c. **직장생검 – gold standard!!!** • **치상선 (dentate line) 2cm 상부에서 생검함** • 소아에선 직장벽이 두꺼우므로 전신마취하에서 전층생검을 시행한다. [소견] **ganglia가 없음, 신경줄기의 비대, acetylcholineasterase 염색 양성**

④ **치료** : 수술!!

a. 처음엔 진단 (→ 생검) 겸 diverting colostomy시행

b. 그후 확정적 수술 시행

---

i) Swenson씨 술식

- aganglionic bowel을 항문내괄약근 level 이하까지 절제한 뒤 결장항문문합 시행함.

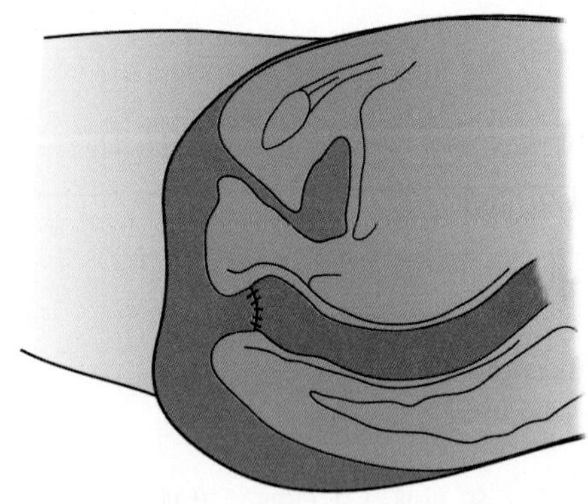

ii) Duhamel씨 술식

- aganglionic rectal stump를 남겨두고 신경절을 지닌 정상 결장을 이 stump 뒤쪽으로 연결해 줌.

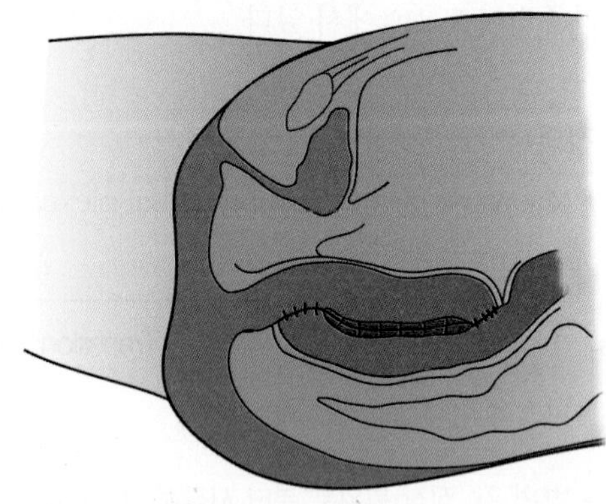

iii) Soave씨 술식

- 신경절없는 원위직장내에서 endorectal mucosal dissection 후 신경절있는 정상 결장을 원위직장의 남은 근육층 쪽으로 끌어내린 뒤 문합한다.
- 최근엔 신생아에서 colostomy 없이 일차수술로 이용되기도 한다.

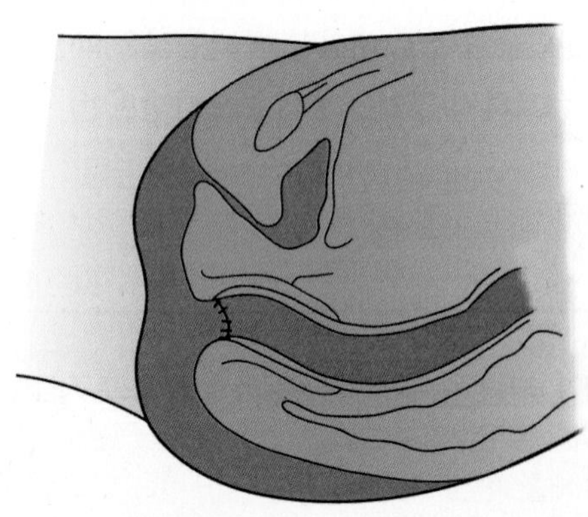

---

⑤ **합병증** : 변비 〉 배변자제불능 및 soilage

■ 항문막힘증 (Imperforate anus) ★

- M〉F (남아에서 약간 더 많다)
- 남아에서는 결장 원위부와 요도 사이 fistula, 여아에서는 결장 원위부와 질전정부 사이의 fistula가 가장 흔한 유형이다.

① 발생

- 6주까지 배설강은 **urogenital septum**에 의해 앞쪽은 urogenital sinus, 뒤쪽은 항문직장관으로 나뉘게 된다. 이러한 urogenital septum이 형성되지 않을 때 항문막힘증이 발생함.
- anal membrane이 흡수되지 않으면 항문협착 발생하며, cloacal folds로 부터 정상적으로 perineal body가 형성되지 않을 경우 항문외괄약근 앞쪽으로 anal opening이 열릴 수 있다.
(anteriorly displaced anus)

② 분류

	여아	남아
고위	• 항문직장무형성증 ±직장-질누공 • 직장무형성증	• 항문직장무형성증 ±직장-전립선요도 누공 • 직장 무형성증
중간위	• 항문직장무형성증 ±직장-질누공 • 직장무형성증	• 항문직장무형성증 ±직장-망울요도 누공 (bulbar urethra) • 직장무형성증
저위	• 항문-질전정부 누공 혹은 항문-피부누공 (anteriorly displaced anus) • 항문협착	• 항문-피부누공 • 항문협착

- 기준 : 직장맹관 (blind pouch)가 levator ani근과 비교시 어느 level까지 내려왔는지로 구분함.
- 시진을 통해서도 90% 가깝게 level을 추정할 수 있다.

추가노트

★고위기형, 저위기형 비교가 중요

a. **항문피부누공이 남아의 항문주위 피부 및 여아의 처녀막 (hymen) 바깥쪽에서 관찰되면** 저위병변임.
→ 장루는 필요없이 일차회음부교정술 시행

b. 대부분의 다른 병변은 **고위** 혹은 **중간위** : 소변에 대변이 섞임 ★
→ S자결장 조루술 (colostomy) 후 **확정적인 수술**을 시행해야 한다.

c. **여아**의 경우 회음부의 **누공의 개수**를 통해 type을 유추할 수 있다.
1개의 구멍 → **배설강** (cloaca)
2개의 구멍 → 대부분 **고위형**의 imperforate anus 지속되는 **urogenital sinus**와 정상항문을 지닌 경우임

(그림) Anorectal anomalies환자의 회음부 모양 ★

(그림) Anorectal anomalies환자의 측면도

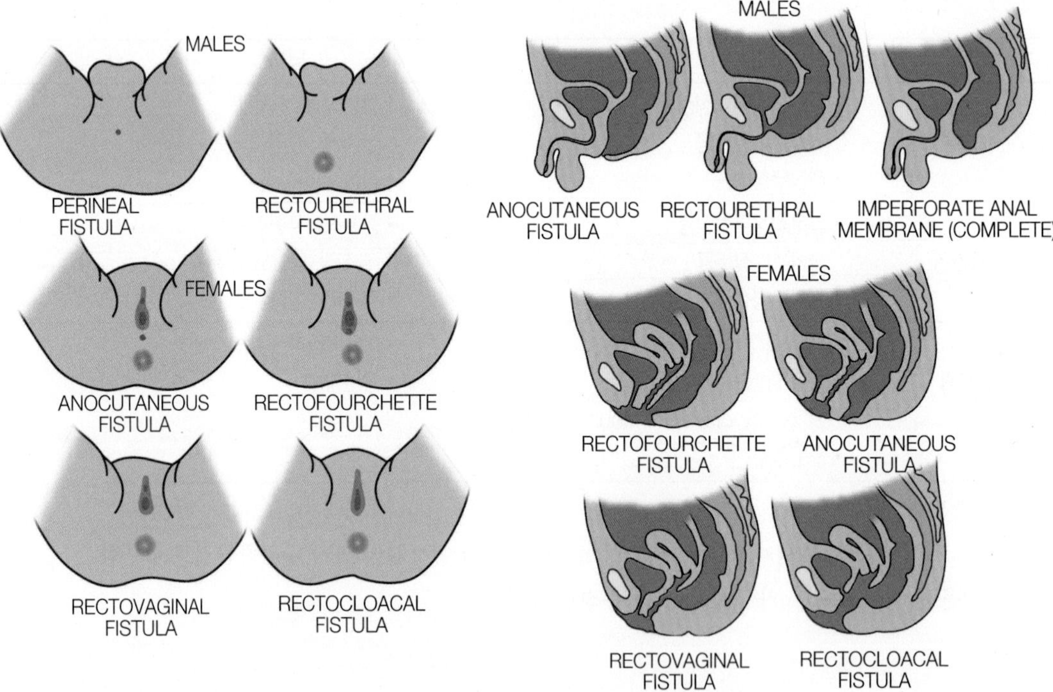

③ **동반질환**

- VATER 혹은 VACTERL과의 연관성
- 1/3환자에서 천골 (sacrum) 및 척추장애 동반
- **고위형**일수록 **비뇨기계 동반질환**이 많다. ★

  └ m/c 방광요관역류, 수신증 (hydronephrosis)

  증상 : 배뇨시 가스, 배뇨시태변, 방광내 공기음영 등

④ **치료**

1. 저위형시 - 1단계의 교정술

a. anal opening이 정상 위치에 있는 anal stenosis시

→ 점차적인 확장술

b. anteriorly displaced anus

→ 괄약근과 anal opening과 거리가 가까우면 cutback anoplasty 거리가 멀면 transposition anoplasty 시행함

2. 중간위 혹은 고위형 - 3단계수술

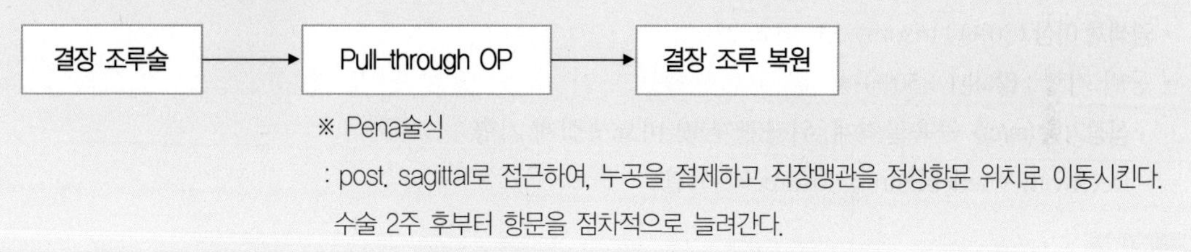

※ Pena술식

: post. sagittal로 접근하여, 누공을 절제하고 직장맹관을 정상항문 위치로 이동시킨다.

수술 2주 후부터 항문을 점차적으로 늘려간다.

⑤ **술후 경과**

- 수술의 목표는 **배변자제** (fecal continence)의 회복이다.

  → 예후를 결정하는 인자는 직장맹관의 level및 천골의 손상 여부이다.
- 술후 75%에서 자발적인 장운동이 회복되며 이중 절반 정도에서 soilage가 없어진다.
- **변비**가 가장 많이 발생하며, 매일 관장하여 장운동이 회복되기를 기다린다.

복벽 결손 ★★

• 비교적 흔함. 산전 초음파로 진단 가능!! ★

■ 배꼽탈출 (Omphalocele) ★

1. 임상양상 & 특징

• 복벽 중앙부의 결손으로 umbilical ring을 통해서 복강내 장기가 밖으로 탈출된 경우

• **낭 (sac)이 존재함 (+)**★

- 바깥층 : 양막 (amnion), 안층 : 복막 (peritoneum)
- 결손 크기 : 다양! (2-10cm) → 작을수록 예후가 좋다!
- sac 내용물 : 장만 있을 때가 많지만, **간**이 나올 수도 있다.

2. 동반질환

• **미숙아**에서 많다.

• **염색체 이상** (30%) : trisomy 13, 18 & 21

• 동반 기형 : **많다!!** (〉50%) ★

- **심장기형 (m/c)**〉 근육골격계, 위장관계 및 비뇨생식계 기형
- Beckwith-Wiedemann syndrome과 연관

3. 치료

① 작은 결손시 (2cm) → direct primary repair

② 중간 및 큰 결손시 → staged closure

- Silastic silo 사용(temporary housing for bowel)
- liver를 포함한 large omphalocele surgical closure를 바로 하면 안됨.

③ 매우 큰 결손 (〉10cm) 및 염색체 이상 동반, 미숙아

- 원칙: 일차적으로 보존적 치료, 그 후 Definite OP
- Escharotic agent 국소도포

(0.25% Silver nitrate, 0.25% Merbromin(Mercurochrome), Silvadene)

→ sac Epithelization & thickening

- 확실한 수술은 **심혈관계 상태가 좋아진 후**로 미룬다!!

4. 예후

• **예후 결정 인자**

: 결손 **크기**, **미숙아**상태, sac **파열**여부, **동반기형** 정도

sac내에 **간**이 들어있는지의 여부가 예후와 관련이 있다.

• Overall mortality : 37%

■ 배벽갈림증 (Gastroschisis)

1. 임상양상 & 특징

- M=F, 미혼모의 아이의 20-25%, 미숙아 및 저체중아에서 40%
- 전 (ant.)복벽 결손부위가 **배꼽의 오른쪽 측면**에 위치함.
- **탈장낭이 없다.**
  i) 수분 소실이 많고, 체온유지가 힘들다!! (충분한 수분 공급 요함)
  (저체온증, 저혈량 및 패혈증의 위험이 높다)
  ii) 장이 두껍고 부종이 있으며 짧아져 있다.
  (→ 수술 후 short bowel syndrome 및 오랜 기간의 adynamic ileus가능)
- 동반 기형 : 흔치 않음. 단, **intestinal atresia가 15%에서 나타남**
- 탈장된 기관 : 간은 거의 없음!!!
  대신 난소, 나팔관 및 고환이 탈장될 수 있다.

2. 치료

① **수술전 관리**
- 환아의 하반신과 탈장된 장을 sterile bowel bag으로 둘러싼다.
- 첫 24시간 수액요구량 : 정상아의 2.5배
- Orogastric tube 삽입, IV 항생제, 체온 유지

② **수술적 치료**- Omphalocele과 비슷
- 탈장된 장을 일단 배안에 넣은 뒤 수주 후에 교정할 수 있다(70% 성공).
- 대부분 ventilator care 필요, 경우에 따라 staged procedure 필요

※ 비교 ★★★

	Omphalocele	Gastroschisis
발생부위	• **umbilical ring**	• **Rt. lateral to cord**
결손의 크기	• **2~10** cm	• **small** (<4 cm)
umbilical cord	• sac의 정점에 **탯줄**있다	• Normal
sac	• 있다	• **없다**
내용물	• bowel, liver, …	• liver는 거의 없다!!
장모양	• Normal	• **짧아져있거나 부종**이 있다.
malrotation	• +	• +(Nonrotation)
술후 장기능	• Normal	• prolonged ileus
동반 기형	• **흔함**	• 흔치않다

서혜부 탈장 및 음낭수종 (Inguinal Hernia & Hydrocele)

- 소아연령에서 수술을 요하는 m/c 질환

1. 원인

- embryonic processus vaginalis의 일부 혹은 전체가 지속될 때
  → Scrotal hernia, communicating hydrocele, a hydrocele of the cord, 단순 hydrocele 등의 다양의 범주의 질환들이 발생함

(그림) Inguinal hernia와 Hydrocele의 다양한 변이들

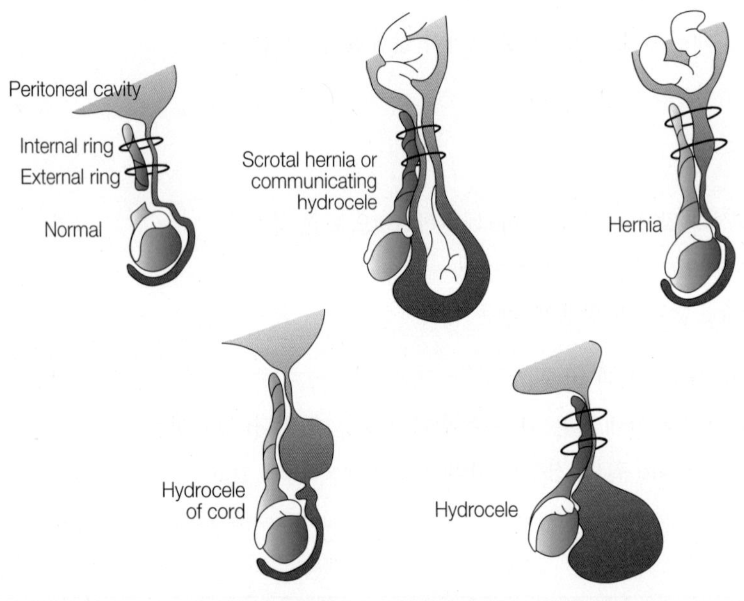

2. 빈도

- 0.8~4.4% 빈도이지만, 조산아에선 30%까지 증가함.
- 1/3 환아가 생후 6개월 이하임.
- M〉F (6배). <u>오른쪽 (60%)</u>, 왼쪽 (30%), 양측성 (10%)
  └ 오른쪽 고환의 processus vaginalis가 더 늦게 내려가고 막히기 때문에 더 많이 발생함.

3. 주요 위험 인자

: 장감돈 (bowel incarceration) & 교액 (strangulation)

→ 미숙아에서 더 많이 나타난다.

4. 음낭수종 (Hydrocele)

- 고환 및 cord주변으로 수액이 차는 질환
- 종류

교통성 (Communicating)	비교통성 (Noncommunicating)
• 복강과 연결되어 복강내액이 음낭에 차게 된다. • 기본적으로 **작은 서혜부탈장**이라고 생각하면 된다. processus vaginalis를 통해 복강내 구조물이 아닌 **수액**이 가로지른다 • **치료** indirect IH와 같은 방식으로 교정하면 된다.	• 복강과 연결이 되지 않았으며 하루중 음낭수종 크기에 변화가 있으며 고환 위로 두꺼운 cord가 촉진된다. • **치료** **수 개월간 경과를 관찰**한다. 없어지지 않고 **크기가 증가**하는 경우 **epididymitis, torsion 등과 관련**되며 이런 경우 **수술적 교정**해 주어야 한다.

5. 수술시기 ★

① 신생아실에서 **퇴원하기 바로 전**에 수술하는 것이 적합하다. ★
이미 퇴원한 경우는 **임신 60주 이후**에 수술하도록 한다.

② **Incarcerated IH의 수술시기**

a. 여아의 경우는 보통 난소가 incarceration되며 torsion및 strangulation의 위험 때문에 **수 일내에 빨리 수술**한다.
b. 장이 incarceration된 경우는, 복막염소견이 없으면 **도수정복을 시도**한다. 성공하게 되면 입원하여 부종이 빠지도록 24-48 시간 경과관찰 뒤 수술한다. **도수정복 실패시 즉시 응급수술**을 한다.

6. 반대편 서혜부 exploration에 대하여

- 남아의 경우 **1세 미만**인 경우에 한해 의심되는 경우 시행할 수 있다.
- **여아**의 경우는 한쪽에 확실한 서혜부탈장이 있으면 반대편 exploration을 할 수 있다.
  (남아에 비해 손상받은 주요 구조가 적어 수술이 안전하기 때문)

잠복고환 (Undescended testis)

1. 개관

- 생후 첫 1년에 1-2%에서 발견된다.
- 보통 **3개월**째까지 sponetaneous descent가 나타나지만 그 이후엔 고환하강이 거의 나타나지 않는다.
  → 따라서, **수술은 생후 1년가량 되었을 때 시행**한다.
- retractile testis와 감별해야 한다.
  └ 이 경우 음낭쪽으로 고환이 잡아당겨질 수 있다.

2. 합병증

- 정자생성에 적합한 온도가 되지 못하므로 정자생성정체, 불임 및 악성진행 등의 위험이 있다.
- 동측의 서혜부탈장과 연관되고 외상의 위험이 있다.

3. 치료

① **고환고정술** (Orchidopexy)을 시행하고 관련된 **서혜부탈장을 교정**한다.

② 고환이 촉진되지 않을 땐 술전 CT, MRI, US 및 복강경을 통해 위치를 파악한다. 고환 주위의 혈관을 박리하여 고환을 음낭내로 내릴 수 있고, 그래도 내려오지 않으면 절제하거나 autotransplantation을 시행한다.

Umbilical hernia

1. 원인 ★★ 【15】

- umbilical ring이 지속적으로 남아있어 발생한다.
  umbilical ring은 4-6세 때 80%에서 막히게 된다.
- 거의 합병증을 유발하지 않기 때문에 5세 정도까지 기다린 후 교정이 안되면 수술한다. ★
  단, 예외로는,

① 결손의 크기가 클 때 (>2cm)
② incarceration의 병력
③ 큰 피부주둥이 (proboscis)가 있을 때
④ VP (ventriculoperitoneal) shunt를 지닌 경우

위의 경우는 더 빨리 수술할 수 있다.

외과적으로 교정 가능한 호흡부전

■ Congenital Diaphragmatic Hernia

- M>F (1.25배), 정상체중아. Lt.>Rt.(20%). 생존율 60-70% 10%에서 sac이 존재한다.
- 종류

Bochdalek's herina	Morgagni's hernia
횡격막의 뒤가쪽에 발생	횡격막의 앞안쪽에 발생

(그림) 선천성 횡격막 탈장의 종류

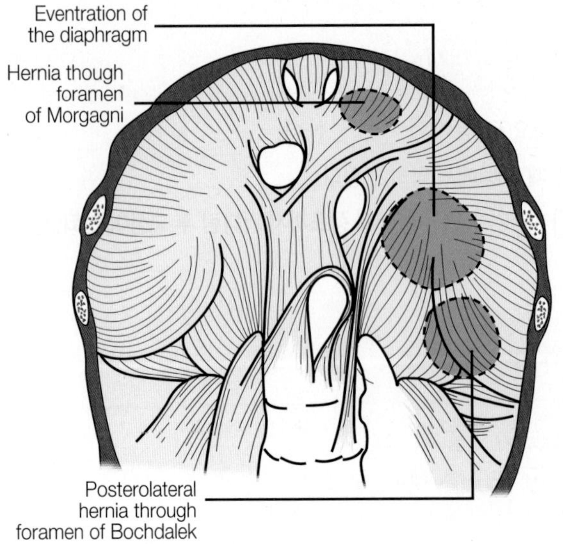

- **생존율 및 이환율을 결정하는 2가지 인자. ★**
  - a. **폐저형성증** (Pulmonary hypoplasia; 환측이 더 심하지만 양측에 모두 나타남)
  - b. **폐고혈압** (Pulmonary hypertension)
    - cf) 동반된 선천성질환 및 염색체이상도 예후에 중요한 영향을 미친다.

① 임상양상 ★

- 심한 저산소혈증으로 인한 호흡부전증상 (호흡곤란, 빈호흡, 청색증)
- 흉부의 전후직경이 넓어지고, 복부가 scaphoid함.
- 특징적 임상양상들

a. **생후 즉시** 심한 호흡부전이 나타나는 경우 → 폐저형성증이 생명을 위협할 정도로 심하다.
b. **생후 수시간 동안 문제 없다가** 갑자기 호흡부전이 나타나는 경우 (m/c) → ECLS의 적응증
c. **생후 24시간 이후** 증상이 나타나는 경우 (10~20%) → 수유곤란, 만성호흡부전, 폐렴 및 장폐색이 나타남. 예후가 가장 좋다.

② 진단

• 대개는 출생 전 초음파검사에서 진단됨. 술후 단순흉부사진에서 위가스음영 및 장 loop가 가슴에 보이면 진단 가능함.

③ 치료

a. **술전관리**

- 기관내 삽관, L튜브 삽입
  cf) 인공호흡으로 인한 기흉이 반대편 폐에서 자주 발생하며 이 경우 세침을 이용한 감압을 시도한다.
- 인공호흡기의 설정
  : permissive hypercapnea, stable hypoxemia
  └ preductal SaO_2 〉80%
- 수술시기는 **환아가 안정화된 이후 (1-3일 경과 후)**가 좋다.

b. **수술**

- 복부 subcostal incision을 가하여 탈장을 교정한 뒤 횡격막을 interrupted, nonabsorbable suture 한다.
  [복강내 접근법의 장점]
  i) 복강내로 내장을 조심스럽게 reduction 가능
  ii) Ladd band lysis 용이

④ 술후 경과

• 수술후 생존한 환아에서 **신경학적 합병증**의 빈도가 높다.
  └ 운동 및 인지장애, 경련, 청력소실

 추가노트

☞ • 특수한 경우에 필수적으로 사용되어지고 있으나 이것으로 생존률 향상은 없다.
• 먼저 venovenous ECMO 시행 (int. jugular vein) 10−15%에서 venoarterial ECMO로 전환 (int. jugular vein과 Rt. common carotid artery)

Meckel's Diverticulum ★

1. 특징

- **구성** : Vitelline duct remnant, **ectopic gastric mucosa** 함유
- **위치** : Antimesenteric border, IC valve 상방 **60㎝** 이내

2. 합병증

① **소화성궤양 및 출혈** (22%) : 무통성 직장출혈 (양이 많을 수 있다) ② **장 폐색** (13%) : int. hernia 발생으로 인해 ③ **염증** (2%) ④ **장중첩증** (〈 1%)

3. 진단

① 99m Tc-scan : 위점막에 선별적으로 결합함.

→ Ectopic mucosa가 intestinal duplication에도 있을 수 있다 (DDx).

② 1ml/min 이상 출혈시 혈관촬영술로도 보인다.

4. 치료 ★

- **절제** (Wedge or segmental)

Biliary tract disorder

■ 담도폐쇄증 (Biliary Atresia)

① **특징**

- 점차 진행되는 간내 및 간외담도의 폐쇄
  → 적절하게 치료하지 않으면 2년내에 담즙성 간경화, 문맥압고혈압 및 사망하게 된다.
- 조직학적으로 i) 담도의 증식, ii) 심한 담즙울혈 및 iii) 염증세포 침윤이 나타난다.
  → 신생아 간염과 구분되는 특징!

② 진단

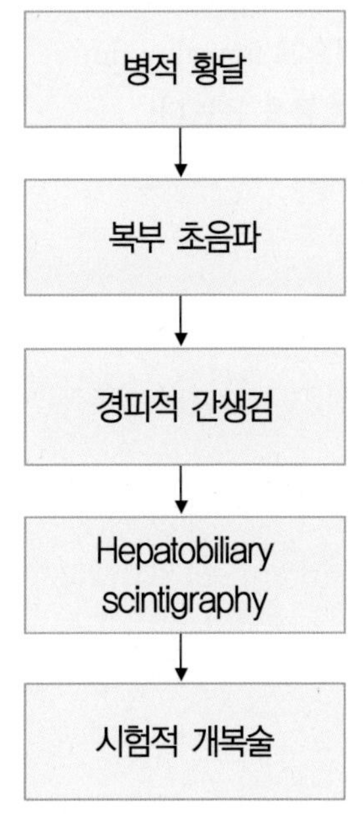

• direct bilirubin이 2.0mg/dl이거나 전체 bilirubin의 15% 이상일때
• 조기(생후 60일 이내)에 발견치료시 예후가 좋다.

• [특징적 소견] 담낭은 위축되어 있거나 존재하지 않고 간외담도도 보이지 않는다.

• 정확도 90%

• 이상의 방법으로도 불분명할 때 시행한다.
• 정상적으로 간에 uptake되지만 장으로 배출되지 않을 때 진단할 수 있다.

• 확진이 목적이다. cholecystocholangiography로 담도의 patency 확인

③ 치료

• 진단적 개복하여 확진되면 바로 Kasai hepatoportoenterostomy를 시행한다.

– 원위담도를 간피막 level까지 dissection하여 담낭과 함께 절제한 뒤 Roux-en-Y jejunal limb을 연결한다.

(그림) Kasai hepatoportoenterostomy

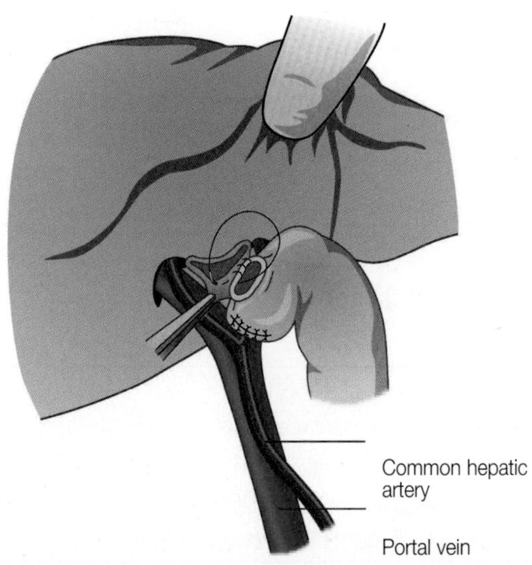

• **나이가 많고** 술전조직검사에서 bridging fibrosis소견이 보이는 환아는 **간이식**을 시행하는 것이 좋다.

④ **수술 후 경과**

- Kasai수술후 **적절한 담즙**이 나오는지가 (〉6mg/dl/day) 수술의 성공도를평가할 수 있는 소견이다.
- methylprednisolone으로 염증을 억제하고, 감염질환의 예방을 위해 장기적으로 trimethoprim-sulfamethoxazole, 경구용 이담제(ursodeoxycholic acid)을 복용하여 담즙흐름을 돕는다.
- Kasai 수술 후 합병증은 i) <u>담도염</u> 및 ii) <u>진행하는 간부전</u>이다.
  - 담도염 └ 보통 보존적치료
  - 진행하는 간부전 └ 간이식필요

■ 총담관낭 (Choledochal Cyst)

1. 특징

- M〈F(4배) Triad (상복부 동통, 황달, 복부종괴)- 50%에서 나타남.
- **조직특징** : Epithelium이 없다.
- 합병증 : 담도염, 간경화, 담석증 및 <u>담도암</u>
  - 담도암 └ 20년 후 16%에서 발생

2. 유형

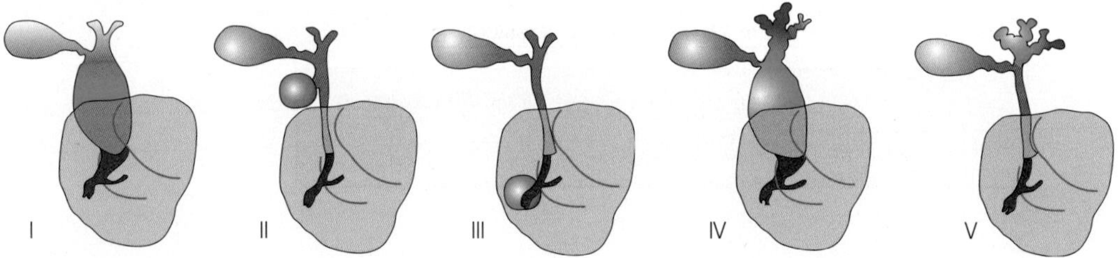

3. 진단

- Ultrasonography & 99mTc-DISIDA scan
- PTC, ERCP : 도움이 되지만, 대부분의 경우 불필요하다.

4. 치료

- 각 Type에 따라 수술 방법이 달라진다.

① I형, II형	→ 낭종전절제 및 Roux-en-Y 간공장 문합술
② III형	→ 십이지장을 열고 낭종절제후 pancreatobiliary duct를 십이지장점막에 재건한다.
③ IV형	→ hilar부위까지 박리하여 간외담도를 모두 제거한 뒤 담도공장문합을 한다. 간내낭종이 한엽에 국한되어 있으면 그 간엽을 함께 절제한다.
④ V형	→ 경간적 (혹은 U자) 도관을 삽입한 후 간이식을 기다린다.

소아의 고형암

■ 신경모세포종 (Neuroblastoma)

- 소아에서 **가장 흔한** 복부종양임. 발병 평균연령 2세
- 일부 소아에선 병이 급속히 진행하며, 1세 이하에선 저절로 소실되기도 한다.
- 25%에선 절제 가능한 단독병변을 지니지만, 대부분은 절제 불가능한 상태로 발견된다.

1. 기원

① 신경능선 (neural crest) 기원

② **교감신경절 및 부신수질이 있는 부위**라면 어디라도 발생 가능

└ 목 (5%), 후종격동 (20%), 골반 (3%)
paraaortic paraspinal ganglia (24%), 부신수질 (50%)

2. 증상

① **부위에 따른 증상**

부위	증상
복부	• 옆구리에서 기시하여 복부중앙부위를 가로지르는 고정되며 소엽상의 (lobulated) 종괴 • 주변조직을 누르므로 복통, 복부팽만 및 비뇨기장애가 생길 수 있다.
목	• 그렁거림 (stridor), 삼킴곤란 (dysphagia)
후종격동	• Horner씨 증후군, 호흡곤란 및 폐렴
골수, 뼈	• 허약, 부종, 빈혈 및 걷지 못함.
안구주위	• 안구돌출, raccoon eyes
간	• 간비대, 호흡곤란
피부	• blueberry muffin 모양

② Paraneoplastic Syndrome

- Dancing eyes & feet syndrome
  : 소뇌조화운동불능 (cerebellar ataxia), 비수의운동 및 안구진탕(nystagmus)
- 설사 (∵ VIP분비), 고혈압

3. 진단

① spot urine

→ 카테콜라민의 대사산물인 homovanillic acid, vanillylmandelic acid조사

※ **ferritin, LDH 및 NSE (neuron-specific enolase) 상승시 예후가 좋지 않다.**

② 복부 CT & MRI. 이외에도 흉부CT, 뼈스캔 및 MIBG 스캔을 시행하여 전이 여부를 알아본다.

③ 골수 흡입 및 생검

④ 확진을 위해 수술이나 미세침을 이용하여 조직을 얻어야 한다.

[조직을 통한 예후]

- N- myc 종양유전자 발현시 예후 좋지 않다.
- Diploid tumor시도 좋지 않은 예후
- TRK 원발암유전자 (protooncogene)발현시 예후가 좋다.
- MRP (multidrug resistant-associated protein)발현시 예후 좋지 않음
- 세포분화도를 고려한 Shimada조직분류법으로 예후 판정 가능하다.

4. 치료 (multimodality therapy)

① 절제 가능한 경우 원발종양 및 림프절 **모두를 제거**한다.

② 대부분은 절제 불가능하며 이 경우는

개복하여 **절개생검**시행후 **항암방사선 보조요법**후 2nd look op시행

※ 종양이 **국소적**일 때 및 종양이 진행되었더라도 환아가 **1세 이하**이며 **조직소견이 양호**할 때 예후는 양호하다.

(표) 신경모세포종의 예후인자

위험도	병기	인자
낮은 위험	1기	
	2기	〈 1세
		〉 1세, low N-myc
		〉 1세, amplified N-myc, favorable histology
	4S기	Favorable biology
중등도 위험	3기	〈 1세, low N-myc
		〉 1세, favorable biology
	4기	〈 1세, low N-myc
	4S기	Low N-myc
높은 위험	2기	〉 1세, all unfavorable biology
	3기	〈 1세, amplified N-myc
		〉 1세, any unfavorable biology
	4기	〈 1세, amplified N-myc
		〉 1세
	4S기	Amplified N-myc

■ Wilms' Tumor

① 특징

• 신장기원의 embryonal tumor. 1-5세에서 가장 많이 발견되며, 양측 신장을 모두 침범한 경우가 13%이다.

② 유전자조사

a. WT1

- 11번 염색체에 위치함
- 이염색체는 Wilms씨 종양뿐만 아니라 **잠복고환 및 음경밑열림증** (hypospadia)와도 관련있어 이 질환들이 동반되어 나타날 수 있다.
  또한 **무홍채증** (aniridia)과 관련된 유전자도 가까이 위치하고 있어 무홍채증도 같이 나타날 수 있다.

b. WT2

- 역시 11번 염색체에 위치
- **Beckwith-Wiedemann 증후군**에 관련된 유전자와 같이 있어 동반 가능하다.
  └ 배꼽탈출 (Omphalocele), visceromegaly, 큰혀증 (macroglossia), 저혈당

③ **임상 양상**

- 촉진되는 복부 종괴
- **고혈압** (25%), **혈뇨** (15%), 기타 위에서 언급한 동반 질환들

④ **진단**

- 초기 검사론 복부초음파가 적합
  신경아세포종과 감별하기 위해 소변에서의 카테콜라민 측정을 할 수 있다.
- 술전 평가 – CT or MRI
- 시험개복술을 시행하여 병기를 확정해야 한다.

⑤ **치료**

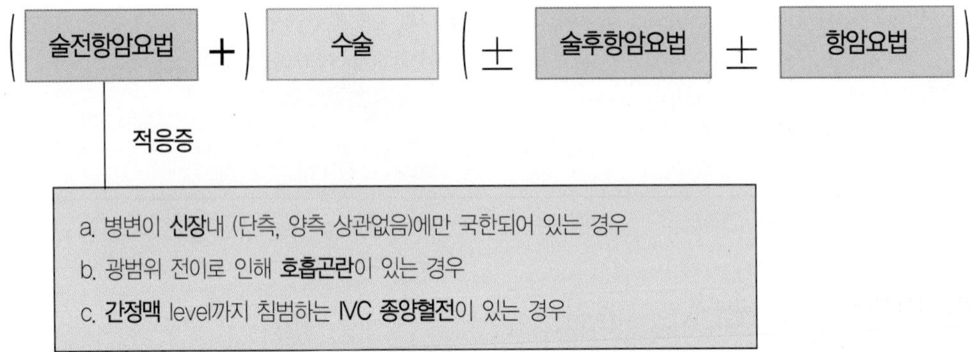

(술전항암요법 +) 수술 (± 술후항암요법 ± 항암요법)
적응증
a. 병변이 신장내 (단측, 양측 상관없음)에만 국한되어 있는 경우
b. 광범위 전이로 인해 호흡곤란이 있는 경우
c. 간정맥 level까지 침범하는 IVC 종양혈전이 있는 경우

- **수술**은 근치적 신장요도절제술을 시행하며 반대편신장에 종양여부를 반드시 확인해야 한다.
- 수술 시의 조직소견이 기초가 되어 **항암방사선요법**을 병행하여 전체 85% 이상의 생존율을 얻을 수 있다.

■ 횡문근육종 (Rhabdomyosarcoma)

① **특징**

- 골격근에서 유래한 연부조직 악성종양
- **흔한부위 : 두경부, 비뇨생식기계 및 상하지** 〉 몸통, 소화기계, 흉곽내
- 예후 : **환아 나이, 부위, 병변진행정도** 및 조직소견이 결정한다.

나이	부위	조직소견
• 10세 이하가 예후가 좋다	• 예후가 좋은 부위 : 안와, 두경부 (nonparameningeal) 비뇨생식기계 (방광 및 전립선 제외) 담도계	• 예후가 좋은 순으로, Botryoid, spindle 아형 〉 embryonal, pleomorphic 아형 〉 alveolar, 미분화형

② 진단

- CT or MRI
- 절개생검하여 조직으로 진단한다.

③ 치료 (multimodality therapy)

- 수술 → 항암방사선요법 → 2nd look op

■ 간종양

① 종류

간모세포종 (Hepatoblastoma)	간세포암 (Hepatocellular carcinoma)
• 3세 이하에서 발생 • 보통 **unifocal** • β-catenin 유전자 변이와 관련 반비대 (Hemihypertrophy), 극저체중아, Beck-with-Wiedemann증후군과 관련됨. • αFP 증가함. • 전체 생존율 70%	• 소아의 어느 연령에서도 가능 • **침윤성**이며 **multifocal** • 주산기 B형 혹은 C형간염바이러스 감염, Met변이, tyrosemia 담도성간경화 및 α1-antitrypsin 결핍과 관련됨. • αFP 증가함. • 전체 생존율 25%

② 치료

- negative surgical margin을 확보한 일차종양에 대한 완전절제
- 간모세포종의 경우 원발전이 (ex폐전이)가 있어도 절제할 수 있으면 절제한다.
- 절제 불가능할 경우 간이식을 고려한다.

■ 기형종 (Teratoma)

- 적어도 **세 배엽중 두개 이상의 배엽에서 유래**한 조직을 지니며 발생되는 위치에 해당되지 않은 조직을 지니는 종양
- 위치 : **영아기 및 소아 초기**엔 **생식기**밖에 발생, **소아 후기부턴 생식기**에 발생함
  - └ 신체의 paraxial or midline locations

1. 천미골 기형종 (Sacrococcygeal Teratoma)

① 신생아 시기에 발견됨. M<F (4배).

② 밖으로 돌출된 presacral mass 형성함. 하지만 돌출병변이 있지 않을 수도 있으므로 **직장수지검사**로 정상적인 presacral region이 있는지 확인해야 한다.

③ 대부분은 양성임

악성은 진단시기와 관련되며, 남성에서 더 많다.

└ Endodermal sinus tumor (Yolk sac tumor), Embryonal carcinoma

: 혈청 αFP, β-HCG가 증가할 수 있다.

④ **치료**

- 생후 첫주에, chevron (inverted V)모양의 buttock incision을 가하여 종괴를 절제 이때 가장 중요하는 건 재발을 막기 위해 **"미골 (coccyx)을 절제"** 해야 한다.

  종양으로 혈액을 공급하는 **middle sacral a. 및 hypogastric a.의 분지를 찾아서 결찰**해야 한다.

2. 난소 기형종

① 소아의 모든 난소암 중 50% 이상 차지, 5-16세

② **진단**

- **증상** : Torsion (25%)
- 단순복부사진에서 석회화 (50%)가 보일 수 있다.

  복부초음파 및 CT로 발견할 수 있고 **혈청** αFP, β-HCG가 높으면 악성을 의심한다.

③ **치료** : 절제 (salpingo-oophorectomy) 및 림프절생검 (pelvic, retroperitoneal), 복수 세포검사